풍산자
반복
수학

미적분

구성과 특징

풍산자 반복수학
이렇게 특별합니다.

1

한 권으로 기본 개념과
연산 실력 완성!

• 개념과 연산을 동시에 학습할 수 있도록 구성하여 기본 실력 완성
• 개념과 연산 유형의 집중학습으로 수학 실력을 쌓고 자신감을 기르며 실전에서는 킬러 문제에 시간을 할애

2

소단원별로 분석하여 체계적이고
최적인 주제별 구성!

• 소단원별로 학습 이해의 흐름에 맞춰 주제별 개념과 연산 유형을 체계적으로 학습
• 주제별 개념과 연산 학습으로 빈틈없는 기본 실력 향상

3

스스로 쉽게 학습할 수 있는
문제 연결 학습법!

• 개념과 공식 등을 이용하여 바로바로 적용하여 풀 수 있도록 구성하여 수학의 기본 개념과 연산을 스스로 완성
• 개념 정리부터 연산 유형까지 풀면서 저절로 원리를 터득

정확하고 빠른 풀이를 위한 반복 훈련서

풍산자 반복수학
이렇게 구성하였습니다.

❶ 주제별 개념 정리와 연산 유형

• 주제별로 중요한 개념 정리와 문제 풀이에 도움이 되는 참고, 보기, 보충 설명 제시
• 빈틈없는 개념과 연산학습이 이루어지도록 체계적으로 연산 유형 분류
• ■ 풍쌤 POINT 에서 연산 학습의 비법, 공식 등을 다시 한번 체크

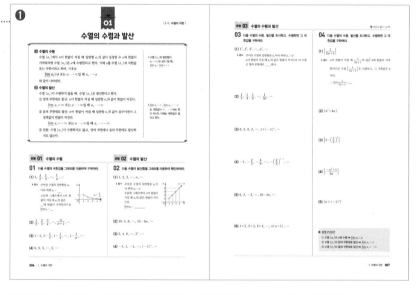

❷ 중단원 점검문제

• 실력을 점검하여 취약한 개념, 연산을 스스로 체크하고 보충 학습이 가능하도록 구성

❸ 정답과 풀이

• 문제 해결 과정이 보이는 자세하고 쉬운 풀이 제공

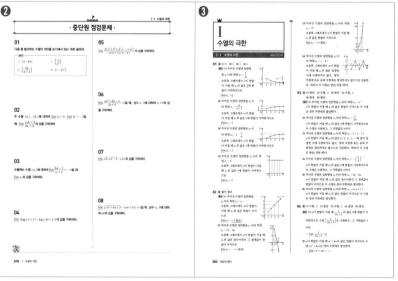

차례

I
수열의 극한

01

수열의 수렴과 발산

1 수열의 수렴

수열 $\{a_n\}$에서 n이 한없이 커질 때 일반항 a_n의 값이 일정한 수 α에 한없이 가까워지면 수열 $\{a_n\}$은 α에 수렴한다고 한다. 이때 α를 수열 $\{a_n\}$의 극한값 또는 극한이라고 하며, 기호로

$$\lim_{n \to \infty} a_n = \alpha \text{ 또는 } n \longrightarrow \infty \text{일 때 } a_n \longrightarrow \alpha$$

와 같이 나타낸다.

▶ 수열 $\{a_n\}$의 일반항이 $a_n = c$ (c는 상수)일 때,
$$\lim_{n \to \infty} a_n = \lim_{n \to \infty} c = c$$

2 수열의 발산

수열 $\{a_n\}$이 수렴하지 않을 때, 수열 $\{a_n\}$은 발산한다고 한다.

① 양의 무한대로 발산: n이 한없이 커질 때 일반항 a_n의 값이 한없이 커진다.

$$\lim_{n \to \infty} a_n = \infty \text{ 또는 } n \longrightarrow \infty \text{일 때 } a_n \longrightarrow \infty$$

② 음의 무한대로 발산: n이 한없이 커질 때 일반항 a_n의 값이 음수이면서 그 절댓값이 한없이 커진다.

$$\lim_{n \to \infty} a_n = -\infty \text{ 또는 } n \longrightarrow \infty \text{일 때 } a_n \longrightarrow -\infty$$

③ 진동: 수열 $\{a_n\}$이 수렴하지도 않고, 양의 무한대나 음의 무한대로 발산하지도 않는다.

▶ $\lim\limits_{n \to \infty} a_n = \infty$, $\lim\limits_{n \to \infty} a_n = -\infty$ 는 극한값이 ∞, $-\infty$라는 뜻이 아니다. 이때는 극한값이 없다고 한다.

유형·01 수열의 수렴

01 다음 수열의 극한값을 그래프를 이용하여 구하여라.

(1) $1, \dfrac{1}{2}, \dfrac{1}{3}, \cdots, \dfrac{1}{n}, \cdots$

> **풀이** 주어진 수열의 일반항을 a_n
> 이라 하면 $a_n = $ ___
> 오른쪽 그래프에서 n이 한
> 없이 커질 때 a_n의 값은
> ___ 에 한없이 가까워지므로
> $\lim\limits_{n \to \infty} a_n = $ __

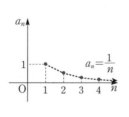

(2) $\dfrac{1}{2}, \dfrac{2}{3}, \dfrac{3}{4}, \cdots, \dfrac{n}{n+1}, \cdots$

(3) $1-1, 1-\dfrac{1}{2}, 1-\dfrac{1}{3}, \cdots, 1-\dfrac{1}{n}, \cdots$

(4) $5, 5, 5, \cdots, 5, \cdots$

유형·02 수열의 발산

02 다음 수열이 발산함을 그래프를 이용하여 확인하여라.

(1) $1, 2, 3, \cdots, n, \cdots$

> **풀이** 주어진 수열의 일반항을 a_n이
> 라 하면 $a_n = n$
> 오른쪽 그래프에서 n이 한없이
> 커질 때 a_n의 값은 한없이 커지
> 므로
> $\lim\limits_{n \to \infty} a_n = $ _____

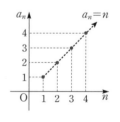

(2) $10, 5, 0, \cdots, 15-5n, \cdots$

(3) $2, 4, 8, \cdots, 2^n, \cdots$

(4) $-1, 1, -1, \cdots, (-1)^n, \cdots$

정답과 풀이 002쪽

03 다음 수열의 수렴, 발산을 조사하고, 수렴하면 그 극한값을 구하여라.

(1) 1^2, 2^2, 3^2, $\cdots$, n^2, $\cdots$

> 풀이 주어진 수열의 일반항을 a_n이라 하면 $a_n = n^2$
>
> n이 한없이 커질 때 a_n의 값은 한없이 커지므로 이 수열은 양의 무한대로 _____ 한다.

(2) $\dfrac{1}{2}$, $\dfrac{1}{4}$, $\dfrac{1}{6}$, $\cdots$, $\dfrac{1}{2n}$, $\cdots$

(3) 0, 2, 0, 2, $\cdots$, $1+(-1)^n$, $\cdots$

(4) -1, $-\dfrac{2}{3}$, $-\dfrac{4}{9}$, $\cdots$, $-\left(\dfrac{2}{3}\right)^{n-1}$, $\cdots$

(5) 6, 2, -2, $\cdots$, $10-4n$, $\cdots$

(6) 1×2, 2×3, 3×4, $\cdots$, $n(n+1)$, $\cdots$

04 다음 수열의 수렴, 발산을 조사하고, 수렴하면 그 극한값을 구하여라.

(1) $\left\{\dfrac{1}{2n+1}\right\}$

> 풀이 n이 한없이 커질 때 $\dfrac{1}{2n+1}$의 값은 0에 한없이 가까워지므로 수열 $\left\{\dfrac{1}{2n+1}\right\}$은 수렴하고, 그 극한값은 0이다.
>
> $\therefore \displaystyle\lim_{n\to\infty}\dfrac{1}{2n+1} = \text{—}$

(2) $\{n^2+4n\}$

(3) $\left\{2-\left(\dfrac{1}{5}\right)^n\right\}$

(4) $\left\{\dfrac{-n^2+1}{3n}\right\}$

(5) $\{n\times(-1)^n\}$

■ 풍쌤 POINT

① 수열 $\{a_n\}$이 α에 수렴 ➡ $\displaystyle\lim_{n\to\infty}a_n=\alpha$

② 수열 $\{a_n\}$이 양의 무한대로 발산 ➡ $\displaystyle\lim_{n\to\infty}a_n=\infty$

③ 수열 $\{a_n\}$이 음의 무한대로 발산 ➡ $\displaystyle\lim_{n\to\infty}a_n=-\infty$

수열의 극한에 대한 성질

1 수열의 극한에 대한 성질

두 수열 $\{a_n\}$과 $\{b_n\}$이 수렴하고 $\lim\limits_{n\to\infty} a_n=\alpha$, $\lim\limits_{n\to\infty} b_n=\beta$ (α, β는 실수)일 때

① $\lim\limits_{n\to\infty}(a_n+b_n)=\lim\limits_{n\to\infty} a_n+\lim\limits_{n\to\infty} b_n=\alpha+\beta$

② $\lim\limits_{n\to\infty}(a_n-b_n)=\lim\limits_{n\to\infty} a_n-\lim\limits_{n\to\infty} b_n=\alpha-\beta$

③ $\lim\limits_{n\to\infty} ca_n=c\lim\limits_{n\to\infty} a_n=c\alpha$ (단, c는 상수)

④ $\lim\limits_{n\to\infty} a_nb_n=\lim\limits_{n\to\infty} a_n\times\lim\limits_{n\to\infty} b_n=\alpha\beta$

⑤ $\lim\limits_{n\to\infty}\dfrac{a_n}{b_n}=\dfrac{\lim\limits_{n\to\infty} a_n}{\lim\limits_{n\to\infty} b_n}=\dfrac{\alpha}{\beta}$ (단, $b_n\neq0$, $\beta\neq0$)

▶수열의 극한에 대한 성질은 두 수열이 모두 수렴하는 경우에만 성립한다.

보기 $\lim\limits_{n\to\infty}\left(\dfrac{3}{n}+1\right)$
$=3\lim\limits_{n\to\infty}\dfrac{1}{n}+\lim\limits_{n\to\infty} 1$
$=3\times0+1=1$

유형·04 수열의 극한에 대한 성질

🏆 정답과 풀이 003쪽

05 $\lim\limits_{n\to\infty} a_n=1$, $\lim\limits_{n\to\infty} b_n=-2$일 때, 다음 극한값을 구하여라.

(1) $\lim\limits_{n\to\infty}(a_n+b_n)$

▶풀이 $\lim\limits_{n\to\infty}(a_n+b_n)=\lim\limits_{n\to\infty} a_n+\lim\limits_{n\to\infty} b_n$
$=1+-2$
$=\underline{\quad}$

(2) $\lim\limits_{n\to\infty}(a_n-b_n)$

(3) $\lim\limits_{n\to\infty} a_nb_n$

(4) $\lim\limits_{n\to\infty}\dfrac{a_n}{b_n}$

06 $\lim\limits_{n\to\infty}\dfrac{1}{n}=0$임을 이용하여 다음 극한값을 구하여라.

(1) $\lim\limits_{n\to\infty}\left(3+\dfrac{4}{n}\right)$

▶풀이 $\lim\limits_{n\to\infty}\left(3+\dfrac{4}{n}\right)=\lim\limits_{n\to\infty} 3+4\lim\limits_{n\to\infty}\dfrac{1}{n}$
$=3+4\times0$
$=\underline{\quad}$

(2) $\lim\limits_{n\to\infty}\left(5-\dfrac{1}{n}\right)$

(3) $\lim\limits_{n\to\infty}\left(1+\dfrac{3}{n}\right)\left(1-\dfrac{3}{n}\right)$

(4) $\lim\limits_{n\to\infty}\dfrac{4+\dfrac{2}{n}+\dfrac{1}{n^2}}{2-\dfrac{5}{n}}$

📏 **풍쌤 POINT**

$\lim\limits_{n\to\infty} a_n=\alpha$, $\lim\limits_{n\to\infty} b_n=\beta$ (α, β는 실수)이면 실수 p, q에 대하여

$\lim\limits_{n\to\infty}(pa_n+qb_n)=p\alpha+q\beta$

수열의 극한값

❶ $\dfrac{\infty}{\infty}$ 꼴의 극한

분모의 최고차항으로 분모, 분자를 각각 나눈다.

① (분모의 차수)＝(분자의 차수): 극한값은 $\dfrac{(분자의\ 최고차항의\ 계수)}{(분모의\ 최고차항의\ 계수)}$

② (분모의 차수)＞(분자의 차수): 극한값은 0

③ (분모의 차수)＜(분자의 차수): ∞ 또는 $-\infty$로 발산

❷ $\infty-\infty$ 꼴의 극한

① 다항식의 극한: 최고차항으로 묶어서 $\infty\times$(상수) 꼴로 나타낸다.

② 무리식의 극한: 근호($\sqrt{\ }$)가 있는 쪽을 유리화하여 $\dfrac{\infty}{\infty}$ 꼴로 나타낸다.

> ▶ $\dfrac{\infty}{\infty}\neq1$, $\infty-\infty\neq0$임에 주의한다.

유형·05 $\dfrac{\infty}{\infty}$ 꼴의 극한

📖 정답과 풀이 003쪽

07 다음 극한값을 구하여라.

(1) $\displaystyle\lim_{n\to\infty}\dfrac{n-1}{2n+1}$

> ▶ 풀이 n으로 분모, 분자를 각각 나누면
>
> $$\lim_{n\to\infty}\dfrac{n-1}{2n+1}=\lim_{n\to\infty}\dfrac{1-\dfrac{1}{n}}{2+\dfrac{1}{n}}=\underline{\quad}$$

(2) $\displaystyle\lim_{n\to\infty}\dfrac{4n^2+3}{3n^2+n}$

(3) $\displaystyle\lim_{n\to\infty}\dfrac{-3n+2}{(n+1)(n+3)}$

(4) $\displaystyle\lim_{n\to\infty}\dfrac{\sqrt{n}}{\sqrt{n+2}+\sqrt{n}}$

08 다음 극한값을 구하여라.

(1) $\displaystyle\lim_{n\to\infty}\dfrac{1+2+3+\cdots+n}{n^2}$

> ▶ 풀이 $1+2+3+\cdots+n=\displaystyle\sum_{k=1}^{n}k=\dfrac{n(n+1)}{2}$이므로
>
> $$\lim_{n\to\infty}\dfrac{1+2+3+\cdots+n}{n^2}=\lim_{n\to\infty}\underline{\qquad}=\underline{\quad}$$

(2) $\displaystyle\lim_{n\to\infty}\dfrac{n^3}{1^2+2^2+3^2+\cdots+n^2}$

(3) $\displaystyle\lim_{n\to\infty}\dfrac{n}{\left(1+\dfrac{1}{2}\right)\left(1+\dfrac{1}{3}\right)\left(1+\dfrac{1}{4}\right)\cdots\left(1+\dfrac{1}{n+1}\right)}$

■ 풍쌤 POINT

$\dfrac{\infty}{\infty}$ 꼴의 극한

➡ 분모의 최고차항으로 분모, 분자를 각각 나눈다.

09 다음 등식이 성립하도록 하는 상수 a의 값을 구하여라.

(1) $\displaystyle\lim_{n\to\infty}\dfrac{an-1}{4n+2}=3$

> 풀이 $\displaystyle\lim_{n\to\infty}\dfrac{an-1}{4n+2}=\lim_{n\to\infty}\dfrac{a-\dfrac{1}{n}}{4+\dfrac{2}{n}}=\dfrac{a}{4}$
>
> 즉, $\underline{\quad}=3$이므로 $a=\underline{\quad}$

(2) $\displaystyle\lim_{n\to\infty}\dfrac{2(2n+3)(n-2)}{an^2+1}=1$

(3) $\displaystyle\lim_{n\to\infty}\dfrac{an^2-2n+3}{(n+4)^2}=-2$

10 다음 등식이 성립하도록 하는 상수 a, b의 값을 구하여라.

(1) $\displaystyle\lim_{n\to\infty}\dfrac{an^2+bn+1}{2n-3}=2$

(2) $\displaystyle\lim_{n\to\infty}\dfrac{bn^2-4n+3}{an^3+n^2-1}=-3$

(3) $\displaystyle\lim_{n\to\infty}\dfrac{(a+b)n^2+bn}{\sqrt{9n^2+4n+1}}=\dfrac{1}{6}$

11 다음 극한을 조사하여라.

(1) $\displaystyle\lim_{n\to\infty}(n^2-2n)$

> 풀이 $\displaystyle\lim_{n\to\infty}(n^2-2n)=\lim_{n\to\infty}n^2\left(1-\dfrac{2}{n}\right)$
>
> 이때 $\displaystyle\lim_{n\to\infty}n^2=\infty$, $\displaystyle\lim_{n\to\infty}\left(1-\dfrac{2}{n}\right)=1$이므로
>
> $\displaystyle\lim_{n\to\infty}(n^2-2n)=\underline{\quad}$

(2) $\displaystyle\lim_{n\to\infty}n\left(n-\dfrac{1}{5}n^2\right)$

(3) $\displaystyle\lim_{n\to\infty}\left(n-\sqrt{n^2+1}\right)$

(4) $\displaystyle\lim_{n\to\infty}\dfrac{1}{\sqrt{n+3}-\sqrt{n}}$

(5) $\displaystyle\lim_{n\to\infty}\dfrac{1}{\sqrt{n(n+4)}-n}$

■ 풍쌤 POINT

$\dfrac{\infty}{\infty}$ 꼴의 극한값이 0이 아닌 값으로 수렴

➡ 분모와 분자의 차수가 같아야 하고, 극한값은 최고차항의 계수의 비이다.

유형·08 $\infty-\infty$ 꼴의 미정계수의 결정

12 다음 극한값을 구하여라.

(1) $\lim\limits_{n\to\infty}(\sqrt{n+2}-\sqrt{n+1})$

> 풀이 $\lim\limits_{n\to\infty}(\sqrt{n+2}-\sqrt{n+1})$
>
> $=\lim\limits_{n\to\infty}\dfrac{(\sqrt{n+2}-\sqrt{n+1})(\sqrt{n+2}+\sqrt{n+1})}{\sqrt{n+2}+\sqrt{n+1}}$
>
> $=\lim\limits_{n\to\infty}\dfrac{1}{\sqrt{n+2}+\sqrt{n+1}}$
>
> $=\underline{\quad}$

(2) $\lim\limits_{n\to\infty}(\sqrt{n^2+2n}-\sqrt{n^2-2n})$

(3) $\lim\limits_{n\to\infty}(\sqrt{n^2+n+1}-n)$

(4) $\lim\limits_{n\to\infty}\dfrac{1}{\sqrt{n^2+4n}-n}$

■ 풍쌤 POINT

$\infty-\infty$ 꼴의 극한

➡ 다항식은 최고차항으로 묶어 $\infty\times$(상수) 꼴로 변형하고,

무리식은 근호가 있는 쪽을 유리화하여 $\dfrac{\infty}{\infty}$ 꼴로 변형한다.

13 다음 등식이 성립하도록 하는 상수 a의 값을 구하여라.

(1) $\lim\limits_{n\to\infty}(\sqrt{n^2+an}-n)=1$

> 풀이 (좌변)$=\lim\limits_{n\to\infty}\dfrac{(\sqrt{n^2+an}-n)(\sqrt{n^2+an}+n)}{\sqrt{n^2+an}+n}$
>
> $=\lim\limits_{n\to\infty}\dfrac{an}{\sqrt{n^2+an}+n}=\dfrac{a}{2}$
>
> 즉, $\dfrac{a}{2}=\underline{\quad}$ 이므로 $a=\underline{\quad}$

(2) $\lim\limits_{n\to\infty}\dfrac{a}{\sqrt{4n^2-n}-2n}=-3$

(3) $\lim\limits_{n\to\infty}(\sqrt{n^2+an}-\sqrt{n^2+3})=\dfrac{1}{2}$

(4) $\lim\limits_{n\to\infty}a\sqrt{n}(\sqrt{2n+1}-\sqrt{2n-1})=2$

■ 풍쌤 POINT

실수 a에 대하여

① $a+\infty=\infty$, $a-\infty=-\infty$

② $a>0$이면 $a\times\infty=\infty$, $a\times(-\infty)=-\infty$

③ $a<0$이면 $a\times\infty=-\infty$, $a\times(-\infty)=\infty$

④ $a=0$이면 $a\times\infty=0$, $a\times(-\infty)=0$

⑤ $\dfrac{a}{\infty}=\dfrac{a}{-\infty}=0$

유형·09 수열의 극한의 변형

14 수렴하는 수열 $\{a_n\}$에 대하여 다음 극한값을 구하여라.

(1) $\lim\limits_{n\to\infty}\dfrac{5a_n-3}{3a_n+2}=2$일 때, $\lim\limits_{n\to\infty}a_n$의 값

> 풀이 $\dfrac{5a_n-3}{3a_n+2}=b_n$으로 놓으면 $a_n=\dfrac{3+2b_n}{5-3b_n}$
>
> 이때 $\lim\limits_{n\to\infty}b_n=2$이므로
>
> $\lim\limits_{n\to\infty}a_n=\lim\limits_{n\to\infty}\dfrac{3+2b_n}{5-3b_n}=$ ____

(2) $\lim\limits_{n\to\infty}\dfrac{3a_n-2}{a_n+1}=-1$일 때, $\lim\limits_{n\to\infty}a_n$의 값

(3) $\lim\limits_{n\to\infty}na_n=5$일 때, $\lim\limits_{n\to\infty}(4n-3)a_n$의 값

(4) $\lim\limits_{n\to\infty}\dfrac{a_n}{3n+5}=-4$일 때, $\lim\limits_{n\to\infty}\dfrac{4a_n}{16n+3}$의 값

(5) $\lim\limits_{n\to\infty}(2n^2+3)a_n=-1$일 때, $\lim\limits_{n\to\infty}n^2a_n$의 값

■ 풍쌤 POINT

$\lim\limits_{n\to\infty}\dfrac{ra_n+s}{pa_n+q}=\alpha$일 때, $\lim\limits_{n\to\infty}a_n$의 값

➡ $\dfrac{ra_n+s}{pa_n+q}=b_n$으로 놓고 a_n을 b_n에 대한 식으로 나타낸 다음, $\lim\limits_{n\to\infty}b_n=\alpha$임을 이용하여 $\lim\limits_{n\to\infty}a_n$의 값을 구한다.

유형·10 수열의 극한의 참, 거짓

15 두 수열 $\{a_n\}$, $\{b_n\}$에 대하여 다음 중 옳은 것에는 ○표, 옳지 않은 것에는 ×표를 하여라.

(1) $\lim\limits_{n\to\infty}a_n=\infty$, $\lim\limits_{n\to\infty}b_n=0$이면 $\lim\limits_{n\to\infty}a_nb_n=0$이다. ( )

> 풀이 [반례] $a_n=n$, $b_n=\dfrac{1}{n}$이면
>
> $\lim\limits_{n\to\infty}a_n=$ ____, $\lim\limits_{n\to\infty}b_n=0$이지만
>
> $\lim\limits_{n\to\infty}a_nb_n$ ____ 0

(2) $\lim\limits_{n\to\infty}a_n=\infty$, $\lim\limits_{n\to\infty}b_n=\infty$이면 $\lim\limits_{n\to\infty}\dfrac{b_n}{a_n}=1$이다.

( )

(3) $\lim\limits_{n\to\infty}a_nb_n=0$이면 $\lim\limits_{n\to\infty}a_n=0$ 또는 $\lim\limits_{n\to\infty}b_n=0$이다.

( )

(4) $\lim\limits_{n\to\infty}b_n=\infty$, $\lim\limits_{n\to\infty}(a_n-b_n)=3$이면 $\lim\limits_{n\to\infty}a_n=\infty$이다.

( )

(5) $\lim\limits_{n\to\infty}a_n=0$, $\lim\limits_{n\to\infty}\dfrac{b_n}{a_n}=1$이면 $\lim\limits_{n\to\infty}(a_n-b_n)=0$이다.

( )

■ 풍쌤 POINT

수열의 극한에 대한 합답형 문제

➡ 극한값을 구하려는 수열은 수렴하는 수열에 대한 식으로 나타내고, 거짓인 명제는 반례를 찾는다.

04

수열의 극한의 대소 관계

1 수열의 극한의 대소 관계

두 수열 $\{a_n\}$, $\{b_n\}$이 수렴하고 $\lim\limits_{n \to \infty} a_n = \alpha$, $\lim\limits_{n \to \infty} b_n = \beta$ (α, β는 실수)일 때,

① 모든 자연수 n에 대하여 $a_n \le b_n$이면 $\alpha \le \beta$

② 수열 $\{c_n\}$이 모든 자연수 n에 대하여 $a_n \le c_n \le b_n$이고 $\alpha = \beta$이면

$$\lim\limits_{n \to \infty} c_n = \alpha$$

참고 두 수열 $\{a_n\}$, $\{b_n\}$에 대하여 $a_n < b_n$이라고 해서 반드시 $\lim\limits_{n \to \infty} a_n < \lim\limits_{n \to \infty} b_n$인 것은 아니다.

즉, $a_n < b_n$이지만 $\lim\limits_{n \to \infty} a_n = \lim\limits_{n \to \infty} b_n$인 경우가 있다.

보기 $a_n = \dfrac{1}{n}$, $b_n = \dfrac{2}{n}$이면 모든 자연수 n에 대하여 $a_n < b_n$이지만 $\lim\limits_{n \to \infty} a_n = \lim\limits_{n \to \infty} b_n = 0$ 이다.

유형·11 수열의 극한의 대소 관계

정답과 풀이 005쪽

16 수열 $\{a_n\}$에 대하여 다음 극한값을 구하여라.

(1) $1 + \dfrac{1}{n} \le a_n \le 1 + \dfrac{2}{n}$일 때, $\lim\limits_{n \to \infty} a_n$의 값

> **풀이** $1 + \dfrac{1}{n} \le a_n \le 1 + \dfrac{2}{n}$에서

$\lim\limits_{n \to \infty}\left(1 + \dfrac{1}{n}\right) = 1$, $\lim\limits_{n \to \infty}\left(1 + \dfrac{2}{n}\right) = 1$이므로

$\lim\limits_{n \to \infty} a_n = $＿

(2) $\dfrac{4n-1}{n+2} \le a_n \le \dfrac{4n+3}{n+2}$일 때, $\lim\limits_{n \to \infty} a_n$의 값

(3) $3 + \dfrac{2}{n^2} \le a_n \le 3 + \dfrac{4}{n^2}$일 때, $\lim\limits_{n \to \infty} a_n$의 값

(4) $2 + \dfrac{n}{n+3} \le a_n \le 2 + \dfrac{n+2}{n+3}$일 때, $\lim\limits_{n \to \infty} 2a_n$의 값

17 수열 $\{a_n\}$에 대하여 다음 극한값을 구하여라.

(1) $n < (n+1)a_n < n+2$일 때, $\lim\limits_{n \to \infty} a_n$의 값

> **풀이** 부등식의 각 변을 $n+1$로 나누면

$\dfrac{n}{n+1} < a_n < \dfrac{n+2}{n+1}$

$\lim\limits_{n \to \infty} \dfrac{n}{n+1} = 1$, $\lim\limits_{n \to \infty} \dfrac{n+2}{n+1} = 1$이므로

$\lim\limits_{n \to \infty} a_n = $＿

(2) $2n^2 + 1 < n^2 a_n < 2n^2 + 3$일 때, $\lim\limits_{n \to \infty} a_n$의 값

(3) $5n^2 - 1 < (2n+1)a_n < 5n^2 + 3$일 때, $\lim\limits_{n \to \infty} \dfrac{a_n}{n}$의 값

■ 풍쌤 POINT

$\lim\limits_{n \to \infty} a_n = \lim\limits_{n \to \infty} b_n = \alpha$ (α는 실수)일 때 모든 자연수 n에 대하여 $a_n \le c_n \le b_n$이면

➡ $\lim\limits_{n \to \infty} c_n = \alpha$

등비수열의 수렴과 발산

1 등비수열 $\{r^n\}$의 수렴과 발산

등비수열 $\{r^n\}$은

① $r>1$일 때, $\lim\limits_{n\to\infty} r^n = \infty$ (발산)

② $r=1$일 때, $\lim\limits_{n\to\infty} r^n = 1$ (수렴)

③ $|r|<1$일 때, $\lim\limits_{n\to\infty} r^n = 0$ (수렴)

④ $r \le -1$일 때, 진동한다. (발산)

> **보기** $\lim\limits_{n\to\infty} 2^n = \infty$
> $\lim\limits_{n\to\infty} \left(\dfrac{1}{3}\right)^n = 0$

유형·12 등비수열의 수렴과 발산

18 다음 등비수열의 수렴, 발산을 조사하여라.

(1) $\{0.5^n\}$

> ▶**풀이** 주어진 등비수열의 공비는 ____이고,
> $-1<$ ____ <1이므로 주어진 수열은 __에 수렴한다.

(2) $\{(-1.1)^n\}$

(3) $\left\{\left(\dfrac{5}{3}\right)^n\right\}$

(4) $\left\{\left(-\dfrac{1}{5}\right)^n\right\}$

(5) $\{(\sqrt{3})^n\}$

19 다음 등비수열의 수렴, 발산을 조사하여라.

(1) $1, -2, 4, -8, \cdots$

> ▶**풀이** 주어진 등비수열의 공비는 ____이고, ____ <-1이므로 주어진 수열은 ____한다.

(2) $\dfrac{2}{3}, \left(\dfrac{2}{3}\right)^2, \left(\dfrac{2}{3}\right)^3, \left(\dfrac{2}{3}\right)^4, \cdots$

(3) $-0.1, -(0.1)^2, -(0.1)^3, -(0.1)^4, \cdots$

(4) $4, 4, 4, 4, \cdots$

(5) $1, \sqrt{2}, 2, 2\sqrt{2}, \cdots$

> **■ 풍쌤 POINT**
> 등비수열 $\{r^n\}$에서
> ① $-1<r\le 1$이면 수렴
> ② $r\le -1$ 또는 $r>1$이면 발산

20 다음 수열의 수렴, 발산을 조사하고, 수렴하면 그 극한값을 구하여라.

(1) $\left\{\dfrac{2^n+1}{3^n+1}\right\}$

> 풀이 3^n으로 분모, 분자를 각각 나누면
> $$\lim_{n\to\infty}\frac{2^n+1}{3^n+1}=\lim_{n\to\infty}\frac{\left(\frac{2}{3}\right)^n+\left(\frac{1}{3}\right)^n}{1+\left(\frac{1}{3}\right)^n}=\underline{\quad}$$
> 따라서 주어진 수열은 ____하고, 그 극한값은 __이다.

(2) $\left\{\dfrac{5^n-1}{4^n}\right\}$

(3) $\left\{\dfrac{4^n+3}{2^{2n}-2}\right\}$

(4) $\left\{\dfrac{2^n-5^n}{2^n+5^n}\right\}$

(5) $\left\{\dfrac{3^{n+1}+(-2)^n}{3^{n+1}-(-2)^n}\right\}$

21 다음 수열의 극한값을 구하여라.

(1) $\left\{\dfrac{2^{n+1}}{2^n+1}\right\}$

> 풀이 2^n으로 분모, 분자를 각각 나누면
> $$\lim_{n\to\infty}\frac{2^{n+1}}{2^n+1}=\lim_{n\to\infty}\frac{2\times2^n}{2^n+1}=\lim_{n\to\infty}\frac{2}{1+\left(\frac{1}{2}\right)^n}=\underline{\quad}$$

(2) $\left\{\dfrac{9^n-3^n}{9^n+3^n}\right\}$

(3) $\left\{\dfrac{2^n-4\times3^n}{2^n+3^n}\right\}$

(4) $\left\{\dfrac{3^{n+1}-2^{2n}}{4^n+3^n}\right\}$

◤ 풍쌤 POINT

r^n을 포함한 수열의 극한

➡ 분모에서 밑의 절댓값이 가장 큰 항으로 분모, 분자를 각각 나눈다.

유형·14 등비수열의 극한

22 다음 극한값을 구하여라.

(1) $\lim\limits_{n\to\infty}\dfrac{3\times 4^n+2}{4^n}$

> 풀이 4^n으로 분모, 분자를 각각 나누면
>
> $$\lim\limits_{n\to\infty}\dfrac{3\times 4^n+2}{4^n}=\lim\limits_{n\to\infty}\dfrac{3+2\times\left(\frac{1}{4}\right)^n}{1}=\underline{\quad}$$

(2) $\lim\limits_{n\to\infty}\dfrac{3^{n+2}}{3^n+2^n}$

(3) $\lim\limits_{n\to\infty}\dfrac{7\times 5^n-3^n}{5^n+3^n+1}$

(4) $\lim\limits_{n\to\infty}\dfrac{4^n+2^n+1}{\left(2^n+1\right)^2}$

(5) $\lim\limits_{n\to\infty}\dfrac{6^n+3^n}{\left(3^n+1\right)\left(2^n+1\right)}$

■ 풍쌤 POINT

수열 $\left\{\dfrac{c^n+d^n}{a^n+b^n}\right\}$ $(a, b, c, d$는 실수$)$ 꼴의 극한값

➡ $|a|>|b|$이면 a^n으로, $|a|<|b|$이면 b^n으로 분모, 분자를 각각 나눈 다음, $|r|<1$이면 $\lim\limits_{n\to\infty}r^n=0$임을 이용한다.

유형·15 공비가 문자로 주어진 등비수열의 극한

23 $r>0$일 때, 수열 $\left\{\dfrac{r^n}{1+r^n}\right\}$의 수렴, 발산을 r의 값의 범위에 따라 조사하여라.

(1) $0<r<1$일 때

> 풀이 $0<r<1$일 때, $\lim\limits_{n\to\infty}r^n=\underline{\quad}$이므로
>
> $$\lim\limits_{n\to\infty}\dfrac{r^n}{1+r^n}=\underline{\quad}$$

(2) $r=1$일 때

(3) $r>1$일 때

24 다음 수열의 수렴, 발산을 조사하여라.

(1) $\left\{\dfrac{1-r^n}{1+r^n}\right\}$ (단, $r>0$)

> 풀이 (i) $0<r<1$일 때, $\lim\limits_{n\to\infty}r^n=0$이므로
>
> $$\lim\limits_{n\to\infty}\dfrac{1-r^n}{1+r^n}=\underline{\quad}$$
>
> (ii) $r=1$일 때, $\lim\limits_{n\to\infty}r^n=1$이므로
>
> $$\lim\limits_{n\to\infty}\dfrac{1-r^n}{1+r^n}=\underline{\quad}$$
>
> (iii) $r>1$일 때, $\lim\limits_{n\to\infty}r^n=\infty$이므로
>
> $$\lim\limits_{n\to\infty}\dfrac{1-r^n}{1+r^n}=\underline{\quad}$$

(2) $\left\{\dfrac{r^{2n}-r^n}{r^{2n}+1}\right\}$ (단, $r>0$)

■ 풍쌤 POINT

r^n을 포함한 식의 극한

➡ r의 값의 범위를 $|r|<1$, $r=1$, $|r|>1$, $r=-1$인 경우로 나누어 조사한다.

06

등비수열의 수렴 조건

1 등비수열의 수렴 조건

① 등비수열 $\{r^n\}$이 수렴하기 위한 조건은
$$-1 < r \le 1$$

② 등비수열 $\{ar^{n-1}\}$이 수렴하기 위한 조건은
$$a=0 \text{ 또는 } -1 < r \le 1$$

보기 등비수열 $\{(x-1)^n\}$이 수렴하려면
$$-1 < x-1 \le 1$$
$$\therefore 0 < x \le 2$$

유형·16 등비수열의 수렴 조건

정답과 풀이 007쪽

25 다음 등비수열이 수렴하기 위한 x의 값의 범위를 구하여라.

(1) $\{(2x)^n\}$

> **풀이** 공비가 $2x$이므로 수렴하려면
> $$-1 < 2x \le 1$$
> $$\therefore \underline{\quad} < x \le \underline{\quad}$$

(2) $\left\{\left(-\dfrac{x}{3}\right)^n\right\}$

(3) $\{(x+3)^n\}$

(4) $\left\{\left(\dfrac{x-2}{4}\right)^n\right\}$

(5) $\left\{-2\left(x+\dfrac{1}{5}\right)^{n-1}\right\}$

(6) $\{x(x-1)^{n-1}\}$

(7) $\{(x+1)(x+2)^{n-1}\}$

(8) $\{(x-4)(2-x)^{n-1}\}$

(9) $\left\{(3-x)\left(\dfrac{1+2x}{2}\right)^{n-1}\right\}$

풍쌤 POINT

① 등비수열 $\{r^n\}$이 수렴하기 위한 조건
➡ $-1 < r \le 1$

② 등비수열 $\{ar^{n-1}\}$이 수렴하기 위한 조건
➡ $a=0$ 또는 $-1 < r \le 1$

·중단원 점검문제·

01

다음 중 발산하는 수열인 것만을 보기에서 있는 대로 골라라.

> 보기
>
> ㄱ. $\{3-4n\}$　　　　　ㄴ. $\left\{\dfrac{1}{n^2}\right\}$
>
> ㄷ. $\left\{\dfrac{2n}{n+1}\right\}$　　　ㄹ. $\{(-2)^n\}$

02

두 수열 $\{a_n\}$, $\{b_n\}$에 대하여 $\lim\limits_{n\to\infty} a_n=2$, $\lim\limits_{n\to\infty} b_n=-3$일 때, $\lim\limits_{n\to\infty}\dfrac{a_n b_n+3}{2a_n+b_n}$의 값을 구하여라.

03

수렴하는 수열 $\{a_n\}$에 대하여 $\lim\limits_{n\to\infty}\dfrac{3a_n-1}{a_n+2}=-4$일 때, $\lim\limits_{n\to\infty} a_n$의 값을 구하여라.

04

$\lim\limits_{n\to\infty}\{\log_2(n+1)-\log_2(4n+1)\}$의 값을 구하여라.

05

$\lim\limits_{n\to\infty}\dfrac{3(1^2+2^2+3^2+\cdots+n^2)}{n(n+1)(n-1)}$의 값을 구하여라.

06

$\lim\limits_{n\to\infty}\dfrac{an^2+bn-1}{2n+5}=3$일 때, 상수 a, b에 대하여 $a+b$의 값을 구하여라.

07

$\lim\limits_{n\to\infty}\sqrt{n}(\sqrt{n-1}-\sqrt{n})$의 값을 구하여라.

08

$\lim\limits_{n\to\infty}\{\sqrt{n^2+4n+3}-(an+b)\}=4$일 때, 상수 a, b에 대하여 ab의 값을 구하여라.

09

수열 $\{a_n\}$에 대하여 $\lim\limits_{n\to\infty} (3n+2)a_n=-1$일 때, $\lim\limits_{n\to\infty} (n+3)a_n$의 값을 구하여라.

10

두 수열 $\{a_n\}$, $\{b_n\}$에 대하여 옳은 것만을 보기에서 있는 대로 골라라.

> 보기
>
> ㄱ. 수열 $\{a_n\}$, $\{b_n\}$이 모두 발산하면 수열 $\{a_n b_n\}$도 발산한다.
> ㄴ. 수열 $\{a_n\}$, $\{b_n\}$이 모두 수렴하고 $\lim\limits_{n\to\infty} (a_n-b_n)=0$ 이면 $\lim\limits_{n\to\infty} a_n=\lim\limits_{n\to\infty} b_n$이다.
> ㄷ. $\lim\limits_{n\to\infty} |a_n|$이 수렴하면 $\lim\limits_{n\to\infty} a_n$도 수렴한다.
> ㄹ. 모든 자연수 n에 대하여 $a_n < b_n$이면 $\lim\limits_{n\to\infty} a_n < \lim\limits_{n\to\infty} b_n$이다.

11

수열 $\{a_n\}$이 모든 자연수 n에 대하여

$$9n^2 < (3n+1)a_n < 9n^2+3$$

을 만족시킬 때, $\lim\limits_{n\to\infty} \dfrac{a_n}{3n-1}$의 값을 구하여라.

12

다음 수열이 수렴하기 위한 실수 x의 최솟값을 구하여라.

$$1, -\frac{x}{2}, \frac{x^2}{4}, -\frac{x^3}{8}, \cdots$$

13

$\lim\limits_{n\to\infty} \dfrac{1-7^{n+1}}{7^n+3^n}$ 의 값을 구하여라.

14

$\lim\limits_{n\to\infty} \dfrac{r^n-3^n}{r^n+3^n}=-1$을 만족시키는 정수 r의 개수를 구하여라.

(단, $|r| \neq 3$)

15

등비수열 $\{r^n\}$이 수렴할 때, 항상 수렴하는 수열인 것만을 보기에서 있는 대로 골라라.

> 보기
>
> ㄱ. $\left\{\left(\dfrac{r}{2}\right)^n\right\}$ ㄴ. $\{(-r)^n\}$ ㄷ. $\{r^{2n}\}$

16

두 등비수열 $\left\{\left(\dfrac{1-x}{3}\right)^n\right\}$, $\{(x+2)(2x+1)^{n-1}\}$이 모두 수렴하기 위한 x의 값의 범위를 구하여라.

급수의 수렴과 발산

1 급수

수열 $\{a_n\}$의 각 항을 덧셈 기호 +를 사용하여 연결한 식을 급수라고 하며,
기호로 $\sum_{n=1}^{\infty} a_n$과 같이 나타낸다. 즉,

$$a_1 + a_2 + a_3 + \cdots + a_n + \cdots = \sum_{n=1}^{\infty} a_n$$

2 부분합

급수 $\sum_{n=1}^{\infty} a_n$에서 첫째항부터 제n항까지의 합 S_n을 이 급수의 제n항까지의 부
분합이라고 한다. 즉,

$$S_n = a_1 + a_2 + a_3 + \cdots + a_n = \sum_{k=1}^{n} a_k$$

3 급수의 합

① 급수 $\sum_{n=1}^{\infty} a_n$의 부분합으로 이루어진 수열 $\{S_n\}$이 일정한 값 S에 수렴할 때,

즉 $\lim_{n \to \infty} S_n = S$일 때, 급수 $\sum_{n=1}^{\infty} a_n$은 S에 수렴한다고 하며, S를 이 급수의

합이라 하고 다음과 같이 나타낸다.

$$a_1 + a_2 + a_3 + \cdots + a_n + \cdots = S \text{ 또는 } \sum_{n=1}^{\infty} a_n = S$$

② 부분합의 수열 $\{S_n\}$이 발산하면 급수는 발산한다고 한다. 급수가 발산하면
급수의 합은 생각하지 않는다.

> $\sum_{n=1}^{\infty} a_n = \lim_{n \to \infty} \sum_{k=1}^{n} a_k$
> $\qquad = \lim_{n \to \infty} S_n$

> 수열의 수렴, 발산은 $\lim_{n \to \infty} a_n$을
> 조사하고, 급수의 수렴, 발산
> 은 $\lim_{n \to \infty} S_n$을 조사한다.

유형·01 부분합이 주어진 급수의 합 구하기

01 수열 $\{a_n\}$의 첫째항부터 제n항까지의 합 S_n이 다음
과 같을 때, $\sum_{n=1}^{\infty} a_n$의 값을 구하여라.

(1) $S_n = \dfrac{2n}{n+1}$

> 풀이 $\sum_{n=1}^{\infty} a_n = \lim_{n \to \infty} S_n = \lim_{n \to \infty} \dfrac{2n}{n+1} = \underline{\quad}$

(2) $S_n = \dfrac{n^2 + n + 1}{4n^2}$

(3) $S_n = \left(\dfrac{\sqrt{3}}{2}\right)^n$

(4) $S_n = 1 + \left(\dfrac{1}{3}\right)^n$

◼ 풍쌤 POINT

수열 $\{a_n\}$의 첫째항부터 제n항까지의 합을 S_n이라 하면

➡ $\sum_{n=1}^{\infty} a_n = \lim_{n \to \infty} S_n$

유형·02 급수의 부분합 구하기

02 다음 급수의 첫째항부터 제n항까지의 부분합을 구하여라.

(1) $1+2+3+\cdots+n+\cdots$

> **풀이** 주어진 급수의 제n항을 a_n이라 하면 $a_n=\underline{\ \ \ }$
> 따라서 첫째항부터 제n항까지의 부분합 S_n은
> $$S_n=1+2+3+\cdots+n$$
> $$=\sum_{k=1}^{n}k=\underline{\qquad\qquad}$$

(2) $1+3+5+\cdots+(2n-1)+\cdots$

(3) $\dfrac{1}{1\times2}+\dfrac{1}{2\times3}+\dfrac{1}{3\times4}+\cdots+\dfrac{1}{n(n+1)}+\cdots$

(4) $\displaystyle\sum_{n=1}^{\infty}\left(\dfrac{1}{2}\right)^n$

(5) $\displaystyle\sum_{n=1}^{\infty}\left(\sqrt{n+1}-\sqrt{n}\right)$

■ **풍쌤 POINT**

급수 $\displaystyle\sum_{n=1}^{\infty}a_n=a_1+a_2+a_3+\cdots+a_n+\cdots$의 부분합

➡ $S_n=a_1+a_2+a_3+\cdots+a_n=\displaystyle\sum_{k=1}^{n}a_k$

유형·03 급수의 수렴과 발산

03 다음 급수의 수렴, 발산을 조사하고, 수렴하면 그 합을 구하여라.

(1) $\dfrac{2}{3}+\left(\dfrac{2}{3}\right)^2+\left(\dfrac{2}{3}\right)^3+\cdots+\left(\dfrac{2}{3}\right)^n+\cdots$

> **풀이** 주어진 급수는 첫째항이 $\dfrac{2}{3}$, 공비가 $\dfrac{2}{3}$인 등비수열의 합이므로 제n항까지의 부분합을 S_n이라 하면
> $$S_n=\dfrac{\dfrac{2}{3}\left\{1-\left(\dfrac{2}{3}\right)^n\right\}}{1-\dfrac{2}{3}}=2\left\{1-\left(\dfrac{2}{3}\right)^n\right\}$$
> $$\therefore \lim_{n\to\infty}S_n=2$$
> 따라서 주어진 급수는 _____하고, 그 합은 __이다.

(2) $1+2^2+3^2+\cdots+n^2+\cdots$

(3) $1+1+1+\cdots+1+\cdots$

(4) $\displaystyle\sum_{n=1}^{\infty}\left(\dfrac{1}{4}\right)^{n-1}$

(5) $\displaystyle\sum_{n=1}^{\infty}(n+1)$

■ **풍쌤 POINT**

급수 $\displaystyle\sum_{n=1}^{\infty}a_n$의 수렴과 발산

➡ 제n항까지의 부분합 S_n을 구한 후 $\displaystyle\lim_{n\to\infty}S_n$을 조사한다.

04 다음 급수의 합을 구하여라.

(1) $1+\dfrac{1}{2}+\dfrac{1}{4}+\cdots+\left(\dfrac{1}{2}\right)^{n-1}+\cdots$

> **풀이** 주어진 급수는 첫째항이 1, 공비가 $\dfrac{1}{2}$인 등비수열의 합
> 이므로 제n항까지의 부분합을 S_n이라 하면
> $$S_n=\dfrac{1-\left(\dfrac{1}{2}\right)^n}{1-\dfrac{1}{2}}=\underline{\hspace{2cm}}$$
> $$\therefore \lim_{n\to\infty}S_n=\underline{\hspace{1cm}}$$

(2) $1+\dfrac{3}{5}+\left(\dfrac{3}{5}\right)^2+\cdots+\left(\dfrac{3}{5}\right)^{n-1}+\cdots$

(3) $6+2+\dfrac{2}{3}+\cdots+6\times\left(\dfrac{1}{3}\right)^{n-1}+\cdots$

(4) $\displaystyle\sum_{n=1}^{\infty}2\times\left(\dfrac{3}{4}\right)^{n-1}$

(5) $\displaystyle\sum_{n=1}^{\infty}\dfrac{1}{10}\times\left(\dfrac{4}{5}\right)^{n-1}$

05 다음 급수의 합을 구하여라.

(1) $\dfrac{1}{1\times3}+\dfrac{1}{3\times5}+\dfrac{1}{5\times7}+\cdots$
$$+\dfrac{1}{(2n-1)(2n+1)}+\cdots$$

> **풀이** 주어진 급수의 제n항을 a_n, 제n항까지의 부분합을 S_n이
> 라 하면
> $$a_n=\dfrac{1}{(2n-1)(2n+1)}=\dfrac{1}{2}\left(\dfrac{1}{2n-1}-\dfrac{1}{2n+1}\right)$$
> 이므로
> $$S_n=\sum_{k=1}^{n}a_k=\sum_{k=1}^{n}\dfrac{1}{2}\left(\dfrac{1}{2k-1}-\dfrac{1}{2k+1}\right)$$
> $$=\dfrac{1}{2}\sum_{k=1}^{n}\left(\dfrac{1}{2k-1}-\dfrac{1}{2k+1}\right)$$
> $$=\dfrac{1}{2}\left\{\left(1-\dfrac{1}{3}\right)+\left(\dfrac{1}{3}-\dfrac{1}{5}\right)+\left(\dfrac{1}{5}-\dfrac{1}{7}\right)+\cdots\right.$$
> $$\left.+\left(\dfrac{1}{2n-1}-\dfrac{1}{2n+1}\right)\right\}$$
> $$=\dfrac{1}{2}\left(1-\dfrac{1}{2n+1}\right)=\underline{\hspace{2cm}}$$
> $$\therefore \lim_{n\to\infty}S_n=\underline{\hspace{1cm}}$$

(2) $\dfrac{1}{2\times3}+\dfrac{1}{3\times4}+\dfrac{1}{4\times5}+\cdots+\dfrac{1}{(n+1)(n+2)}+\cdots$

(3) $\displaystyle\sum_{n=1}^{\infty}\dfrac{1}{n(n+2)}$

(4) $\displaystyle\sum_{n=1}^{\infty}\dfrac{1}{1+2+3+\cdots+n}$

■ 풍쌤 POINT
　① 수열의 수렴, 발산 ➡ $\displaystyle\lim_{n\to\infty}a_n$을 조사
　② 급수의 수렴, 발산 ➡ $\displaystyle\lim_{n\to\infty}S_n$을 조사

06 다음 급수의 수렴, 발산을 조사하고, 수렴하면 그 합을 구하여라.

(1) $(\sqrt{2}-1)+(\sqrt{3}-\sqrt{2})+(2-\sqrt{3})+\cdots$
$$+(\sqrt{n+1}-\sqrt{n})+\cdots$$

> **풀이** 주어진 급수의 제n항을 a_n, 제n항까지의 부분합을 S_n이라 하면 $a_n=\sqrt{n+1}-\sqrt{n}$이므로
$$S_n=\sum_{k=1}^{n}a_k=\sum_{k=1}^{n}(\sqrt{k+1}-\sqrt{k})$$
$$=(\sqrt{2}-1)+(\sqrt{3}-\sqrt{2})+(2-\sqrt{3})+\cdots$$
$$+(\sqrt{n+1}-\sqrt{n})$$
$$=\boxed{}-\boxed{}$$
$$\therefore \lim_{n\to\infty}S_n=\boxed{}$$
따라서 주어진 급수는 ____한다.

(2) $\left(1-\dfrac{1}{\sqrt{2}}\right)+\left(\dfrac{1}{\sqrt{2}}-\dfrac{1}{\sqrt{3}}\right)+\left(\dfrac{1}{\sqrt{3}}-\dfrac{1}{\sqrt{4}}\right)+\cdots$
$$+\left(\dfrac{1}{\sqrt{n}}-\dfrac{1}{\sqrt{n+1}}\right)+\cdots$$

(3) $\displaystyle\sum_{n=1}^{\infty}\left(\dfrac{1}{\sqrt{2n-1}}-\dfrac{1}{\sqrt{2n+1}}\right)$

(4) $\displaystyle\sum_{n=1}^{\infty}\dfrac{2}{\sqrt{n+2}+\sqrt{n}}$

◢ **풍쌤 POINT**

급수 $\displaystyle\sum_{n=1}^{\infty}a_n$에서

① a_n이 $\dfrac{1}{AB}$ $(A\neq B)$ 꼴로 주어진 경우

➡ $a_n=\dfrac{1}{B-A}\left(\dfrac{1}{A}-\dfrac{1}{B}\right)$ 꼴로 변형한다.

② a_n이 무리식을 포함한 경우

➡ 항끼리 소거되지 않으면 $a_n=\dfrac{1}{\sqrt{A}}-\dfrac{1}{\sqrt{B}}$ 꼴로 변형한다.

유형·05 항의 부호가 교대로 바뀌는 급수

07 다음 급수의 수렴, 발산을 조사하고, 수렴하면 그 합을 구하여라.

(1) $1-1+1-1+1-1+\cdots$

> **풀이** 주어진 급수의 제n항까지의 부분합을 S_n이라 하면
$$S_1=1,\ S_2=0,\ S_3=1,\ S_4=0,\ S_5=1,\ S_6=0,\ \cdots$$
이므로
$$S_{2n-1}=\underline{},\ S_{2n}=\underline{}$$
따라서 $\displaystyle\lim_{n\to\infty}S_{2n-1}\underline{}\lim_{n\to\infty}S_{2n}$이므로 주어진 급수는 ____한다.

(2) $(1-1)+(1-1)+(1-1)+\cdots$

(3) $1-2+3-4+5-6+\cdots$

(4) $(1-2)+(3-4)+(5-6)+\cdots$

◢ **풍쌤 POINT**

급수 $\displaystyle\sum_{n=1}^{\infty}a_n$에 대하여 홀수 번째 항까지의 부분합을 S_{2n-1}, 짝수 번째 항까지의 부분합을 S_{2n}이라 하면

① $\displaystyle\lim_{n\to\infty}S_{2n-1}=\lim_{n\to\infty}S_{2n}=\alpha$ ➡ $\displaystyle\sum_{n=1}^{\infty}a_n=\alpha$

② $\displaystyle\lim_{n\to\infty}S_{2n-1}\neq\lim_{n\to\infty}S_{2n}$ ➡ $\displaystyle\sum_{n=1}^{\infty}a_n$은 발산

수열의 극한과 급수 사이의 관계

1 수열의 극한과 급수 사이의 관계

① 급수 $\sum\limits_{n=1}^{\infty} a_n$이 수렴하면 $\lim\limits_{n \to \infty} a_n = 0$이다.

② $\lim\limits_{n \to \infty} a_n \neq 0$이면 급수 $\sum\limits_{n=1}^{\infty} a_n$은 발산한다.

주의 ①의 역은 일반적으로 성립하지 않는다. 예를 들어 $\lim\limits_{n \to \infty} \dfrac{1}{n} = 0$이지만 $\sum\limits_{n=1}^{\infty} \dfrac{1}{n}$은 발산한다.

> ①과 ②는 서로 대우인 명제이다.

유형·06 수열의 극한과 급수 사이의 관계

08 다음 급수가 발산함을 보여라.

(1) $\dfrac{1}{3} + \dfrac{2}{4} + \dfrac{3}{5} + \cdots + \dfrac{n}{n+2} + \cdots$

> **풀이** 주어진 급수의 제n항을 a_n이라 하면
>
> $a_n = $ _____
> 이므로
>
> $\lim\limits_{n \to \infty} a_n = \lim\limits_{n \to \infty}$ _____ $=$ __
>
> 따라서 $\lim\limits_{n \to \infty} a_n \neq 0$이므로 주어진 급수는 발산한다.

(2) $\dfrac{1}{3} + \dfrac{3}{5} + \dfrac{5}{7} + \cdots + \dfrac{2n-1}{2n+1} + \cdots$

(3) $5 + 9 + 13 + \cdots + (4n+1) + \cdots$

(4) $-1 + 2 - 3 + 4 - \cdots + (-1)^n \times n + \cdots$

(5) $\sum\limits_{n=1}^{\infty} \dfrac{n}{5n-1}$

(6) $\sum\limits_{n=1}^{\infty} 2n$

(7) $\sum\limits_{n=1}^{\infty} \dfrac{1+(-1)^n}{2}$

■ 풍쌤 POINT

급수 $\sum\limits_{n=1}^{\infty} a_n$에서 $\lim\limits_{n \to \infty} a_n \neq 0$ ➡ $\sum\limits_{n=1}^{\infty} a_n$은 발산

09 다음 급수가 수렴할 때, $\lim\limits_{n\to\infty} a_n$의 값을 구하여라.

(1) $(a_1-1)+(a_2-1)+(a_3-1)+\cdots+(a_n-1)+\cdots$

> ❯ 풀이 $\sum\limits_{n=1}^{\infty}(a_n-1)$이 수렴하므로
>
> $\quad\quad \lim\limits_{n\to\infty}(a_n-1)=\underline{\quad}$
>
> $\quad\quad \therefore \lim\limits_{n\to\infty}a_n=\underline{\quad}$

(2) $(a_1+2)+(a_2+2)+(a_3+2)+\cdots+(a_n+2)+\cdots$

(3) $(2a_1+1)+(2a_2+1)+(2a_3+1)+\cdots$
$\quad\quad\quad\quad\quad\quad\quad\quad\quad +(2a_n+1)+\cdots$

(4) $(a_1-1)+\left(a_2-\dfrac{1}{2}\right)+\left(a_3-\dfrac{1}{3}\right)+\cdots$
$\quad\quad\quad\quad\quad\quad\quad\quad\quad +\left(a_n-\dfrac{1}{n}\right)+\cdots$

(5) $\left(a_1+\dfrac{4}{5}\right)+\left(a_2+\dfrac{8}{7}\right)+\left(a_3+\dfrac{4}{3}\right)+\cdots$
$\quad\quad\quad\quad\quad\quad\quad +\left(a_n+\dfrac{4n}{2n+3}\right)+\cdots$

(6) $\sum\limits_{n=1}^{\infty} a_n=-3$

(7) $\sum\limits_{n=1}^{\infty} \dfrac{a_n}{3}=1$

(8) $\sum\limits_{n=1}^{\infty} (3a_n-4)=2$

(9) $\sum\limits_{n=1}^{\infty}\left(a_n-\dfrac{n-1}{3n+1}\right)=0$

(10) $\sum\limits_{n=1}^{\infty}\left(a_n-\dfrac{n^2+1}{2n^2}\right)=7$

◾ 풍쌤 POINT

급수 $\sum\limits_{n=1}^{\infty} a_n$이 수렴 ➡ $\lim\limits_{n\to\infty} a_n=0$

등비급수의 수렴과 발산

1 등비급수

첫째항이 a, 공비가 r인 등비수열 $\{ar^{n-1}\}$의 각 항을 덧셈 기호 $+$로 연결한 급수

$$\sum_{n=1}^{\infty} ar^{n-1} = a + ar + ar^2 + \cdots + ar^{n-1} + \cdots \ (a \neq 0)$$

을 첫째항이 a, 공비가 r인 등비급수라고 한다.

2 등비급수의 수렴과 발산

등비급수 $\sum\limits_{n=1}^{\infty} ar^{n-1} \, (a \neq 0)$은

① $|r| < 1$일 때 수렴하고, 그 합은 $\dfrac{a}{1-r}$이다.

② $|r| \geq 1$일 때 발산한다.

3 급수의 성질

두 급수 $\sum\limits_{n=1}^{\infty} a_n$, $\sum\limits_{n=1}^{\infty} b_n$이 각각 수렴하면

① $\sum\limits_{n=1}^{\infty} ka_n = k \sum\limits_{n=1}^{\infty} a_n$ (단, k는 상수)

② $\sum\limits_{n=1}^{\infty} (a_n \pm b_n) = \sum\limits_{n=1}^{\infty} a_n \pm \sum\limits_{n=1}^{\infty} b_n$ (복호동순)

보기 등비급수 $\sum\limits_{n=1}^{\infty} \left(\dfrac{1}{3}\right)^{n-1}$의 합은

$$\dfrac{1}{1-\dfrac{1}{3}} = \dfrac{3}{2}$$

▶ 등비급수 $\sum\limits_{n=1}^{\infty} ar^{n-1}$에서 $a=0$ 이면 부분합 $S_n = 0$이므로 r의 값에 관계없이 $\sum\limits_{n=1}^{\infty} ar^{n-1} = 0$

유형·08 등비급수의 수렴과 발산

10 다음 등비급수의 수렴과 발산을 조사하여라.

(1) $1 + \dfrac{1}{2} + \dfrac{1}{4} + \dfrac{1}{8} + \cdots$

▶ 풀이 주어진 급수의 공비는 ___ 이고, $-1 <$ ___ < 1이므로 주어진 급수는 ___ 한다.

(2) $\dfrac{2}{3} + \dfrac{4}{9} + \dfrac{8}{27} + \dfrac{16}{81} + \cdots$

(3) $2 + 4 + 8 + 16 + \cdots$

(4) $2 - \sqrt{2} + 1 - \dfrac{1}{\sqrt{2}} + \cdots$

(5) $\sum\limits_{n=1}^{\infty} 2 \times 3^{n-1}$

(6) $\sum\limits_{n=1}^{\infty} \left(\dfrac{3}{4}\right)^n$

(7) $\sum\limits_{n=1}^{\infty} (-\sqrt{3})^n$

(8) $\sum\limits_{n=1}^{\infty} (\sqrt{2} - 1)^n$

▨ 풍쌤 POINT

등비급수 $\sum\limits_{n=1}^{\infty} ar^{n-1} \, (a \neq 0)$

➡ $|r| < 1$일 때 수렴하고, $|r| \geq 1$일 때 발산한다.

11 다음 등비급수의 수렴, 발산을 조사하고, 수렴하면 그 합을 구하여라.

(1) $1+\dfrac{2}{5}+\dfrac{4}{25}+\dfrac{8}{125}+\cdots$

➤ 풀이 첫째항 $a=1$, 공비 $r=$ ___ 에서 $-1<r<1$이므로 주어진 급수는 ___ 하고, 그 합은

$$\dfrac{1}{1-\dfrac{2}{5}}=\underline{}$$

(2) $16+8+4+2+\cdots$

(3) $\dfrac{6}{7}+\left(\dfrac{6}{7}\right)^{2}+\left(\dfrac{6}{7}\right)^{3}+\left(\dfrac{6}{7}\right)^{4}+\cdots$

(4) $1+\sqrt{2}+2+2\sqrt{2}+\cdots$

(5) $\dfrac{3}{2}-\dfrac{9}{4}+\dfrac{27}{8}-\dfrac{81}{16}+\cdots$

12 다음 등비급수의 합을 구하여라.

(1) $\displaystyle\sum_{n=1}^{\infty}\left(\dfrac{4}{5}\right)^{n-1}$

➤ 풀이 첫째항 $a=$ __, 공비 $r=$ __ 이므로 주어진 급수의 합은

$$\dfrac{1}{1-\dfrac{4}{5}}=\underline{}$$

(2) $\displaystyle\sum_{n=1}^{\infty}4\times\left(\dfrac{3}{7}\right)^{n-1}$

(3) $\displaystyle\sum_{n=1}^{\infty}\left(-\dfrac{1}{2}\right)^{n+1}$

(4) $\displaystyle\sum_{n=1}^{\infty}(-1)^{n}\times\left(\dfrac{2}{3}\right)^{n}$

(5) $\displaystyle\sum_{n=1}^{\infty}2^{1-2n}$

◤ 풍쌤 POINT

$-1<r<1$일 때 ➡ $\displaystyle\sum_{n=1}^{\infty}ar^{n-1}=\dfrac{a}{1-r}$

13 다음 급수의 합을 구하여라.

(1) $\displaystyle\sum_{n=1}^{\infty}\left(\dfrac{2}{3^n}+\dfrac{1}{2^n}\right)$

> **풀이** $\displaystyle\sum_{n=1}^{\infty}\dfrac{2}{3^n}$ 는 첫째항이 $\dfrac{2}{3}$ 이고, 공비가 $\dfrac{1}{3}$ 인 등비급수이고,

$\displaystyle\sum_{n=1}^{\infty}\dfrac{1}{2^n}$ 은 첫째항이 ＿＿ 이고, 공비가 ＿＿ 인 등비급수이다.

$$\therefore \sum_{n=1}^{\infty}\left(\dfrac{2}{3^n}+\dfrac{1}{2^n}\right)=\sum_{n=1}^{\infty}\dfrac{2}{3^n}+\sum_{n=1}^{\infty}\dfrac{1}{2^n}$$
$$=\dfrac{\frac{2}{3}}{1-\frac{1}{3}}+\dfrac{\frac{1}{2}}{1-\frac{1}{2}}$$
$$=1+1=2$$

(2) $\displaystyle\sum_{n=1}^{\infty}\left\{\left(\dfrac{1}{2}\right)^n+\left(\dfrac{1}{3}\right)^n\right\}$

(3) $\displaystyle\sum_{n=1}^{\infty}\left(\dfrac{4}{3^n}-\dfrac{2}{5^n}\right)$

(4) $\displaystyle\sum_{n=1}^{\infty}\dfrac{2^n+1}{3^n}$

(5) $\displaystyle\sum_{n=1}^{\infty}\dfrac{2^n-3^n}{4^n}$

(6) $\displaystyle\sum_{n=1}^{\infty}\dfrac{3^n+(-3)^n}{4^n}$

(7) $\displaystyle\sum_{n=1}^{\infty}\left(\dfrac{12}{6^n}+\dfrac{1}{3^{n-1}}\right)$

(8) $\displaystyle\sum_{n=1}^{\infty}\left(\dfrac{3^{n+1}}{4^n}-\dfrac{4}{2^n}\right)$

> ◾ **풍쌤 POINT**
>
> 두 급수 $\displaystyle\sum_{n=1}^{\infty}a_n$, $\displaystyle\sum_{n=1}^{\infty}b_n$ 이 수렴하면
>
> ① $\displaystyle\sum_{n=1}^{\infty}(a_n\pm b_n)=\sum_{n=1}^{\infty}a_n\pm\sum_{n=1}^{\infty}b_n$ (복호동순)
>
> ② $\displaystyle\sum_{n=1}^{\infty}ca_n=c\sum_{n=1}^{\infty}a_n$ (단, c는 상수)

등비급수의 수렴 조건

1 등비급수의 수렴 조건

① 등비급수 $\sum\limits_{n=1}^{\infty} r^n$이 수렴하기 위한 조건은

$$-1 < r < 1$$

② 등비급수 $\sum\limits_{n=1}^{\infty} ar^{n-1}$이 수렴하기 위한 조건은

$$a = 0 \text{ 또는 } -1 < r < 1$$

➤ ① 등비수열 $\{r^n\}$이 수렴하기 위한 조건은
$$-1 < r \le 1$$
② 등비수열 $\{ar^{n-1}\}$이 수렴하기 위한 조건은
$$a = 0 \text{ 또는 } -1 < r \le 1$$

유형·11 등비급수의 수렴 조건

✏ 정답과 풀이 015쪽

14 다음 등비급수가 수렴하도록 하는 실수 x의 값의 범위를 구하여라.

(1) $1 + x + x^2 + x^3 + \cdots$

➤ **풀이** 주어진 급수의 공비가 x이므로
$$\underline{\quad} < x < \underline{\quad}$$

(2) $1 + 2x + (2x)^2 + (2x)^3 + \cdots$

(3) $1 + \dfrac{x}{3} + \dfrac{x^2}{9} + \dfrac{x^3}{27} + \cdots$

(4) $1 + (x-2) + (x-2)^2 + (x-2)^3 + \cdots$

(5) $1 + \dfrac{x+1}{2} + \dfrac{(x+1)^2}{4} + \dfrac{(x+1)^2}{8} + \cdots$

15 다음 등비급수가 수렴하도록 하는 실수 x의 값의 범위를 구하여라.

(1) $x + x(x+1) + x(x+1)^2 + x(x+1)^3 + \cdots$

➤ **풀이** 주어진 등비급수의 첫째항은 x, 공비는 $x+1$이므로 수렴하려면
$$x = 0 \text{ 또는 } -1 < \underline{\quad} < 1$$
$$x = 0 \text{ 또는 } \underline{\quad} < x < \underline{\quad}$$
$$\therefore \underline{\qquad}$$

(2) $x + x(x-3) + x(x-3)^2 + x(x-3)^3 + \cdots$

(3) $-x + x^2 - x^3 + x^4 - \cdots$

(4) $(1-x) + \dfrac{1-x}{x} + \dfrac{1-x}{x^2} + \dfrac{1-x}{x^3} + \cdots$

■ 풍쌤 POINT
① 등비급수 $\sum\limits_{n=1}^{\infty} r^n$의 수렴 조건 ➡ $-1 < r < 1$
② 등비급수 $\sum\limits_{n=1}^{\infty} ar^{n-1}$의 수렴 조건 ➡ $a = 0$ 또는 $-1 < r < 1$

등비급수의 활용

1 순환소수와 등비급수

모든 순환소수는 등비급수로 나타낼 수 있으므로 등비급수의 합의 공식 $\dfrac{a}{1-r}$ 를 이용하여 순환소수를 분수로 나타낼 수 있다.

2 도형과 등비급수

닮은꼴이 한없이 반복되는 도형에서 선분의 길이, 도형의 넓이의 합 등은 등비급수를 이용하여 다음과 같은 순서로 구한다.

(i) n번째 도형에서 한 변의 길이 또는 도형의 넓이를 a_n이라 하고, 규칙을 찾는다.

(ii) 첫째항 a와 공비 r를 구한다.

(iii) 등비급수의 합이 $\dfrac{a}{1-r}$ 임을 이용하여 문제를 해결한다.

> **보기** $0.\dot{2}=0.222\cdots$
> $=0.2+0.02+0.002$
> $+\cdots$
> 에서 $0.\dot{2}$는 첫째항이 0.2, 공비가 0.1인 등비급수의 합이므로
> $0.\dot{2}=\dfrac{0.2}{1-0.1}=\dfrac{2}{9}$

유형·12 순환소수와 등비급수

16 등비급수를 이용하여 다음 순환소수를 기약분수로 나타내어라.

(1) $0.\dot{1}\dot{2}$

> ▶ **풀이** $0.\dot{1}\dot{2}=0.12+0.0012+0.000012+\cdots$
> 따라서 $0.\dot{1}\dot{2}$는 첫째항이 0.12이고, 공비가 ____ 인 등비급수의 합이므로
> $0.\dot{1}\dot{2}=\dfrac{0.12}{1-0.01}=$ ____

(2) $0.4\dot{7}$

(3) $0.1\dot{7}$

(4) $0.2\dot{5}$

(5) $0.\dot{1}2\dot{4}$

(6) $0.\dot{2}6\dot{1}$

(7) $0.\dot{5}0\dot{4}$

(8) $0.8\dot{1}\dot{5}$

> ▨ **풍쌤 POINT**
> 순환소수를 분수로 나타낼 때
> ➡ 등비급수의 합의 공식 $\dfrac{a}{1-r}$ 를 이용한다.

17 다음 그림과 같이 길이가 1인 선분 A_1A_2를 3 : 1로 외분하는 점을 A_3, 선분 A_2A_3을 3 : 1로 외분하는 점을 A_4, 선분 A_3A_4를 3 : 1로 외분하는 점을 A_5라 하자. 이와 같은 과정을 한없이 반복할 때, $\sum\limits_{n=1}^{\infty}\overline{A_nA_{n+1}}$의 값을 구하여라.

$$A_1 \quad\quad A_2 \quad A_3\ A_4\ \cdots$$
$$\underbrace{}_{1}$$

풀이 선분 A_1A_2를 3 : 1로 외분하는 점이 A_3이므로

$$\overline{A_2A_3}=\frac{1}{2}\times\overline{A_1A_2}$$

선분 A_2A_3을 3 : 1로 외분하는 점이 A_4이므로

$$\overline{A_3A_4}=\frac{1}{2}\times\overline{A_2A_3}=\left(\frac{1}{2}\right)^2\times\overline{A_1A_2}$$

$$\vdots$$

따라서 구하는 값은 첫째항이 1, 공비가 ___ 인 등비급수 수의 합이므로

$$\sum_{n=1}^{\infty}\overline{A_nA_{n+1}}=\sum_{n=1}^{\infty}\underline{}$$
$$=\frac{1}{1-\frac{1}{2}}$$
$$=\underline{}$$

18 오른쪽 그림과 같이 빗변의 길이가 $\sqrt{2}$인 직각이등변삼각형 POQ에서 $\overline{OP}$, $\overline{OQ}$의 중점을 각각 P_1, Q_1이라 하고, 다시 삼각형 P_1OQ_1에서 $\overline{OP_1}$, $\overline{OQ_1}$의 중점을 각각 P_2, Q_2라 하자. 이와 같은 과정을 한없이 반복할 때, $\overline{PQ}+\overline{P_1Q_1}+\overline{P_2Q_2}+\cdots$의 합을 구하여라.

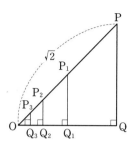

19 좌표평면 위에 두 직선 $y=x$, $y=-x$가 있다. 다음 그림과 같이 x축 위의 점 $P_1(1,\ 0)$에서 직선 $y=x$에 내린 수선의 발을 P_2, 점 P_2에서 y축에 내린 수선의 발을 P_3, 점 P_3에서 직선 $y=-x$에 내린 수선의 발을 P_4라고 한다. 이와 같은 과정을 한없이 반복할 때, $\overline{P_1P_2}+\overline{P_2P_3}+\overline{P_3P_4}+\cdots$의 값을 구하여라.

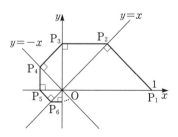

20 다음 그림과 같이 $\overline{OP}=\overline{OQ}=1$인 직각이등변삼각형 POQ에서 점 O와 각 변의 중점을 꼭짓점으로 하는 정사각형 $OA_1B_1C_1$을 만든다. 또 직각이등변삼각형 A_1PB_1에서 점 A_1과 각 변의 중점을 꼭짓점으로 하는 정사각형 $A_1A_2B_2C_2$를 만든다. 이와 같은 과정을 한없이 반복할 때, 이들 정사각형의 넓이의 합을 구하여라.

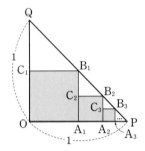

> **풀이** 정사각형의 한 변의 길이를 차례대로 $a_1, a_2, a_3, \cdots$이라 하면

$$a_1=\frac{1}{2},\ a_2=\left(\frac{1}{2}\right)^2,\ a_3=\left(\frac{1}{2}\right)^3,\ \cdots$$

정사각형의 넓이를 차례대로 $S_1, S_2, S_3, \cdots$이라 하면

$$S_1=\left(\frac{1}{2}\right)^2=\frac{1}{4},\ S_2=\underline{\quad},\ S_3=\underline{\quad},\ \cdots$$

따라서 정사각형의 넓이는 첫째항이 $\frac{1}{4}$, 공비가 $\underline{\quad}$인 등비수열을 이루므로 구하는 정사각형의 넓이의 합은

$$S_1+S_2+S_3+\cdots=\frac{\dfrac{1}{4}}{1-\dfrac{1}{4}}=\underline{\quad}$$

21 다음 그림과 같이 한 변의 길이가 1인 정사각형에 꼭짓점 C를 중심으로 하고 반지름의 길이가 $\overline{BC}$인 사분원을 그린다. 사분원 BCD에 접하는 정사각형 $A_1B_1CD_1$을 그리고, 꼭짓점 C를 중심으로 하고 반지름의 길이가 $\overline{B_1C}$인 사분원을 그린다. 이와 같은 과정을 한없이 반복할 때, 모든 정사각형의 넓이의 합을 구하여라.

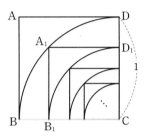

22 다음 그림과 같이 반지름의 길이가 2인 원 C_1의 중심을 지나고 C_1에 내접하는 원을 C_2, 원 C_2의 중심을 지나고 C_2에 내접하는 원을 C_3이라 하자. 이와 같은 과정을 한없이 반복할 때, 모든 원의 넓이의 합을 구하여라.

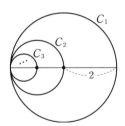

■ **풍쌤 POINT**

닮은꼴이 무한히 반복되는 도형 문제

➡ 일정한 규칙을 찾은 다음, 등비급수의 합의 공식을 이용한다.

· 중단원 점검문제 ·

🏆 정답과 풀이 017쪽

01

수열 $\{a_n\}$에 대하여 $\sum\limits_{n=1}^{\infty} a_n = 2$, $\sum\limits_{k=1}^{n} a_k = S_n$일 때, $\lim\limits_{n\to\infty}(S_n+2)$의 값을 구하여라.

02

보기에서 수렴하는 급수만을 있는 대로 골라라.

> **보기**
> ㄱ. $(\sqrt{3}-1)+(\sqrt{5}-\sqrt{3})+(\sqrt{7}-\sqrt{5})+\cdots$
> $\qquad\qquad +(\sqrt{2n+1}-\sqrt{2n-1})+\cdots$
> ㄴ. $\left(\dfrac{1}{2}-\dfrac{1}{3}\right)+\left(\dfrac{1}{3}-\dfrac{1}{4}\right)+\left(\dfrac{1}{4}-\dfrac{1}{5}\right)+\cdots$
> ㄷ. $-1+1-1+1-1+1+\cdots$

03

다음 급수의 합을 구하여라.

$$\frac{1}{2^2-1}+\frac{1}{3^2-1}+\frac{1}{4^2-1}+\frac{1}{5^2-1}+\cdots$$

04

급수 $\sum\limits_{n=2}^{\infty} \log_2 \dfrac{n^2}{(n-1)(n+1)}$ 의 합을 구하여라.

05

수열 $\{a_n\}$에 대하여 $\sum\limits_{n=1}^{\infty} a_n = -4$일 때, $\lim\limits_{n\to\infty}\dfrac{5a_n-6n+3}{3a_n+2n-1}$의 값을 구하여라.

06

등비급수 $1+2x+4x^2+8x^3+\cdots$의 합이 2일 때, 상수 x의 값을 구하여라.

07

등비수열 $\{a_n\}$에 대하여 $a_1=12$, $\sum\limits_{n=1}^{\infty} a_n = 9$가 성립할 때, 급수 $\sum\limits_{n=1}^{\infty} a_n{}^2$의 합을 구하여라.

08

등비급수 $\sum\limits_{n=1}^{\infty} r^n$이 수렴할 때, 항상 수렴하는 급수만을 보기에서 있는 대로 골라라.

> **보기**
> ㄱ. $\sum\limits_{n=1}^{\infty}(-r)^n$ ㄴ. $\sum\limits_{n=1}^{\infty}\left(\dfrac{1}{r}\right)^n$ (단, $r\neq 0$)
> ㄷ. $\sum\limits_{n=1}^{\infty}\left(\dfrac{r+1}{2}\right)^n$

09

급수 $\displaystyle\sum_{n=1}^{\infty}\left(\dfrac{1}{4^n}+\dfrac{2^{n-1}}{3^n}\right)$의 합을 구하여라.

10

두 수열 $\{a_n\}$, $\{b_n\}$에 대하여 옳은 것만을 보기에서 있는 대로 골라라.

보기

ㄱ. $\displaystyle\sum_{n=1}^{\infty}a_n$, $\displaystyle\sum_{n=1}^{\infty}(a_n-b_n)$이 모두 수렴하면 $\displaystyle\sum_{n=1}^{\infty}b_n$도 수렴한다.

ㄴ. $\displaystyle\sum_{n=1}^{\infty}a_n$, $\displaystyle\sum_{n=1}^{\infty}b_n$이 수렴하면 $\displaystyle\lim_{n\to\infty}a_nb_n=0$이다.

ㄷ. $\displaystyle\sum_{n=1}^{\infty}a_n$이 수렴하면 $\displaystyle\sum_{n=1}^{\infty}\dfrac{1}{a_n}$도 수렴한다.

11

등비급수 $\displaystyle\sum_{n=1}^{\infty}(\log_3 x)^{n-1}$이 수렴하도록 하는 정수 x의 개수를 구하여라.

12

두 등비급수 $\displaystyle\sum_{n=1}^{\infty}\left(\dfrac{x}{4}\right)^n$, $\displaystyle\sum_{n=1}^{\infty}\left(\dfrac{1}{x}\right)^n$이 모두 수렴하도록 하는 실수 x의 값의 범위를 구하여라.

13

각 항이 양수이고, 첫째항이 $0.\dot{4}$, 제3항이 $0.\dot{1}$인 등비급수의 합을 구하여라.

14

다음 그림과 같이 길이가 3인 선분 A_1A_2를 $1:2$로 내분하는 점을 A_3, 선분 A_2A_3을 $1:2$로 내분하는 점을 A_4라 하자. 이와 같은 과정을 계속하여 얻은 점 A_n에 대하여 선분 A_nA_{n+1}을 지름으로 하는 반원의 호의 길이를 l_n이라 할 때, 급수 $\displaystyle\sum_{n=1}^{\infty}l_n$의 합을 구하여라.

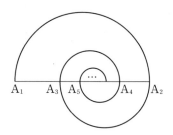

15

다음 그림과 같이 반지름의 길이가 2인 원 C_1에 내접하는 정사각형 T_1을 그리고, 정사각형 T_1에 내접하는 원 C_2를 그린다. 다시 원 C_2에 내접하는 정사각형 T_2를 그리고, 정사각형 T_2에 내접하는 원 C_3을 그린다. 이와 같이 원과 정사각형을 한없이 그려나갈 때, 원 C_n과 그에 내접하는 정사각형 T_n의 넓이의 차를 S_n이라 하자. $\displaystyle\sum_{n=1}^{\infty}S_n$의 값을 구하여라.

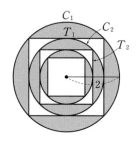

II
미분법

지수함수의 극한

1 지수함수의 극한

① $a>1$일 때, $\displaystyle\lim_{x\to\infty} a^x=\infty$, $\displaystyle\lim_{x\to-\infty} a^x=0$

② $0<a<1$일 때, $\displaystyle\lim_{x\to\infty} a^x=0$, $\displaystyle\lim_{x\to-\infty} a^x=\infty$

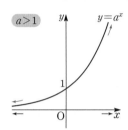 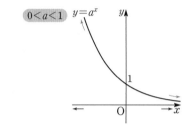

> a의 값에 관계없이
> $\displaystyle\lim_{x\to 0} a^x=1$, $\displaystyle\lim_{x\to 1} a^x=a$

> 지수함수 $y=a^x(a>0, a\neq1)$
> 은 모든 실수에 대하여 연속이
> 므로 실수 k에 대하여
> $\displaystyle\lim_{x\to k} a^x=a^k$

유형·01 지수함수의 극한

정답과 풀이 020쪽

01 다음 극한을 조사하여라.

(1) $\displaystyle\lim_{x\to\infty} \frac{4^x-3^x}{4^x+3^x}$

> 풀이 $\displaystyle\lim_{x\to\infty} \frac{4^x-3^x}{4^x+3^x}=\lim_{x\to\infty} \frac{1-\left(\frac{3}{4}\right)^x}{1+\left(\frac{3}{4}\right)^x}=\frac{1-0}{1+0}=\underline{}$

(2) $\displaystyle\lim_{x\to\infty} 2^x$

(3) $\displaystyle\lim_{x\to\infty} 0.1^x$

(4) $\displaystyle\lim_{x\to\infty} \left(\frac{1}{3}\right)^x$

(5) $\displaystyle\lim_{x\to\infty} \frac{2^{2x}}{5^x}$

(6) $\displaystyle\lim_{x\to\infty} \frac{5^x-2^x}{5^x+2^x}$

(7) $\displaystyle\lim_{x\to\infty} (3^x-4^x)$

(8) $\displaystyle\lim_{x\to\infty} (2^{2x}-2^x)$

(9) $\displaystyle\lim_{x\to-\infty} 4^x$

(10) $\displaystyle\lim_{x\to-\infty} \frac{2^x}{2^x+2^{-x}}$

> ▓ 풍쌤 POINT
> ① $\dfrac{\infty}{\infty}$의 꼴
>   ➡ 분모에서 밑이 가장 큰 항으로 분모, 분자를 각각 나눈다.
> ② $\infty-\infty$의 꼴
>   ➡ 밑이 가장 큰 항으로 묶는다.

로그함수의 극한

❶ 로그함수의 극한

① $a>1$일 때, $\lim_{x \to 0+} \log_a x = -\infty$, $\lim_{x \to \infty} \log_a x = \infty$

② $0<a<1$일 때, $\lim_{x \to 0+} \log_a x = \infty$, $\lim_{x \to \infty} \log_a x = -\infty$

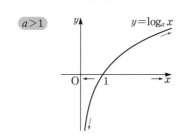
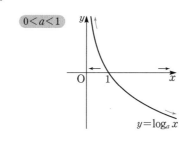

▶ a의 값에 관계없이
$\lim_{x \to 1} \log_a x = 0$,
$\lim_{x \to a} \log_a x = 1$

▶ 로그함수 $y = \log_a x$
$(a>0,\ a \neq 1)$는 $x>0$에서
연속이므로 양수 k에 대하여
$\lim_{x \to k} \log_a x = \log_a k$

유형·02 로그함수의 극한

📖 정답과 풀이 020쪽

02 다음 극한을 조사하여라.

(1) $\lim_{x \to \infty} \{\log_2(4x+3) - \log_2 x\}$

> 풀이 $\lim_{x \to \infty} \{\log_2(4x+3) - \log_2 x\}$

$= \lim_{x \to \infty} \log_2 \dfrac{4x+3}{x}$

$= \log_2 \underline{\quad} = \underline{\quad}$

(2) $\lim_{x \to \infty} \log_3 x$

(3) $\lim_{x \to 0+} \log_5 x$

(4) $\lim_{x \to \infty} \log_{\frac{1}{2}} x$

(5) $\lim_{x \to \infty} \log \dfrac{x-1}{x+1}$

(6) $\lim_{x \to \infty} \log_{3^{-1}} \dfrac{3x+1}{x+2}$

(7) $\lim_{x \to \infty} \{\log_3 9x - \log_3 (x+3)\}$

(8) $\lim_{x \to \infty} \left\{ \log_2 \dfrac{1}{x^2+5} + \log_2 (2x^2+1) \right\}$

🟦 풍쌤 POINT

로그함수의 극한

➡ 로그함수의 그래프를 이용하거나 로그의 성질을 이용하여 식을 간단히 정리한다.

03

무리수 e와 자연로그

❶ 무리수 e의 정의

x의 값이 0에 한없이 가까워질 때, $(1+x)^{\frac{1}{x}}$의 값은 일정한 값에 수렴하며 그 값을 e라고 한다.

$$e=\lim_{x\to 0}(1+x)^{\frac{1}{x}}=\lim_{x\to\infty}\left(1+\frac{1}{x}\right)^{x}$$

❷ 자연로그의 정의

무리수 e를 밑으로 하는 로그 $\log_e x$를 자연로그라고 하며, 간단히 $\ln x$로 나타낸다.

▶e는 무리수이며, 그 값은 2.7182818⋯ 임이 알려져 있다.

▶자연로그는 로그의 특수한 경우이므로 로그의 성질이 그대로 성립한다.

유형·03 무리수 e의 정의

03 다음 극한값을 구하여라.

(1) $\displaystyle\lim_{x\to 0}(1+x)^{\frac{2}{x}}$

▶ 풀이 $\displaystyle\lim_{x\to 0}(1+x)^{\frac{2}{x}}=\lim_{x\to 0}\left\{(1+x)^{\frac{1}{x}}\right\}^{2}=$___

(2) $\displaystyle\lim_{x\to 0}(1+x)^{\frac{5}{x}}$

(3) $\displaystyle\lim_{x\to 0}(1+x)^{\frac{1}{2x}}$

(4) $\displaystyle\lim_{x\to 0}(1+2x)^{\frac{1}{x}}$

(5) $\displaystyle\lim_{x\to 0}(1-3x)^{\frac{1}{x}}$

(6) $\displaystyle\lim_{x\to 0}(1+2x)^{\frac{3}{x}}$

(7) $\displaystyle\lim_{x\to 0}\left(1-\frac{x}{4}\right)^{-\frac{2}{x}}$

(8) $\displaystyle\lim_{x\to\infty}\left(1+\frac{1}{x}\right)^{-3x}$

(9) $\displaystyle\lim_{x\to\infty}\left(1+\frac{2}{x}\right)^{\frac{x}{2}}$

(10) $\displaystyle\lim_{x\to\infty}\left(1+\frac{3}{x}\right)^{\frac{x}{6}}$

■ 풍쌤 POINT

무리수 e

➡ $\displaystyle\lim_{\blacksquare\to 0}(1+\blacksquare)^{\frac{1}{\blacksquare}}=e$, $\displaystyle\lim_{\bullet\to\infty}\left(1+\frac{1}{\bullet}\right)^{\bullet}=e$

04 다음 값을 구하여라.

(1) $\ln \sqrt{e}$

> 풀이 $\ln \sqrt{e} = \ln e^{\frac{1}{2}} = \frac{1}{2} \ln e = \underline{\quad}$

(2) $\ln 1$

(3) $\ln e^3$

(4) $\ln \dfrac{1}{\sqrt{e}}$

(5) $e^{\ln 2}$

(6) $e^{\ln \sqrt{6}}$

(7) $e^{\frac{1}{2} \ln 4}$

05 다음 등식을 만족시키는 x의 값을 구하여라.

(1) $\ln x = 2$

> 풀이 $\ln x = 2$에서 $x = \underline{\quad}$

(2) $\ln x = 0$

(3) $\ln x = -1$

(4) $e^x = 3$

(5) $e^{2x} = 4$

> **풍쌤 POINT**
>
> (1) $x > 0$, $y > 0$일 때
>
>   ① $\ln 1 = 0$, $\ln e = 1$ ② $\ln xy = \ln x + \ln y$
>
>   ③ $\ln \dfrac{x}{y} = \ln x - \ln y$ ④ $\ln x^n = n \ln x$ (단, n은 실수)
>
> (2) $y = \ln x \iff x = e^y$
>
> $x > 0$일 때, $x = e^{\ln x}$

지수함수와 로그함수의 극한 공식

1 지수함수와 로그함수의 극한 공식

① $\lim_{x \to 0} \dfrac{\ln(1+x)}{x} = 1$

② $\lim_{x \to 0} \dfrac{e^x - 1}{x} = 1$

③ $\lim_{x \to 0} \dfrac{\log_a(1+x)}{x} = \dfrac{1}{\ln a}$

④ $\lim_{x \to 0} \dfrac{a^x - 1}{x} = \ln a$

▸①, ②는 밑이 e로 하는 경우이고, ③, ④는 밑이 e가 아닌 경우이다.

유형·05 $\lim_{x \to 0} \dfrac{\ln(1+x)}{x}$ 꼴의 극한

06 다음 극한값을 구하여라.

(1) $\lim_{x \to 0} \dfrac{\ln(1+2x)}{x}$

▸풀이 $\lim_{x \to 0} \dfrac{\ln(1+2x)}{x} = \lim_{x \to 0} \left\{ \dfrac{\ln(1+2x)}{2x} \times \underline{} \right\}$

$= \underline{}$

(2) $\lim_{x \to 0} \dfrac{\ln(1+4x)}{x}$

(3) $\lim_{x \to 0} \dfrac{\ln(1+3x)}{2x}$

(4) $\lim_{x \to 0} \dfrac{\ln(1+3x)}{5x}$

(5) $\lim_{x \to 0} \dfrac{\ln(1+x)}{-3x}$

(6) $\lim_{x \to 0} \dfrac{\ln(1+3x)}{-5x}$

(7) $\lim_{x \to 0} \dfrac{\ln(1+2x)}{\ln(1+x)}$

(8) $\lim_{x \to 0} \dfrac{\ln(1+3x)}{\ln(1+4x)}$

■ 풍쌤 POINT

0이 아닌 두 수 a, b에 대하여

$\lim_{x \to 0} \dfrac{\ln(1+bx)}{ax} = \lim_{x \to 0} \left\{ \dfrac{\ln(1+bx)}{bx} \times \dfrac{b}{a} \right\} = \dfrac{b}{a}$

유형·06 $\displaystyle\lim_{x\to 0}\frac{e^x-1}{x}$ 꼴의 극한

07 다음 극한값을 구하여라.

(1) $\displaystyle\lim_{x\to 0}\frac{e^{2x}-1}{x}$

> 풀이 $\displaystyle\lim_{x\to 0}\frac{e^{2x}-1}{x}=\lim_{x\to 0}\left(\frac{e^{2x}-1}{2x}\times\underline{\quad}\right)$
> $\qquad\qquad =\underline{\quad}$

(2) $\displaystyle\lim_{x\to 0}\frac{e^{4x}-1}{x}$

(3) $\displaystyle\lim_{x\to 0}\frac{e^x-1}{2x}$

(4) $\displaystyle\lim_{x\to 0}\frac{e^{3x}-1}{4x}$

(5) $\displaystyle\lim_{x\to 0}\frac{e^{2x}-1}{-3x}$

▨ 풍쌤 POINT

0이 아닌 두 수 a, b에 대하여
$$\lim_{x\to 0}\frac{e^{bx}-1}{ax}=\lim_{x\to 0}\left(\frac{e^{bx}-1}{bx}\times\frac{b}{a}\right)=\frac{b}{a}$$

유형·07 $\displaystyle\lim_{x\to 0}\frac{\log_a(1+x)}{x}$ 꼴의 극한

08 다음 극한값을 구하여라.

(1) $\displaystyle\lim_{x\to 0}\frac{\log(1+2x)}{x}$

> 풀이 $\displaystyle\lim_{x\to 0}\frac{\log(1+2x)}{x}=\lim_{x\to 0}\left\{\frac{\log(1+2x)}{2x}\times\underline{\quad}\right\}$
> $\qquad\qquad =\underline{\qquad}$

(2) $\displaystyle\lim_{x\to 0}\frac{\log_2(1+4x)}{x}$

(3) $\displaystyle\lim_{x\to 0}\frac{\log_5(1+x)}{5x}$

(4) $\displaystyle\lim_{x\to 0}\frac{\log_3(1+6x)}{-3x}$

(5) $\displaystyle\lim_{x\to 0}\frac{\log_2(3+x)-\log_2 3}{x}$

▨ 풍쌤 POINT

0이 아닌 두 수 p, q에 대하여
$$\lim_{x\to 0}\frac{\log_a(1+qx)}{px}=\lim_{x\to 0}\left\{\frac{\log_a(1+qx)}{qx}\times\frac{q}{p}\right\}=\frac{q}{p\ln a}$$

유형·08 $\lim\limits_{x\to 0}\dfrac{a^x-1}{x}$ 꼴의 극한

09 다음 극한값을 구하여라.

(1) $\lim\limits_{x\to 0}\dfrac{3^x-1}{2x}$

> 풀이 $\lim\limits_{x\to 0}\dfrac{3^x-1}{2x}=\lim\limits_{x\to 0}\left(\dfrac{3^x-1}{x}\times\underline{\quad}\right)$

$$=\underline{\quad}$$

(2) $\lim\limits_{x\to 0}\dfrac{3(2^x-1)}{5x}$

(3) $\lim\limits_{x\to 0}\dfrac{x}{2^x-1}$

(4) $\lim\limits_{x\to 0}\dfrac{3^x-2^x}{x}$

(5) $\lim\limits_{x\to 0}\dfrac{6^x-3^x}{3x}$

■ 풍쌤 POINT

$\lim\limits_{x\to 0}\dfrac{a^x-b^x}{x}=\lim\limits_{x\to 0}\left(\dfrac{a^x-1}{x}-\dfrac{b^x-1}{x}\right)=\ln a-\ln b=\ln\dfrac{a}{b}$

유형·09 치환을 이용한 지수·로그함수의 극한

10 다음 극한값을 구하여라.

(1) $\lim\limits_{x\to\infty} x\{\ln(x+1)-\ln x\}$

> 풀이 $\dfrac{1}{x}=t$로 놓으면 $x\to\infty$일 때 $t\to 0$이므로

$$\lim\limits_{x\to\infty} x\{\ln(x+1)-\ln x\}=\lim\limits_{x\to\infty} x\ln\dfrac{x+1}{x}$$

$$=\lim\limits_{x\to\infty} x\ln\left(1+\underline{\quad}\right)$$

$$=\lim\limits_{t\to 0}\dfrac{\ln(1+t)}{t}=\underline{\quad}$$

(2) $\lim\limits_{x\to\infty} x\{\ln(x+2)-\ln x\}$

(3) $\lim\limits_{x\to 2}\dfrac{e^{x-2}-1}{x-2}$

(4) $\lim\limits_{x\to 1}\dfrac{\log_2 x}{1-x}$

(5) $\lim\limits_{x\to 1}\dfrac{5^{x-1}-1}{(x-1)(x+1)}$

■ 풍쌤 POINT

$x\to a$일 때의 지수함수와 로그함수의 극한

➡ $x-a=t$로 치환하여 공식을 이용한다.

O5

지수함수의 도함수

1 지수함수의 도함수

① $y=e^x$일 때, $y'=e^x$

② $y=a^x$일 때, $y'=a^x \ln a$ (단, $a>0$, $a\neq1$)

보기 ① $y=e^{x-1}$이면 $y'=e^{x-1}$

② $y=2^x$이면 $y'=2^x \ln 2$

유형·10 밑이 e인 지수함수의 도함수

정답과 풀이 022쪽

11 다음 함수의 도함수를 구하여라.

(1) $y=e^{x+1}$

> 풀이 $y=e^{x+1}=\underline{\quad}\times e^x$이므로
> $y'=\underline{\quad\quad}$

(2) $y=e^{x+3}$

(3) $y=e^{x-2}$

(4) $y=4e^x$

(5) $y=-e^{x+2}$

12 다음 함수의 도함수를 구하여라.

(1) $y=xe^x$

> 풀이 $y'=\underline{\quad}\times e^x+\underline{\quad}\times e^x=\underline{\quad\quad\quad}$

(2) $y=e^x+x$

(3) $y=e^x-3x^2$

(4) $y=x^2e^x$

(5) $y=e^{x+1}(x^2-x)$

풍쌤 POINT

지수함수의 도함수도 실수배, 합, 차, 곱의 미분법이 성립한다.

➡ ① $\{cf(x)\}'=cf'(x)$ (단, c는 상수)

② $\{f(x)+g(x)\}'=f'(x)+g'(x)$

③ $\{f(x)-g(x)\}'=f'(x)-g'(x)$

④ $\{f(x)g(x)\}'=f'(x)g(x)+f(x)g'(x)$

13 다음 함수의 도함수를 구하여라.

(1) $y=2^{x-1}$

> ▶ 풀이 $y=2^{x-1}=$＿＿$\times 2^x$이므로
>
> $y'=$＿＿＿＿

(2) $y=3^{x+1}$

(3) $y=5^{x-2}$

(4) $y=2^{2x}$

(5) $y=-\dfrac{1}{\ln 3}\times 3^x$

14 다음 함수의 도함수를 구하여라.

(1) $y=x\times 3^x$

> ▶ 풀이 $y'=$＿$\times 3^x+x\times$＿＿＿＿＿
>
> $=$＿＿＿＿＿＿

(2) $y=5^x-x+1$

(3) $y=2^{2x}+2^x$

(4) $y=x^2\times 7^x$

(5) $y=2^x(x-1)$

📑 풍쌤 POINT

지수가 x가 아닌 지수함수의 도함수

➡ 지수가 x가 되도록 주어진 함수식을 변형한다.

15 다음 극한값을 구하여라.

(1) 함수 $f(x)=e^x$일 때, $\lim\limits_{h\to0}\dfrac{f(1+h)-f(1)}{2h}$

> 풀이　$\lim\limits_{h\to0}\dfrac{f(1+h)-f(1)}{2h}=\dfrac{1}{2}\lim\limits_{h\to0}\dfrac{f(1+h)-f(1)}{h}$
>
> 　　　　　　　　　　　$=\dfrac{1}{2}f'(1)$
>
> 이때 $f'(x)=\underline{\quad}$이므로
>
> $\lim\limits_{h\to0}\dfrac{f(1+h)-f(1)}{2h}=\dfrac{1}{2}f'(1)=\underline{\quad}$

(2) 함수 $f(x)=e^x+x$일 때, $\lim\limits_{h\to0}\dfrac{f(2+h)-f(2)}{h}$

(3) 함수 $f(x)=e^x(2x-1)$일 때, $\lim\limits_{x\to3}\dfrac{f(x)-f(3)}{x-3}$

(4) 함수 $f(x)=xe^x$일 때, $\lim\limits_{x\to0}\dfrac{f(x^2)-f(0)}{x}$

(5) 함수 $f(x)=3^x-2$일 때, $\lim\limits_{h\to0}\dfrac{f(2-h)-f(2)}{h}$

(6) 함수 $f(x)=5^x+1$일 때, $\lim\limits_{h\to0}\dfrac{f(1+h)-f(1-h)}{h}$

(7) 함수 $f(x)=2^x$일 때, $\lim\limits_{x\to0}\dfrac{f(x)-1}{x}$

(8) 함수 $f(x)=(\sqrt{3})^{2x}$일 때, $\lim\limits_{x\to1}\dfrac{f(x)-f(1)}{(x-1)\ln 3}$

■ 풍쌤 POINT

함수 $f(x)$의 $x=a$에서의 미분계수

➡ $f'(a)=\lim\limits_{\Delta x\to0}\dfrac{f(a+\Delta x)-f(a)}{\Delta x}$

　　　$=\lim\limits_{h\to0}\dfrac{f(a+h)-f(a)}{h}$

　　　$=\lim\limits_{x\to a}\dfrac{f(x)-f(a)}{x-a}$

06

로그함수의 도함수

1 로그함수의 도함수

① $y=\ln x$일 때, $y'=\dfrac{1}{x}$

② $y=\log_a x$일 때, $y'=\dfrac{1}{x \ln a}$ (단, $a>0$, $a \neq 1$)

> **보기** $y=\log_2 x$이면
> $$y'=\dfrac{1}{x \ln 2}$$

유형·13 밑이 e인 로그함수의 도함수

16 다음 함수의 도함수를 구하여라.

(1) $y=\ln x^2$

> ▶ **풀이** $y=\ln x^2=\underline{\ \ }\ln x$이므로
>
> $y'=\underline{\ \ \ }$

(2) $y=-7\ln x$

(3) $y=\ln 3x$

(4) $y=\ln (2x)^3$

(5) $y=\ln \dfrac{1}{x}$

17 다음 함수의 도함수를 구하여라.

(1) $y=(2x+1)\ln x$

> ▶ **풀이** $y'=\underline{\ \ }\times \ln x+(2x+1)\times \underline{\ \ \ }$
>
> $=\underline{\ \ \ \ \ \ \ \ \ \ }$

(2) $y=\ln x+x^2+1$

(3) $y=\ln 2x-5x$

(4) $y=(3x-2)\ln 5x$

(5) $y=(\ln x)^2$

> ◼ **풍쌤 POINT**
> 밑이 e인 로그함수도 로그의 성질을 만족시킨다.
> ① $\ln x^n=n\ln x$
> ② $\ln ax=\ln a+\ln x$

18 다음 함수의 도함수를 구하여라.

(1) $y=\log 2x$

> ❯풀이 $y=\log 2x=$ _____ $+\log x$이므로
>
> $y'=$ _____

(2) $y=\log_5 x$

(3) $y=-2\log_2 x$

(4) $y=\log_3 9x$

(5) $y=\log_{\sqrt{2}} x$

(6) $y=\log_3 \dfrac{1}{x}$

19 다음 함수의 도함수를 구하여라.

(1) $y=x\log_7 x$

> ❯풀이 $y'=1\times$ _____ $+x\times$ _____ $=$ _____

(2) $y=(x+2)\log_3 x$

(3) $y=\ln x+\log x$

(4) $y=\log_2 x+\log_4 x$

(5) $y=2^x \log_5 x$

◤ 풍쌤 POINT

밑이 a인 로그함수 $y=\log_a x$의 도함수

➡ $y=\dfrac{\ln x}{\ln a}$이므로 $y'=\dfrac{1}{\ln a}(\ln x)'=\dfrac{1}{x\ln a}$

20 다음 극한값을 구하여라.

(1) 함수 $f(x)=\ln x$일 때, $\lim\limits_{h\to 0}\dfrac{f(1+2h)-f(1)}{3h}$

> 풀이 $\lim\limits_{h\to 0}\dfrac{f(1+2h)-f(1)}{3h}=\dfrac{2}{3}\lim\limits_{h\to 0}\dfrac{f(1+2h)-f(1)}{2h}$
>
> $\qquad\qquad\qquad\qquad\qquad =\dfrac{2}{3}f'(1)$
>
> 이때 $f'(x)=$ ___ 이므로
>
> $\lim\limits_{h\to 0}\dfrac{f(1+2h)-f(1)}{3h}=$ ___

(2) 함수 $f(x)=x^3-\ln x$일 때, $\lim\limits_{h\to 0}\dfrac{f(e+h)-f(e)}{h}$

(3) 함수 $f(x)=(x+3)\ln x$일 때, $\lim\limits_{x\to 2}\dfrac{f(x)-f(2)}{x-2}$

(4) 함수 $f(x)=x\ln x$일 때, $\lim\limits_{x\to 1}\dfrac{f(x)}{x-1}$

(5) 함수 $f(x)=\log_3 x$일 때, $\lim\limits_{h\to 0}\dfrac{f(3-h)-f(3)}{h}$

(6) 함수 $f(x)=\log ex$일 때, $\lim\limits_{h\to 0}\dfrac{f(1+h)-f(1-h)}{h}$

(7) 함수 $f(x)=\log_5 x^2$일 때, $\lim\limits_{x\to\sqrt 5}\dfrac{f(x)-f(\sqrt 5)}{x^2-5}$

(8) 함수 $f(x)=x\log_2 x$일 때, $\lim\limits_{x\to 2}\dfrac{3\{f(x)-2\}}{x-2}$

◀ 풍쌤 POINT

함수 $f(x)$의 $x=a$에서의 미분계수

➡ $f'(a)=\lim\limits_{\varDelta x\to 0}\dfrac{f(a+\varDelta x)-f(a)}{\varDelta x}$

$\qquad =\lim\limits_{h\to 0}\dfrac{f(a+h)-f(a)}{h}$

$\qquad =\lim\limits_{x\to 0}\dfrac{f(x)-f(a)}{x-a}$

21 다음 함수 $f(x)$가 정의역의 모든 실수 x에서 미분가능할 때, 상수 a, b의 값을 각각 구하여라.

(1) $f(x) = \begin{cases} ax & (x \le 1) \\ \ln bx & (x > 1) \end{cases}$

> **풀이** 함수 $f(x)$가 정의역의 모든 실수 x에서 미분가능하므로 $x=1$에서 연속이고 미분가능하다.
> (i) $x=1$에서 연속이어야 하므로
> $$\lim_{x \to 1+} \underline{\quad} = \lim_{x \to 1-} \underline{\quad} = f(1)$$
> $$\therefore a = \underline{\quad} \qquad \cdots\cdots \ \bigcirc$$
> (ii) $x=1$에서 미분가능하므로
> $$f'(x) = \begin{cases} a & (x<1) \\ \dfrac{1}{x} & (x>1) \end{cases} \text{에서} \quad a=1$$
> $a=1$을 $\bigcirc$에 대입하면 $b = \underline{\quad}$

(2) $f(x) = \begin{cases} ax^2+1 & (x \le 1) \\ \ln bx & (x > 1) \end{cases}$

(3) $f(x) = \begin{cases} \ln x + ax^2 & (0 < x \le 1) \\ be^{x-1} & (x > 1) \end{cases}$

(4) $f(x) = \begin{cases} \ln x & (0 < x \le e) \\ ax+b & (x > e) \end{cases}$

(5) $f(x) = \begin{cases} a & (x \le 2) \\ b \log_2 x + 3 & (x > 2) \end{cases}$

(6) $f(x) = \begin{cases} ax+b & (x \le 1) \\ \log_3 9x & (x > 1) \end{cases}$

▨ 풍쌤 POINT

미분가능한 함수 $g(x)$, $h(x)$에 대하여 함수

$f(x) = \begin{cases} g(x) & (x \le a) \\ h(x) & (x > a) \end{cases}$ 일 때, $f'(x) = \begin{cases} g'(x) & (x < a) \\ h'(x) & (x > a) \end{cases}$

이므로 함수 $f(x)$가 모든 실수 x에서 미분가능하면

(i) $x=a$에서 연속 ➡ $g(a) = h(a)$

(ii) $f'(a)$가 존재 ➡ $g'(a) = h'(a)$

07

코시컨트함수, 시컨트함수, 코탄젠트함수

1 코시컨트함수, 시컨트함수, 코탄젠트함수

반지름의 길이가 r인 원 위의 점 $P(x, y)$에 대하여
동경 OP가 나타내는 일반각의 크기를 θ라 할 때

$$\csc \theta = \frac{r}{y} = \frac{1}{\sin \theta} \quad (y \neq 0),$$

$$\sec \theta = \frac{r}{x} = \frac{1}{\cos \theta} \quad (x \neq 0),$$

$$\cot \theta = \frac{x}{y} = \frac{1}{\tan \theta} \quad (y \neq 0)$$

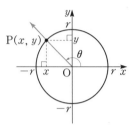

> csc, sec, cot는 cosecant,
> secant, cotangent를 약자
> 로 쓴 것이다.

> $\tan \theta = \dfrac{\sin \theta}{\cos \theta}$이므로
> $\cot \theta = \dfrac{\cos \theta}{\sin \theta} = \dfrac{1}{\tan \theta}$

유형·17 코시컨트함수, 시컨트함수, 코탄젠트함수

정답과 풀이 025쪽

22 각 θ의 크기가 다음과 같을 때, $\csc \theta$, $\sec \theta$, $\cot \theta$
의 값을 각각 구하여라.

(1) $30°$

> **풀이** 그림과 같이 반지름의 길이가 1
> 인 원에서 $\theta = 30°$의 동경과 이
> 원의 교점을 P, 점 P에서 x축에
> 내린 수선의 발을 H라 하면 직
> 각삼각형 POH에서

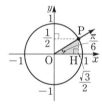

> $\angle \text{POH} = \dfrac{\pi}{6}$이므로
> 점 P의 좌표는 $\left(\underline{\quad}, \underline{\quad} \right)$
>
> $\therefore \csc \theta = \underline{\quad}$, $\sec \theta = \underline{\quad}$, $\cot \theta = \underline{\quad}$

(2) $45°$

(3) $120°$

(4) $\dfrac{4}{3}\pi$

(5) $\dfrac{5}{4}\pi$

(6) $-\dfrac{\pi}{4}$

08

삼각함수 사이의 관계

---

1 삼각함수 사이의 관계

① $\sin^2 \theta + \cos^2 \theta = 1$

② $1 + \tan^2 \theta = \sec^2 \theta$

③ $1 + \cot^2 \theta = \csc^2 \theta$

> $\sin^2 \theta = (\sin \theta)^2$
> $\cos^2 \theta = (\cos \theta)^2$
> $\tan^2 \theta = (\tan \theta)^2$

유형·18 삼각함수 사이의 관계

정답과 풀이 026쪽

23 다음 식을 간단히 하여라.

(1) $\dfrac{1}{\csc \theta + \cot \theta} + \dfrac{1}{\csc \theta - \cot \theta}$

> 풀이 $\dfrac{1}{\csc \theta + \cot \theta} + \dfrac{1}{\csc \theta - \cot \theta}$
>
> $= \dfrac{\csc \theta - \cot \theta + \csc \theta + \cot \theta}{(\csc \theta + \cot \theta)(\csc \theta - \cot \theta)}$
>
> $= \dfrac{2 \csc \theta}{\csc^2 \theta - \cot^2 \theta}$
>
> 이때 $1 + \cot^2 \theta = \csc^2 \theta$에서 $\csc^2 \theta - \cot^2 \theta = \underline{}$이므로
>
> $\dfrac{1}{\csc \theta + \cot \theta} + \dfrac{1}{\csc \theta - \cot \theta} = \underline{}$

(2) $(1 - \sin^2 \theta)(1 + \tan^2 \theta)$

(3) $\dfrac{1}{\sec \theta + \tan \theta} + \dfrac{1}{\sec \theta - \tan \theta}$

(4) $\dfrac{\sin \theta}{\csc \theta + \cot \theta} + \dfrac{\sin \theta}{\csc \theta - \cot \theta}$

24 다음을 구하여라.

(1) $\sin \theta + \cos \theta = \dfrac{1}{3}$일 때, $\csc \theta + \sec \theta$의 값

> 풀이 $\sin \theta + \cos \theta = \dfrac{1}{3}$의 양변을 제곱하면
>
> $\sin^2 \theta + 2 \sin \theta \cos \theta + \cos^2 \theta = \dfrac{1}{9}$
>
> $\underline{} + 2 \sin \theta \cos \theta = \dfrac{1}{9}$ $\quad \therefore \sin \theta \cos \theta = \underline{}$
>
> $\therefore \csc \theta + \sec \theta = \dfrac{1}{\sin \theta} + \dfrac{1}{\cos \theta} = \dfrac{\sin \theta + \cos \theta}{\sin \theta \cos \theta}$
>
> $= \underline{}$

(2) $\sec \theta = \dfrac{5}{3}$일 때, $\csc \theta + \cot \theta$의 값

$$\left(단,\ \dfrac{3}{2}\pi < \theta < 2\pi \right)$$

(3) $\tan \theta + \cot \theta = -\dfrac{9}{4}$일 때, $\csc^2 \theta + \sec^2 \theta$의 값

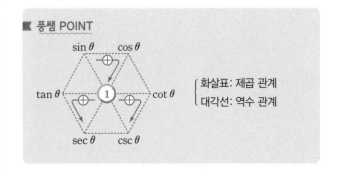

■ 풍쌤 POINT

화살표: 제곱 관계

대각선: 역수 관계

삼각함수의 덧셈정리

1 삼각함수의 덧셈정리

① $\sin(\alpha+\beta)=\sin\alpha\cos\beta+\cos\alpha\sin\beta$

   $\sin(\alpha-\beta)=\sin\alpha\cos\beta-\cos\alpha\sin\beta$

② $\cos(\alpha+\beta)=\cos\alpha\cos\beta-\sin\alpha\sin\beta$

   $\cos(\alpha-\beta)=\cos\alpha\cos\beta+\sin\alpha\sin\beta$

③ $\tan(\alpha+\beta)=\dfrac{\tan\alpha+\tan\beta}{1-\tan\alpha\tan\beta}$

   $\tan(\alpha-\beta)=\dfrac{\tan\alpha-\tan\beta}{1+\tan\alpha\tan\beta}$

> 특수각의 삼각함수의 값

	0°	30°	45°	60°	90°
$\sin\theta$	0	$\dfrac{1}{2}$	$\dfrac{\sqrt{2}}{2}$	$\dfrac{\sqrt{3}}{2}$	1
$\cos\theta$	1	$\dfrac{\sqrt{3}}{2}$	$\dfrac{\sqrt{2}}{2}$	$\dfrac{1}{2}$	0
$\tan\theta$	0	$\dfrac{\sqrt{3}}{3}$	1	$\sqrt{3}$	

유형·19 삼각함수의 덧셈정리(1)

25 다음 삼각함수의 값을 구하여라.

(1) $\sin 75°$

> 풀이 $\sin 75°=\sin(30°+45°)$

   $=\sin 30°\times\underline{\hspace{1.5cm}}+\cos 30°\times\underline{\hspace{1.5cm}}$

   $=\underline{\hspace{1.5cm}}$

(2) $\sin 105°$

(3) $\sin 15°$

(4) $\cos 105°$

(5) $\cos 15°$

(6) $\tan 75°$

(7) $\tan 15°$

> ▇ 풍쌤 POINT
>
> 두 각의 합에 대한 삼각함수의 값
>
> ➡ 특수각의 합과 차로 변형하여 삼각함수의 덧셈정리를 적용한다.

26 다음 식의 값을 구하여라.

(1) $\sin 15° \cos 30° + \cos 15° \sin 30°$

> 풀이 $\sin 15° \cos 30° + \cos 15° \sin 30°$
> $= \sin(\underline{\quad} + \underline{\quad})$
> $= \sin \underline{\quad} = \underline{\quad}$

(2) $\sin 35° \cos 55° + \cos 35° \sin 55°$

(3) $\sin 40° \cos 10° - \cos 40° \sin 10°$

(4) $\cos 30° \cos 15° - \sin 30° \sin 15°$

(5) $\cos 45° \cos 15° + \sin 45° \sin 15°$

(6) $\cos 27° \cos 33° - \sin 27° \sin 33°$

(7) $\dfrac{\tan 25° + \tan 35°}{1 - \tan 25° \tan 35°}$

(8) $\dfrac{\tan 65° - \tan 20°}{1 + \tan 65° \tan 20°}$

(9) $\dfrac{\tan 43° - \tan 13°}{1 + \tan 43° \tan 13°}$

◪ 풍쌤 POINT

삼각함수의 덧셈정리에서 등식의 자리 바꾸기

① $\sin \alpha \cos \beta + \cos \alpha \sin \beta = \sin(\alpha + \beta)$

   $\sin \alpha \cos \beta - \cos \alpha \sin \beta = \sin(\alpha - \beta)$

② $\cos \alpha \cos \beta - \sin \alpha \sin \beta = \cos(\alpha + \beta)$

   $\cos \alpha \cos \beta + \sin \alpha \sin \beta = \cos(\alpha - \beta)$

③ $\dfrac{\tan \alpha + \tan \beta}{1 - \tan \alpha \tan \beta} = \tan(\alpha + \beta)$

   $\dfrac{\tan \alpha - \tan \beta}{1 + \tan \alpha \tan \beta} = \tan(\alpha - \beta)$

27 다음 이차방정식의 두 근을 $\tan \alpha$, $\tan \beta$라 할 때, $\tan(\alpha+\beta)$의 값을 구하여라.

(1) $2x^2-4x-1=0$

> **풀이** 이차방정식의 근과 계수의 관계에 의하여
> $$\tan \alpha + \tan \beta = \underline{\quad}, \quad \tan \alpha \tan \beta = \underline{\quad\quad}$$
> $$\therefore \tan(\alpha+\beta) = \frac{\tan \alpha + \tan \beta}{1-\tan \alpha \tan \beta} = \underline{\quad\quad}$$

(2) $x^2+3x-2=0$

(3) $x^2-x-2=0$

(4) $3x^2-4=0$

(5) $2x^2+3x-1=0$

■ **풍쌤 POINT**

이차방정식의 근과 계수의 관계
➡ 이차방정식 $ax^2+bx+c=0$의 두 근을 α, β라 하면
$$\alpha+\beta=-\frac{b}{a}, \; \alpha\beta=\frac{c}{a}$$

28 α, β가 모두 예각이고, $\sin \alpha = \dfrac{5}{13}$, $\cos \beta = \dfrac{4}{5}$일 때, 다음 값을 구하여라.

(1) $\sin(\alpha+\beta)$

> **풀이** α, β가 모두 예각이므로 $\cos \alpha > 0$, $\sin \beta > 0$
> $$\therefore \cos \alpha = \sqrt{1-\sin^2 \alpha} = \sqrt{1-\left(\frac{5}{13}\right)^2} = \underline{\quad}$$
> $$\sin \beta = \sqrt{1-\cos^2 \beta} = \sqrt{1-\left(\frac{4}{5}\right)^2} = \underline{\quad}$$
> $$\sin(\alpha+\beta) = \sin \alpha \cos \beta + \cos \alpha \sin \beta$$
> $$= \underline{\quad}$$

(2) $\sin(\alpha-\beta)$

(3) $\cos(\alpha+\beta)$

(4) $\cos(\alpha-\beta)$

(5) $\tan(\alpha+\beta)$

(6) $\tan(\alpha-\beta)$

29 $0<\alpha<\dfrac{\pi}{2}$, $\dfrac{\pi}{2}<\beta<\pi$이고, $\sin\alpha=\dfrac{\sqrt{10}}{5}$,

$\cos\beta=-\dfrac{3}{5}$일 때, 다음 값을 구하여라.

(1) $\sin(\alpha+\beta)$

(2) $\sin(\alpha-\beta)$

(3) $\cos(\alpha+\beta)$

(4) $\cos(\alpha-\beta)$

(5) $\tan(\alpha+\beta)$

(6) $\tan(\alpha-\beta)$

30 다음 두 직선이 이루는 예각의 크기를 구하여라.

(1) $y=3x+1$, $y=-2x$

> 풀이 두 직선 $y=3x+1$, $y=-2x$가 x축의 양의 방향과 이루는 각의 크기를 각각 α, β라 하면
> $\tan\alpha=3$, $\tan\beta=$ ____
> 두 직선이 이루는 예각의 크기를 θ라 하면 $\theta=\alpha-\beta$이므로
> $\tan\theta=|\tan(\alpha-\beta)|=\left|\dfrac{\tan\alpha-\tan\beta}{1+\tan\alpha\tan\beta}\right|$
> $=$ __
> $\therefore\ \theta=$ ___

(2) $y=-3x+4$, $y=2x+1$

(3) $y=4x+1$, $y=\dfrac{3}{5}x+2$

■ 풍쌤 POINT

삼각함수의 덧셈정리를 이용하여 삼각함수의 값 구하기

(ⅰ) 하나의 삼각함수의 값이 주어지면 $\sin^2\theta+\cos^2\theta=1$,

  $\tan\theta=\dfrac{\sin\theta}{\cos\theta}$임을 이용하여 다른 삼각함수의 값을 구한다.

(ⅱ) 주어진 삼각함수의 각이 제몇 사분면의 각인지 확인하여 부호를 붙인다.

(ⅲ) 필요한 삼각함수의 값을 구했다면 삼각함수의 덧셈정리에 적용한다.

■ 풍쌤 POINT

두 직선 l, m이 x축의 양의 방향과 이루는 각의 크기가 각각 α, β일 때, 두 직선 l, m이 이루는 예각의 크기를 θ라 하면

➡ $\tan\theta=|\tan(\alpha-\beta)|=\left|\dfrac{\tan\alpha-\tan\beta}{1+\tan\alpha\tan\beta}\right|$

삼각함수의 덧셈정리의 응용

1 삼각함수의 배각의 공식

① $\sin 2\alpha = 2\sin\alpha\cos\alpha$

② $\cos 2\alpha = \cos^2\alpha - \sin^2\alpha = 2\cos^2\alpha - 1 = 1 - 2\sin^2\alpha$

③ $\tan 2\alpha = \dfrac{2\tan\alpha}{1-\tan^2\alpha}$

2 삼각함수의 반각의 공식

① $\sin^2\dfrac{\alpha}{2} = \dfrac{1-\cos\alpha}{2}$

② $\cos^2\dfrac{\alpha}{2} = \dfrac{1+\cos\alpha}{2}$

③ $\tan^2\dfrac{\alpha}{2} = \dfrac{1-\cos\alpha}{1+\cos\alpha}$

> 삼각함수의 덧셈정리에서 $\alpha=\beta$인 경우가 배각의 공식이다.

> $\cos 2\alpha = 2\cos^2\alpha - 1$
> $\qquad = 1 - 2\sin^2\alpha$
> 에서 α 대신 $\dfrac{\alpha}{2}$를 대입하면 반각의 공식을 유도할 수 있다.

유형·24 배각의 공식

31 $\cos\theta = -\dfrac{3}{4}$일 때, 다음 삼각함수의 값을 구하여라.

$$\left(단,\ \dfrac{\pi}{2} < \theta < \pi\right)$$

(1) $\sin 2\theta$

> 풀이 $\dfrac{\pi}{2} < \alpha < \pi$에서 $\sin\theta > 0$이므로

$$\sin\theta = \sqrt{1-\cos^2\theta} = \sqrt{1-\left(-\dfrac{3}{4}\right)^2} = \underline{\qquad}$$
$$\therefore\ \sin 2\theta = 2\sin\theta\cos\theta$$
$$= 2 \times \underline{\qquad} \times \left(-\dfrac{3}{4}\right) = \underline{\qquad}$$

(2) $\cos 2\theta$

(3) $\tan 2\theta$

32 $\sin\theta = \dfrac{4}{5}$일 때, 다음 삼각함수의 값을 구하여라.

$$\left(단,\ 0 < \alpha < \dfrac{\pi}{2}\right)$$

(1) $\sin 2\theta$

> 풀이 $0 < \alpha < \dfrac{\pi}{2}$에서 $\cos\theta > 0$이므로

$$\cos\theta = \sqrt{1-\sin^2\theta} = \sqrt{1-\left(\dfrac{4}{5}\right)^2} = \underline{\qquad}$$
$$\therefore\ \sin 2\theta = 2\sin\theta\cos\theta$$
$$= 2 \times \dfrac{4}{5} \times \underline{\qquad} = \underline{\qquad}$$

(2) $\cos 2\theta$

(3) $\tan 2\theta$

■ 풍쌤 POINT

삼각함수의 배각의 공식

➡ ① $\sin 2\alpha = 2\sin\alpha\cos\alpha$

② $\cos 2\alpha = \cos^2\alpha - \sin^2\alpha = 2\cos^2\alpha - 1 = 1 - 2\sin^2\alpha$

③ $\tan 2\alpha = \dfrac{2\tan\alpha}{1-\tan^2\alpha}$ $\left(또는 \tan 2\alpha = \dfrac{\sin 2\alpha}{\cos 2\alpha}\right)$

33 $\sin\theta+\cos\theta=\dfrac{1}{3}$일 때, 다음 값을 구하여라.

(1) $\sin 2\theta$

> **풀이** $\sin\theta+\cos\theta=\dfrac{1}{3}$의 양변을 제곱하면
>
> $\qquad \sin^2\theta+2\sin\theta\cos\theta+\cos^2\theta=\dfrac{1}{9}$
>
> $\qquad 1+2\sin\theta\cos\theta=\dfrac{1}{9}$
>
> $\qquad \therefore\ 2\sin\theta\cos\theta=\underline{\qquad}$
>
> $\qquad \therefore\ \sin 2\theta=2\sin\theta\cos\ \theta=\underline{\qquad}$

(2) $\tan\theta+\cot\theta$

34 $\sin\theta+\cos\theta=\dfrac{1}{2}$일 때, 다음 값을 구하여라.

(1) $\sin 2\theta$

(2) $\tan\theta+\cot\theta$

35 다음을 구하여라.

(1) $\sin\theta+\cos\theta=\dfrac{3}{4}$일 때, $\sin^3\theta+\cos^3\theta$의 값

> **풀이** $\sin\theta+\cos\theta=\dfrac{3}{4}$의 양변을 제곱하면
>
> $\qquad \sin^2\theta+2\sin\theta\cos\theta+\cos^2\theta=\dfrac{9}{16}$
>
> $\qquad 1+2\sin\theta\cos\theta=\dfrac{9}{16}$
>
> $\qquad \therefore\ \sin\theta\cos\theta=\underline{\qquad}$
>
> $\qquad \therefore\ \sin^3\theta+\cos^3\theta$
>
> $\qquad =(\sin\theta+\cos\theta)(\sin^2\theta-\sin\theta\cos\theta+\cos^2\theta)$
>
> $\qquad =\dfrac{3}{4}\times\left\{1-\left(\underline{\qquad}\right)\right\}$
>
> $\qquad =\underline{\qquad}$

(2) $\sin\theta+\cos\theta=\dfrac{\sqrt{2}}{2}$일 때, $\sin^3\theta+\cos^3\theta$의 값

(3) $\sin\theta-\cos\theta=\dfrac{1}{2}$일 때, $\sin^3\theta-\cos^3\theta$의 값

■ 풍쌤 POINT

$\sin\theta\pm\cos\theta$의 값이 주어진 경우

➡ 양변을 제곱한 후 $\sin^2\theta+\cos^2\theta=1$과 삼각함수의 배각의 공식이나 인수분해 공식 등을 이용한다.

36 $\cos\theta=-\dfrac{3}{5}$일 때, 다음 삼각함수의 값을 구하여라.

$$\left(\text{단, } \dfrac{\pi}{2}<\theta<\pi\right)$$

(1) $\sin\dfrac{\theta}{2}$

> 풀이 $\dfrac{\pi}{2}<\theta<\pi$에서 $\dfrac{\pi}{4}<\dfrac{\theta}{2}<\dfrac{\pi}{2}$이므로 $\sin\dfrac{\theta}{2}>0$

$$\sin^2\dfrac{\theta}{2}=\dfrac{1-\cos\theta}{2}=\dfrac{1-\left(-\dfrac{3}{5}\right)}{2}=\underline{\qquad}$$

$$\therefore\ \sin\dfrac{\theta}{2}=\underline{\qquad}$$

(2) $\cos\dfrac{\theta}{2}$

(3) $\tan\dfrac{\theta}{2}$

37 $\sin\theta=\dfrac{2}{3}$일 때, 다음 삼각함수의 값을 구하여라.

$$\left(\text{단, } 0<\theta<\dfrac{\pi}{2}\right)$$

(1) $\sin^2\dfrac{\theta}{2}$

(2) $\cos^2\dfrac{\theta}{2}$

(3) $\tan^2\dfrac{\theta}{2}$

38 다음 삼각함수의 값을 구하여라.

(1) $\sin^2 22.5°$

> 풀이 $\sin^2 22.5°=\sin^2\dfrac{45°}{2}=\dfrac{1-\cos 45°}{2}$

$$=\dfrac{1-\dfrac{\sqrt{2}}{2}}{2}=\underline{\qquad}$$

(2) $\cos^2 22.5°$

(3) $\tan^2 22.5°$

(4) $\sin^2 15°$

(5) $\cos^2 15°$

(6) $\tan^2 15°$

■ 풍쌤 POINT

삼각함수의 반각의 공식

➡ ① $\sin^2\dfrac{\alpha}{2}=\dfrac{1-\cos\alpha}{2}$ ② $\cos^2\dfrac{\alpha}{2}=\dfrac{1+\cos\alpha}{2}$

③ $\tan^2\dfrac{\alpha}{2}=\dfrac{1-\cos\alpha}{1+\cos\alpha}$

삼각함수의 합성

1 삼각함수의 합성

두 삼각함수의 합 $a \sin x + b \cos x$ $(a \neq 0, b \neq 0)$를 다음과 같이 하나의 삼각함수로 변형하는 것을 삼각함수의 합성이라고 한다.

① 사인합성: $a \sin x + b \cos x = r \sin(x + \alpha)$

$$\left(단, r = \sqrt{a^2 + b^2}, \sin \alpha = \frac{b}{r}, \cos \alpha = \frac{a}{r} \right)$$

② 코사인합성: $a \sin x + b \cos x = r \cos(x - \beta)$

$$\left(단, r = \sqrt{a^2 + b^2}, \sin \beta = \frac{a}{r}, \cos \beta = \frac{b}{r} \right)$$

보기

$$\sin x + \cos x$$
$$= \sqrt{2} \left(\frac{1}{\sqrt{2}} \sin x + \frac{1}{\sqrt{2}} \cos x \right)$$
$$= \sqrt{2} \left(\cos \frac{\pi}{4} \sin x + \sin \frac{\pi}{4} \cos x \right)$$
$$= \sqrt{2} \sin \left(x + \frac{\pi}{4} \right)$$

유형·27 삼각함수의 합성 (1)

정답과 풀이 031쪽

39 다음 삼각함수를 $r \sin(x + \alpha)$의 꼴로 나타내어라.

(1) $\sqrt{3} \sin x + \cos x$

> 풀이 $r = \sqrt{(\sqrt{3})^2 + 1^2} = 2$이므로

$$\sqrt{3} \sin x + \cos x = 2 \left(\frac{\sqrt{3}}{2} \sin x + \frac{1}{2} \cos x \right)$$
$$= 2 \left(\underline{\quad\quad} \sin x + \underline{\quad\quad} \cos x \right)$$
$$= 2 \sin \left(\underline{\quad\quad} \right)$$

(2) $\sin x - \cos x$

(3) $\sqrt{2} \sin x + \sqrt{2} \cos x$

40 다음 삼각함수를 $r \cos(x - \beta)$의 꼴로 나타내어라.

(1) $\sin x + \sqrt{3} \cos x$

> 풀이 $r = \sqrt{1^2 + (\sqrt{3})^2} = 2$이므로

$$\sin x + \sqrt{3} \cos x = 2 \left(\frac{1}{2} \sin x + \frac{\sqrt{3}}{2} \cos x \right)$$
$$= 2 \left(\underline{\quad\quad} \sin x + \underline{\quad\quad} \cos x \right)$$
$$= 2 \cos \left(\underline{\quad\quad} \right)$$

(2) $\sin x + \cos x$

■ 풍쌤 POINT

삼각함수의 합성

① $a \sin \theta + b \cos \theta = \sqrt{a^2 + b^2} \sin(\theta + \alpha)$

$$\left(단, \sin \alpha = \frac{b}{\sqrt{a^2 + b^2}}, \cos \alpha = \frac{a}{\sqrt{a^2 + b^2}} \right)$$

② $a \sin \theta + b \cos \theta = \sqrt{a^2 + b^2} \cos(\theta - \beta)$

$$\left(단, \sin \beta = \frac{a}{\sqrt{a^2 + b^2}}, \cos \beta = \frac{b}{\sqrt{a^2 + b^2}} \right)$$

41 다음 삼각함수를 $r\sin(x+\alpha)$의 꼴로 나타내어라.
(단, $r>0$)

(1) $2\sin x+2\cos\left(x+\dfrac{\pi}{6}\right)$

▶ 풀이 $\cos\left(x+\dfrac{\pi}{6}\right)=\cos x\cos\dfrac{\pi}{6}-\sin x\sin\dfrac{\pi}{6}$

$$=-\dfrac{1}{2}\sin x+\dfrac{\sqrt{3}}{2}\cos x$$

이므로

$2\sin x+2\cos\left(x+\dfrac{\pi}{6}\right)$

$=2\sin x+2\Big(\underline{\hspace{3cm}}\Big)$

$=\underline{\hspace{3cm}}$

이때 $r=\sqrt{1^2+(\sqrt{3})^2}=2$이므로

$2\sin x+2\cos\left(x+\dfrac{\pi}{6}\right)$

$=\sin x+\sqrt{3}\cos x$

$=2\left(\dfrac{1}{2}\sin x+\dfrac{\sqrt{3}}{2}\cos x\right)$

$=2\left(\cos\dfrac{\pi}{3}\sin x+\sin\dfrac{\pi}{3}\cos x\right)$

$=\underline{\hspace{3cm}}$

(2) $2\cos\left(x-\dfrac{\pi}{4}\right)-2\sqrt{2}\sin x$

(3) $2\sqrt{3}\sin\left(x+\dfrac{\pi}{6}\right)-4\sin x$

(4) $-2\sqrt{2}\sin\left(x+\dfrac{\pi}{4}\right)+4\sin x$

(5) $2\sin\left(x+\dfrac{\pi}{3}\right)+\sin x$

(6) $\cos\left(x-\dfrac{\pi}{3}\right)+2\cos x$

▨ 풍쌤 POINT

삼각함수의 덧셈정리

① $\sin(\alpha+\beta)=\sin\alpha\cos\beta+\cos\alpha\sin\beta$

  $\sin(\alpha-\beta)=\sin\alpha\cos\beta-\cos\alpha\sin\beta$

② $\cos(\alpha+\beta)=\cos\alpha\cos\beta-\sin\alpha\sin\beta$

  $\cos(\alpha-\beta)=\cos\alpha\cos\beta+\sin\alpha\sin\beta$

③ $\tan(\alpha+\beta)=\dfrac{\tan\alpha+\tan\beta}{1-\tan\alpha\tan\beta}$

  $\tan(\alpha-\beta)=\dfrac{\tan\alpha-\tan\beta}{1+\tan\alpha\tan\beta}$

삼각함수의 주기와 최대·최소

① 삼각함수 $y=a \sin x+b \cos x$의 주기와 최댓값, 최솟값

① 주기: 2π ② 최댓값: $\sqrt{a^2+b^2}$ ③ 최솟값: $-\sqrt{a^2+b^2}$

참고

삼각함수	최댓값	최솟값	주기
$y=a \sin(bx+c)+d$	$\|a\|+d$	$-\|a\|+d$	$\dfrac{2\pi}{\|b\|}$
$y=a \cos(bx+c)+d$	$\|a\|+d$	$-\|a\|+d$	$\dfrac{2\pi}{\|b\|}$
$y=a \tan(bx+c)+d$	없다.	없다.	$\dfrac{\pi}{\|b\|}$

보기 함수 $y=\sin x+\cos x$에서
$$y=\sin x+\cos x$$
$$=\sqrt{2} \sin\left(x+\frac{\pi}{4}\right)$$
① 주기: 2π
② 최댓값: $\sqrt{2}$
③ 최솟값: $-\sqrt{2}$

유형·**29** 삼각함수의 합성을 이용한 최대, 최소 (1)

정답과 풀이 032쪽

42 다음 함수의 최댓값, 최솟값, 주기를 각각 구하여라.

(1) $y=\dfrac{1}{2} \sin x+\dfrac{\sqrt{3}}{2} \cos x$

▶풀이 $\sqrt{\left(\dfrac{1}{2}\right)^2+\left(\dfrac{\sqrt{3}}{2}\right)^2}=1$이므로

$$y=\frac{1}{2} \sin x+\frac{\sqrt{3}}{2} \cos x$$
$$=\cos \frac{\pi}{3} \sin x+\sin \frac{\pi}{3} \cos x$$
$$=\sin\left(x+\frac{\pi}{3}\right)$$

따라서 최댓값은 ___, 최솟값은 ____,
주기는 ____ 이다.

(2) $y=\sin x-\cos x$

(3) $y=\sqrt{2} \sin x-\sqrt{2} \cos x$

(4) $y=2 \sin x-\sqrt{3} \sin\left(x+\dfrac{\pi}{6}\right)$

(5) $y=\cos\left(x+\dfrac{\pi}{6}\right)-\sin x$

(6) $y=2 \cos x+\cos\left(x-\dfrac{\pi}{3}\right)$

▣ 풍쌤 POINT

$y=a \sin x+b \cos x$의 꼴의 최댓값, 최솟값, 주기
➡ 삼각함수의 합성을 이용하여 합성한 후 구한다.

43 다음 함수의 최댓값, 최솟값, 주기를 각각 구하여라.

(1) $y = 3\sqrt{3}\sin x - 3\cos x + 1$

> 풀이 $\sqrt{(3\sqrt{3})^2 + (-3)^2} = 6$이므로
>
> $y = 3\sqrt{3}\sin x - 3\cos x + 1$
>
> $= 6\left(\dfrac{\sqrt{3}}{2}\sin x - \dfrac{1}{2}\cos x\right) + 1$
>
> $= 6\left(\cos\dfrac{\pi}{6}\sin x - \sin\dfrac{\pi}{6}\cos x\right) + 1$
>
> $= 6\sin\left(x - \dfrac{\pi}{6}\right) + 1$
>
> 이때 $-1 \le \sin\left(x - \dfrac{\pi}{6}\right) \le 1$이므로
>
> $\underline{\quad} \le 6\sin\left(x - \dfrac{\pi}{6}\right) + 1 \le \underline{\quad}$
>
> 따라서 최댓값은 $\underline{\quad}$, 최솟값은 $\underline{\quad}$,
> 수기는 $\underline{\quad}$이다.

(2) $y = 2\sin x - 2\cos x + 3$

(3) $y = \sin x + \sqrt{3}\cos x + 4$

(4) $y = \sqrt{3}\sin x + \sqrt{3}\cos x - 2$

(5) $y = \sqrt{3}\sin x + \cos x + 2$

(6) $y = 2\sqrt{3}\sin x - 6\cos x + 5$

📌 **풍쌤 POINT**

$y = a\sin x + b\cos x + c$의 꼴의 최댓값, 최솟값

➡ $y = \sqrt{a^2 + b^2}\sin(x + \alpha) + c$의 꼴로 변형

➡ 최댓값은 $\sqrt{a^2 + b^2} + c$, 최솟값은 $-\sqrt{a^2 + b^2} + c$

13

삼각함수의 극한

1 삼각함수의 극한

임의의 실수 a에 대하여

① $\lim\limits_{x \to a} \sin x = \sin a$

② $\lim\limits_{x \to a} \cos x = \cos a$

③ $\lim\limits_{x \to a} \tan x = \tan a$ $\left(\text{단}, a \neq n\pi + \dfrac{\pi}{2}, n\text{은 정수}\right)$

> $x \to \infty$ 또는 $x \to -\infty$ 일 때, 함수 $y = \sin x$, $y = \cos x$, $y = \tan x$의 극한은 존재하지 않는다.

유형·31 삼각함수의 극한 (1)

정답과 풀이 034쪽

44 다음 극한값을 구하여라.

(1) $\lim\limits_{x \to \frac{\pi}{6}} \sin x$

> 풀이 $\lim\limits_{x \to \frac{\pi}{6}} \sin x = \sin \underline{\quad} = \underline{\quad}$

(2) $\lim\limits_{x \to \frac{\pi}{4}} \cos x$

(3) $\lim\limits_{x \to \frac{\pi}{3}} \tan x$

(4) $\lim\limits_{x \to \frac{\pi}{2}} \sin x$

(5) $\lim\limits_{x \to \frac{\pi}{2}} \cos x$

(6) $\lim\limits_{x \to \pi} \tan x$

(7) $\lim\limits_{x \to \frac{5}{4}\pi} \sin x$

(8) $\lim\limits_{x \to -\frac{7}{6}\pi} \cos x$

■ 풍쌤 POINT

임의의 실수 a에 대하여

① $\lim\limits_{x \to a} \sin x = \sin a$

② $\lim\limits_{x \to a} \cos x = \cos a$

③ $\lim\limits_{x \to a} \tan x = \tan a$ $\left(\text{단}, a \neq n\pi + \dfrac{\pi}{2}, n\text{은 정수}\right)$

45 다음 극한값을 구하여라.

(1) $\lim\limits_{x \to 0} \dfrac{\sin 3x}{\cos 2x}$

(2) $\lim\limits_{x \to \frac{\pi}{2}} \dfrac{\sin(-x)}{2 \sin x}$

(3) $\lim\limits_{x \to 0} \dfrac{\cos 2x}{\sin x - \cos x}$

(3) $\lim\limits_{x \to 0} \dfrac{\sin^2 \frac{x}{2}}{1 - \cos x}$

(4) $\lim\limits_{x \to \frac{\pi}{4}} \dfrac{1 - \tan^2 x}{\sin x - \cos x}$

(5) $\lim\limits_{x \to \frac{\pi}{2}} (\sec x - \tan x)$

46 다음 극한값을 구하여라.

(1) $\lim\limits_{x \to 0} \dfrac{\sin^2 x}{1 - \cos x}$

> **풀이** $\sin^2 x = 1 - \cos^2 x$ 이므로

$$\lim_{x \to 0} \frac{\sin^2 x}{1 - \cos x} = \lim_{x \to 0} \frac{1 - \cos^2 x}{1 - \cos x}$$

$$= \lim_{x \to 0} \frac{(1 - \cos x)(1 + \cos x)}{1 - \cos x}$$

$$= \lim_{x \to 0} \underline{}$$

$$= 1 + \cos 0$$

$$= \underline{}$$

(6) $\lim\limits_{x \to 0} \dfrac{2 \sin x - \sin 2x}{\sin^2 x}$

(2) $\lim\limits_{x \to \frac{\pi}{2}} \dfrac{\cos^2 x}{1 - \sin x}$

> **📕 풍쌤 POINT**
>
> 대입하여 삼각함수의 극한이 구해지지 않는 경우
>
> ➡ $\sin^2 x + \cos^2 x = 1$, $\tan x = \dfrac{\sin x}{\cos x}$ 를 이용하여 주어진 식
> 을 변형한다.

14

삼각함수의 극한 공식

---

1 삼각함수의 극한 공식

x의 단위가 라디안일 때,

① $\lim_{x \to 0} \dfrac{\sin x}{x} = 1$　　　② $\lim_{x \to 0} \dfrac{\tan x}{x} = 1$

$\rightarrow \lim_{x \to 0} \dfrac{x}{\sin x} = 1,$

$\lim_{x \to 0} \dfrac{x}{\tan x} = 1$

2 삼각함수의 극한의 변형 공식

① $\lim_{x \to 0} \dfrac{\sin bx}{ax} = \dfrac{b}{a}$　② $\lim_{x \to 0} \dfrac{\tan bx}{ax} = \dfrac{b}{a}$　③ $\lim_{x \to 0} \dfrac{\sin bx}{\tan ax} = \dfrac{b}{a}$

유형·33 삼각함수의 극한 공식 (1)

정답과 풀이 034쪽

47 다음 극한값을 구하여라.

(1) $\lim_{x \to 0} \dfrac{\sin 2x}{3x}$

> 풀이　$\lim_{x \to 0} \dfrac{\sin 2x}{3x} = \lim_{x \to 0} \left(\dfrac{\sin 2x}{2x} \times \dfrac{2}{3} \right)$

$= \underline{} \times \dfrac{2}{3} = \underline{}$

(2) $\lim_{x \to 0} \dfrac{5x}{\sin 4x}$

(3) $\lim_{x \to 0} \dfrac{\tan 3x}{x}$

(4) $\lim_{x \to 0} \dfrac{4x}{\tan 2x}$

(5) $\lim_{x \to 0} \dfrac{\sin 3x}{\sin 2x}$

(6) $\lim_{x \to 0} \dfrac{\tan 6x}{\tan x}$

(7) $\lim_{x \to 0} \dfrac{\sin 8x}{\tan 4x}$

(8) $\lim_{x \to 0} \dfrac{\tan 7x}{\sin 2x}$

■ 풍쌤 POINT

삼각함수의 극한

➡ ① $\lim_{x \to 0} \dfrac{\sin bx}{ax} = \dfrac{b}{a}$　② $\lim_{x \to 0} \dfrac{\tan bx}{ax} = \dfrac{b}{a}$

　③ $\lim_{x \to 0} \dfrac{\sin bx}{\tan ax} = \dfrac{b}{a}$

48 다음 극한값을 구하여라.

(1) $\lim\limits_{x \to 0} \dfrac{\sin(\sin 2x)}{x}$

> 풀이 $\lim\limits_{x \to 0} \dfrac{\sin(\sin 2x)}{x} = \lim\limits_{x \to 0} \left\{ \dfrac{\sin(\sin 2x)}{\sin 2x} \times \dfrac{\sin 2x}{x} \right\}$
>
> $= \lim\limits_{x \to 0} \dfrac{\sin 2x}{x} = \lim\limits_{x \to 0} \left(\dfrac{\sin 2x}{2x} \times \underline{\quad} \right)$
>
> $= \underline{\quad}$

(2) $\lim\limits_{x \to 0} \dfrac{\sin(\sin 6x)}{2x}$

(3) $\lim\limits_{x \to 0} \dfrac{\tan(\tan 5x)}{3x}$

(4) $\lim\limits_{x \to 0} \dfrac{x + \tan x}{\sin x}$

(5) $\lim\limits_{x \to 0} \dfrac{\sin(2x^2 + x)}{x(x+1)}$

> ▨ 풍쌤 POINT
>
> ① $\lim\limits_{\star \to 0} \dfrac{\sin \star}{\star} = 1$ ② $\lim\limits_{\star \to 0} \dfrac{\star}{\sin \star} = 1$
>
> ③ $\lim\limits_{\star \to 0} \dfrac{\tan \star}{\star} = 1$ ④ $\lim\limits_{\star \to 0} \dfrac{\star}{\tan \star} = 1$

49 다음 극한값을 구하여라.

(1) $\lim\limits_{x \to 0} \dfrac{1 - \cos x}{x}$

> 풀이 $\lim\limits_{x \to 0} \dfrac{1 - \cos x}{x} = \lim\limits_{x \to 0} \dfrac{(1-\cos x)(1+\cos x)}{x(1+\cos x)}$
>
> $= \lim\limits_{x \to 0} \dfrac{1 - \cos^2 x}{x(1+\cos x)}$
>
> $= \lim\limits_{x \to 0} \dfrac{\sin^2 x}{x(1+\cos x)}$
>
> $= \lim\limits_{x \to 0} \left\{ \left(\underline{\quad\quad} \right)^2 \times \dfrac{x}{1+\cos x} \right\}$
>
> $= \underline{\quad}$

(2) $\lim\limits_{x \to 0} \dfrac{1 - \cos x}{2x^2}$

(3) $\lim\limits_{x \to 0} \dfrac{1 - \cos 2x}{x^2}$

(4) $\lim\limits_{x \to 0} \dfrac{x^2}{2(1 - \cos x)}$

(5) $\lim\limits_{x \to 0} \dfrac{1 - \cos x}{x \sin x}$

유형·36 삼각함수의 극한에서 미정계수 구하기

50 다음 극한값을 구하여라.

(1) $\displaystyle\lim_{x\to\frac{\pi}{2}}\frac{\cos x}{x-\frac{\pi}{2}}$

> 풀이 $x-\dfrac{\pi}{2}=t$로 치환하면 $x\to\dfrac{\pi}{2}$일 때 $t\to 0$이고,
>
> $x=\dfrac{\pi}{2}+t$이므로
>
> $$\lim_{x\to\frac{\pi}{2}}\frac{\cos x}{x-\frac{\pi}{2}}=\lim_{t\to 0}\frac{\cos\left(\frac{\pi}{2}+t\right)}{t}=\lim_{t\to 0}\frac{-\sin t}{t}$$
>
> $$=\underline{\quad\quad}$$

(2) $\displaystyle\lim_{x\to\pi}\frac{\sin x}{x-\pi}$

(3) $\displaystyle\lim_{x\to\pi}\frac{\tan 2x}{\pi-x}$

(4) $\displaystyle\lim_{x\to 1}\frac{\cos\frac{\pi}{2}x}{x-1}$

📘 **풍쌤 POINT**

① $1-\cos x$가 있는 꼴

➡ 분모, 분자에 각각 $1+\cos x$를 곱한다.

② $x\to a\,(a\neq 0)$인 경우

➡ $x-a=t$로 치환하여 $\displaystyle\lim_{t\to 0}\frac{\sin t}{t}=1$, $\displaystyle\lim_{t\to 0}\frac{\tan t}{t}=1$임

을 이용한다.

---

51 다음 등식을 만족시키는 상수 a, b의 값을 각각 구하여라.

(1) $\displaystyle\lim_{x\to 0}\frac{e^x+a}{\sin x}=b$

> 풀이   극한값이 존재하고 $\displaystyle\lim_{x\to 0}\sin x=0$이므로
>
> $$\lim_{x\to 0}(e^x+a)=1+a=0 \quad \therefore a=\underline{\quad\quad}$$
>
> $$\therefore b=\lim_{x\to 0}\frac{e^x+a}{\sin x}=\lim_{x\to 0}\frac{e^x-1}{\sin x}$$
>
> $$=\lim_{x\to 0}\left(\frac{e^x-1}{x}\times\frac{x}{\sin x}\right)$$
>
> $$=\underline{\quad}$$

(2) $\displaystyle\lim_{x\to 0}\frac{\ln(x+a)}{\sin x}=b$

(3) $\displaystyle\lim_{x\to\pi}\frac{ax+b}{\sin x}=2$

(4) $\displaystyle\lim_{x\to 0}\frac{\sin x}{\sqrt{ax+b}-1}=1$

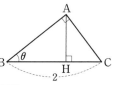

(5) $\displaystyle\lim_{x\to 0}\frac{e^{2x}+a}{\tan 2x}=b$

(6) $\displaystyle\lim_{x\to \pi}\frac{a\tan x+b}{x-\pi}=2$

(7) $\displaystyle\lim_{x\to 0}\frac{\sin bx}{\ln(x+a)}=4$

(8) $\displaystyle\lim_{x\to 0}\frac{1-\cos x}{ax\sin x+b}=\frac{1}{4}$

(9) $\displaystyle\lim_{x\to \frac{\pi}{2}}\frac{\cos x}{ax+b}=-1$

52 오른쪽 그림과 같은 직각삼각형 ABC에서 $\overline{BC}=2$이다. $\angle ABC=\theta$이고 꼭짓점 A에서 변 BC에 내린 수신의 발을 H라 할 때, $\displaystyle\lim_{\theta\to 0}\frac{\overline{AH}}{\theta}$의 값을 구하여라.

> **풀이** △ABC에서
> $\overline{AB}=\overline{BC}\cos\theta=\underline{\quad\quad}$
> $\overline{AC}=\overline{BC}\sin\theta=\underline{\quad\quad}$
> 따라서 △ABC의 넓이는
> $\frac{1}{2}\times\overline{AB}\times\overline{AC}=\frac{1}{2}\times\overline{BC}\times\overline{AH}$에서
> $\frac{1}{2}\times 2\cos\theta\times 2\sin\theta=\frac{1}{2}\times 2\times\overline{AH}$
> $\therefore \overline{AH}=2\sin\theta\cos\theta$
> $\therefore \displaystyle\lim_{\theta\to 0}\frac{\overline{AH}}{\theta}=\lim_{\theta\to 0}\frac{2\sin\theta\cos\theta}{\theta}$
> $=2\lim_{\theta\to 0}\left(\frac{\sin\theta}{\theta}\times\cos\theta\right)$
> $=\underline{\quad}$

53 오른쪽 그림과 같이 $\angle C=90°$, $\overline{AC}=1$인 직각삼각형 ABC에서 $\angle B=\theta$라 할 때, $\displaystyle\lim_{\theta\to 0+}\frac{\theta}{\overline{AB}-\overline{BC}}$의 값을 구하여라.

■ 풍쌤 POINT
미정계수의 결정
➡ (i) 극한값이 존재하고 $x\to$ ■일 때, (분모)→0이면 (분자)→0이어야 한다.
(ii) 0이 아닌 극한값이 존재하고 $x\to$ ●일 때, (분자)→0이면 (분모)→0이어야 한다.

■ 풍쌤 POINT
오른쪽 그림에서
① $\overline{AB}=\overline{AC}\cos\theta$
② $\overline{BC}=\overline{AC}\sin\theta$
③ $\overline{BC}=\overline{AB}\tan\theta$
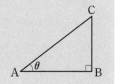

15

삼각함수의 도함수

1 삼각함수의 도함수

① $y=\sin x$이면 $y'=\cos x$

② $y=\cos x$이면 $y'=-\sin x$

보기 $y=x\sin x$이면

$y'=1\times\sin x+x\times\cos x$

$=\sin x+x\cos x$

유형·38 삼각함수의 도함수

정답과 풀이 037쪽

54 다음 함수를 미분하여라.

(1) $y=\sin x+\cos x$

> 풀이 $y'=(\sin x)'+(\cos x)'=$ _____

(2) $y=2\sin x$

(3) $y=-2\cos x$

(4) $y=2x+\sin x$

(5) $y=x^2-4\cos x$

(6) $y=2\sin x+3\cos x$

(7) $y=x\cos x$

(8) $y=\sin^2 x$

(9) $y=e^x\cos x$

📝 **풍쌤 POINT**

① $y=f(x)g(x) \Rightarrow y'=f'(x)g(x)+f(x)g'(x)$

② $y=\{f(x)\}^2 \Rightarrow y'=2f'(x)f(x)$

55 다음 극한값을 구하여라.

(1) 함수 $f(x)=x \sin x$에 대하여 $\lim\limits_{h \to 0}\dfrac{f(\pi+h)-f(\pi)}{h}$

> 풀이 $\lim\limits_{h \to 0}\dfrac{f(\pi+h)-f(\pi)}{h}=f'(\pi)$
>
> 이때 $f'(x)=$＿＿＿＿＿＿이므로
>
> $f'(\pi)=$＿＿

(2) 함수 $f(x)=x^2-2 \cos x$에 대하여

$$\lim\limits_{h \to 0}\dfrac{f\left(\dfrac{\pi}{4}+h\right)-f\left(\dfrac{\pi}{4}\right)}{h}$$

(3) 함수 $f(x)=2\sqrt{3} \sin x-3 \cos x$에 대하여

$$\lim\limits_{h \to 0}\dfrac{f\left(\dfrac{\pi}{3}+h\right)-f\left(\dfrac{\pi}{3}\right)}{h}$$

(4) 함수 $f(x)=\sin x \cos x$에 대하여

$$\lim\limits_{h \to 0}\dfrac{f\left(\dfrac{\pi}{2}+h\right)-f\left(\dfrac{\pi}{2}\right)}{h}$$

(5) 함수 $f(x)=e^x \sin x$에 대하여 $\lim\limits_{h \to 0}\dfrac{f(h)}{h}$

(6) 함수 $f(x)=\sin x$에 대하여

$$\lim\limits_{h \to 0}\dfrac{f\left(\dfrac{\pi}{2}+h\right)-f\left(\dfrac{\pi}{2}-h\right)}{h}$$

(7) 함수 $f(x)=2 \cos x+1$에 대하여

$$\lim\limits_{h \to 0}\dfrac{f\left(\dfrac{\pi}{3}+h\right)-f\left(\dfrac{\pi}{3}-h\right)}{h}$$

(8) 함수 $f(x)=\cos x-\sin x$에 대하여

$$\lim\limits_{h \to 0}\dfrac{f(\pi+h)-f(\pi-h)}{h}$$

■ 풍쌤 POINT

함수 $f(x)$의 $x=a$에서의 미분계수

$$\Rightarrow f'(a)=\lim\limits_{\Delta x \to 0}\dfrac{f(a+\Delta x)-f(a)}{\Delta x}$$

$$=\lim\limits_{h \to 0}\dfrac{f(a+h)-f(a)}{h}$$

$$=\lim\limits_{x \to a}\dfrac{f(x)-f(a)}{x-a}$$

56 다음 함수 $f(x)$가 $x=0$에서 미분가능할 때, 상수 a, b의 값을 각각 구하여라.

(1) $f(x)=\begin{cases} e^x & (x \geq 0) \\ a\sin x + b & (x < 0) \end{cases}$

▶ **풀이** 함수 $f(x)$가 $x=0$에서 미분가능하므로 $x=0$에서 연속
이고, $x=0$에서의 미분계수 $f'(0)$이 존재한다.

(ⅰ) $x=0$에서 연속이어야 하므로

$$\lim_{x \to 0+} e^x = \lim_{x \to 0-} (a\sin x + b) = f(0)$$

$$\therefore b = \underline{}$$

(ⅱ) $f'(0)$이 존재하므로

$$f'(x)=\begin{cases} e^x & (x > 0) \\ a\cos x & (x < 0) \end{cases} \text{에서}$$

$$e^0 = a\cos 0 \quad \therefore a = \underline{}$$

(2) $f(x)=\begin{cases} \sin x & (x \geq 0) \\ ax + b & (x < 0) \end{cases}$

(3) $f(x)=\begin{cases} \sin x + a & (x \geq 0) \\ bx + 1 & (x < 0) \end{cases}$

(4) $f(x)=\begin{cases} x^2 + ax + b & (x \geq 0) \\ e^x \cos x & (x < 0) \end{cases}$

(5) $f(x)=\begin{cases} a\cos x & (x \geq 0) \\ x^2 + bx & (x < 0) \end{cases}$

(6) $f(x)=\begin{cases} 2x & (x \geq 0) \\ a\sin x + b\cos x & (x < 0) \end{cases}$

(7) $f(x)=\begin{cases} a\sin x\cos x & (x \geq 0) \\ 2x + b & (x < 0) \end{cases}$

> ▨ 풍쌤 POINT
>
> 미분가능한 함수 $g(x)$, $h(x)$에 대하여
>
> 함수 $f(x)=\begin{cases} g(x) & (x \leq a) \\ h(x) & (x > a) \end{cases}$ 일 때, $f'(x)=\begin{cases} g'(x) & (x < a) \\ h'(x) & (x > a) \end{cases}$
>
> 이므로 함수 $f(x)$가 $x=a$에서 미분가능하면
>
> (ⅰ) $x=a$에서 연속 ➡ $g(a)=h(a)$
>
> (ⅱ) $f'(a)$가 존재 ➡ $g'(a)=h'(a)$

·중단원 점검문제·

01

$\lim\limits_{x\to\infty}\dfrac{2^x+1}{2^x}+\lim\limits_{x\to-\infty}\dfrac{3^x+3^{-x}}{3^x-3^{-x}}$의 값을 구하여라.

02

등식 $\lim\limits_{x\to\infty}\{\log_2(ax-1)-\log_2(2x+3)\}=1$을 만족시키는 상수 a의 값을 구하여라.

03

$\lim\limits_{x\to0}(1+x)^{\frac{2}{x}}=a$, $\lim\limits_{x\to\infty}\left(1+\dfrac{3}{x}\right)^x=b$라 할 때, $\dfrac{b}{a}$의 값을 구하여라.

04

$\lim\limits_{x\to\infty}\left\{\dfrac{1}{2}\left(1+\dfrac{1}{x}\right)\left(1+\dfrac{1}{x+1}\right)\left(1+\dfrac{1}{x+2}\right)\cdots\left(1+\dfrac{1}{2x}\right)\right\}^{2x}$ 의 값을 구하여라.

05

$\lim\limits_{x\to\infty}x\{\ln(x+1)-\ln x\}$의 값을 구하여라.

06

함수 $f(x)=e^{2x}-1$의 역함수를 $g(x)$라 할 때, $\lim\limits_{x\to0}\dfrac{g(x)}{x}$의 값을 구하여라.

07

상수 a에 대하여 $\lim\limits_{x\to0}\dfrac{\ln(ax+1)}{x^3+2x}=2$일 때, $\lim\limits_{x\to0}\dfrac{\ln(3x+1)}{ax}$의 값을 구하여라.

08

등식 $\lim\limits_{x\to0}\dfrac{ax+b}{e^{2x}-1}=2$를 만족시키는 상수 a, b에 대하여 $a+b$의 값을 구하여라.

09

오른쪽 그림과 같이 곡선 $y=e^x$ 위의 두 점 $A(0, 1)$, $P(t, e^t)$에 대하여 점 P에서 직선 $y=1$에 내린 수선의 발을 Q라 할 때, $\lim\limits_{t\to 0}\dfrac{\overline{PQ}}{\overline{AP}}$ 의 값을 구하여라.

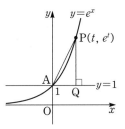

10

함수 $f(x)=e^x$에 대하여 x의 값이 0에서 1까지 변할 때의 평균변화율과 $x=a$에서의 미분계수가 같을 때, 상수 a의 값을 구하여라.

11

함수 $f(x)=e^x \ln x$의 도함수를 $f'(x)$라 할 때, $f'(e)-f(e)$의 값을 구하여라.

12

함수 $f(x)=\begin{cases} \log x+a & (0<x\le 1) \\ bx^2+2 & (x>1) \end{cases}$ 가 정의역의 모든 실수 x에서 미분가능할 때, 상수 a, b의 값을 각각 구하여라.

13

원점 O와 점 $P(4, -3)$을 지나는 동경 OP가 나타내는 각을 θ라 할 때, $\csc \theta+\cot \theta$의 값을 구하여라.

14

$\dfrac{1}{1+\sin \theta}+\dfrac{1}{1-\sin \theta}=\dfrac{5}{2}$ 일 때, $\tan^2 \theta$의 값을 구하여라.

15

$\dfrac{\cos \theta}{\sec \theta-\tan \theta}-\dfrac{\cos \theta}{\sec \theta+\tan \theta}$ 를 간단히 하여라.

16

$\sin \alpha+\cos \beta=\dfrac{3}{2}$, $\cos \alpha+\sin \beta=\dfrac{1}{2}$ 일 때, $\sin(\alpha+\beta)$의 값을 구하여라.

17

좌표평면 위의 두 점 $P(\sin\alpha,\ \cos\alpha)$, $Q(\sin\beta,\ \cos\beta)$ 사이의 거리가 $\sqrt{3}$일 때, $\cos(\alpha-\beta)$의 값을 구하여라.

18

오른쪽 그림과 같이 빗변이 아닌 두 변의 길이가 각각 5, 12인 두 직각삼각형 ABC와 AEF가 있다. $\angle CAF=\theta$라 할 때, $\sin\theta$의 값을 구하여라. (단, 점 B는 $\overline{AE}$ 위에 있다.)

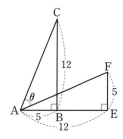

19

$\sin^2\theta+\sin^2\left(\dfrac{\pi}{3}+\theta\right)+\sin^2\left(\dfrac{\pi}{3}-\theta\right)$의 값을 구하여라.

20

이차방정식 $x^2-3x-1=0$의 두 근이 $\tan\alpha$, $\tan\beta$일 때, $\tan(\alpha+\beta)$의 값을 구하여라.

21

두 직선 $2x-y+1=0$, $ax+y+4=0$이 이루는 예각의 크기가 $\dfrac{\pi}{4}$가 되도록 하는 모든 상수 a의 값의 곱을 구하여라.

22

$\sin\theta=\dfrac{2}{3}$일 때, $\sin 2\theta+\cos 2\theta$의 값을 구하여라.

$$\left(\text{단, }\dfrac{\pi}{2}<\theta<\pi\right)$$

23

$\tan\theta=2\sqrt{2}$일 때, $\sin\dfrac{\theta}{2}$의 값을 구하여라.

(단, θ는 예각이다.)

24

함수 $y=\sqrt{3}\sin x-\cos x$의 최댓값이 a, 주기가 $b\pi$일 때, a^2+b^2의 값을 구하여라.

25

함수 $y=3a\sin x+4a\cos x$의 최솟값이 -10일 때, 양수 a의 값을 구하여라.

26

길이가 10인 선분 AB를 지름으로 하는 반원 O의 원주 위의 임의의 점을 P라 할 때, $3\overline{AP}+4\overline{BP}$의 최댓값을 구하여라.

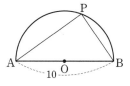

27

$\displaystyle\lim_{x\to 0}\dfrac{\sin x+\sin 3x+\sin 5x}{9x}$ 의 값을 구하여라.

28

$\displaystyle\lim_{x\to 0}x\sin\dfrac{1}{x}$의 값을 a, $\displaystyle\lim_{x\to\infty}x\sin\dfrac{1}{x}$의 값을 b라 할 때, $a+b$의 값을 구하여라.

29

등식 $\displaystyle\lim_{x\to -1}\dfrac{a\tan(x+1)}{x^3+1}=3$을 만족시키는 상수 a의 값을 구하여라.

30

함수 $f(x)=\begin{cases}\dfrac{\sin 2(x-1)}{x-1} & (x\neq 1)\\ a & (x=1)\end{cases}$ 가 $x=1$에서 연속일 때, 상수 a의 값을 구하여라.

31

함수 $f(x)=\sqrt{3}\sin x-\cos x-x$에 대하여 $f'(a)=\sqrt{2}-1$ 을 만족시키는 a의 값을 구하여라. (단, a는 예각이다.)

32

함수 $f(x)=x\sin x$에 대하여 $\displaystyle\lim_{h\to 0}\dfrac{f(\pi+2h)-f(\pi-h)}{h}$의 값을 구하여라.

01

함수의 몫의 미분법

1 함수의 몫의 미분법

두 함수 $f(x)$, $g(x)$ $(g(x)\neq 0)$가 미분가능할 때

① $y=\dfrac{f(x)}{g(x)}$ ➡ $y'=\dfrac{f'(x)g(x)-f(x)g'(x)}{\{g(x)\}^2}$

② $y=\dfrac{1}{g(x)}$ ➡ $y'=-\dfrac{g'(x)}{\{g(x)\}^2}$

2 $y=x^n$ (n은 정수)의 도함수

n이 정수일 때, $y=x^n$이면

$y'=nx^{n-1}$

보기 $y=\dfrac{1}{x}$이면

$y'=-\dfrac{(x)'}{x^2}=-\dfrac{1}{x^2}$

보기 $y=x^{-2}$이면

$y'=(x^{-2})'=-2x^{-2-1}$

$=-2x^{-3}=-\dfrac{2}{x^3}$

유형·01 함수의 몫의 미분법

01 다음 함수를 미분하여라.

(1) $y=\dfrac{x+2}{2x-1}$

▶풀이 $y'=\dfrac{(x+2)'(2x-1)-(x+2)(2x-1)'}{(2x-1)^2}$

$=\dfrac{1\times(2x-1)-(x+2)\times 2}{(2x-1)^2}$

$=\underline{\qquad}$

(2) $y=\dfrac{3x-1}{x+2}$

(3) $y=\dfrac{x}{x^2+1}$

(4) $y=\dfrac{2x^2+3}{x+1}$

(5) $y=\dfrac{1}{x+3}$

(6) $y=\dfrac{x+1}{e^x}$

(7) $y=\dfrac{1-\sin x}{x}$

(8) $y=\dfrac{x}{\ln x}$

🪶 풍쌤 POINT

유리함수의 미분

➡ 함수의 몫의 미분법을 이용한다.

02 다음 함수를 미분하여라.

(1) $y=2x^{-3}$

> ▶ 풀이 $y'=(2x^{-3})'=-6x^{-3-1}=-6x^{-4}=$ _____

(2) $y=3x^{-5}$

(3) $y=-5x^{-2}$

(4) $y=-x^{-4}$

(5) $y=\dfrac{1}{4}x^{-6}$

03 다음 함수를 미분하여라.

(1) $y=\dfrac{x+x^4}{x^3}$

> ▶ 풀이 $y=\dfrac{x+x^4}{x^3}=\dfrac{1}{x^2}+x=x^{-2}+x$이므로
>
> $y'=(x^{-2}+x)'=-2x^{-3}+1=$ _____

(2) $y=\dfrac{1}{x}-\dfrac{1}{x^2}$

(3) $y=\dfrac{x+x^2}{x^5}$

(4) $y=\dfrac{2x^3-x}{x^4}$

(5) $y=\dfrac{x^3-x+1}{x^2}$

> 📗 **풍쌤 POINT**
>
> n이 정수일 때, $y=x^n$이면
> $y'=nx^{n-1}$

삼각함수의 도함수

1 삼각함수의 도함수

① $y = \sin x$ ➡ $y' = \cos x$

② $y = \cos x$ ➡ $y' = -\sin x$

③ $y = \tan x$ ➡ $y' = \sec^2 x$

④ $y = \csc x$ ➡ $y' = -\csc x \cot x$

⑤ $y = \sec x$ ➡ $y' = \sec x \tan x$

⑥ $y = \cot x$ ➡ $y' = -\csc^2 x$

> $(\tan x)' = \left(\dfrac{\sin x}{\cos x}\right)'$
>
> $= \dfrac{(\sin x)'\cos x - \sin x (\cos x)'}{\cos^2 x}$
>
> $= \dfrac{\cos^2 x + \sin^2 x}{\cos^2 x}$
>
> $= \dfrac{1}{\cos^2 x} = \sec^2 x$

유형·03 삼각함수의 도함수(1)

04 다음 함수를 미분하여라.

(1) $y = -3 \tan x$

> 풀이 $y' = (-3 \tan x)' = -3 \times \sec^2 x = $ _____

(2) $y = \dfrac{1}{2} \sin x$

(3) $y = -4 \cos x$

(4) $y = 5 \csc x$

(5) $y = -\sec x$

(6) $y = -\dfrac{1}{3} \cot x$

풍쌤 POINT

삼각함수의 미분법

① $y = \sin x$이면 $y' = \cos x$

② $y = \cos x$이면 $y' = -\sin x$

③ $y = \tan x$이면 $y' = \sec^2 x$

④ $y = \csc x$이면 $y' = -\csc x \cot x$

⑤ $y = \sec x$이면 $y' = \sec x \tan x$

⑥ $y = \cot x$이면 $y' = -\csc^2 x$

05 다음 함수를 미분하여라.

(1) $y = 2\tan x - \sec x$

> 풀이 $y' = (2\tan x - \sec x)'$
> $= 2\sec^2 x - \sec x \tan x$
> $= \underline{\hspace{4cm}}$

(2) $y = 3\csc x + x$

(3) $y = -\tan x + e^x + 5$

(4) $y = 2\cot x + 3^x - \ln 2$

(5) $y = 3\sec x - 2\ln x$

(6) $y = \log x + 2\csc x$

(7) $y = \tan x - 4\cos x$

(8) $y = \sec x + \cot x$

(9) $y = \sec x - 2\csc x$

(10) $y = -4\tan x + 3\sec x$

📗 풍쌤 POINT

두 함수 $f(x)$, $g(x)$가 미분가능할 때,
① $\{cf(x)\}' = cf'(x)$ (단, c는 상수)
② $\{f(x) + g(x)\}' = f'(x) + g'(x)$
③ $\{f(x) - g(x)\}' = f'(x) - g'(x)$

06 다음 함수를 미분하여라.

(1) $y = \csc x \cot x$

> 풀이 $\quad y' = (\csc x \cot x)'$
> $\qquad\quad = (\csc x)' \cot x + \csc x (\cot x)'$
> $\qquad\quad = \underline{\qquad\qquad} \times \cot x + \csc x \times (-\csc^2 x)$
> $\qquad\quad = \underline{\qquad\qquad\qquad}$

(2) $y = x \sec x$

(3) $y = x^2 \sec x$

(4) $y = e^x \tan x$

(5) $y = \ln x \times \cot x$

(6) $y = \sin x \tan x$

(7) $y = \cos x \cot x$

(8) $y = -2 \sin x \sec x$

(9) $y = 3 \tan x \csc x$

(10) $y = 5 \csc x \sec x$

■ 풍쌤 POINT

$y = f(x)g(x)$ 꼴의 미분

➡ 곱의 미분법 $y' = f'(x)g(x) + f(x)g'(x)$를 이용한다.

07 다음 함수를 미분하여라.

(1) $y = \dfrac{1 - \tan x}{x}$

> 풀이 $y' = \dfrac{(1 - \tan x)'x - (1 - \tan x)(x)'}{x^2}$
>
> $= \dfrac{-\sec^2 x \times x - (1 - \tan x) \times 1}{x^2}$
>
> $= $ _____

(2) $y = \dfrac{\sec x}{x}$

(3) $y = \dfrac{\tan x}{x^2}$

(4) $y = \dfrac{1 + \sin x}{2^x}$

(5) $y = \dfrac{\tan x}{e^x}$

(6) $y = \dfrac{\sin x}{1 + \cos x}$

(7) $y = \dfrac{\cos x}{\tan x + 1}$

(8) $y = \dfrac{1 + \tan x}{1 - \tan x}$

(9) $y = \dfrac{1 - \cos x}{1 + \cos x}$

(10) $y = \dfrac{\sin x + \cos x}{\cos x}$

▌ 풍쌤 POINT

$y = \dfrac{f(x)}{g(x)}$ 꼴의 미분

➡ 몫의 미분법 $y' = \dfrac{f'(x)g(x) - f(x)g'(x)}{\{g(x)\}^2}$ 를 이용한다.

03

합성함수의 미분법

---

1 합성함수의 미분법

두 함수 $y=f(u)$, $u=g(x)$가 미분가능할 때, 합성함수 $y=f(g(x))$의 도함수는

$$\frac{dy}{dx}=\frac{dy}{du}\times\frac{du}{dx} \text{ 또는 } y'=f'(g(x))g'(x)$$

2 함수 $y=\{f(x)\}^n$ (n은 정수)의 도함수

함수 $y=\{f(x)\}^n$ (n은 정수)의 도함수는

$$y'=n\{f(x)\}^{n-1}f'(x)$$

▶ $y=f(ax+b)$ (a, b는 상수)
이면
$y'=af'(ax+b)$

유형·07 합성함수의 미분법(1)

08 다음 함수를 미분하여라.

(1) $y=(2x+1)^4$

▶ 풀이 $y'=4\times(2x+1)^{4-1}(2x+1)'$

$=$ _____

(2) $y=(x^2+x-1)^3$

(3) $y=\dfrac{1}{(3x-2)^3}$

(4) $y=\dfrac{1}{(3x^2+5x+2)^4}$

(5) $y=(x^2+x)(x+2)^5$

(6) $y=(2x-1)^3(3x+2)^4$

(7) $y=\left(x-\dfrac{1}{x}\right)^3$

(8) $y=\left(x+\dfrac{2}{x}\right)^4$

■ 풍쌤 POINT

합성함수의 미분법 ➡ $\overbrace{f(g(x))}^{\text{겉미분}}$ ➡ $\underbrace{f'(g(x))g'(x)}_{\text{속미분}}$

---

09 다음 함수를 미분하여라.

(1) $y=\cos(\sin x)$

> 풀이　$y'=-\sin(\sin x)\times(\sin x)'$
> 　　　　$=$＿＿＿＿＿＿＿＿

(2) $y=\sin(2x+1)$

(3) $y=\sec(x^2+2x)$

(4) $y=\cot x^3$

(5) $y=\sin(\tan x)$

(6) $y=\sin^2 3x$

(7) $y=\cos^2(2x+3)$

(8) $y=\tan^3 x$

> ◼ 풍쌤 POINT
> $y=\sin f(x),\ y=\cos f(x),\ y=\tan f(x)$의 도함수
> ① $\{\sin f(x)\}'=\cos f(x)\times f'(x)$
> ② $\{\cos f(x)\}'=-\sin f(x)\times f'(x)$
> ③ $\{\tan f(x)\}'=\sec^2 f(x)\times f'(x)$

10 다음 두 함수 $f(x)$, $g(x)$의 합성함수 $h(x)=(f \circ g)(x)$에 대하여 $h'(1)$의 값을 구하여라.

(1) $f(x)=\dfrac{2}{x}$, $g(x)=x^3+4x-1$

> 풀이 $h(x)=f(g(x))=\dfrac{2}{x^3+4x-1}$이므로

$$h'(x)=\dfrac{-2(x^3+4x-1)'}{(x^3+4x-1)^2}$$
$$=\underline{\hspace{3cm}}$$
$$\therefore h'(1)=\underline{\hspace{2cm}}$$

(2) $f(x)=\dfrac{1}{x}$, $g(x)=4x+3$

(3) $f(x)=\dfrac{5}{x}$, $g(x)=x^2-2x$

(4) $f(x)=\dfrac{1}{x^2}$, $g(x)=x^2+1$

11 다음 두 함수 $f(x)$, $g(x)$의 합성함수 $h(x)=(f \circ g)(x)$에 대하여 $h'(0)$의 값을 구하여라.

(1) $f(x)=\sin x$, $g(x)=\tan x$

> 풀이 $h(x)=f(g(x))=\sin(\tan x)$이므로

$$h'(x)=\cos(\tan x)\times(\tan x)'$$
$$=\underline{\hspace{3cm}}$$
$$\therefore h'(0)=\underline{\hspace{1cm}}$$

(2) $f(x)=\cos x$, $g(x)=\tan x$

(3) $f(x)=\sin x$, $g(x)=\sin x$

(4) $f(x)=\csc x$, $g(x)=\sec x$

◾ 풍쌤 POINT
두 함수 $f(x)$, $g(x)$에 대하여 $h(x)=(f \circ g)(x)$일 때 함수 $h(x)$는 $f(x)$의 x 대신 $g(x)$를 대입한 것과 같다.

04

지수함수와 로그함수의 도함수

1 지수함수의 도함수

$a>0$, $a\neq1$이고 함수 $f(x)$가 미분가능할 때

① $y=e^x$ ➡ $y'=e^x$　　　　② $y=a^x$ ➡ $y'=a^x \ln a$

③ $y=e^{f(x)}$ ➡ $y'=e^{f(x)}f'(x)$　④ $y=a^{f(x)}$ ➡ $y'=a^{f(x)}f'(x)\ln a$

2 로그함수의 도함수

$a>0$, $a\neq1$이고 함수 $f(x)$가 미분가능하며 $f(x)\neq0$일 때

① $y=\ln|x|$ ➡ $y'=\dfrac{1}{x}$　　② $y=\log_a|x|$ ➡ $y'=\dfrac{1}{x\ln a}$

③ $y=\ln|f(x)|$ ➡ $y'=\dfrac{f'(x)}{f(x)}$　④ $y=\log_a|f(x)|$ ➡ $y'=\dfrac{f'(x)}{f(x)\ln a}$

3 함수 $y=x^r$ (r는 실수)의 도함수

r가 실수일 때, $y=x^r$이면 $y'=rx^{r-1}$

> **로그미분법**
>
> 함수 $y=f(x)$에서 $f(x)$가 밑과 지수에 모두 변수가 포함되거나 복잡한 분수의 꼴이면 $y=f(x)$의 도함수는 다음과 같은 순서로 구한다.
>
> (ⅰ) $y=f(x)$의 양변에 절댓값을 취한다.
> ➡ $|y|=|f(x)|$ …… ㉠
>
> (ⅱ) ㉠의 양변에 자연로그를 취한다.
> ➡ $\ln|y|=\ln|f(x)|$ … ㉡
>
> (ⅲ) ㉡의 양변을 x에 대하여 미분한다.
> ➡ $\dfrac{y'}{y}=\dfrac{f'(x)}{f(x)}$ …… ㉢
>
> (ⅳ) ㉢을 $y'=$☆의 꼴로 정리하여 도함수를 구한다.

유형·10 지수함수의 도함수

정답과 풀이 047쪽

12 다음 함수를 미분하여라.

(1) $y=e^{3x^2+x}$

> ▶풀이 $y'=e^{3x^2+x}\times(3x^2+x)'=$ _____

(2) $y=e^{5x-2}$

(3) $y=3e^{4x+1}$

(4) $y=-2e^{\sin x}$

(5) $y=2^{7x+5}$

(6) $y=5^{4x-1}$

(7) $y=2^{-x^2+x+3}$

(8) $y=3^{\cos x}$

▣ 풍쌤 POINT

지수함수의 도함수 ➡ $a^{☆}$ ➡ $a^{☆}\ln a\times☆'$
(겉미분, 속미분)

13 다음 함수를 미분하여라.

(1) $y=\ln(x^2+x+1)$

> 풀이 $y'=\dfrac{(x^2+x+1)'}{x^2+x+1}=$ _____

(2) $y=\ln|2x+1|$

(3) $y=\ln|x^2-3x|$

(4) $y=\ln|\sin x|$

(5) $y=\ln(e^x+3)$

(6) $y=\ln|2^x+1|$

(7) $y=\log_2|7x|$

(8) $y=\log|x^3-1|$

(9) $y=\log_5|\cos x|$

(10) $y=\log_3(e^x+1)$

(11) $y=\log_2(3^x+4)$

■ 풍쌤 POINT

로그함수의 도함수 ➡ $\log_a$☆ ➡ $\dfrac{1}{☆\ln a}×☆'$

겉미분 ┐

속미분 ┘

14 다음 함수를 미분하여라.

(1) $y=x^x$ (단, $x>0$)

> **풀이** 양변에 자연로그를 취하면 $\ln y=\ln x^x$
> $$\therefore \ln y=x \ln x$$
> 양변을 x에 대하여 미분하면
> $$\frac{y'}{y}=(x)' \ln x+x(\ln x)'=\ln x+1$$
> $$\therefore y'=y(\ln x+1)=\underline{\qquad\qquad}$$

(2) $y=x^{4x}$ (단, $x>0$)

(3) $y=x^{\ln x}$ (단, $x>0$)

(4) $y=x^{\sin x}$ (단, $x>0$)

15 다음 함수를 미분하여라.

(1) $y=\dfrac{x(x+1)^2}{x-2}$

> **풀이** 양변의 절댓값에 자연로그를 취하면
> $$\ln|y|=\ln\left|\frac{x(x+1)^2}{x-2}\right|$$
> $$=\ln|x|+2\ln|x+1|-\ln|x-2|$$
> 양변을 x에 대하여 미분하면
> $$\frac{y'}{y}=\frac{1}{x}+\frac{2}{x+1}-\frac{1}{x-2}=\underline{\qquad\qquad}$$
> $$\therefore y'=y\times\underline{\qquad\qquad}=\underline{\qquad\qquad}$$

(2) $y=\dfrac{(x-1)(x+3)}{(x+2)^2}$

(3) $y=\dfrac{(x+2)(x-1)^3}{x}$

(4) $y=\dfrac{(x-1)^2}{x^2(x+1)}$

📗 **풍쌤 POINT**

로그미분법

① $y=x^{f(x)}$ 꼴인 경우
  ➡ 양변에 자연로그를 취한다.

② 복잡한 유리함수 꼴인 경우
  ➡ 양변의 절댓값에 자연로그를 취한다.

16 다음 함수를 미분하여라.

(1) $y=\sqrt{4x+3}$

> 풀이 $y=\sqrt{4x+3}=(4x+3)^{\frac{1}{2}}$이므로
>
> $y'=\dfrac{1}{2}(4x+3)^{\frac{1}{2}-1}(4x+3)'=$ _____

(2) $y=\sqrt[5]{x^2}$

(3) $y=\dfrac{1}{\sqrt[4]{x^3}}$

(4) $y=\dfrac{1}{x\sqrt{x}}$

(5) $y=x\sqrt{2x}$

(6) $y=x^2\times\sqrt[3]{x}$

(7) $y=\sqrt{x+1}$

(8) $y=\sqrt[3]{2x-5}$

(9) $y=x^{\sqrt{2}}$

(10) $y=x^{-\pi}$

■ 풍쌤 POINT

$y=\sqrt[m]{\{f(x)\}^n}$ (m, n은 자연수, $m>1$) 꼴인 경우

➡ $y=\{f(x)\}^{\frac{n}{m}}$의 꼴로 바꾸어 미분한다.

매개변수로 나타낸 함수의 미분법

1 매개변수

두 변수 x와 y 사이의 관계를 변수 t를 매개로 하여

$$x=f(t),\ y=g(t)$$

와 같이 나타내어질 때, 변수 t를 x, y의 매개변수라 하고, 두 함수 $x=f(t)$, $y=g(t)$를 매개변수로 나타낸 함수라고 한다.

2 매개변수로 나타낸 함수의 미분법

매개변수로 나타낸 함수 $x=f(t)$, $y=g(t)$가 t에 대하여 미분가능하고 $f'(t)\neq0$이면

$$\frac{dy}{dx}=\frac{\dfrac{dy}{dt}}{\dfrac{dx}{dt}}=\frac{g'(t)}{f'(t)}$$

> **보기** 매개변수로 나타낸 함수
> $x=t-1$, $y=2t$에서
> $t=x+1$이므로
> $y=2t=2(x+1)$
> $\quad=2x+2$

유형·14 매개변수로 나타낸 함수의 미분법

👑 정답과 풀이 048쪽

17 다음 매개변수로 나타낸 함수에서 $\dfrac{dy}{dx}$를 구하여라.

(1) $x=-t^2+t$, $y=t^3+2t$

> ▶풀이 $\dfrac{dx}{dt}=(-t^2+t)'=-2t+1$
>
> $\dfrac{dy}{dt}=(t^3+2t)'=3t^2+2$
>
> $\therefore \dfrac{dy}{dx}=\dfrac{\dfrac{dy}{dt}}{\dfrac{dx}{dt}}=$ _____ $\left(단,\ t\neq\dfrac{1}{2}\right)$

(2) $x=\dfrac{1}{t-1}$, $y=4(t-1)^2$

(3) $x=t+\dfrac{1}{t}$, $y=t-\dfrac{1}{t}$

(4) $x=\sin t$, $y=\cos t$ (단, $0<t<\pi$)

(5) $x=t-2$, $y=e^t$

(6) $x=\ln t$, $y=t^2$ (단, $t>0$)

> ◼ 풍쌤 POINT
>
> x와 y 사이의 관계가 매개변수 t로 나타내어진 식에서
>
> ➡ $\dfrac{dy}{dx}=\dfrac{(y를\ t에\ 대하여\ 미분)}{(x를\ t에\ 대하여\ 미분)}$

06

음함수의 미분법

❶ 음함수

x의 함수 y가 $y=f(x)$의 꼴로 주어졌을 때 y를 x의 양함수라 하고,

$f(x,\ y)=0$의 꼴로 주어졌을 때 y를 x의 음함수라고 한다.

❷ 음함수의 미분법

x의 함수 y가 음함수 $f(x,\ y)=0$의 꼴로 주어질 때에는 y를 x의 함수로 보고

각 항을 x에 대하여 미분하여 $\dfrac{dy}{dx}$를 구한다.

> 보기 곡선 $y=\dfrac{1}{x}$을 $xy-1=0$
> 으로 나타내는 것이 음함수 표현
> 이다.

유형·**15** 음함수

18 다음 함수를 음함수의 꼴로 나타내어라.

(1) $y=\dfrac{x}{2x+1}$

> ▶풀이 $y=\dfrac{x}{2x+1}$에서 $(2x+1)y=x$
> $\therefore$ _____ $=0\left(단,\ x\neq-\dfrac{1}{2}\right)$

(2) $y=3x+4$

(3) $y=\dfrac{2}{x+1}$

(4) $y=\dfrac{-x+1}{x+3}$

(5) $y=\sqrt{x}$

(6) $y=\sqrt{1-3x}$

(7) $y=\sqrt{1-x^2}$

(8) $y=\dfrac{1}{x\sqrt{x}}$

> ▧ 풍쌤 POINT
> x의 함수 y가
> ① $y=f(x)$의 꼴로 주어지면 ➡ y는 x의 양함수
> ② $f(x,\ y)=0$의 꼴로 주어지면 ➡ y는 x의 음함수

19 다음 음함수에서 $\dfrac{dy}{dx}$를 구하여라.

(1) $x^2+y^2=2$

> **풀이** 양변을 x에 대하여 미분하면
> $$\dfrac{d}{dx}(x^2)+\dfrac{d}{dx}(y^2)=\dfrac{d}{dx}(2)$$
> $$2x+2y\dfrac{dy}{dx}=0$$
> $$\therefore \dfrac{dy}{dx}=\underline{\quad\quad}\ \text{(단, } y\neq 0\text{)}$$

(2) $xy=4$

(3) $xy^2=10$

(4) $y^2-4x=0$

(5) $x^2-y^2=1$

(6) $x^2+y=xy$

(7) $x^2-xy+y^2=3$

(8) $\sqrt{x}+\sqrt{y}=0$

(9) $\dfrac{x^2}{4}+\dfrac{y^2}{9}=1$

(10) $\dfrac{x}{y}+\dfrac{y}{x}=-5$

◤ **풍쌤 POINT**

음함수의 미분법

➡ 양변을 x에 대하여 미분한다.

이때 $\dfrac{d}{dx}y^n=ny^{n-1}\dfrac{dy}{dx}$ 임을 이용한다.

07

역함수의 미분법

1 역함수의 미분법

미분가능한 함수 $f(x)$의 역함수 $y=f^{-1}(x)$가 존재하고 미분가능할 때, $y=f^{-1}(x)$의 도함수는

$$\frac{dy}{dx}=\frac{1}{\frac{dx}{dy}} \text{ 또는 } (f^{-1})'(x)=\frac{1}{f'(y)} \left(\text{단, } \frac{dx}{dy}\neq 0, f'(y)\neq 0\right)$$

▶ 미분가능한 함수 $f(x)$의 역함수를 $g(x)$라 하면
$$g'(x)=\frac{1}{f'(g(x))}$$

유형·17 역함수의 미분법

20 역함수의 미분법을 이용하여 다음 함수의 $\frac{dy}{dx}$를 구하여라.

(1) $y=\sqrt{x-1}$

> **풀이** 주어진 식의 양변을 제곱하면
> $$y^2=x-1 \qquad \therefore x=y^2+1$$
> 양변을 y에 대하여 미분하면 $\frac{dx}{dy}=2y$
> $$\therefore \frac{dy}{dx}=\frac{1}{\frac{dx}{dy}}=\frac{1}{2y}=\underline{} \quad (\text{단, } x\geq 1)$$

(2) $y=\sqrt[3]{x}$

(3) $y=\sqrt[4]{2x+3}$

(4) $x=-3y^2$

(5) $x=y^3-y+4$

(6) $x=\dfrac{3}{y+1}$

(7) $x=y\sqrt{2y}$

> ▨ **풍쌤 POINT**
> y를 x에 대하여 직접 미분하기 어려운 경우
> ➡ x를 y에 대하여 미분한 후 역함수의 미분법을 이용한다.

21 함수 $f(x)$의 역함수를 $f^{-1}(x)$라 할 때, 다음을 구하여라.

(1) 함수 $f(x)=x^3$에 대하여 $(f^{-1})'(8)$의 값

> **풀이** $f^{-1}(8)=k$라 하면 $f(k)=8$에서 $k^3=8$
> $\therefore k=2$
> 따라서 $f^{-1}(8)=2$이고 $f'(x)=3x^2$이므로
> $(f^{-1})'(8)=\dfrac{1}{f'(f^{-1}(8))}=\dfrac{1}{f'(2)}=\underline{}$

(2) 함수 $f(x)=2x-5$에 대하여 $(f^{-1})'(1)$의 값

(3) 함수 $f(x)=x^2+4x-3\,(x\geq-2)$에 대하여 $(f^{-1})'(9)$의 값

(4) 함수 $f(x)=x^3-1$에 대하여 $(f^{-1})'(0)$의 값

(5) 함수 $f(x)=\dfrac{e^x-e^{-x}}{2}$에 대하여 $(f^{-1})'(0)$의 값

(6) 함수 $f(x)=\sin x\left(-\dfrac{\pi}{2}<x<\dfrac{\pi}{2}\right)$에 대하여 $(f^{-1})'\left(\dfrac{\sqrt{2}}{2}\right)$의 값

(7) 함수 $f(x)=\cos x\,(0<x<\pi)$에 대하여 $(f^{-1})'\left(\dfrac{1}{2}\right)$의 값

(8) 함수 $f(x)=\tan x\left(-\dfrac{\pi}{2}<x<\dfrac{\pi}{2}\right)$에 대하여 $(f^{-1})'(1)$의 값

> ◼ 풍쌤 POINT
> 함수 $f(x)$의 역함수를 $f^{-1}(x)$라 하면
> ➡ $f^{-1}(a)=b\Longleftrightarrow f(b)=a$

이계도함수

1 이계도함수

함수 $f(x)$의 도함수 $f'(x)$가 미분가능할 때, $f'(x)$의 도함수

$$\lim_{\Delta x \to 0} \frac{f'(x+\Delta x)-f'(x)}{\Delta x}$$

를 함수 $f(x)$의 이계도함수라 하고, 기호로 $f''(x)$, y'', $\dfrac{d^2 y}{dx^2}$, $\dfrac{d^2}{dx^2}f(x)$와 같이 나타낸다.

보기 함수 $f(x)=x^2$에서
$f'(x)=2x$이므로
$f''(x)=2$

유형·19 이계도함수

22 다음 함수의 이계도함수를 구하여라.

(1) $y=(3x-1)^4$

> 풀이 $y'=4(3x-1)^3 \times (3x-1)'=4(3x-1)^3 \times 3$
> $\qquad =12(3x-1)^3$
> 이므로
> $y''=12 \times 3(3x-1)^2 \times (3x-1)'=36(3x-1)^2 \times 3$
> $\qquad =\underline{\hspace{2cm}}$

(2) $y=x^4+3x^2+1$

(3) $y=\dfrac{1}{2x+1}$

(4) $y=\sqrt{x-1}$

(5) $y=e^{-3x}$

(6) $y=x^2 e^x$

(7) $y=\ln x$

(8) $y=(1-x)\ln x$

(9) $y=\cos x$

■ 풍쌤 POINT
함수 $y=f(x)$를 한 번 미분하면 ➡ $f'(x)$
함수 $y=f(x)$를 두 번 미분하면 ➡ $f''(x)$

23 다음 함수의 $x=1$에서의 이계도함수의 값을 구하여라.

(1) $y=7-4x^3$

> **풀이** $y'=-4\times 3x^2=-12x^2$이므로
> $$y''=-12\times 2x=-24x$$
> 따라서 $x=1$에서의 이계도함수의 값은
> $$-24\times 1=\underline{\quad\quad}$$

(2) $y=7x^4-5x^2-2x$

(3) $y=\dfrac{1}{x^2+2}$

(4) $y=e^x+e^{-x}$

(5) $y=\ln(3x-2)$

24 다음 함수의 $x=0$에서의 이계도함수의 값을 구하여라.

(1) $y=x^2\sin x$

> **풀이** $y'=(x^2)'\times\sin x+x^2\times(\sin x)'$
> $$=2x\sin x+x^2\cos x$$
> 이므로
> $$y''=(2x)'\times\sin x+2x\times(\sin x)'$$
> $$\qquad\qquad +(x^2)'\times\cos x+x^2\times(\cos x)'$$
> $$=2\sin x+2x\cos x+2x\cos x-x^2\sin x$$
> $$=(2-x^2)\sin x+4x\cos x$$
> 따라서 $x=0$에서의 이계도함수의 값은
> $$2\sin 0+0\times\cos 0=\underline{\quad}$$

(2) $y=\sin x+\cos x$

(3) $y=\sin^2 x$

(4) $y=e^x\cos x$

■ 풍쌤 POINT

함수 $f(x)$에 대하여 $x=a$에서의 이계도함수의 값 $f''(a)$는 $f''(x)$에 $x=a$를 대입한 것과 같다.

·중단원 점검문제·

01

함수 $f(x)=\dfrac{ax+b}{x^2+x+1}$에 대하여 $f'(0)=-3,\ f'(-1)=1$

일 때, 상수 $a,\ b$의 값을 구하여라.

02

함수 $f(x)=\dfrac{1}{x+1}$ 에 대하여 $\displaystyle\lim_{h\to0}\dfrac{f(2h)-f(-h)}{h}$ 의 값을

구하여라.

03

함수 $f(x)=\dfrac{1}{\tan x}+\dfrac{1}{\sin x}$의 $x=\dfrac{\pi}{4}$에서의 접선의 기울기

는 $a+b\sqrt{2}$이다. 정수 $a,\ b$에 대하여 ab의 값을 구하여라.

04

함수 $f(x)=\dfrac{\tan x}{1+\sec x}$에 대하여 $f'(0)$의 값을 구하여라.

05

함수 $f(x)=3\cos 2x$에 대하여 $f'\!\left(\dfrac{\pi}{3}\right)$의 값을 구하여라.

06

두 함수 $f(x)=x^2-x+2,\ g(x)=\dfrac{x}{x^2-2}$에 대하여 함수

$h(x)$가 $h(x)=(g\circ f)(x)$일 때, $h'(1)$의 값을 구하여라.

07

함수 $f(x)=\dfrac{x^2+1}{e^{2x}}$에 대하여 $f(1)-f'(1)=\dfrac{b}{e^a}$이다. 자연

수 $a,\ b$에 대하여 $a-b$의 값을 구하여라.

08

함수 $f(x)=\ln|ax+4|$의 그래프 위의 점 $(2,\ f(2))$에서의

접선의 기울기가 $\dfrac{1}{6}$일 때, 상수 a의 값을 구하여라.

09

함수 $y=x^{\ln x}$에 대하여 $x=e$에서의 미분계수를 구하여라.

10

매개변수로 나타낸 함수 $x=\dfrac{2t}{1+t^2}$, $y=\dfrac{1-t^2}{1+t^2}$에 대하여 $t=2$에서의 $\dfrac{dy}{dx}$의 값을 구하여라.

11

곡선 $x^3-y^3+axy+b=0$ 위의 점 $(0,\ 1)$에서의 $\dfrac{dy}{dx}$의 값이 2일 때, 상수 a, b에 대하여 a^2+b^2의 값을 구하여라.

12

곡선 $x=\dfrac{2y}{y^2-1}$에 대하여 $y=0$일 때의 접선의 기울기를 구하여라.

13

함수 $f(x)=\sin x\left(-\dfrac{\pi}{2}<x<\dfrac{\pi}{2}\right)$의 역함수를 $f^{-1}(x)$라 할 때, $(f^{-1})'\left(\dfrac{\sqrt{3}}{2}\right)$의 값을 구하여라.

14

미분가능한 함수 $f(x)$에 대하여 $\lim\limits_{x\to1}\dfrac{f(x)-2}{x-1}=-\dfrac{1}{2}$이 성립할 때, $(f^{-1})'(2)$의 값을 구하여라.

15

함수 $f(x)=(x+a)e^{bx}$에 대하여 $f'(0)=-3$, $f''(0)=-4$일 때, 상수 a, b에 대하여 $a+b$의 값을 구하여라.

16

함수 $y=e^x\sin x$가 모든 실수 x에 대하여 등식 $y''-2y'+ay=0$를 만족시킬 때, 상수 a의 값을 구하여라.

01

접점이 주어질 때의 접선의 방정식

1 접선의 기울기

함수 $f(x)$가 $x=a$에서 미분가능할 때, 곡선 $y=f(x)$ 위의 점 $\mathrm{P}(a, f(a))$에서의 접선의 기울기는 $x=a$에서의 미분계수 $f'(a)$와 같다.

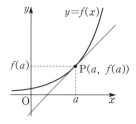

2 접선의 방정식

곡선 $y=f(x)$ 위의 점 $\mathrm{P}(a, f(a))$에서의 접선의 방정식은

$$y-f(a)=f'(a)(x-a)$$

3 접점이 주어질 때의 접선의 방정식

곡선 $y=f(x)$ 위의 점 (x_1, y_1)에서의 접선의 방정식은 다음과 같이 구한다.

(i) 접선의 기울기 $m=f'(x_1)$을 구한다.

(ii) $y-y_1=m(x-x_1)$에 대입한다.

> 곡선 $y=f(x)$ 위의 점 $\mathrm{P}(a, f(a))$를 지나고, 이 점에서의 접선에 수직인 직선의 방정식은
>
> $$y-f(a)=-\frac{1}{f'(a)}(x-a)$$
> (단, $f'(a)\neq 0$)

보기 곡선 $y=x^2$ 위의 점 $(1, 1)$에서의 접선의 방정식 구하기

(i) $f(x)=x^2$으로 놓으면 $f'(x)=2x$이므로 $f'(1)=2$

(ii) 구하는 접선은 점 $(1, 1)$을 지나고 기울기가 2인 직선이므로 접선의 방정식은

$$y-1=2(x-1)$$

$$\therefore y=2x-1$$

유형·01 접점이 주어질 때의 접선의 방정식

정답과 풀이 055쪽

01 다음 곡선 위의 주어진 점에서의 접선의 방정식을 구하여라.

(1) $y=x\sin x$, 점 $(\pi, 0)$

> 풀이 $f(x)=x\sin x$로 놓으면
>
> $f'(x)=\sin x+x\cos x$
>
> 이 곡선 위의 점 $(\pi, 0)$에서의 접선의 기울기는
>
> $f'(\pi)=\sin \pi+\pi \cos \pi=-\pi$
>
> 따라서 점 $(\pi, 0)$을 지나고 기울기가 $-\pi$인 접선의 방정식은
>
> $y=$ _____

(2) $y=\sqrt{x}$, 점 $(1, 1)$

(3) $y=e^x$, 점 $(0, 1)$

(4) $y=\ln x$, 점 $(1, 0)$

(5) $y=\cos x$, 점 $(0, 1)$

(6) $y=\dfrac{1}{x-1}$, 점 $(2, 1)$

■ 풍쌤 POINT

점 (a, b)를 지나고 기울기가 m인 직선의 방정식

➡ $y-b=m(x-a)$

기울기가 주어질 때의 접선의 방정식

❶ 기울기가 주어질 때의 접선의 방정식

곡선 $y=f(x)$에 접하고 기울기가 m인 접선의 방정식은 다음과 같이 구한다.

(i) 도함수 $f'(x)$를 구한다.

(ii) 접점의 좌표를 $(a, f(a))$로 놓고 접선의 기울기 $f'(a)=m$을 이용하여 접점의 좌표를 구한다.

(iii) $y-f(a)=f'(a)(x-a)$에 대입한다.

> **보기** 곡선 $f(x)=x^2$에 접하고 기울기가 4인 직선의 접점의 좌표를 (a, a^2)이라 하자.
> $f'(x)=2x$이므로
> $f'(a)=2a=4$ ∴ $a=2$
> 즉, 접점의 좌표는 $(2, 4)$이므로 접선의 방정식은
> $y-4=4(x-2)$
> ∴ $y=4x-4$

유형·02 기울기가 주어질 때의 접선의 방정식

🏆 정답과 풀이 055쪽

02 다음 직선의 방정식을 구하여라.

(1) 곡선 $y=\sqrt{x-1}$에 접하고 기울기가 $\dfrac{1}{2}$인 직선

> ▶ **풀이** $f(x)=\sqrt{x-1}$로 놓으면 $f'(x)=\dfrac{1}{2\sqrt{x-1}}$
>
> 접점의 좌표를 $(a, \sqrt{a-1})$로 놓으면 접선의 기울기가 $\dfrac{1}{2}$이므로
>
> $f'(a)=\dfrac{1}{2\sqrt{a-1}}=\dfrac{1}{2}$
>
> ∴ $a=$＿＿
>
> 따라서 기울기가 $\dfrac{1}{2}$이고 점 ＿＿＿＿＿을 지나는 접선의 방정식은
>
> $y=$＿＿＿

(2) 곡선 $y=\ln 3x$에 접하고 기울기가 3인 직선

(3) 곡선 $y=\sin 2x \left(0 \le x \le \dfrac{\pi}{2}\right)$에 접하고 기울기가 -2인 직선

(4) 곡선 $y=e^{x-1}-1$에 접하고 직선 $y=x-2$에 평행한 직선

(5) 곡선 $y=x\ln x$에 접하고 직선 $y=2x$에 평행한 직선

(6) 곡선 $y=\sqrt{x}$에 접하고 직선 $y=-4x+3$에 수직인 직선

📌 **풍쌤 POINT**

① 평행한 두 직선 ➡ 두 직선의 기울기가 서로 같다.

② 수직인 두 직선 ➡ 두 직선의 기울기의 곱은 -1이다.

곡선 밖의 한 점에서 곡선에 그은 접선의 방정식

1 곡선 밖의 한 점에서 곡선에 그은 접선의 방정식

곡선 $y=f(x)$ 밖의 한 점 (m, n)에서 곡선 $y=f(x)$에 그은 접선의 방정식은 다음과 같이 구한다.

(ⅰ) 도함수 $f'(x)$를 구한다.

(ⅱ) 접점의 좌표를 $(a, f(a))$로 놓으면 접선의 방정식은

$$y-f(a)=f'(a)(x-a) \qquad \cdots\cdots ㉠$$

(ⅲ) ㉠에 $x=m$, $y=n$을 대입하여 a의 값을 구한다.

(ⅳ) ㉠에 (ⅲ)에서 구한 a의 값을 대입한다.

보기 점 $(0, -1)$에서 곡선 $y=x^2$에 그은 접선의 방정식 구하기

(ⅰ) $f(x)=x^2$으로 놓으면
$f'(x)=2x$

(ⅱ) 접점의 좌표를 (a, a^2)이라 하면 접선의 방정식은
$y-a^2=2a(x-a)$
$\therefore y=2ax-a^2 \qquad \cdots\cdots ㉠$

(ⅲ) 직선 ㉠이 점 $(0, -1)$을 지나므로 $-1=-a^2$
$\therefore a=-1$ 또는 $a=1$

(ⅳ) 따라서 접선의 방정식은
$y=-2x-1$ 또는 $y=2x-1$

유형·03 곡선 밖의 한 점에서의 접선의 방정식

정답과 풀이 056쪽

03 다음 접선의 방정식을 구하여라.

(1) 점 $(0, -1)$에서 곡선 $y=x \ln x$에 그은 접선

> **풀이** $f(x)=x \ln x$로 놓으면 $f'(x)=\ln x+1$
> 접점의 좌표를 $(a, a \ln a)$라 하면 이 점에서의 접선의
> 기울기는 $f'(a)=\ln a+1$이므로 접선의 방정식은
> $y-a \ln a=(\ln a+1)(x-a) \qquad \cdots\cdots ㉠$
> 직선 ㉠이 점 $(0, -1)$을 지나므로
> $-1-a \ln a=-a(\ln a+1)$
> $\therefore a=\underline{\quad}$
> $a=\underline{\quad}$을 ㉠에 대입하면 구하는 접선의 방정식은
> $y=\underline{\quad\quad}$

(2) 점 $(2, 0)$에서 곡선 $y=\dfrac{1}{x}$에 그은 접선

(3) 점 $(-1, 0)$에서 곡선 $y=\sqrt{x}$에 그은 접선

(4) 원점에서 곡선 $y=e^{-x}$에 그은 접선

(5) 점 $(0, 1)$에서 곡선 $y=\ln x$에 그은 접선

> **풍쌤 POINT**
> 곡선 밖의 한 점 (m, n)에서 곡선에 그은 접선의 방정식
> ➡ 접점의 좌표를 $(a, f(a))$로 놓고, 접선
> $y-f(a)=f'(a)(x-a)$가 점 (m, n)을 지남을 이용한다.

공통인 접선

1 공통인 접선

두 곡선 $y=f(x)$, $y=g(x)$가 $x=t$인 점에서 공통인 접선을 가지면

① 두 곡선은 $x=t$에서 만나므로 $x=t$에서의 함숫값이 같다.

　➡ $f(t)=g(t)$

② 두 곡선은 $x=t$에서 접하므로 $x=t$에서의 접선의 기울기가 같다.

　➡ $f'(t)=g'(t)$

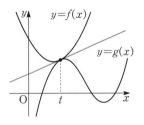

> 두 곡선 $y=f(x)$, $y=g(x)$가 점 (a, b)에서 공통인 접선을 가지면
> ① $f(a)=g(a)=b$
> ② $f'(a)=g'(a)$

유형·04 공통인 접선

정답과 풀이 056쪽

04 다음 두 곡선이 접할 때, 상수 a의 값을 구하여라.

(1) $y=a-\cos^2 x$, $y=\sin x$ $\left(단, 0<x<\dfrac{\pi}{2}\right)$

> **풀이**　$f(x)=a-\cos^2 x$, $g(x)=\sin x$로 놓으면
> 　$f'(x)=2\sin x \cos x$, $g'(x)=\cos x$
> 　두 곡선의 접점의 x좌표를 t라 하면
> 　$f(t)=g(t)$에서 $a-\cos^2 t=\sin t$ ······ ㉠
> 　$f'(t)=g'(t)$에서 $2\sin t \cos t=\cos t$
> 　$\cos t(2\sin t-1)=0$
> 　$\therefore \sin t=\dfrac{1}{2}$ $\left(\because 0<x<\dfrac{\pi}{2}\right)$ ······ ㉡
> 　㉠에서 $a-(\underline{\hspace{1.5cm}})=\sin t$이므로 ㉡을 대입하면
> 　$a-\left\{1-\left(\dfrac{1}{2}\right)^2\right\}=\dfrac{1}{2}$ 　$\therefore a=\underline{\hspace{0.8cm}}$

(2) $y=ax^2$, $y=\ln x$

(3) $y=\dfrac{a}{x}$, $y=\ln x$

(4) $y=e^{x+a}$, $y=\sqrt{2x-1}$

(5) $y=\sin^2 x$, $y=a-\sin x$ (단, $0<x<\pi$)

📋 **풍쌤 POINT**

두 곡선 $y=f(x)$, $y=g(x)$가 $x=t$인 점에서 접한다.

$\Longleftrightarrow$ 두 곡선 $y=f(x)$, $y=g(x)$가 $x=t$인 점에서 공통인 접선을 갖는다.

$\Longleftrightarrow f(t)=g(t)$, $f'(t)=g'(t)$

함수의 극대와 극소

1 함수의 증가와 감소

함수 $f(x)$가 어떤 열린구간에서 미분가능하고, 이 구간의 모든 x에 대하여

① $f'(x)>0$이면 $f(x)$는 그 구간에서 증가한다.

② $f'(x)<0$이면 $f(x)$는 그 구간에서 감소한다.

> 함수 $f(x)$가 어떤 구간에서 미분가능하고, 이 구간에서
> ① $f(x)$가 증가하면 $f'(x)\geq0$
> ② $f(x)$가 감소하면 $f'(x)\leq0$

2 함수의 극대와 극소

함수 $f(x)$가 $x=a$, $x=b$를 포함하는 어떤 열린구간에 속하는 모든 x에 대하여

① $f(a)\geq f(x)$이면 함수 $f(x)$는 $x=a$에서 극대라고 하며, 이때의 함숫값 $f(a)$를 극댓값이라고 한다.

② $f(b)\leq f(x)$이면 함수 $f(x)$는 $x=b$에서 극소라고 하며, 이때의 함숫값 $f(b)$를 극솟값이라고 한다.

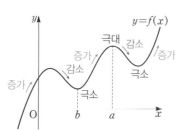

> 극댓값과 극솟값을 통틀어 극값이라고 한다.

3 함수의 극대와 극소의 판정

미분가능한 함수 $f(x)$에 대하여 $f'(a)=0$이고 $x=a$의 좌우에서

① $f'(x)$의 부호가 양($+$)에서 음($-$)으로 바뀌면 $f(x)$는 $x=a$에서 극대이다.

② $f'(x)$의 부호가 음($-$)에서 양($+$)으로 바뀌면 $f(x)$는 $x=a$에서 극소이다.

> **극값과 미분계수**
> 함수 $f(x)$가 $x=a$에서 미분가능하고 $x=a$에서 극값을 가지면 $f'(a)=0$
> 일반적으로 역은 성립하지 않는다.

유형·05 함수의 증가와 감소

05 다음 함수의 증가와 감소를 조사하여라.

(1) $f(x)=xe^x$

> **풀이** $f'(x)=e^x+xe^x=(1+x)e^x$
> $f'(x)=0$에서 $x=-1$
> 함수 $f(x)$의 증가와 감소를 표로 나타내면 다음과 같다.

x	$\cdots$	-1	$\cdots$
$f'(x)$	$-$	0	$+$
$f(x)$	$\searrow$	$-\dfrac{1}{e}$	$\nearrow$

따라서 함수 $f(x)$는 $x<-1$에서 ____하고, $x>-1$에서 ____한다.

(2) $f(x)=x+2\sin x$ (단, $0<x<2\pi$)

■ **풍쌤 POINT**

함수 $f(x)$의 증가와 감소

➡ $f'(x)=0$이 되는 x의 값을 경계로 증감표를 그려 판단한다.

06 다음 함수가 모든 실수 x에서 증가하도록 하는 실수 a의 값의 범위를 구하여라.

(1) $f(x)=(x^2+ax+3)e^x$

> 풀이 $f'(x)=(2x+a)e^x+(x^2+ax+3)e^x$
> $\qquad\quad =e^x\{x^2+(a+2)x+a+3\}$
>
> 함수 $f(x)$가 모든 실수 x에서 증가하려면 $f'(x)\geq 0$이어야 하므로
> $x^2+(a+2)x+(a+3)\geq 0\ (\because\ e^x>0)$
> 위의 이차부등식이 모든 실수 x에 대하여 성립해야 하므로 이차방정식 $x^2+(a+2)x+(a+3)=0$의 판별식을 D라 하면
> $D=(a+2)^2-4(a+3)\leq 0$
> $\therefore$ _____

(2) $f(x)=(x+a)e^{x^2}$

(3) $f(x)=x-\ln(x^2+a)$ (단, $a>0$)

07 다음 함수가 모든 실수 x에서 감소하도록 하는 실수 a의 값의 범위를 구하여라.

(1) $f(x)=\ln(x^2+a)-2x$ (단, $a>0$)

> 풀이 $f'(x)=\dfrac{2x}{x^2+a}-2=\dfrac{2x-2(x^2+a)}{x^2+a}$
> $\qquad\quad =\dfrac{-2(x^2-x+a)}{x^2+a}$
>
> 함수 $f(x)$가 모든 실수 x에서 감소하려면 $f'(x)\leq 0$이어야 하므로
> $-2(x^2-x+a)\leq 0\ (\because\ x^2+a>0)$
> $\therefore\ x^2-x+a\geq 0$
> 위의 이차부등식이 모든 실수 x에 대하여 성립해야 하므로 이차방정식 $x^2-x+a=0$의 판별식을 D라 하면
> $D=1-4a\leq 0$
> $\therefore$ _____

(2) $f(x)=(x^2+ax+2)e^{-x}$

(3) $f(x)=ax+\ln(x^2+3)$

■ 풍쌤 POINT
① 함수 $f(x)$가 모든 실수 x에서 증가
➡ 모든 실수 x에서 $f'(x)\geq 0$이 성립
② 함수 $f(x)$가 모든 실수 x에서 감소
➡ 모든 실수 x에서 $f'(x)\leq 0$이 성립

08 다음 함수의 극값을 구하여라.

(1) $f(x) = x + \dfrac{1}{x}$

> **풀이** $x \neq 0$일 때

$$f'(x) = 1 - \frac{1}{x^2} = \frac{x^2 - 1}{x^2} = \frac{(x+1)(x-1)}{x^2}$$

$f'(x) = 0$에서 $x = -1$ 또는 $x = 1$

함수 $f(x)$의 증가와 감소를 표로 나타내면 다음과 같다.

x	$\cdots$	-1	$\cdots$	(0)	$\cdots$	1	$\cdots$
$f'(x)$	$+$	0	$-$		$-$	0	$+$
$f(x)$	↗	극대	↘		↘	극소	↗

따라서 함수 $f(x)$는
$x = -1$에서 극대이고 극댓값은 ____,
$x = 1$에서 극소이고 극솟값은 __ 이다.

(2) $f(x) = \dfrac{x}{x^2 + 1}$

(3) $f(x) = \sqrt{x^2 + 2x + 2}$

(4) $f(x) = x - e^x$

(5) $f(x) = x \ln x$

(6) $f(x) = 1 - \cos x$ (단, $-\pi < x < \pi$)

■ 풍쌤 POINT

함수의 극값을 구할 때에는
(ⅰ) $f'(x)$를 구하고, $f'(x) = 0$인 x의 값을 구한다.
(ⅱ) (ⅰ)에서 구한 x의 값을 경계로 증감표를 나타내어 극소와 극대인 x의 값을 찾는다.
(ⅲ) 극댓값, 극솟값을 구한다.

이계도함수를 이용한 함수의 극대와 극소

1 이계도함수를 이용한 함수의 극대와 극소

이계도함수를 갖는 함수 $f(x)$에 대하여 $f'(a)=0$일 때

① $f''(a)<0$이면 $f(x)$는 $x=a$에서 극대이다.

② $f''(a)>0$이면 $f(x)$는 $x=a$에서 극소이다.

> 일반적으로 왼쪽의 성질의 역은 성립하지 않는다.
> 즉, 함수 $f(x)$에 대하여 $f'(a)=0$일 때, $x=a$에서 극값을 갖는다고 해서 반드시 $f''(a)<0$ 또는 $f''(a)>0$인 것은 아니다.

참고 함수 $f(x)$의 이계도함수가 존재하고 $f'(a)=0$일 때

(ⅰ) $f''(a)<0$이면
$f'(x)$는 $x=a$를 포함하는 구간에서 감소하고 $f'(a)=0$이므로 $f'(x)$의 부호는 $x=a$의 좌우에서 양에서 음으로 바뀐다.
➡ $f(x)$는 $x=a$에서 극대이다.

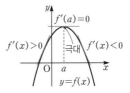

(ⅱ) $f''(a)>0$이면
$f'(x)$는 $x=a$를 포함하는 구간에서 증가하고 $f'(a)=0$이므로 $f'(x)$의 부호는 $x=a$의 좌우에서 음에서 양으로 바뀐다.
➡ $f(x)$는 $x=a$에서 극소이다.

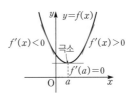

유형·08 이계도함수를 이용한 함수의 극값

정답과 풀이 059쪽

09 이계도함수를 이용하여 다음 함수의 극값을 구하여라.

(1) $f(x)=(x^2+2x)e^{-x}$

> 풀이 $f'(x)=(2x+2)e^{-x}-(x^2+2x)e^{-x}=(2-x^2)e^{-x}$
> $f'(x)=0$에서 $x=-\sqrt{2}$ 또는 $x=\sqrt{2}$
> $f''(x)=-2xe^{-x}-(2-x^2)e^{-x}=(x^2-2x-2)e^{-x}$
> 이므로
> $f''(-\sqrt{2})=(2+2\sqrt{2}-2)e^{\sqrt{2}}=2\sqrt{2}\,e^{\sqrt{2}}>0$,
> $f''(\sqrt{2})=(2-2\sqrt{2}-2)e^{-\sqrt{2}}=-2\sqrt{2}\,e^{-\sqrt{2}}<0$
> 따라서 함수 $f(x)$는 $x=$＿＿에서 극대이고 극댓값은
> ＿＿＿＿＿,
> $x=$＿＿에서 극소이고 극솟값은 ＿＿＿＿＿이다.

(2) $f(x)=xe^{x+1}$

(3) $f(x)=x^2-\ln x$

(4) $f(x)=\sin x-\sqrt{3}\cos x$ (단, $0<x<2\pi$)

풍쌤 POINT

이계도함수를 이용한 함수의 극대와 극소
➡ $f'(x)=0$인 x의 값을 찾은 다음, 그 값을 $f''(x)$에 대입하여 부호를 조사한다.

10 다음 함수가 극댓값과 극솟값을 모두 가질 때, 실수 a의 값의 범위를 구하여라.

(1) $f(x)=(x^2+2x+a)e^x$

▶ 풀이　$f'(x)=(2x+2)e^x+(x^2+2x+a)e^x$
$$=(x^2+4x+a+2)e^x$$
$f'(x)=0$에서
$x^2+4x+a+2=0\ (\because\ e^x>0)$ ······ ㉠
함수 $f(x)$가 극댓값과 극솟값을 모두 가지려면 이차방정식 ㉠이 서로 다른 두 실근을 가져야 하므로 ㉠의 판별식을 D라 하면
$$\dfrac{D}{4}=2^2-(a+2)\underline{\quad}0 \qquad \therefore \underline{\hspace{3cm}}$$

(2) $f(x)=\dfrac{a}{x}-x$

(3) $f(x)=\ln x+\dfrac{a}{2x}-2x$

(4) $f(x)=\dfrac{x^2-x+a}{e^x}$

11 다음 함수가 극값을 갖지 않을 때, 실수 a의 값의 범위를 구하여라.

(1) $f(x)=x+a\ln x-\dfrac{1}{x}$

▶ 풀이　$f'(x)=1+\dfrac{a}{x}+\dfrac{1}{x^2}=\dfrac{x^2+ax+1}{x^2}$
함수 $f(x)$가 극값을 갖지 않으려면 모든 실수 x에 대하여 $f'(x)\le0$ 또는 $f'(x)\ge0$이어야 하므로
$x^2+ax+1\le0$ 또는 $x^2+ax+1\ge0$
그런데 모든 실수 x에 대하여 $x^2+ax+1\le0$이 성립할 수 없으므로
$x^2+ax+1\ge0$
이차방정식 $x^2+ax+1=0$의 판별식을 D라 하면
$$D=a^2-4\underline{\quad}0$$
$$\therefore \underline{\hspace{3cm}}$$

(2) $f(x)=(x^2+x+a)e^x$

(3) $f(x)=ax+2\sin x$

■ 풍쌤 POINT

상수함수가 아닌 함수 $f(x)$가 미분가능할 때
① $f(x)$가 극값을 갖는다.
➡ $f'(x)=0$의 실근의 좌우에서 $f'(x)$의 부호가 바뀐다.
② $f(x)$가 극값을 갖지 않는다.
➡ 모든 실수 x에 대하여 $f'(x)\le0$ 또는 $f'(x)\ge0$

곡선의 오목과 볼록, 변곡점

|Ⅱ-3. 도함수의 활용|

1 곡선의 오목, 볼록의 판정

함수 $f(x)$가 어떤 구간에서

① $f''(x)>0$이면 곡선 $y=f(x)$는 이 구간에서 아래로 볼록하다.

② $f''(x)<0$이면 곡선 $y=f(x)$는 이 구간에서 위로 볼록하다.

2 변곡점

① 곡선 $y=f(x)$ 위의 점 $(a, f(a))$에 대하여 $x=a$의 좌우에서 곡선의 모양이 아래로 볼록에서 위로 볼록으로 바뀌거나 위로 볼록에서 아래로 볼록으로 바뀔 때, 이 점을 곡선 $y=f(x)$의 변곡점이라 한다.

② 함수 $f(x)$에서 $f''(a)=0$이고 $x=a$의 좌우에서 $f''(x)$의 부호가 바뀌면 점 $(a, f(a))$는 곡선 $y=f(x)$의 변곡점이다.

➡ 곡선 $y=f(x)$에서 점 $(a, f(a))$가 변곡점일 때, $f''(a)=0$이다.

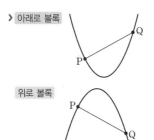

> 변곡점 $(a, f(a))$의 좌우에서 $f''(a)$의 부호가 바뀌므로 $f''(a)$가 존재하면 $f''(a)=0$이다.

> $f''(a)=0$이지만 $x=a$의 좌우에서 $f''(x)$의 부호가 바뀌지 않으면 점 $(a, f(a))$는 곡선 $y=f(x)$의 변곡점이 아니다.

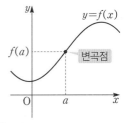

유형·10 곡선의 오목과 볼록, 변곡점

정답과 풀이 060쪽

12 다음 곡선의 오목과 볼록을 조사하여 변곡점의 좌표를 구하여라.

(1) $y=\dfrac{2}{x^2+3}$

> 풀이 $f(x)=\dfrac{2}{x^2+3}$로 놓으면

$$f'(x)=-\frac{4x}{(x^2+3)^2}, \ f''(x)=\underline{\qquad\qquad}$$

$f'(x)=0$에서 $x=0$

$f''(x)=0$에서 $x=-1$ 또는 $x=1$

함수 $f(x)$의 증가와 감소를 표로 나타내면 다음과 같다.

x	$\cdots$	-1	$\cdots$	0	$\cdots$	1	$\cdots$
$f'(x)$	$+$	$+$	$+$	0	$-$	$-$	$-$
$f''(x)$	$+$	0	$-$	$-$	$-$	0	$+$
$f(x)$	↗	$\frac{1}{2}$	↗	$\frac{2}{3}$	↘	$\frac{1}{2}$	↘

따라서 곡선 $y=f(x)$는 $x<-1$ 또는 $x>1$일 때, $f''(x)>0$이므로 아래로 볼록하고, $-1<x<1$일 때 $f''(x)<0$이므로 위로 볼록하다.

이때 변곡점의 좌표는 $\underline{\qquad\quad}$, $\underline{\qquad\quad}$이다.

(2) $y=x^3+3x^2-9x-2$

3. 도함수의 활용 **107**

(3) $y = -x^4 + 2x^3 + 4$

(4) $y = x^2 + \dfrac{1}{x}$

(5) $y = \dfrac{1}{x^2 + 3}$

(6) $y = e^{-x^2}$

(7) $y = xe^x$

(8) $y = \ln(x^2 + 3)$

(9) $y = x + \sin x$ (단, $0 < x < 2\pi$)

(10) $y = \cos 2x$ (단, $0 < x < \pi$)

> **풍쌤 POINT**
>
> 함수 $f(x)$에서
> ① $f''(a) = 0$
> ② $x = a$의 좌우에서 $f''(x)$의 부호가 바뀐다.
> ➡ 점 $(a, f(a))$는 곡선 $y = f(x)$의 변곡점이다.

13 다음 물음에 답하여라.

(1) 함수 $f(x)=ax^2+bx-\ln x$가 $x=1$에서 극대이고 곡선 $y=f(x)$의 변곡점의 x좌표가 $\dfrac{1}{2}$일 때, 상수 a, b의 값을 각각 구하여라.

> **풀이** $f'(x)=2ax+b-\dfrac{1}{x}$, $f''(x)=2a+\dfrac{1}{x^2}$
>
> $x=1$에서 극대이므로 $f'(1)=0$에서
> $2a+b-1=0$ ······ ㉠
> 변곡점의 x좌표가 $\dfrac{1}{2}$이므로 $f''\!\left(\dfrac{1}{2}\right)=0$에서
> $2a+4=0$ $\therefore a=\underline{\quad\quad}$
> $a=\underline{\quad\quad}$를 ㉠에 대입하면
> $b=\underline{\quad}$

(2) 곡선 $y=\dfrac{a}{x}+\dfrac{b}{x^2}$의 변곡점의 좌표가 $(2, 1)$일 때, 상수 a, b의 값을 각각 구하여라.

(3) 함수 $f(x)=ax^3+bx^2+c$의 그래프 위의 $x=-1$인 점에서의 접선의 기울기가 -9이고, 점 $(1, 0)$이 곡선 $y=f(x)$의 변곡점일 때, 상수 a, b, c의 값을 각각 구하여라.

(4) 함수 $f(x)=ax^4+bx^3+cx$는 $x=1$에서 극대이고 점 $(3, -13)$이 곡선 $y=f(x)$의 변곡점일 때, 상수 a, b, c의 값을 각각 구하여라.

> **■ 풍쌤 POINT**
> 함수 $f(x)$에 대하여
> ① $f(x)$가 $x=a$에서 극값 b를 갖는다.
>   ➡ $f(a)=b$, $f'(a)=0$
> ② 점 (a, b)가 곡선 $y=f(x)$의 변곡점이다.
>   ➡ $f(a)=b$, $f''(a)=0$

함수의 그래프

1 함수의 그래프의 개형

함수 $y=f(x)$의 그래프는 다음을 조사하고 종합하여 그린다.

① 함수의 정의역과 치역　② 그래프의 대칭성과 주기

③ 좌표축과 교점　④ 함수의 증가와 감소, 극대와 극소

⑤ 곡선의 오목과 볼록, 변곡점　⑥ $\lim\limits_{x\to\infty}f(x)$, $\lim\limits_{x\to-\infty}f(x)$, 점근선

> 함수 $y=f(x)$의 그래프에서
> ① $f(-x)=f(x)$
> ➡ y축에 대하여 대칭
> ② $f(-x)=-f(x)$
> ➡ 원점에 대하여 대칭

참고 함수의 정의역
① 유리함수의 정의역: 분모가 0이 되지 않도록 하는 실수 전체의 집합
② 무리함수의 정의역: 근호 안의 식의 값이 0 이상 되도록 하는 실수 전체의 집합
③ 로그함수의 정의역: 로그의 진수가 양수가 되도록 하는 실수 전체의 집합

유형·12 함수의 그래프(1) - 다항함수, 삼각함수

14 다음 함수의 그래프를 그려라.

(1) $f(x)=x^4-2x^2+3$

> **풀이** $f'(x)=4x^3-4x=4x(x+1)(x-1)$
> $f''(x)=12x^2-4=4(\sqrt{3}x+1)(\sqrt{3}x-1)$
> $f'(x)=0$에서 $x=-1$ 또는 $x=0$ 또는 $x=1$
> $f''(x)=0$에서 $x=-\dfrac{\sqrt{3}}{3}$ 또는 $x=\dfrac{\sqrt{3}}{3}$
>
> 함수 $f(x)$의 증가와 감소를 표로 나타내면 다음과 같다.

x	...	-1	...		...	0	...		...	1	...
$f'(x)$	$-$	0	$+$	$+$	$+$	0	$-$	$-$	$-$	0	$+$
$f''(x)$	$+$	$+$	$+$	0	$-$	$-$	$-$	0	$+$	$+$	$+$
$f(x)$	↘	2		$\dfrac{22}{9}$	↗	3		$\dfrac{22}{9}$	↘	2	

따라서 함수 $y=f(x)$의 그래프는 오른쪽 그림과 같다.

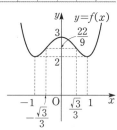

(2) $f(x)=x^3-3x^2-1$

(3) $f(x)=x-\cos x$ (단, $0\le x\le 2\pi$)

(4) $f(x)=\sin x+\cos x$ (단, $0\le x\le \pi$)

■ **풍쌤 POINT**

함수의 그래프 그리기
➡ [1단계] $f'(x)=0$, $f''(x)=0$인 x의 값을 찾는다.
　[2단계] 찾은 x의 값을 경계로 증감표를 만든다.
　[3단계] 증감표를 보고 그래프의 개형을 그린다.

15 다음 함수의 그래프를 그려라.

(1) $f(x)=x-\sqrt{x}$

> **풀이** ① 정의역은 $x\geq0$인 실수 전체의 집합이다.

② $f(x)=0$에서 $x=\sqrt{x}$, $x^2=x$

$x(x-1)=0$　　$\therefore x=0$ 또는 $x=1$

즉, 두 점 $(0, 0)$, $(1, 0)$을 지난다.

③ $f'(x)=1-\dfrac{1}{2\sqrt{x}}$이므로 $f'(x)=0$에서 $x=\underline{\quad}$

$f''(x)=\dfrac{1}{4x\sqrt{x}}$에서 $f''(x)=0$을 만족시키는 x의 값

이 존재하지 않으므로 변곡점이 없다.

$x\geq0$에서 함수 $f(x)$의 증가와 감소를 표로 나타내면 다음과 같다.

x	0	$\cdots$	$\underline{\quad}$	$\cdots$
$f'(x)$		$-$	0	$+$
$f''(x)$		$+$	$+$	$+$
$f(x)$	0	$\searrow$		$\nearrow$

따라서 함수 $y=f(x)$의 그래프는 다음 그림과 같다.

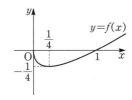

(2) $f(x)=x+\dfrac{1}{x}$

(3) $f(x)=\dfrac{x}{x^2+1}$

(4) $f(x)=x\sqrt{x+3}$

> **풍쌤 POINT**

a, b가 실수일 때, 함수 $y=f(x)$에 대하여

① $\displaystyle\lim_{x\to\infty}f(x)=b$ 또는 $\displaystyle\lim_{x\to-\infty}f(x)=b$이면

　➡ 점근선은 직선 $y=b$

② $\displaystyle\lim_{x\to a+}f(x)=\pm\infty$ 또는 $\displaystyle\lim_{x\to a-}f(x)=\pm\infty$이면

　➡ 점근선은 직선 $x=a$

③ $\displaystyle\lim_{x\to\infty}\{f(x)-(mx+n)\}=0$ 또는

　$\displaystyle\lim_{x\to-\infty}\{f(x)-(mx+n)\}=0$이면

　➡ 점근선은 직선 $y=mx+n$

16 다음 함수의 그래프를 그려라.

(1) $f(x) = e^{-x^2}$

> **풀이** ① 정의역은 실수 전체의 집합이다.
> ② 임의의 실수 x에 대하여 $f(-x) = f(x)$이므로 함수 $y = f(x)$의 그래프는 ____에 대하여 대칭이다.
> ③ $f(0) = 1$이므로 점 $(0, 1)$을 지난다.
> ④ $f'(x) = -2xe^{-x^2}$이므로
> $f'(x) = 0$에서 $x = 0$
> $f''(x) = -2e^{-x^2} + 4x^2e^{-x^2} = 2(2x^2 - 1)e^{-x^2}$이므로
> $f''(x) = 0$에서 $x = -\dfrac{\sqrt{2}}{2}$ 또는 $x = \dfrac{\sqrt{2}}{2}$
>
> 함수 $f(x)$의 증가와 감소를 표로 나타내면 다음과 같다.

x	$\cdots$	$-\dfrac{\sqrt{2}}{2}$	$\cdots$	0	$\cdots$	$\dfrac{\sqrt{2}}{2}$	$\cdots$
$f'(x)$	$+$	$+$	$+$	0	$-$	$-$	$-$
$f''(x)$	$+$	0	$-$	$-$	$-$	0	$+$
$f(x)$	↗	___	↗	1	↘	___	↘

> ⑤ $\lim\limits_{x \to \infty} f(x) = 0$, $\lim\limits_{x \to -\infty} f(x) = 0$이므로 점근선은 x축이다.
> 따라서 함수 $y = f(x)$의 그래프는 다음 그림과 같다.

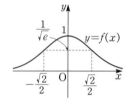

(2) $f(x) = xe^x$

(3) $f(x) = e^x - e^{-x}$

(4) $f(x) = x \ln x$

(5) $f(x) = \dfrac{\ln x}{x}$

■ **풍쌤 POINT**

지수함수, 로그함수에서 점근선 찾기

➡ $\lim\limits_{x \to 0+} f(x)$, $\lim\limits_{x \to 0-} f(x)$, $\lim\limits_{x \to \infty} f(x)$, $\lim\limits_{x \to -\infty} f(x)$를 구하여 점근선을 확인한다.

함수의 최대와 최소

1 **함수의 최대와 최소**

닫힌구간 $[a, b]$에서 연속함수 $f(x)$의 최댓값과 최솟값을 구하려면

(ⅰ) 주어진 구간에서 $f(x)$의 극댓값과 극솟
값을 모두 구한다.

(ⅱ) 주어진 구간의 양 끝에서의 함숫값
$f(a), f(b)$를 구한다.

(ⅲ) (ⅰ), (ⅱ)에서 구한 값들의 크기를 비교한다.

· 최댓값 ➡ 극댓값, $f(a), f(b)$ 중 가장 큰 값

· 최솟값 ➡ 극솟값, $f(a), f(b)$ 중 가장 작은 값

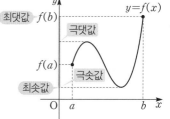

▶주어진 구간에서 극값이 존재
하지 않을 때는 그 구간의 양
끝의 함숫값 중 가장 큰 값이
최댓값, 가장 작은 값이 최솟
값이 된다.

2 **극값이 하나뿐일 때의 함수의 최대와 최소**

닫힌구간 $[a, b]$에서 연속이고, 그 구간에서 극값이 오직 하나 존재할 때

① 극값이 극댓값이면 ➡ (극댓값)=(최댓값)

② 극값이 극솟값이면 ➡ (극솟값)=(최솟값)

유형·15 **함수의 최대, 최소(1)-유리함수, 무리함수**

▶정답과 풀이 066쪽

17 다음 함수의 주어진 구간에서의 최댓값과 최솟값을
구하여라.

(1) $f(x)=\dfrac{2x}{x^2+1}$, $[-3, 2]$

▶풀이 $f'(x)=\dfrac{2(x^2+1)-2x\times 2x}{(x^2+1)^2}=-\dfrac{2(x+1)(x-1)}{(x^2+1)^2}$

$f'(x)=0$에서 $x=-1$ 또는 $x=1$

구간 $[-3, 2]$에서 함수 $f(x)$의 증가와 감소를 표로 나
타내면 다음과 같다.

x	-3	$\cdots$	-1	$\cdots$	1	$\cdots$	2
$f'(x)$		$-$	0	$+$	0	$-$	
$f(x)$	$-\dfrac{3}{5}$	↘	___	↗	___	↘	$\dfrac{4}{5}$

따라서 구간 $[-3, 2]$에서 함수 $f(x)$의
최댓값은 __, 최솟값은 ___ 이다.

(2) $f(x)=x+\dfrac{2}{x}$, $[1, 4]$

(3) $f(x)=\sqrt{4-x^2}$, $[-2, 2]$

(4) $f(x)=x\sqrt{1-x^2}$, $[-1, 1]$

18 다음 함수의 주어진 구간에서의 최댓값과 최솟값을 구하여라.

(1) $f(x)=x+e^{-x}$, $[-1, 1]$

> **풀이** $f'(x)=1-e^{-x}$
> $f'(x)=0$에서 $e^{-x}=1$, $-x=0$
> $\therefore x=0$
> 구간 $[-1, 1]$에서 함수 $f(x)$의 증가와 감소를 표로 나타내면 다음과 같다.

x	-1	$\cdots$	0	$\cdots$	1
$f'(x)$		$-$	0	$+$	
$f(x)$	$e-1$	$\searrow$	$\underline{\quad}$	$\nearrow$	$1+\dfrac{1}{e}$

> 따라서 구간 $[-1, 1]$에서 함수 $f(x)$의
> 최댓값은 ____, 최솟값은 __ 이다.

(2) $f(x)=xe^{-x}$, $[0, 2]$

(3) $f(x)=\dfrac{e^x}{2x-1}$, $[1, 3]$

(4) $f(x)=x-x\ln x$, $[1, e^2]$

(5) $f(x)=\ln(x^2+1)$, $[-3, 3]$

(6) $f(x)=\dfrac{x}{\ln x}$, $[2, 5]$

■ 풍쌤 POINT
① 구간 $[\alpha, \beta]$에서 연속인 함수 $f(x)$의 최대, 최소
→ $f'(x)=0$인 x의 값을 경계로 증감표를 그린 후 주어진 구간에 속하는 극값, $f(\alpha)$, $f(\beta)$의 값을 비교한다.
② 지수함수와 로그함수의 도함수
→ $y=e^x \Rightarrow y'=e^x$, $y=e^{f(x)} \Rightarrow y'=e^{f(x)}\times f'(x)$
$y=\ln|x| \Rightarrow y'=\dfrac{1}{x}$, $y=\ln|f(x)| \Rightarrow y'=\dfrac{f'(x)}{f(x)}$
임을 이용한다.

19 다음 함수의 주어진 구간에서의 최댓값과 최솟값을 구하여라.

(1) $f(x)=x\sin x+\cos x$, $[0,\ 2\pi]$

> ▶ 풀이 $f'(x)=\sin x+x\cos x-\sin x=x\cos x$
> $f'(x)=0$에서 $x=0$ 또는 $\cos x=0$
> $x=0$ 또는 $x=\dfrac{\pi}{2}$ 또는 $x=\dfrac{3}{2}\pi$ ($\because 0\le x\le 2\pi$)
> 구간 $[0.\ 2\pi]$에서 함수 $f(x)$의 증가와 감소를 표로 나타내면 다음과 같다.

x	0	$\cdots$	$\dfrac{\pi}{2}$	$\cdots$	$\dfrac{3}{2}\pi$	$\cdots$	2π
$f'(x)$	0	$+$	0	$-$	0	$+$	
$f(x)$	1	↗		↘		↗	1

> 따라서 구간 $[0.\ 2\pi]$에서 함수 $f(x)$의
> 최댓값은 ___ , 최솟값은 _____ 이다.

(2) $f(x)=2\sin x-x$, $[0,\ \pi]$

(3) $f(x)=\sin x-x\cos x$, $[0,\ 2\pi]$

(4) $f(x)=\sin^2 x$, $\left[-\dfrac{\pi}{2},\ \dfrac{\pi}{2}\right]$

(5) $f(x)=(1+\cos x)\sin x$, $\left[-\dfrac{\pi}{3},\ \pi\right]$

(6) $f(x)=e^x\cos x$, $\left[0,\ \dfrac{\pi}{2}\right]$

> ▌ 풍쌤 POINT
> ① 구간 $[\alpha,\ \beta]$에서 연속인 함수 $f(x)$의 최대, 최소
> ➡ 구간에 속하는 극값, $f(\alpha)$, $f(\beta)$의 값을 비교한다.
> ② 삼각함수의 도함수
> ➡ $y=\sin x \Rightarrow y'=\cos x$, $y=\cos x \Rightarrow y'=-\sin x$
> 임을 이용한다.

10

방정식에의 활용

① 방정식의 실근의 개수

① 방정식 $f(x)=0$의 서로 다른 실근의 개수는 함수 $y=f(x)$의 그래프와 x축의 교점의 개수와 같다.

② 방정식 $f(x)=g(x)$의 서로 다른 실근의 개수는 두 함수 $y=f(x)$, $y=g(x)$의 그래프의 교점의 개수와 같다.

> ① 방정식 $f(x)=0$의 실근은 함수 $y=f(x)$의 그래프와 x축의 교점의 x좌표와 같다.
> ② 방정식 $f(x)=g(x)$의 실근은 두 함수 $y=f(x)$, $y=g(x)$의 그래프의 교점의 x좌표와 같다.

유형·18 방정식의 실근의 개수

20 다음 방정식의 서로 다른 실근의 개수를 구하여라.

(1) $x-\sqrt{x+1}+1=0$

> **풀이** $x-\sqrt{x+1}+1=0$에서 $\sqrt{x+1}=x+1$
> 이때 두 함수 $y=\sqrt{x+1}$과 $y=x+1$의 그래프를 그리면 다음 그림과 같다.

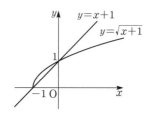

> 따라서 주어진 방정식의 실근의 개수는 __ 이다.

(2) $\dfrac{4x}{x^2+2x}-1=0$

(3) $e^x-x=0$

(4) $\ln x=x+2$

(5) 구간 $[-\pi,\ \pi]$에서 $\sin x-2x=0$

■ 풍쌤 POINT

방정식의 실근의 개수

➡ 주어진 방정식을 그래프를 그리기 쉬운 두 함수로 분리하여 그린 후, 두 함수의 그래프가 만나는 점의 개수를 구한다.

21 다음 방정식이 서로 다른 두 실근을 가질 때, 실수 a 의 값의 범위를 구하여라.

(1) $e^x = ax$

> **풀이** $x \neq 0$이므로 방정식 $e^x = ax$가 서로 다른 두 실근을 가지려면 곡선 $y = \dfrac{e^x}{x}$과 직선 $y = a$가 서로 다른 두 점에서 만나야 한다.

$f(x) = \dfrac{e^x}{x}$으로 놓으면

$f'(x) = \dfrac{e^x \times x - e^x \times 1}{x^2} = \dfrac{(x-1)e^x}{x^2}$

$f'(x) = 0$에서 $x = 1$

함수 $f(x)$의 증가와 감소를 표로 나타내면 다음과 같다.

x	$\cdots$	(0)	$\cdots$	1	$\cdots$
$f'(x)$	$-$		$-$	0	$+$
$f(x)$	$\searrow$		$\searrow$	e	$\nearrow$

따라서 함수 $f(x)$의 그래프는 오른쪽 그림과 같으므로 방정식 $e^x = ax$가 서로 다른 두 실근을 갖는 a의 값의 범위는 _____ 이다.

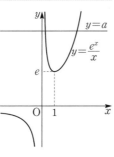

(2) $\dfrac{2}{x^2 - 2x + 3} = a$

(3) $\dfrac{a}{e^x - x} = 1$

(4) $\ln x - x = a$

(5) $\dfrac{\ln x}{x^2} = a$

📋 **풍쌤 POINT**

① 주어진 방정식을 그리기 쉬운 형태의 그래프로 나타내기 어려운 경우

➡ 증감표를 이용하여 함수의 그래프의 개형을 그린다.

② 주어진 방정식을 그리기 쉬운 형태로 나타낼 수 있는 경우

➡ 접하는 경우를 생각하여 교점의 개수를 생각한다.

11

부등식에의 활용

❶ 모든 실수에 대하여 성립하는 부등식의 증명

① 모든 실수 x에 대하여 부등식 $f(x)>0$이 성립

➡ ($f(x)$의 최솟값)>0

② 모든 실수 x에 대하여 부등식 $f(x)<0$이 성립

➡ ($f(x)$의 최댓값)<0

❷ $x>a$에서 성립하는 부등식 $f(x)>0$의 증명

① 함수 $f(x)$의 극값이 존재할 때

➡ $x>a$에서 ($f(x)$의 최솟값)>0임을 보인다.

② 함수 $f(x)$의 극값이 존재하지 않을 때

➡ $x>a$에서 함수 $f(x)$가 증가하고 $f(a)\geq0$임을 보인다.

즉, $f'(x)>0$, $f(a)\geq0$임을 보인다.

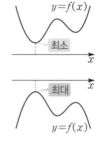

> ① 어떤 구간에서 부등식
> $f(x)\geq a$가 성립
> ➡ 그 구간에서
> ($f(x)$의 최솟값)$\geq a$
> ② 어떤 구간에서 부등식
> $f(x)\leq a$가 성립
> ➡ 그 구간에서
> ($f(x)$의 최댓값)$\leq a$

> 두 함수 $f(x)$, $g(x)$에 대하여
> 어떤 구간에서 부등식
> $f(x)\geq g(x)$가 성립
> ➡ $h(x)=f(x)-g(x)$로 놓고 그 구간에서 $h(x)\geq0$임을 보인다.

유형·20 부등식의 증명

22 $x>0$일 때, 다음 부등식이 성립함을 증명하여라.

(1) $x+1>\ln x$

> **풀이** $x+1>\ln x$에서 $x-\ln x+1>0$이 성립함을 보인다.
>
> $f(x)=x-\ln x+1$로 놓으면
>
> $f'(x)=1-\dfrac{1}{x}=\dfrac{x-1}{x}$이므로
>
> $f'(x)=0$에서 $x=1$
>
> $x>0$에서 함수 $f(x)$의 증가와 감소를 표로 나타내면 다음과 같다.

x	(0)	$\cdots$	1	$\cdots$
$f'(x)$		$-$	0	$+$
$f(x)$		$\searrow$	$\underline{\quad}$	$\nearrow$

> 즉, 함수 $f(x)$는 $x=1$에서 극소이면서 최소이므로 $f(x)$의 최솟값은 $f(\underline{\quad})=\underline{\quad}$이다.
>
> 따라서 $x>0$일 때 부등식 $f(x)>0$, 즉
>
> $x-\ln x+1>0$이 성립한다.
>
> $\therefore x+1>\ln x$

(2) $e^x>x-1$

(3) $e^x-1>\sin x$

(4) $\ln x\geq1-\dfrac{1}{x}$

23 $x>0$일 때, 다음 부등식이 항상 성립하도록 하는 실수 a의 값의 범위를 구하여라.

(1) $2e^x>x^2+a$

> **풀이** $2e^x>x^2+a$에서 $2e^x-x^2-a>0$
>
> $f(x)=2e^x-x^2-a$로 놓으면
>
> $f'(x)=2e^x-2x,$
>
> $f''(x)=2e^x-2=2(e^x-1)$
>
> $x>0$일 때, $e^x>1$이므로 $f''(x)>0$
>
>   즉, 함수 $f'(x)$는 $x>0$에서 _____
>
>   그런데 $f'(0)=2$이므로 $x>0$일 때 $f'(x)>0$
>
>   따라서 함수 $f(x)$는 $x>0$에서 _____
>
>   그런데 $x>0$에서 $f(x)>0$이 성립하려면 $f(0)≥0$이어야 하므로
>
> $2-a≥0$ $\therefore a≤2$

(2) $e^x>x+a$

(3) $e^x-e\ln x+a>0$

(4) $x\ln x>x+a$

(5) $\ln ax-x<0$

(6) $x^2+\sin x+a>0$

> 📕 **풍쌤 POINT**
>
> $f(x)>0$임을 증명할 때 기억해야 할 3가지!
>
> ① $f'(x)=0$이 존재하면 ➡ 최솟값을 구한다.
>
> ② 최솟값을 구하기 힘든 경우 ➡ 증가함수로 판단한다.
>
> ③ $f(x)>g(x)$의 증명
>
>   ➡ $h(x)=f(x)-g(x)$로 놓고 $h(x)>0$임을 보인다.

속도와 가속도

1 평면 위를 움직이는 점의 속도와 가속도

좌표평면 위를 움직이는 점 P의 시각 t에서의 위치 $(x,\ y)$가 $x=f(t)$, $y=g(t)$일 때, 점 P의 시각 t에서의 속도, 속력, 가속도, 가속도의 크기는 다음과 같다.

① 속도: $\left(\dfrac{dx}{dt},\ \dfrac{dy}{dt}\right)=(f'(t),\ g'(t))$

② 속력: $\sqrt{\left(\dfrac{dx}{dt}\right)^2+\left(\dfrac{dy}{dt}\right)^2}=\sqrt{\{(f'(t)\}^2+\{g'(t)\}^2}$

③ 가속도: $\left(\dfrac{d^2x}{dt^2},\ \dfrac{d^2y}{dt^2}\right)=(f''(t),\ g''(t))$

④ 가속도의 크기: $\sqrt{\left(\dfrac{d^2x}{dt^2}\right)^2+\left(\dfrac{d^2y}{dt^2}\right)^2}=\sqrt{\{f''(t)\}^2+\{g''(t)\}^2}$

> ▶ 직선 위를 움직이는 점의 속도와 가속도
>
> 수직선 위를 움직이는 점 P의 시각 t에서의 위치 x가 $x=f(t)$일 때, 점 P의 시각 t에서의 속도 v와 가속도 a는
>
> $$v=\dfrac{dx}{dt}=f'(t)$$
>
> $$a=\dfrac{dv}{dt}=v'(t)$$

유형·22 수직선 위를 움직이는 점의 속도와 가속도

24 원점을 출발하여 수직선 위를 움직이는 점 P의 시각 t에서의 위치 x가 다음과 같을 때, 시각 $t=1$에서의 점 P의 속도와 가속도를 구하여라.

(1) $x=t^2\ln(t+1)+2t$

> ▶ 풀이　점 P의 속도를 v라 하면
>
> $$v=\dfrac{dx}{dt}=2t\ln(t+1)+\dfrac{t^2}{t+1}+2$$
>
> 이므로 시각 $t=1$에서의 점 P의 속도는 _____
> 한편, 점 P의 가속도를 a라 하면
>
> $$a=\dfrac{dv}{dt}=2\ln(t+1)+\dfrac{3t^2+4t}{(t+1)^2}$$
>
> 이므로 시각 $t=1$에서의 점 P의 가속도는 _____

(2) $x=e^t+t-1$

25 원점을 출발하여 수직선 위를 움직이는 점 P의 시각 t에서의 위치 x가 다음과 같을 때, 점 P가 운동 방향을 바꿀 때의 시각을 구하여라.

(1) $x=\sin t-\cos t+1$ (단, $0\le t\le\pi$)

> ▶ 풀이　점 P가 운동 방향을 바꾸는 경우는 속도가 0일 때이다.
> 점 P의 속도를 v라 하면
>
> $$v=\dfrac{dx}{dt}=\cos t+\sin t$$
>
> 이므로 $v=0$에서 $\tan t=$ _____
>
> 이때 $0\le t\le\pi$이므로 $t=$ _____

(2) $x=t^2e^{-t}$

> ■ 풍쌤 POINT
> 수직선 위를 움직이는 점 P의 시각 t에서의 위치를 $f(t)$라 할 때,
> ① 시각 t에서의 속도 $v(t)=f'(t)$, 가속도 $a(t)=v'(t)$
> ② 운동 방향을 바꾼다. ➡ 속도 $v(t)=0$

26 좌표평면 위를 움직이는 점 P의 시각 t에서의 위치 (x, y)가 다음과 같을 때, 시각 t에서의 속도와 속력을 구하여라.

(1) $x=2t^2-t+1,\ y=t^2+3t$

> ▶풀이 $\dfrac{dx}{dt}=4t-1,\ \dfrac{dy}{dt}=2t+3$이므로 속도는
> $(4t-1,\ 2t+3)$이고,
> 속력은
> $$\sqrt{\left(\dfrac{dx}{dt}\right)^2+\left(\dfrac{dy}{dt}\right)^2}=\underline{\qquad}$$

(2) $x=3t-1,\ y=4t+3$

(3) $x=t^2+t-1,\ y=\dfrac{1}{2}t^2+5$

(4) $x=\sin t,\ y=\cos t$

27 좌표평면 위를 움직이는 점 P의 시각 t에서의 위치 (x, y)가 다음과 같을 때, 시각 t에서의 가속도와 가속도의 크기를 구하여라.

(1) $x=1-t^2,\ y=3t^2-2t+1$

> ▶풀이 $\dfrac{dx}{dt}=-2t,\ \dfrac{dy}{dt}=6t-2,$
> $\dfrac{d^2x}{dt^2}=-2,\ \dfrac{d^2y}{dt^2}=6$
> 따라서 가속도는 $(\underline{\quad},\ \underline{\quad})$이고,
> 가속도의 크기는
> $$\sqrt{\left(\dfrac{d^2x}{dt^2}\right)^2+\left(\dfrac{d^2y}{dt^2}\right)^2}=\underline{\quad}$$

(2) $x=t+e^t,\ y=2t-e^t$

(3) $x=2t+\sin t,\ y=1-\cos t$

◼ 풍쌤 POINT

좌표평면 위를 움직이는 점 $P(x, y)$의 시각 t에서의 위치가 $x=f(t),\ y=g(t)$일 때, 점 P의 시각 t에서의

① 속도: $\left(\dfrac{dx}{dt},\ \dfrac{dy}{dt}\right)$ ② 속력: $\sqrt{\left(\dfrac{dx}{dt}\right)^2+\left(\dfrac{dy}{dt}\right)^2}$

③ 가속도: $\left(\dfrac{d^2x}{dt^2},\ \dfrac{d^2y}{dt^2}\right)$

④ 가속도의 크기: $\sqrt{\left(\dfrac{d^2x}{dt^2}\right)^2+\left(\dfrac{d^2y}{dt^2}\right)^2}$

28 좌표평면 위를 움직이는 점 P의 시각 t에서의 위치 (x, y)가 다음과 같을 때, [ ] 안의 시각 t에서의 점 P의 속도와 가속도를 구하여라.

(1) $x=2t^2$, $y=t^3-t$ $[t=3]$

> 풀이 $\dfrac{dx}{dt}=4t$, $\dfrac{dy}{dt}=3t^2-1$이므로
>
> 속도는 $(4t,\ 3t^2-1)$
>
> $\dfrac{d^2x}{dt^2}=4$, $\dfrac{d^2y}{dt^2}=6t$이므로
>
> 가속도는 $(4,\ 6t)$
>
> 따라서 $t=3$에서의 점 P의 속도는 _____,
> 가속도는 _____ 이다.

(2) $x=4t$, $y=t^2+5t$ $[t=1]$

(3) $x=\sqrt{t}+1$, $y=t\sqrt{t}$ $[t=4]$

(4) $x=t+7$, $y=\dfrac{1}{t}-2$ $\left[t=\dfrac{1}{2}\right]$

(5) $x=e^t+t$, $y=e^{2t}-2t$ $[t=1]$

(6) $x=(t+1)\ln(t+1)$, $y=\dfrac{1}{3}t^3+t$ $[t=1]$

(7) $x=\sin 2t$, $y=\cos 2t$ $[t=\pi]$

(8) $x=3\cos\dfrac{\pi}{2}t$, $y=3\sin\dfrac{\pi}{2}t$ $[t=2]$

▣ 풍쌤 POINT

좌표평면 위를 움직이는 점 P의 시각 $t=a$에서의 속도와 가속도

➡ 속도는 $\left(\dfrac{dx}{dt},\ \dfrac{dy}{dt}\right)$, 가속도는 $\left(\dfrac{d^2x}{dt^2},\ \dfrac{d^2y}{dt^2}\right)$임을 이용하여

시각 t에서의 속도와 가속도를 구한 후, $t=a$를 대입한다.

·중단원 점검문제·

정답과 풀이 074쪽

01

곡선 $y=e^{x^3}$ 위의 점 $(1,\ e)$에서의 접선과 x축 및 y축으로 둘러싸인 도형의 넓이를 구하여라.

02

곡선 $y=\ln x$에 접하고 기울기가 1인 접선의 y절편을 구하여라.

03

두 곡선 $y=a-3\ln x$, $y=\ln(x+2)$의 교점에서의 접선이 서로 수직일 때, 상수 a의 값을 구하여라.

04

점 $(1,\ 0)$에서 곡선 $y=xe^x$에 그은 두 접선의 기울기의 곱을 구하여라.

05

함수 $f(x)=\dfrac{x-2}{x^2+5}$에서 증가하는 구간이 $[\alpha,\ \beta]$일 때, $\beta-\alpha$의 값을 구하여라.

06

함수 $f(x)=ax^2-bx+\ln x$가 $x=1$에서 극솟값 -2를 가질 때, 상수 a, b에 대하여 $a+b$의 값을 구하여라.

07

함수 $f(x)=2\ln x-\dfrac{a}{x}-x$가 극값을 갖지 않을 때, 상수 a의 최댓값을 구하여라.

08

곡선 $y=x+2\sin x\,(0<x<2\pi)$가 아래로 볼록한 구간이 $(\alpha,\ \beta)$일 때, $\beta-\alpha$의 값을 구하여라.

09

곡선 $y=(\ln ax)^2$의 변곡점이 직선 $y=2x$ 위에 있을 때, 양수 a의 값을 구하여라.

10

곡선 $y=\dfrac{x}{\ln x}$ 의 변곡점에서의 접선의 y절편을 구하여라.

11

함수 $f(x)=\dfrac{3}{x^2+3}$ 에 대하여 보기에서 옳은 것만을 있는 대로 골라라.

┌─ 보기 ─────────────────────────────┐

ㄱ. $y=f(x)$의 그래프는 y축에 대하여 대칭이다.

ㄴ. $f(x)$의 최댓값은 1, 최솟값은 0이다.

ㄷ. $y=f(x)$의 그래프는 열린 구간 $(-1,\ 1)$에서 위로 볼록하다.

└────────────────────────────────────┘

12

구간 $[0,\ 2\pi]$에서 함수 $f(x)=e^{-x}(\sin x+\cos x)$의 최댓값과 최솟값의 합을 구하여라.

13

오른쪽 그림과 같이 두 곡선 $y=e^x$, $y=e^{-x}$과 x축으로 둘러싸인 부분에 내접하고, 한 변이 x축 위에 있는 직사각형 ABCD의 넓이의 최댓값을 구하여라.

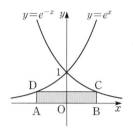

14

방정식 $ax^2e^{-x}=1$이 오직 하나의 실근을 가질 때, 실수 a의 값의 범위를 구하여라.

15

두 곡선 $y=\tan 2x$, $y=ax$에 대하여 곡선 $y=\tan 2x$가 $y=ax$보다 항상 위쪽에 있을 때, 상수 a의 최댓값을 구하여라.

$\left(\text{단},\ 0<x<\dfrac{\pi}{4}\right)$

16

좌표평면 위를 움직이는 점 $P(x,\ y)$의 시각 t에서의 위치가 $x=at^2-a\sin t$, $y=t-a\cos t$이다. $t=\pi$에서의 점 P의 가속도의 크기가 5일 때, 양수 a의 값을 구하여라.

III
적분법

함수 $y=x^n$ (n은 실수)의 부정적분

❶ 함수 $y=x^n$ (n은 실수)의 부정적분

n이 실수일 때, 함수 $y=x^n$의 부정적분은 다음과 같다. (단, C는 적분상수)

① $n \neq -1$일 때, $\displaystyle\int x^n dx = \frac{1}{n+1}x^{n+1}+C$

② $n=-1$일 때, $\displaystyle\int x^{-1} dx = \int \frac{1}{x}dx = \ln|x|+C$

보기 $\displaystyle\int \frac{1}{x^2}dx = \int x^{-2}dx$
$= \dfrac{1}{-2+1}x^{-2+1}+C$
$= -\dfrac{1}{x}+C$

유형·01 함수 $y=x^n$ (n은 실수)의 부정적분

01 다음 부정적분을 구하여라.

(1) $\displaystyle\int x^{-3}\,dx$

> 풀이 $\displaystyle\int x^{-3}dx = \frac{1}{-3+1}x^{-3+1}+C = $ _____

(2) $\displaystyle\int x^{-5}\,dx$

(3) $\displaystyle\int x^{\sqrt{2}}\,dx$

(4) $\displaystyle\int \frac{1}{x^4}\,dx$

(5) $\displaystyle\int \frac{2}{x}\,dx$

(6) $\displaystyle\int \sqrt{x}\,dx$

(7) $\displaystyle\int \sqrt[5]{x^2}\,dx$

(8) $\displaystyle\int x\sqrt{x}\,dx$

(9) $\displaystyle\int \frac{1}{\sqrt[3]{x}}\,dx$

(10) $\displaystyle\int \frac{3}{x^2\sqrt{x}}\,dx$

02 다음 부정적분을 구하여라.

(1) $\int \dfrac{x^2+1}{x}\,dx$

> 풀이　$\int \dfrac{x^2+1}{x}\,dx = \int\left(x+\dfrac{1}{x}\right)dx = \int x\,dx + \int \dfrac{1}{x}\,dx$
>
> $= \underline{\hspace{3cm}}$

(2) $\int (x+\sqrt{x})\,dx$

(3) $\int\left(2x-\dfrac{1}{\sqrt{x}}\right)dx$

(4) $\int \dfrac{3x^3-1}{x^2}\,dx$

(5) $\int \dfrac{x^2+2x-1}{x}\,dx$

(6) $\int \dfrac{x^2-x-2}{x(x+1)}\,dx$

(7) $\int \dfrac{x-1}{\sqrt{x}-1}\,dx$

(8) $\int \dfrac{(x+1)^2}{x^2}\,dx$

(9) $\int\left(x-\dfrac{1}{x}\right)^2 dx$

(10) $\int\left(\sqrt{x}+\dfrac{1}{\sqrt{x}}\right)^2 dx$

(11) $\int \dfrac{(\sqrt{x}-1)^2}{x}\,dx$

❚ 풍쌤 POINT

$n\,(n\neq 1)$이 실수일 때, $y=\dfrac{1}{x^n}$, $y=\sqrt[n]{x}$ 꼴의 부정적분

➡ $\dfrac{1}{x^n}=x^{-n}$, $\sqrt[n]{x}=x^{\frac{1}{n}}$으로 변형한 후, 부정적분의 기본 공식을 이용한다.

O2

지수함수의 부정적분

---

1 지수함수의 부정적분

지수함수의 부정적분은 다음과 같다. (단, C는 적분상수)

① $\displaystyle\int e^x\,dx = e^x + C$

② $\displaystyle\int a^x\,dx = \dfrac{a^x}{\ln a} + C$ (단, $a>0$, $a\neq1$)

▶ ① $y=e^x \Rightarrow y'=e^x$

② $y=a^x \Rightarrow y'=a^x \ln a$
  (단, $a>0$, $a\neq1$)

③ $y=e^{f(x)} \Rightarrow y'=e^{f(x)}f'(x)$

④ $y=a^{f(x)}$
  $\Rightarrow y'=a^{f(x)}f'(x)\ln a$
  (단, $a>0$, $a\neq1$)

유형·02 지수함수의 부정적분

03 다음 부정적분을 구하여라.

(1) $\displaystyle\int e^{x-1}\,dx$

▶ 풀이 $\displaystyle\int e^{x-1}\,dx = \dfrac{1}{e}\int e^x\,dx = $ _____

(2) $\displaystyle\int e^{x+2}\,dx$

(3) $\displaystyle\int 2e^x\,dx$

(4) $\displaystyle\int 3e^{x-3}\,dx$

(5) $\displaystyle\int e^{2x}\,dx$

(6) $\displaystyle\int 2^x\,dx$

(7) $\displaystyle\int \left(\dfrac{1}{3}\right)^x\,dx$

(8) $\displaystyle\int 5^{-2x}\,dx$

(9) $\displaystyle\int 4^{x+1}\,dx$

(10) $\displaystyle\int 7^x \ln7\,dx$

04 다음 부정적분을 구하여라.

(1) $\int (e^x + 2^{-x})\,dx$

> 풀이 $\int (e^x + 2^{-x})\,dx = \int \left\{ e^x + \left(\frac{1}{2}\right)^x \right\} dx$
> $\qquad = \int e^x\,dx + \int \left(\frac{1}{2}\right)^x dx$
> $\qquad = e^x + \dfrac{\left(\frac{1}{2}\right)^x}{\ln \frac{1}{2}} + C$
> $\qquad = \underline{\hspace{3cm}}$

(2) $\int (2e^x - 3^x)\,dx$

(3) $\int (e^{x+1} - 2^{2x})\,dx$

(4) $\int \left(e^{x+3} + \dfrac{1}{x} \right) dx$

(5) $\int \dfrac{6^x}{2^x}\,dx$

(6) $\int (2^x + 1)^2\,dx$

(7) $\int (5^x - 5^{-x})^2\,dx$

(8) $\int (e^x + 1)(e^x - 1)\,dx$

(9) $\int \dfrac{(e^x)^2 - 1}{e^x - 1}\,dx$

(10) $\int \dfrac{9^x - 1}{3^x - 1}\,dx$

(11) $\int \dfrac{xe^x + 3x + 1}{x}\,dx$

■ 풍쌤 POINT
함수 $a^{mx+n}\,(a>0,\ a\neq 1)$ 꼴의 부정적분
➡ $a^{mx+n} = a^{mx} \times a^n = a^n \times (a^m)^x$으로 변형한다.

03

삼각함수의 부정적분

1 삼각함수의 부정적분

삼각함수의 부정적분은 다음과 같다. (단, C는 적분상수)

① $\displaystyle\int \sin x\, dx = -\cos x + C$　　② $\displaystyle\int \cos x\, dx = \sin x + C$

③ $\displaystyle\int \sec^2 x\, dx = \tan x + C$　　④ $\displaystyle\int \csc^2 x\, dx = -\cot x + C$

⑤ $\displaystyle\int \sec x \tan x\, dx = \sec x + C$　　⑥ $\displaystyle\int \csc x \cot x\, dx = -\csc x + C$

유형·03 삼각함수의 부정적분

05 다음 부정적분을 구하여라.

(1) $\displaystyle\int \frac{1}{\sin^2 x}\, dx$

▶ 풀이 $\dfrac{1}{\sin^2 x} = \csc^2 x$이므로

$\displaystyle\int \frac{1}{\sin^2 x}\, dx = \int \csc^2 x\, dx = \underline{\hphantom{aaaaaaa}}$

(2) $\displaystyle\int \frac{1}{\cos^2 x}\, dx$

(3) $\displaystyle\int \frac{1}{\sin x \tan x}\, dx$

(4) $\displaystyle\int (2\sin x + 3\cos x)\, dx$

(5) $\displaystyle\int (\cos x - \csc^2 x)\, dx$

(6) $\displaystyle\int (\sec x + \tan x)\sec x\, dx$

(7) $\displaystyle\int \csc x(\cot x - \csc x)\, dx$

(8) $\displaystyle\int \frac{1 + \cos^2 x}{\cos^2 x}\, dx$

(9) $\displaystyle\int (\sin x + \csc x)\csc x\, dx$

06 다음 부정적분을 구하여라.

(1) $\int \dfrac{\sin^2 x}{1-\cos x}\,dx$

> **풀이** $\sin^2 x = 1 - \cos^2 x$이므로
>
> $$\int \dfrac{\sin^2 x}{1-\cos x}\,dx = \int \dfrac{1-\cos^2 x}{1-\cos x}\,dx$$
> $$= \int \dfrac{(1-\cos x)(1+\cos x)}{1-\cos x}\,dx$$
> $$= \int (1+\cos x)\,dx$$
> $$= \underline{}$$

(2) $\int \dfrac{1}{1-\sin^2 x}\,dx$

(3) $\int \sin x \cot x \, dx$

(4) $\int (\tan x - 2)\cos x \, dx$

(5) $\int \cot x \csc x \sec x \, dx$

(6) $\int \tan^2 x \, dx$

(7) $\int \cot^2 x \, dx$

(8) $\int \dfrac{1+\sin^2 x}{1-\cos^2 x}\,dx$

(9) $\int \dfrac{1}{\sin^2 x \cos^2 x}\,dx$

(10) $\int \dfrac{1}{1+\sin x}\,dx$

▨ 풍쌤 POINT

삼각함수의 부정적분

➡ $\sin^2 x + \cos^2 x = 1$, $1+\tan^2 x = \sec^2 x$, $1+\cot^2 x = \csc^2 x$
를 이용하여 피적분함수를 적분하기 쉬운 꼴로 변형한다.

치환적분법

1 치환적분법

미분가능한 함수 $g(t)$에 대하여 $x=g(t)$로 놓으면

$$\int f(x)dx=\int f(g(t))g'(t)\,dt$$

2 치환적분법의 적용

① $f(ax+b)$의 꼴: $\int f(x)dx=F(x)+C$이면

$$\int f(ax+b)dx=\frac{1}{a}F(ax+b)+C \ (단,\ a,\ b는\ 상수,\ a\neq0)$$

(i) 유리함수: $\int (ax+b)^n dx=\frac{1}{a(n+1)}(ax+b)^{n+1}+C \ (단,\ n\neq-1)$

(ii) 지수함수: $\int e^{ax+b}dx=\frac{1}{a}e^{ax+b}+C,\ \int p^{ax+b}dx=\frac{1}{a\ln p}p^{ax+b}+C$

(iii) 분수함수: $\int \frac{1}{ax+b}dx=\frac{1}{a}\ln|ax+b|+C \ (단,\ a\neq0)$

(iv) 삼각함수: $\int \sin(ax+b)dx=-\frac{1}{a}\cos(ax+b)+C$

$$\int \cos(ax+b)dx=\frac{1}{a}\sin(ax+b)+C$$

② $f(g(x))g'(x)$의 꼴: $g(x)=t$로 놓으면 $\int f(g(x))g'(x)dx=\int f(t)dt$

③ $\dfrac{f'(x)}{f(x)}$의 꼴: $\int \dfrac{f'(x)}{f(x)}dx=\ln|f(x)|+C$

> **치환적분법**
> 한 변수를 다른 변수로 치환하여 적분하는 방법을 치환적분법이라 한다.
>
> 치환적분법으로 구한 부정적분은 그 결과를 처음의 변수로 바꾸어 나타낸다.

유형·04 다항함수의 치환적분법

07 다음 부정적분을 구하여라.

(1) $\int 2(2x-1)^2 dx$

> 풀이 $2x-1=t$로 놓으면 $2\dfrac{dx}{dt}=1$
>
> $\therefore \int 2(2x-1)^2 dx=\int 2\times t^2\times\dfrac{1}{2}dt=\int t^2 dt$
>
> $\qquad\qquad =\dfrac{1}{3}t^3+C$
>
> $\qquad\qquad =\underline{\qquad\qquad}+C$

(2) $\int (x+1)^3 dx$

(3) $\int 2x(x^2-2)\,dx$

(4) $\int \left(\dfrac{1}{5}x+2\right)^4 dx$

(5) $\displaystyle\int 4x^3(x^4-1)^2\,dx$

(6) $\displaystyle\int (2x+3)(x^2+3x)^3\,dx$

(7) $\displaystyle\int (3x^2-2)(x^3-2x+3)^5\,dx$

(8) $\displaystyle\int (x-1)(x^2-2x-1)\,dx$

■ 풍쌤 POINT

다항함수의 치환적분

➡ $\displaystyle\int f(ax+b)\,dx=\dfrac{1}{a}F(ax+b)+C$

유형·05 무리함수의 치환적분법

08 다음 부정적분을 구하여라.

(1) $\displaystyle\int \dfrac{2x}{\sqrt{x^2+1}}\,dx$

> 풀이 $\sqrt{x^2+1}=t$로 놓고 양변을 제곱하면 $x^2+1=t^2$이고

$2x\dfrac{dx}{dt}=2t$

$\therefore \displaystyle\int \dfrac{2x}{\sqrt{x^2+1}}\,dx=\int \dfrac{1}{t}\times 2t\,dt=\int 2\,dt$

$\qquad\qquad = 2t+C$

$\qquad\qquad = \underline{\hspace{2cm}}+C$

(2) $\displaystyle\int \sqrt{3x+4}\,dx$

(3) $\displaystyle\int \sqrt{5-x}\,dx$

(4) $\displaystyle\int x\sqrt{x-1}\,dx$

(5) $\displaystyle\int \frac{1}{\sqrt{x+1}}\,dx$

(6) $\displaystyle\int x\sqrt{x^2+5}\,dx$

(7) $\displaystyle\int (2x+5)\sqrt{x^2+5x}\,dx$

(8) $\displaystyle\int \frac{3x^2+1}{\sqrt{x^3+x+2}}\,dx$

(9) $\displaystyle\int \frac{1+x}{\sqrt{1-x}}\,dx$

09 다음 부정적분을 구하여라.

(1) $\displaystyle\int 4xe^{x^2}\,dx$

> 풀이 $x^2=t$로 놓으면 $2x\dfrac{dx}{dt}=1$

$$\therefore \int 4xe^{x^2}\,dx=\int 2e^t\,dt$$
$$=2e^t+C$$
$$=\underline{\hspace{2cm}}$$

(2) $\displaystyle\int e^{-x}\,dx$

(3) $\displaystyle\int (e^x-1)^2 e^x\,dx$

(4) $\displaystyle\int e^x\sqrt{e^x+2}\,dx$

유형·07 로그함수의 치환적분법

10 다음 부정적분을 구하여라.

(1) $\displaystyle\int \frac{\ln x}{x}\,dx$

> 풀이 $\ln x = t$로 놓으면 $\dfrac{1}{x} \times \dfrac{dx}{dt} = 1$
>
> $\therefore \displaystyle\int \frac{\ln x}{x}\,dx = \int t\,dt$
>
> $\qquad\qquad\quad = \dfrac{1}{2}t^2 + C$
>
> $\qquad\qquad\quad = $ _____

(2) $\displaystyle\int \frac{(\ln x)^2}{x}\,dx$

(3) $\displaystyle\int \frac{\ln(x+1)}{x+1}\,dx$

(4) $\displaystyle\int \frac{\sqrt{\ln x + 2}}{x}\,dx$

■ 풍쌤 POINT

$\displaystyle\int \frac{\ln x}{ax}\,dx\,(a \neq 0)$ 꼴

$\Rightarrow \displaystyle\int \frac{\ln x}{ax}\,dx = \frac{1}{2a}(\ln x)^2 + C$

유형·08 삼각함수의 치환적분법

11 다음 부정적분을 구하여라.

(1) $\displaystyle\int \sin 3x\,dx$

> 풀이 $3x = t$로 놓으면 $3\dfrac{dx}{dt} = 1$
>
> $\therefore \displaystyle\int \sin 3x\,dx = \int \sin t \times \frac{1}{3}\,dt$
>
> $\qquad\qquad\quad = -\dfrac{1}{3}\cos t + C$
>
> $\qquad\qquad\quad = $ _____

(2) $\displaystyle\int \sin(5x-2)\,dx$

(3) $\displaystyle\int \cos(2x+1)\,dx$

(4) $\displaystyle\int \sin^2 x \cos x\,dx$

(5) $\displaystyle\int \sin x \cos^3 x\,dx$

(6) $\displaystyle\int \tan x \sec^2 x \, dx$

(7) $\displaystyle\int (1-\cos x)^2 \sin x \, dx$

(8) $\displaystyle\int \cos^3 x \, dx$

(9) $\displaystyle\int e^{\sin x} \cos x \, dx$

(10) $\displaystyle\int \frac{\sin(\ln x)}{x} \, dx$

12 다음 부정적분을 구하여라.

(1) $\displaystyle\int \frac{2x+1}{x^2+x+1} \, dx$

> 풀이 $x^2+x+1=t$로 놓으면 $(2x+1)\dfrac{dx}{dt}=1$
>
> $\therefore \displaystyle\int \frac{2x+1}{x^2+x+1} \, dx = \int \frac{1}{t} \, dt$
>
> $\qquad\qquad\qquad = \ln|t| + C$
>
> $\qquad\qquad\qquad = \underline{\qquad\qquad\qquad}$
>
> $\qquad\qquad\qquad\qquad (\because x^2+x+1>0)$

(2) $\displaystyle\int \frac{2x}{x^2-1} \, dx$

(3) $\displaystyle\int \frac{1-x}{x^2-2x+3} \, dx$

(4) $\displaystyle\int \frac{3x^2}{(x-1)(x^2+x+1)} \, dx$

■ 풍쌤 POINT

① $\displaystyle\int \sin ax \, dx = -\frac{1}{a}\cos ax + C$ (단, $a\neq0$)

② $\displaystyle\int \cos ax \, dx = \frac{1}{a}\sin ax + C$ (단, $a\neq0$)

13 다음 부정적분을 구하여라.

(1) $\int \tan x \, dx$

> 풀이 $\tan x = \dfrac{\sin x}{\cos x}$ 이므로

$\cos x = t$ 로 놓으면

$-\sin x \dfrac{dx}{dt} = 1$

$\therefore \int \tan x \, dx = \int \dfrac{\sin x}{\cos x} \, dx$

$\qquad\qquad\qquad = \int \left(-\dfrac{1}{t} \right) dt$

$\qquad\qquad\qquad = -\ln|t| + C$

$\qquad\qquad\qquad = \underline{\hspace{3cm}}$

(2) $\int \dfrac{e^x}{e^x + 1} \, dx$

(3) $\int \dfrac{e^x - e^{-x}}{e^x + e^{-x}} \, dx$

(4) $\int \dfrac{2^x}{2^x + 1} \, dx$

(5) $\int \dfrac{1}{x \ln x} \, dx$

(6) $\int \dfrac{2}{x \ln 2x} \, dx$

(7) $\int \dfrac{\cos x}{2 + \sin x} \, dx$

(8) $\int \dfrac{-\sin x}{2 \cos x - 1} \, dx$

(9) $\int \cot x \, dx$

> ◾ 풍쌤 POINT
>
> $\dfrac{f'(x)}{f(x)}$ 꼴의 부정적분
>
> ➡ 분모를 t로 치환한다.

05

유리함수의 부정적분

1 $\dfrac{f'(x)}{f(x)}$ 꼴이 아닌 유리함수의 부정적분

① (분자의 차수)≥(분모의 차수)

   (ⅰ) 인수분해가 되면 인수분해하여 약분한다.

   (ⅱ) 인수분해가 되지 않으면 분자를 분모로 나누어 몫과 나머지의 꼴로 나
       타낸다.

② (분자의 차수)<(분모의 차수): 부분분수로 변형한다.

   (ⅰ) $\dfrac{1}{(x+a)(x+b)}=\dfrac{1}{b-a}\left(\dfrac{1}{x+a}-\dfrac{1}{x+b}\right)$ (단, $a\neq b$)

   (ⅱ) $\dfrac{px+q}{(x+a)(x+b)}=\dfrac{A}{x+a}+\dfrac{B}{x+b}$ 로 놓고, x에 대한 항등식임을 이
      용하여 A, B의 값을 구한다.

   (ⅲ) $\dfrac{px^2+qx+r}{(x+a)(x^2+bx+c)}=\dfrac{A}{x+a}+\dfrac{Bx+C}{x^2+bx+c}$ 로 놓고, x에 대한 항등
      식임을 이용하여 A, B, C의 값을 구한다.

보기 $\displaystyle\int \dfrac{x^2-1}{x-1}\,dx$

$=\displaystyle\int \dfrac{(x-1)(x+1)}{x-1}\,dx$

$=\displaystyle\int (x+1)\,dx$

$=\dfrac{1}{2}x^2+x+C$

유형·10 (분자의 차수)≥(분모의 차수)

14 다음 부정적분을 구하여라.

(1) $\displaystyle\int \dfrac{x^2}{x+1}\,dx$

> 풀이 $\displaystyle\int \dfrac{x^2}{x+1}\,dx=\int \dfrac{x^2-1+1}{x+1}\,dx$

$=\displaystyle\int \dfrac{(x+1)(x-1)+1}{x+1}\,dx$

$=\displaystyle\int \left(x-1+\dfrac{1}{x+1}\right)dx$

$=$ _____

(2) $\displaystyle\int \dfrac{x^2+x-6}{x-2}\,dx$

(3) $\displaystyle\int \dfrac{x^3+1}{x+1}\,dx$

(4) $\displaystyle\int \dfrac{x^2+2x+1}{x+2}\,dx$

(5) $\displaystyle\int \dfrac{x^2+3}{x-1}\,dx$

(6) $\displaystyle\int \dfrac{2x^2+3x+4}{2x+1}\,dx$

■ 풍쌤 POINT

① $\displaystyle\int \dfrac{1}{x}\,dx=\ln|x|+C$

② $\displaystyle\int \dfrac{1}{ax+b}\,dx=\dfrac{1}{a}\ln|ax+b|+C$ (단, $a\neq 0$)

15 다음 부정적분을 구하여라.

(1) $\displaystyle\int \frac{1}{x^2+x}\,dx$

> 풀이　$\displaystyle\int \frac{1}{x^2+x}\,dx = \int \frac{1}{x(x+1)}\,dx$
> $\displaystyle\qquad\qquad = \int \left(\frac{1}{x}-\frac{1}{x+1}\right)dx$
> $\displaystyle\qquad\qquad = \ln|x|-\ln|x+1|+C$
> $\displaystyle\qquad\qquad = \underline{\qquad\qquad}$

(2) $\displaystyle\int \frac{1}{(x+1)(x+2)}\,dx$

(3) $\displaystyle\int \frac{1}{(x-1)(x+3)}\,dx$

(4) $\displaystyle\int \frac{2}{x^2-1}\,dx$

(5) $\displaystyle\int \frac{x+7}{(x-3)(x+2)}\,dx$

(6) $\displaystyle\int \frac{5x}{(2x+1)(x-2)}\,dx$

(7) $\displaystyle\int \frac{x}{x^2+3x+2}\,dx$

(8) $\displaystyle\int \frac{x-1}{x^2-6x+8}\,dx$

(9) $\displaystyle\int \frac{5x-1}{3x^2-2x-1}\,dx$

■ 풍쌤 POINT

부분분수로 변형할 때에는 다음과 같이 식을 세운다.

➡ ① $\dfrac{ax+b}{(x+\alpha)(x+\beta)}=\dfrac{A}{x+\alpha}+\dfrac{B}{x+\beta}$

② $\dfrac{ax^2+bx+c}{(x+\alpha)(x^2+\beta x+r)}=\dfrac{A}{x+\alpha}+\dfrac{Bx+C}{x^2+\beta x+r}$

부분적분법

1 부분적분법

두 함수 $f(x)$와 $g(x)$가 미분가능할 때,

$$\int f(x)g'(x)dx = f(x)g(x) - \int f'(x)g(x)dx$$

> 여기서 $f(x)$는 미분하기 쉬운 것으로, $g'(x)$는 적분하기 쉬운 것으로 택한다.
> $f(x)$
> 로그함수, 다항함수
> $g'(x)$
> 삼각함수, 지수함수

유형·12 부분적분법

16 다음 부정적분을 구하여라.

(1) $\displaystyle\int xe^x\,dx$

> 풀이 $f(x)=x$, $g'(x)=e^x$으로 놓으면
> $f'(x)=1$, $g(x)=e^x$
> $\therefore \displaystyle\int xe^x\,dx = x \times e^x - \int 1 \times e^x dx$
> $= \underline{\hspace{3cm}}$

(2) $\displaystyle\int (x+3)e^x\,dx$

(3) $\displaystyle\int xe^{-x}\,dx$

(4) $\displaystyle\int (x-1)\ln x\,dx$

(5) $\displaystyle\int x^2 \ln x\,dx$

(6) $\displaystyle\int \ln x\,dx$

(7) $\displaystyle\int x \cos x\,dx$

(8) $\displaystyle\int (2x+1)\sin x\,dx$

(9) $\displaystyle\int (x-3)\sin 2x\,dx$

■ 풍쌤 POINT

미분가능한 두 함수 $f(x)$, $g(x)$에 대하여

$$f(x) \xrightarrow[\textcircled{1}]{\times} g'(x)$$
$$\xrightarrow{\textcircled{2} \times}$$
$$f'(x) \xrightarrow[\textcircled{3}]{\times} g(x)$$

$$\underset{\textcircled{1}}{\underline{\int f(x)g'(x)\,dx}} = \underset{\textcircled{2}}{\underline{f(x)g(x)}} - \underset{\textcircled{3}}{\underline{\int f'(x)g(x)\,dx}}$$

---

17 다음 부정적분을 구하여라.

(1) $\displaystyle\int x^2 \sin x \, dx$

> 풀이 $f(x)=x^2$, $g'(x)=\sin x$로 놓으면
> $f'(x)=2x$, $g(x)=-\cos x$이므로
> $$\int x^2 \sin x \, dx = x^2 \times (-\cos x) + \int 2x \cos x \, dx$$
> $$= -x^2 \cos x + 2\int x \cos x \, dx \quad \cdots\cdots \ \text{㉠}$$
> 한편, $\displaystyle\int x \cos x \, dx$에서 $u(x)=x$, $v'(x)=\cos x$로
> 놓으면 $u'(x)=1$, $v(x)=\sin x$이므로
> $$\int x \cos x \, dx = x \sin x - \int \sin x \, dx$$
> $$= x \sin x + \cos x + C_1 \quad \cdots\cdots \ \text{㉡}$$
> ㉡을 ㉠에 대입하면
> $$\int x^2 \sin x \, dx = -x^2 \cos x + 2(x \sin x + \cos x + C_1)$$
> $$= \underline{\hphantom{aaaaaaaaaaaaaaa}}$$

(2) $\displaystyle\int x^2 \cos x \, dx$

(3) $\displaystyle\int x^2 e^x \, dx$

(4) $\displaystyle\int (x^2+1)e^x \, dx$

(5) $\displaystyle\int x(\ln x)^2 \, dx$

(6) $\displaystyle\int (\ln x)^2 \, dx$

(7) $\displaystyle\int e^x \sin x \, dx$

(8) $\displaystyle\int e^{2x} \sin x \, dx$

◼ 풍쌤 POINT

(지수함수) × (삼각함수)의 꼴의 부정적분

➡ 삼각함수를 $f(x)$로, 지수함수를 $g'(x)$로 놓고 같은 꼴의 함수가 나올 때까지 부분적분법을 반복한다.

· 중단원 점검문제 ·

01

함수 $f(x)=\int \dfrac{1-x^3}{x}\,dx$에 대하여 $f(1)=0$일 때, $f(e)$의 값을 구하여라.

02

함수 $f(x)$에 대하여 $f'(x)=\dfrac{x-1}{\sqrt{x}+1}$, $f(1)=-\dfrac{1}{3}$일 때, $f(9)$의 값을 구하여라.

03

다음 등식이 성립하도록 하는 상수 a의 값을 구하여라.
(단, C는 적분상수이다.)

$$\int \frac{16^x-x^2}{4^x+x}\,dx=\frac{4^x}{a}-\frac{1}{2}x^2+C$$

04

미분가능한 함수 $f(x)$가 다음을 모두 만족시킬 때, $f(x)$를 구하여라.

$$f'(x)=e^{2x}-e^x, \qquad f(0)=\frac{1}{2}$$

05

함수 $f(x)$의 도함수가 $f'(x)=2+\sin x$일 때, $f(\pi)-f(0)$의 값을 구하여라.

06

등식 $\displaystyle\int \dfrac{1-\cos^2 x}{\cos^2 x}\,dx=a\tan x+bx+C$가 성립할 때, 상수 a, b에 대하여 ab의 값을 구하여라. (단, C는 적분상수이다.)

07

원점을 지나는 곡선 $y=f(x)$ 위의 점 $(x,\ y)$에서의 접선의 기울기가 $\cos x$일 때, $f\left(\dfrac{\pi}{2}\right)$의 값을 구하여라.

08

등식 $\displaystyle\int (2x+3)^5\,dx=a(2x+3)^b+C$가 성립할 때, 상수 a, b에 대하여 ab의 값을 구하여라. (단, C는 적분상수이다.)

09

함수 $f(x)=\int \dfrac{x}{\sqrt{1-x^2}}\,dx$에 대하여 $f(0)=-1$일 때, 방정식 $f(x)=0$의 해를 구하여라.

10

$x>0$에서 미분가능한 함수 $f(x)$에 대하여
$xf'(x)=\ln x$, $f(e)=1$일 때, $f(x)$를 구하여라.

11

부정적분 $\displaystyle\int \dfrac{\sec^2 x}{1+\tan x}\,dx$를 구하여라.

12

함수 $f(x)=\int \dfrac{3e^x}{e^x+2}\,dx$에 대하여 곡선 $y=f(x)$가 점 $(0,\ \ln 3)$을 지날 때, $f(\ln 2)$의 값을 구하여라.

13

다음을 구하여라.

$$\int \dfrac{5-x}{x^2+x-2}\,dx+\int \dfrac{x-2}{x^2+x-2}\,dx$$

14

등식 $\displaystyle\int \dfrac{2x}{x^2+3x+2}\,dx=a\ln|x+1|+b\ln|x+2|+C$가 성립할 때, 상수 a, b에 대하여 $b-a$의 값을 구하여라.

(단, C는 적분상수이다.)

15

함수 $f(x)$에 대하여 $f'(x)=(2x+3)e^x$, $f(1)=3e$일 때, $f(0)$의 값을 구하여라.

16

함수 $f(x)=\int e^{-x}\cos x\,dx$에 대하여 $f(0)=1$일 때, $f(x)$의 상수항을 구하여라.

01

정적분의 기본 성질

❶ 정적분의 정의

함수 $f(x)$가 닫힌구간 $[a, b]$에서 연속일 때, $f(x)$의 한 부정적분 $F(x)$에 대하여 $f(x)$의 a에서 b까지의 정적분은

$$\int_a^b f(x)dx = \left[F(x) \right]_a^b = F(b) - F(a)$$

❷ 정적분의 성질

두 함수 $f(x)$, $g(x)$가 닫힌구간 $[a, b]$에서 연속일 때,

① $\int_a^a f(x)dx = 0$ ② $\int_a^b f(x)dx = -\int_b^a f(x)dx$

③ $\int_a^b f(x)dx = \int_a^b f(t)dt$ ④ $\int_a^b kf(x)dx = k\int_a^b f(x)dx$ (단, k는 상수)

⑤ $\int_a^b f(x)dx \pm \int_a^b g(x)dx = \int_a^b \{f(x) \pm g(x)\}dx$ (복호동순)

⑥ $\int_a^c f(x)dx + \int_c^b f(x)dx = \int_a^b f(x)dx$

보기 $\int_1^3 \dfrac{2}{x}dx = 2\int_1^3 \dfrac{1}{x}dx$
$= 2\left[\ln|x| \right]_1^3$
$= 2\ln 3$

유형·01   유리함수의 정적분

01 다음 정적분을 구하여라.

(1) $\int_1^2 \dfrac{1}{x^3}dx$

> 풀이 $\int_1^2 \dfrac{1}{x^3}dx = \int_1^2 x^{-3}dx = \left[-\dfrac{1}{2}x^{-2} \right]_1^2$
$= \underline{\hspace{1.5cm}} - \left(\underline{\hspace{1.5cm}} \right)$
$= \underline{\hspace{0.7cm}}$

(2) $\int_1^3 3x^{-2}dx$

(3) $\int_{-1}^1 \dfrac{2x^2+1}{x^2}dx$

(4) $\int_1^e \dfrac{x+1}{x}dx$

(5) $\int_2^4 \dfrac{2}{(x-1)(x+1)}dx$

> ◼ 풍쌤 POINT
> ① 분모가 단항식인 유리함수의 정적분
> ➡ $\dfrac{a+b}{m} = \dfrac{a}{m} + \dfrac{b}{m}$ 를 이용한다.
> ② $\dfrac{(상수)}{(이차식)}$ 꼴인 유리함수의 정적분
> ➡ 분모를 인수분해한 후 부분분수로 변형한다.

유형·02 무리함수의 정적분

02 다음 정적분을 구하여라.

(1) $\displaystyle\int_1^4 \frac{1}{\sqrt{x}}\,dx$

> 풀이 $\displaystyle\int_1^4 \frac{1}{\sqrt{x}}\,dx = \int_1^4 x^{-\frac{1}{2}}\,dx = \left[2x^{\frac{1}{2}} \right]_1^4$
> $= \underline{} - \underline{}$
> $= \underline{}$

(2) $\displaystyle\int_1^4 (\sqrt{x}-2x)\,dx$

(3) $\displaystyle\int_0^1 x(\sqrt{x}-1)\,dx$

(4) $\displaystyle\int_1^4 \left(\sqrt{x} - \frac{1}{\sqrt{x}} \right)dx$

(5) $\displaystyle\int_0^1 (1+\sqrt{x})^2\,dx$

■ 풍쌤 POINT

무리함수의 정적분

➡ $\sqrt[n]{a^m}=a^{\frac{m}{n}}$과 같이 지수를 유리수로 바꾸어 적분한 후 정적분을 계산한다.

유형·03 지수함수와 로그함수의 정적분

03 다음 정적분을 구하여라.

(1) $\displaystyle\int_0^\pi e^{2x}\,dx$

> 풀이 $\displaystyle\int_0^\pi e^{2x}\,dx = \left[\frac{1}{2}e^{2x} \right]_0^\pi$
> $= \underline{}$

(2) $\displaystyle\int_1^4 2^x\,dx$

(3) $\displaystyle\int_0^2 3^{2x-1}\,dx$

(4) $\displaystyle\int_0^1 (e^x+e^{-x})\,dx$

(5) $\displaystyle\int_0^1 (4^x+4^{-x})^2\,dx$

■ 풍쌤 POINT

$\displaystyle\int f(x)\,dx = F(x)+C$일 때

➡ $\displaystyle\int f(ax+b)\,dx = \frac{1}{a}F(x)+C$

04 다음 정적분을 구하여라.

(1) $\int_0^{\frac{\pi}{4}} (\sin x + \cos x)\, dx$

> **풀이** $\int_0^{\frac{\pi}{4}} (\sin x + \cos x)\, dx = \left[-\cos x + \sin x \right]_0^{\frac{\pi}{4}}$
>
> $= 0 - (\underline{\quad})$
>
> $= \underline{\quad}$

(2) $\int_0^{\frac{\pi}{3}} \sec^2 x\, dx$

(3) $\int_0^{\frac{\pi}{2}} \frac{\sin^2 x}{1 + \cos x}\, dx$

(4) $\int_0^{\frac{\pi}{6}} 2 \sin x \cos x\, dx$

(5) $\int_{\frac{\pi}{6}}^{\frac{\pi}{4}} \frac{1}{1 - \cos^2 x}\, dx$

05 다음 정적분을 구하여라.

(1) $\int_{-1}^{2} \frac{9^x}{3^x - 1}\, dx - \int_{-1}^{2} \frac{1}{3^x - 1}\, dx$

> **풀이** $\int_{-1}^{2} \frac{9^x}{3^x - 1}\, dx - \int_{-1}^{2} \frac{1}{3^x - 1}\, dx$
>
> $= \int_{-1}^{2} \underline{\quad}\, dx = \int_{-1}^{2} \frac{(3^x - 1)(3^x + 1)}{3^x - 1}\, dx$
>
> $= \int_{-1}^{2} (3^x + 1)\, dx = \left[\frac{3^x}{\ln 3} + x \right]_{-1}^{2}$
>
> $= \underline{\qquad\qquad}$

(2) $\int_0^{3} \frac{x}{x^2 - 1}\, dx - \int_0^{3} \frac{1}{x^2 - 1}\, dx$

(3) $\int_0^{\frac{\pi}{2}} (\sin x + 5^{2x})\, dx + \int_0^{\frac{\pi}{2}} (\sin x - 5^{2x})\, dx$

(4) $\int_0^{1} (x + \sqrt{x})\, dx + \int_1^{4} (x + \sqrt{x})\, dx$

■ 풍쌤 POINT

삼각함수의 정적분

➡ 삼각함수 사이의 관계, 삼각함수의 덧셈정리 등을 이용하여 식을 변형한다.

유형·06 **구간에 따라 다르게 정의된 함수의 정적분**

(5) $\displaystyle\int_{-\pi}^{0} \sin x\,dx + \int_{0}^{\pi} \sin x\,dx$

06 다음을 구하여라.

(1) 함수 $f(x) = \begin{cases} \sqrt{x} & (x \le 1) \\ -x^2+2 & (x>1) \end{cases}$ 에 대하여

정적분 $\displaystyle\int_{0}^{2} f(x)dx$의 값

> **풀이** $\displaystyle\int_{0}^{2} f(x)dx = \int_{0}^{1} f(x)dx + \int_{1}^{2} f(x)dx$
>
> $\displaystyle = \int_{0}^{1} \sqrt{x}\,dx + \int_{1}^{2} (-x^2+2)\,dx$
>
> $\displaystyle = \left[\frac{2}{3} x^{\frac{3}{2}} \right]_{0}^{1} + \left[-\frac{1}{3}x^3 + 2x \right]_{1}^{2}$
>
> $= \underline{\quad\quad}$

(6) $\displaystyle\int_{0}^{2} (x^2 - e^x)dx - \int_{3}^{2} (x^2 - e^x)dx$

(2) 함수 $f(x) = \begin{cases} \cos x - 1 & (x \le 0) \\ \sin x & (x > 0) \end{cases}$ 에 대하여

정적분 $\displaystyle\int_{-\frac{\pi}{2}}^{\pi} f(x)dx$의 값

(7) $\displaystyle\int_{0}^{\ln 2} \frac{e^{3x}}{e^x + 1}dx - \int_{\ln 2}^{0} \frac{1}{e^t + 1}dt$

(3) 함수 $f(x) = \begin{cases} e^x & (x \le 0) \\ \dfrac{1}{x+1} & (x > 0) \end{cases}$ 에 대하여

정적분 $\displaystyle\int_{-2}^{1} f(x)dx$의 값

(8) $\displaystyle\int_{0}^{\frac{\pi}{3}} (\cos x + 1)^2 dx + \int_{\frac{\pi}{3}}^{0} (\cos x - 1)^2 dx$

(4) 함수 $f(x) = \begin{cases} \sin x + 1 & (x \le 0) \\ 2^x & (x > 0) \end{cases}$ 에 대하여

정적분 $\displaystyle\int_{-\pi}^{1} f(x)dx$의 값

📘 **풍쌤 POINT**

정적분의 성질을 이용한 정적분의 계산
① 두 정적분의 구간이 같으면 ➡ 함수를 합친다.
② 두 정적분의 함수가 같으면 ➡ 구간을 합친다.

📘 **풍쌤 POINT**

구간에 따라 다르게 정의된 함수의 정적분
➡ 경계를 기준으로 구간을 나누어 각각 적분한다.

우함수와 기함수, 주기함수의 정적분

1 우함수와 기함수의 정적분

① 함수 $f(x)$가 우함수이면 $\int_{-a}^{a} f(x)dx = 2\int_{0}^{a} f(x)dx$

② 함수 $f(x)$가 기함수이면 $\int_{-a}^{a} f(x)dx = 0$

2 주기함수의 정적분

주기가 p인 함수 $f(x)$에 대하여

① $\int_{a}^{b} f(x)dx = \int_{a+p}^{b+p} f(x)dx$

② $\int_{a}^{a+p} f(x)dx = \int_{b}^{b+p} f(x)dx$

> ① 함수 $f(x)$가 우함수
> ➡ $f(x) = f(-x)$
> ➡ 함수의 그래프가 y축에 대하여 대칭
> ② 함수 $f(x)$가 기함수
> ➡ $f(x) = -f(-x)$
> ➡ 함수의 그래프가 원점에 대하여 대칭

> (우함수) × (우함수) = (우함수),
> (기함수) × (기함수) = (우함수),
> (우함수) × (기함수) = (기함수)

유형·07 우함수와 기함수의 정적분

07 다음 정적분을 구하여라.

(1) $\int_{-\frac{\pi}{4}}^{\frac{\pi}{4}} \sin x \, dx$

> 풀이 $y = \sin x$는 ___ 함수이므로
> $$\int_{-\frac{\pi}{4}}^{\frac{\pi}{4}} \sin x \, dx = \underline{\quad}$$

(2) $\int_{-\frac{\pi}{6}}^{\frac{\pi}{6}} \cos x \, dx$

(3) $\int_{-\frac{\pi}{3}}^{\frac{\pi}{3}} \tan x \, dx$

(4) $\int_{-\pi}^{\pi} (x + \sin x) dx$

(5) $\int_{-\frac{\pi}{2}}^{\frac{\pi}{2}} (x^2 - \cos x) dx$

(6) $\int_{-1}^{1} xe^{x^2} dx$

(7) $\int_{-1}^{1} (e^x + e^{-x}) dx$

(8) $\int_{-1}^{1} (3^x - 3^{-x}) dx$

08 다음 정적분을 구하여라.

(1) $\displaystyle\int_{-1}^{1} x(e^{x}+e^{-x})dx$

> **풀이** $y=x$는 기함수, $y=e^{x}+e^{-x}$은 우함수이므로
> $y=x(e^{x}+e^{-x})$은 ___함수이다.
> $\therefore \displaystyle\int_{-1}^{1} x(e^{x}+e^{-x})dx=$___

(2) $\displaystyle\int_{-1}^{1} (x^3-x)e^{x^2}dx$

(3) $\displaystyle\int_{-\frac{\pi}{4}}^{\frac{\pi}{4}} x^2\tan x\, dx$

(4) $\displaystyle\int_{-\frac{\pi}{3}}^{\frac{\pi}{3}} (x^2\sin x+\cos x)dx$

풍쌤 POINT

① 우함수
➡ y축에 대하여 대칭, 짝수차항, $\cos x$, $e^{x}+e^{-x}$

② 기함수
➡ 원점에 대하여 대칭, 홀수차항, $\sin x$, $\tan x$

---

09 다음 물음에 답하여라.

(1) 연속함수 $f(x)$가 임의의 실수 x에 대하여
$f(x+3)=f(x)$를 만족시키고 $\displaystyle\int_{1}^{4} f(x)dx=2$일 때,
$\displaystyle\int_{1}^{10} f(x)dx$의 값을 구하여라.

> **풀이** $f(x+3)=f(x)$에서 $f(x)$는 주기함수이므로
> $\displaystyle\int_{1}^{4} f(x)dx=\int_{4}^{7} f(x)dx=\int_{7}^{10} f(x)dx=$___
> $\therefore \displaystyle\int_{1}^{10} f(x)dx$
> $=\displaystyle\int_{1}^{4} f(x)dx+\int_{4}^{7} f(x)dx+\int_{7}^{10} f(x)dx$
> $=3\displaystyle\int_{1}^{4} f(x)dx=$___

(2) 연속함수 $f(x)$가 임의의 실수 x에 대하여
$f(x+2)=f(x)$를 만족시키고 $\displaystyle\int_{-1}^{1} f(x)dx=3$일 때,
$\displaystyle\int_{-3}^{3} f(x)dx$의 값을 구하여라.

(3) 연속함수 $f(x)$가 임의의 실수 x에 대하여
$f(x+3)=f(x)$를 만족시키고 $\displaystyle\int_{0}^{3} f(x)dx=5$일 때,
$\displaystyle\int_{-9}^{9} f(x)dx$의 값을 구하여라.

10 다음 물음에 답하여라.

(1) 연속함수 $f(x)$가 임의의 실수 x에 대하여
$f(x+2)=f(x)$를 만족시키고, $-1\le x\le 1$에서
$f(x)=x^2$일 때, $\displaystyle\int_{-3}^{3}f(x)dx$를 구하여라.

> **풀이** $\displaystyle\int_{-1}^{1}f(x)dx=\int_{-1}^{1}x^2\,dx=\left[\frac{1}{3}x^3\right]_{-1}^{1}=$___

$f(x+2)=f(x)$에서 $f(x)$는 주기함수이므로

$\displaystyle\int_{-3}^{-1}f(x)dx=\int_{-1}^{1}f(x)dx=\int_{1}^{3}f(x)dx=$___

$\therefore \displaystyle\int_{-3}^{3}f(x)dx$

$\displaystyle=\int_{-3}^{-1}f(x)dx+\int_{-1}^{1}f(x)dx+\int_{1}^{3}f(x)dx$

$\displaystyle=3\int_{-1}^{1}f(x)dx=$___

(2) 연속함수 $f(x)$가 임의의 실수 x에 대하여
$f(x+3)=f(x)$를 만족시키고, $0\le x\le 3$에서
$f(x)=e^x$일 때, $\displaystyle\int_{0}^{6}f(x)\,dx$를 구하여라.

(3) 연속함수 $f(x)$가 임의의 실수 x에 대하여
$f(x+2\pi)=f(x)$를 만족시키고, $-\pi\le x\le\pi$에서
$f(x)=\sin x$일 때, $\displaystyle\int_{-3\pi}^{3\pi}f(x)dx$를 구하여라.

11 다음 정적분을 구하여라.

(1) $\displaystyle\int_{0}^{\pi}|\sin 2x|\,dx$

> **풀이** $y=|\sin 2x|$는 주기가 ___ 인 주기함수이므로

$\displaystyle\int_{0}^{\frac{\pi}{2}}|\sin 2x|\,dx=\int_{\frac{\pi}{2}}^{\pi}|\sin 2x|\,dx$

$\therefore \displaystyle\int_{0}^{\pi}|\sin 2x|\,dx=\int_{0}^{\frac{\pi}{2}}|\sin 2x|\,dx+\int_{\frac{\pi}{2}}^{\pi}|\sin 2x|\,dx$

$\displaystyle=2\int_{0}^{\frac{\pi}{2}}|\sin 2x|\,dx$

$\displaystyle=2\int_{0}^{\frac{\pi}{2}}\sin 2x\,dx$

$\displaystyle=2\left[-\frac{1}{2}\cos 2x\right]_{0}^{\frac{\pi}{2}}$

$=$___

(2) $\displaystyle\int_{0}^{\pi}|\cos 2x|\,dx$

(3) $\displaystyle\int_{0}^{2\pi}|\sin(-x)|\,dx$

(4) $\displaystyle\int_{-\frac{\pi}{3}}^{\frac{\pi}{3}}|\cos 3x|\,dx$

■ 풍쌤 POINT
주기가 주어지지 않은 주기함수의 정적분
➡ 함수의 주기를 먼저 파악하고, 적분구간에서 주기가 몇 번 반복되는지 확인한다.

치환적분법을 이용한 정적분

❶ 치환적분법을 이용한 정적분

닫힌구간 $[a, b]$에서 연속인 함수 $f(x)$에 대하여 미분가능한 함수 $x=g(t)$의 도함수 $g'(t)$가 닫힌구간 $[\alpha, \beta]$에서 연속이고 $a=g(\alpha)$, $b=g(\beta)$이면

$$\int_a^b f(x)dx = \int_\alpha^\beta f(g(t))g'(t)dt$$

❷ 삼각치환법을 이용한 정적분

① $\sqrt{a^2-x^2}$, $\dfrac{1}{\sqrt{a^2-x^2}}$ $(a>0)$ 꼴의 정적분

$x=a\sin\theta\left(-\dfrac{\pi}{2}\leq\theta\leq\dfrac{\pi}{2}\right)$로 치환한 후 $\cos^2\theta=\dfrac{1+\cos 2\theta}{2}$임을 이용한다.

② $\dfrac{1}{a^2+x^2}$ $(a>0)$ 꼴의 정적분

$x=a\tan\theta\left(-\dfrac{\pi}{2}<\theta<\dfrac{\pi}{2}\right)$로 치환한 후 $1+\tan^2\theta=\sec^2\theta$임을 이용한다.

보기 $\displaystyle\int_0^{\frac{\pi}{2}}(1+\sin x)\cos x\,dx$

에서

$1+\sin x=y$로 놓으면

$\cos x\dfrac{dx}{dy}=1$이고

$x=0$일 때 $y=1$, $x=\dfrac{\pi}{2}$일 때

$y=2$이므로

$\displaystyle\int_0^{\frac{\pi}{2}}(1+\sin x)\cos x\,dx$

$=\displaystyle\int_1^2 y\,dy$

$=\left[\dfrac{1}{2}y^2\right]_1^2=\dfrac{3}{2}$

유형·09 치환적분법을 이용한 정적분

✏ 정답과 풀이 092쪽

12 다음 정적분을 구하여라.

(1) $\displaystyle\int_0^1 2x\sqrt{x^2+1}\,dx$

▶ **풀이** $\sqrt{x^2+1}=t\,(t>0)$로 놓으면 $x^2+1=t^2$이므로

$2x\dfrac{dx}{dt}=2t$

$x=0$일 때 $t=1$, $x=1$일 때 $t=\sqrt{2}$이므로

$\displaystyle\int_0^1 2x\sqrt{x^2+1}\,dx=\int_1^{\sqrt{2}} \underline{\quad}\,dt$

$=\left[\underline{\quad}\right]_1^{\sqrt{2}}=\underline{\quad}$

(2) $\displaystyle\int_1^2 \dfrac{1}{(x+1)^2}\,dx$

(3) $\displaystyle\int_0^1 \dfrac{2x}{x^2+2}\,dx$

(4) $\displaystyle\int_1^5 2\sqrt{2x-1}\,dx$

(5) $\displaystyle\int_{-1}^0 \sqrt{1-x}\,dx$

(6) $\displaystyle\int_0^{\frac{1}{3}} 3e^{3x+1}\,dx$

(7) $\displaystyle\int_0^1 2xe^{x^2}\,dx$

(8) $\displaystyle\int_{\frac{2}{3}\pi}^{\pi} 3\sin(3x-\pi)\,dx$

(9) $\displaystyle\int_{0}^{\frac{\pi}{2}} (1+\cos x)\sin x\,dx$

(10) $\displaystyle\int_{0}^{\frac{\pi}{2}} \frac{\cos x}{1+\sin x}\,dx$

(11) $\displaystyle\int_{0}^{\frac{\pi}{6}} \cos x\,e^{\sin x}\,dx$

(12) $\displaystyle\int_{0}^{\frac{\pi}{4}} (\tan x-1)\sec^2 x\,dx$

13 다음 정적분을 구하여라.

(1) $\displaystyle\int_{0}^{2} \sqrt{4-x^2}\,dx$

> **풀이** $x=2\sin\theta\left(-\dfrac{\pi}{2}\leq\theta\leq\dfrac{\pi}{2}\right)$로 놓으면

$$\frac{dx}{d\theta}=2\cos\theta$$

$x=0$일 때 $\theta=0$, $x=2$일 때 $\theta=\dfrac{\pi}{2}$이므로

$$\int_{0}^{2}\sqrt{4-x^2}\,dx=\int_{0}^{\frac{\pi}{2}}\sqrt{4(1-\sin^2\theta)}\times 2\cos\theta\,d\theta$$
$$=\int_{0}^{\frac{\pi}{2}}\sqrt{4\cos^2\theta}\times 2\cos\theta\,d\theta$$
$$=\int_{0}^{\frac{\pi}{2}}2\cos\theta\times 2\cos\theta\,d\theta$$
$$=4\int_{0}^{\frac{\pi}{2}}\cos^2\theta\,d\theta$$
$$=4\int_{0}^{\frac{\pi}{2}}\frac{1+\cos 2\theta}{2}\,d\theta$$
$$=2\left[\theta+\frac{1}{2}\sin 2\theta\right]_{0}^{\frac{\pi}{2}}=\underline{\quad}$$

(2) $\displaystyle\int_{0}^{1} \sqrt{1-x^2}\,dx$

(3) $\displaystyle\int_{0}^{1} \frac{1}{\sqrt{1-x^2}}\,dx$

(4) $\displaystyle\int_{0}^{1} \frac{1}{\sqrt{4-x^2}}\,dx$

◼ 풍쌤 POINT

$x=g(t)$가 미분가능하고 $a=g(\alpha)$, $b=g(\beta)$이면

$$\int_{a}^{b} f(x)dx=\int_{\alpha}^{\beta} f(g(t))g'(t)dt$$

14 다음 정적분을 구하여라.

(1) $\displaystyle\int_0^1 \dfrac{1}{1+x^2}\,dx$

> 풀이 $x=\tan\theta\left(-\dfrac{\pi}{2}<\theta<\dfrac{\pi}{2}\right)$로 놓으면
>
> $\dfrac{dx}{d\theta}=\sec^2\theta$
>
> $x=0$일 때 $\theta=0$, $x=1$일 때 $\theta=\dfrac{\pi}{4}$이므로
>
> $\displaystyle\int_0^1 \dfrac{1}{1+x^2}\,dx=\int_0^{\frac{\pi}{4}}\dfrac{1}{1+\tan^2\theta}\times\sec^2\theta\,d\theta$
>
> $\qquad=\displaystyle\int_0^{\frac{\pi}{4}}\dfrac{1}{\sec^2\theta}\times\sec^2\theta\,d\theta$
>
> $\qquad=\displaystyle\int_0^{\frac{\pi}{4}}d\theta$
>
> $\qquad=\Big[\theta\Big]_0^{\frac{\pi}{4}}=\underline{\quad}$

(2) $\displaystyle\int_0^2 \dfrac{1}{4+x^2}\,dx$

(3) $\displaystyle\int_0^{\sqrt{3}} \dfrac{1}{x^2+9}\,dx$

15 다음 정적분을 구하여라.

(1) $\displaystyle\int_0^2 \dfrac{x}{1+x^2}\,dx$

> 풀이 $1+x^2=t$로 놓으면 $2x\dfrac{dx}{dt}=1$
>
> $x=0$일 때 $t=1$, $x=2$일 때 $t=5$이므로
>
> $\displaystyle\int_0^2 \dfrac{x}{1+x^2}\,dx=\dfrac{1}{2}\int_1^5\dfrac{1}{t}\,dt$
>
> $\qquad=\dfrac{1}{2}\Big[\ln|t|\Big]_1^5=\underline{\quad}$

(2) $\displaystyle\int_0^{\frac{\pi}{2}} \dfrac{\cos x}{1+\sin x}\,dx$

(3) $\displaystyle\int_1^2 \dfrac{e^x+1}{e^x+x}\,dx$

(4) $\displaystyle\int_e^{e^2} \dfrac{1}{x\ln x}\,dx$

(5) $\displaystyle\int_0^{\frac{\pi}{4}} \tan x\,dx$

부분적분법을 이용한 정적분

1 부분적분법을 이용한 정적분

두 함수 $f(x)$, $g(x)$가 미분가능하고 $f'(x)$, $g'(x)$가 닫힌구간 $[a, b]$에서 연속일 때,

$$\int_a^b f(x)g'(x)dx=\Big[f(x)g(x)\Big]_a^b-\int_a^b f'(x)g(x)dx$$

▶ $g'(x)$는
e^x 꼴 → 삼각함수 → 다항함수
→ 로그함수
의 순서로 정하는 것이 편리하다.

유형·12 부분적분법을 이용한 정적분

정답과 풀이 095쪽

16 다음 정적분을 구하여라.

(1) $\displaystyle\int_0^1 xe^x\,dx$

▶ 풀이 $f(x)=x$, $g'(x)=e^x$으로 놓으면
$f'(x)=1$, $g(x)=e^x$이므로
$$\int_0^1 xe^x dx=\Big[xe^x\Big]_0^1-\int_0^1 e^x dx$$
$$=e-\Big[e^x\Big]_0^1$$
$$=\underline{}$$

(2) $\displaystyle\int_0^1 (x+1)e^{2x}\,dx$

(3) $\displaystyle\int_1^e x\ln x\,dx$

(4) $\displaystyle\int_1^e \ln x\,dx$

(5) $\displaystyle\int_1^{e^2} \frac{\ln x}{x^2}\,dx$

(6) $\displaystyle\int_0^{\frac{\pi}{2}} x\sin x\,dx$

(7) $\displaystyle\int_0^1 x^2 e^x\,dx$

■ 풍쌤 POINT

부분적분법을 이용한 정적분

→ $\displaystyle\int_a^b f(x)g'(x)dx=\Big[f(x)g(x)\Big]_a^b-\int_a^b f'(x)g(x)dx$
　└─ 적분하기 쉬운 함수(지수함수, 삼각함수)
　└─ 미분한 결과가 간단한 함수(다항함수, 로그함수)

05

정적분으로 정의된 함수의 미분

1 정적분으로 정의된 함수의 미분

① $\dfrac{d}{dx}\displaystyle\int_a^x f(t)dt = f(x)$ (단, a는 상수)

② $\dfrac{d}{dx}\displaystyle\int_x^{x+a} f(t)dt = f(x+a) - f(x)$ (단, a는 상수)

> t는 적분변수이므로 $\displaystyle\int_a^x f(t)dt$는 t에 대한 함수가 아니라 x에 대한 함수이다.

유형·13 적분구간이 상수로 주어진 경우

🏆 정답과 풀이 095쪽

17 다음 등식을 만족시키는 함수 $f(x)$를 구하여라.

(1) $f(x) = e^x - \displaystyle\int_{-1}^0 f(t)dt$

> 풀이 $\displaystyle\int_{-1}^0 f(t)dt = a$ (a는 상수) ······ ㉠
>
> 로 놓으면
>
> $f(x) = e^x - a$ ······ ㉡
>
> ㉡을 ㉠에 대입하면
>
> $a = \displaystyle\int_{-1}^0 f(t)dt = \displaystyle\int_{-1}^0 (e^t - a)dt$
>
> $= \Big[e^t - at\Big]_{-1}^0 = 1 - a - \dfrac{1}{e}$
>
> $\therefore a = \dfrac{1}{2} - \dfrac{1}{2e}$
>
> $\therefore f(x) = $ _____

(2) $f(x) = e^{-x} + x + \displaystyle\int_0^2 f(t)dt$

(3) $f(x) = \sin x + \displaystyle\int_0^\pi f(t)dt$

18 다음 등식을 만족시키는 함수 $f(x)$를 구하여라.

(1) $f(x) = e^x + \displaystyle\int_0^1 x f(t)dt$

> 풀이 $f(x) = e^x + \displaystyle\int_0^1 x f(t)dt = e^x + x\displaystyle\int_0^1 f(t)dt$
>
> $\displaystyle\int_0^1 f(t)dt = a$ (a는 상수) ······ ㉠
>
> 로 놓으면
>
> $f(x) = e^x + ax$ ······ ㉡
>
> ㉡을 ㉠에 대입하면
>
> $a = \displaystyle\int_0^1 f(t)dt = \displaystyle\int_0^1 (e^t + at)dt$
>
> $= \Big[e^t + \dfrac{1}{2}at^2\Big]_0^1 = e + \dfrac{1}{2}a - 1$
>
> $\therefore a = 2(e-1)$
>
> $\therefore f(x) = $ _____

(2) $f(x) = e^{-x} + 2\displaystyle\int_0^2 x f(t)dt$

(3) $f(x) = \sin x + \displaystyle\int_0^{\frac{\pi}{2}} 2\cos x f(t)dt$

19 다음 등식을 만족시키는 함수 $f(x)$를 구하여라.

(1) $f(x) = \sin x + 2\int_0^{\frac{\pi}{2}} f(t)\cos t\, dt$

> **풀이** $\int_0^{\frac{\pi}{2}} f(t)\cos t\, dt = a\,(a\text{는 상수})$ ...... ㉠
>
> 로 놓으면
>
> $f(x) = \sin x + 2a$ ...... ㉡
>
> ㉡을 ㉠에 대입하면
>
> $a = \int_0^{\frac{\pi}{2}} f(t)\cos t\, dt = \int_0^{\frac{\pi}{2}} (\sin t + 2a)\cos t\, dt$
>
> $\quad = \int_0^{\frac{\pi}{2}} \sin t \cos t\, dt + \int_0^{\frac{\pi}{2}} 2a \cos t\, dt$
>
> $\quad = \int_0^{\frac{\pi}{2}} \frac{1}{2}\sin 2t\, dt + \int_0^{\frac{\pi}{2}} 2a\cos t\, dt$
>
> $\quad = \left[-\frac{1}{4}\cos 2t \right]_0^{\frac{\pi}{2}} + \left[2a\sin t \right]_0^{\frac{\pi}{2}}$
>
> $\quad = \frac{1}{2} + 2a$
>
> $\therefore a = -\frac{1}{2}$
>
> $\therefore f(x) = \underline{\quad\quad}$

(2) $f(x) = \cos x + \int_0^{\frac{\pi}{4}} f(t)\sin t\, dt$

(3) $f(x) = e^x + \int_0^1 t f(t)\, dt$

풍쌤 POINT

$f(x) = g(x) + \int_\alpha^\beta f(t)\, dt\ (\alpha, \beta\text{는 상수})$

➡ $\int_\alpha^\beta f(t)\, dt = a\,(a\text{는 상수})$로 놓고 $a = \int_\alpha^\beta \{g(t)+a\}\, dt$임을 이용한다.

---

20 임의의 실수 x에 대하여 다음 등식이 성립할 때, 함수 $f(x)$를 구하여라.

(1) $\int_0^x f(t)\, dt = e^{2x} + x - 1$

> **풀이** 주어진 등식의 양변을 x에 대하여 미분하면
>
> $f(x) = \underline{\quad\quad}$

(2) $\int_{-\pi}^x f(t)\, dt = 2\sin x$

(3) $\int_1^x f(t)\, dt = \ln x + 2x - 2\ (\text{단},\ x > 0)$

(4) $\int_0^x f(t)\, dt = e^{2x} - x - 1$

(5) $\int_0^x f(t)\, dt = \sin x - 3e^x + 3$

(6) $\displaystyle\int_1^x f(t)dt = x\ln x + x - 1$ (단, $x > 0$)

(7) $\displaystyle\int_0^x f(t)dt = (2^x-1)(3^x-1)$

(8) $\displaystyle\int_0^x f(t)dt = (e^x-1)^2$

(9) $\displaystyle\int_{\frac{\pi}{4}}^x f(x)dx = (\sin x - \cos x)^2$

(10) $\displaystyle\int_0^x f(t)e^t\,dt = x^2$

21 다음 등식을 만족시키는 함수 $f(x)$를 구하여라.
(단, 함수 $f(x)$는 미분가능하다.)

(1) $xf(x) = x^2 e^x + \displaystyle\int_1^x f(t)dt$

> **풀이** 주어진 등식의 양변을 x에 대하여 미분하면
>
> $$f(x) + xf'(x) = 2xe^x + x^2 e^x + f(x)$$
> $$\therefore f'(x) = (x+2)e^x$$
> $$f(x) = \int (x+2)e^x dx \text{에서 } u(x) = x+2, \ v'(x) = e^x$$
> 으로 놓으면 $u'(x) = 1, \ v(x) = e^x$이므로
> $$f(x) = \int (x+2)e^x dx = (x+2)e^x - \int e^x dx$$
> $$= (x+2)e^x - e^x + C$$
> $$= (x+1)e^x + C \qquad \cdots\cdots ㉠$$
> 주어진 등식의 양변에 $x=1$을 대입하면
> $$f(1) = e$$
> ㉠의 양변에 $x=1$을 대입하면
> $$f(1) = 2e + C$$
> 따라서 $2e + C = e$이므로 $C = -e$
> $$\therefore f(x) = \underline{\qquad\qquad}$$

(2) $xf(x) = x\ln x + \displaystyle\int_1^x f(t)dt$ $(x > 0)$

(3) $xf(x) = x^2 \ln x + \displaystyle\int_e^x f(t)dt$ $(x > 0)$

■ **풍쌤 POINT**

적분구간에 변수가 있는 문제는 다음의 순서로 해결한다.

① 양변을 x에 대하여 미분한다.

➡ $\dfrac{d}{dx}\displaystyle\int_a^x f(t)dt = f(x)$

② 양변에 위끝과 아래끝이 같아지도록 하는 x의 값을 대입한다.

➡ $\displaystyle\int_a^a f(t)dt = 0$

유형·15 $\int_a^x (x-t)f(t)dt$의 꼴

22 임의의 실수 x에 대하여 다음 등식이 성립할 때, 함수 $f(x)$를 구하여라.

(1) $\int_1^x (x-t)f(t)dt=e^x-e$

> 풀이 $\int_1^x (x-t)f(t)dt=e^x-e$에서

$$x\int_1^x f(t)dt - \int_1^x tf(t)dt = e^x-e \quad \cdots\cdots \text{㉠}$$

㉠의 양변을 x에 대하여 미분하면

$$\int_1^x f(t)dt + xf(x) - xf(x) = \underline{\quad}$$

$$\therefore \int_1^x f(t)dt = \underline{\quad} \quad \cdots\cdots \text{㉡}$$

㉡의 양변을 x에 대하여 미분하면

$$f(x) = \underline{\quad}$$

(2) $\int_0^x (x-t)f(t)dt=e^x-\sin x-1$

(3) $\int_0^x (x-t)f(t)dt=e^{2x}+x-1$

■ 풍쌤 POINT

$$\int_0^x (x-t)f(t)dt = \int_0^x \{xf(t)-tf(t)\}dt$$
$$= \int_0^x xf(t)dt - \int_0^x tf(t)dt$$
$$= x\int_0^x f(t)dt - \int_0^x tf(t)dt$$

유형·16 정적분으로 정의된 함수의 극대와 극소

23 다음을 구하여라.

(1) $0<x<\pi$에서

함수 $f(x)=\int_0^x (1-2\cos t)\sin t\, dt$의 극솟값

> 풀이 $f(x)=\int_0^x (1-2\cos t)\sin t\, dt$의 양변을 x에 대하여 미분하면

$$f'(x)=(1-2\cos x)\sin x$$

$0<x<\pi$이므로 $f'(x)=0$에서

$$1-2\cos x=0, \cos x=\frac{1}{2}$$

$$\therefore x=\frac{\pi}{3}$$

$0<x<\pi$에서 함수의 증가와 감소를 표로 나타내면 다음과 같다.

x	(0)	$\cdots$	$\dfrac{\pi}{3}$	$\cdots$	(π)
$f'(x)$		$-$	0	$+$	
$f(x)$		$\searrow$	극소	$\nearrow$	

따라서 함수 $f(x)$는 $x=\underline{\quad}$ 에서 극솟값을 가지므로 극솟값은

$$f\left(\underline{\quad}\right)=\int_0^{\frac{\pi}{3}} (1-2\cos t)\sin t\, dt$$
$$=\int_0^{\frac{\pi}{3}} (\sin t-2\sin t\cos t)dt$$
$$=\int_0^{\frac{\pi}{3}} (\sin t-\sin 2t)dt$$
$$=\left[-\cos t+\frac{1}{2}\cos 2t\right]_0^{\frac{\pi}{3}}$$
$$=\underline{\quad}$$

(2) 함수 $f(x)=\int_0^x (1-e^t)dt$의 극댓값

■ 풍쌤 POINT

정적분으로 나타내어진 함수의 극대와 극소

➡ 양변을 미분하여 $f'(x)$를 구한 다음, 증가와 감소를 표로 나타낸다.

06

정적분으로 정의된 함수의 극한

1 정적분으로 정의된 함수의 극한

① $\lim_{x \to 0} \dfrac{1}{x} \displaystyle\int_{a}^{x+a} f(t)dt = f(a)$

② $\lim_{x \to a} \dfrac{1}{x-a} \displaystyle\int_{a}^{x} f(t)dt = f(a)$

> 미분가능한 함수 $f(x)$의 $x=a$ 에서의 미분계수는
> $$f'(a) = \lim_{h \to 0} \frac{f(a+h)-f(a)}{h}$$
> $$= \lim_{x \to a} \frac{f(x)-f(a)}{x-a}$$

유형·17 정적분으로 정의된 함수의 극한

정답과 풀이 099쪽

24 다음 극한값을 구하여라.

(1) $\lim_{x \to 1} \dfrac{1}{x-1} \displaystyle\int_{1}^{x} (e^t+1)dt$

> **풀이** $f(t)=e^t+1$의 한 부정적분을 $F(t)$라 하면
> $$\int_{1}^{x} (e^t+1)dt = \Big[F(t) \Big]_{1}^{x} = F(x)-F(1)$$
> $$\therefore \lim_{x \to 1} \frac{1}{x-1}\int_{1}^{x}(e^t+1)dt = \lim_{x \to 1} \frac{F(x)-F(1)}{x-1}$$
> $$= \underline{\qquad} = f(1)$$
> $$= \underline{\qquad}$$

(2) $\lim_{x \to 1} \dfrac{1}{x-1} \displaystyle\int_{1}^{x} (e^t+\ln t)dt$

(3) $\lim_{x \to \pi} \dfrac{1}{x-\pi} \displaystyle\int_{\pi}^{x} \sin \dfrac{t}{2} dt$

(4) $\lim_{x \to \frac{\pi}{3}} \dfrac{1}{x-\dfrac{\pi}{3}} \displaystyle\int_{\frac{\pi}{3}}^{x} \sec^2 t \, dt$

(5) $\lim_{x \to e} \dfrac{1}{x-e} \displaystyle\int_{e}^{x} (t \ln t + 1)dt$

(6) $\lim_{x \to 0} \dfrac{1}{x} \displaystyle\int_{0}^{x} 2^t \, dt$

◾ 풍쌤 POINT

정적분으로 정의된 함수의 극한

➡ 미분계수의 정의를 이용한다.

구분구적법

1 구분구적법

어떤 도형의 넓이 또는 부피를 구할 때, 그 도형을 간단한 도형으로 잘게 나누어 넓이 또는 부피의 합의 극한값으로 구하는 방법을 구분구적법이라고 한다.

> 도형을 잘게 나누어 넓이를 구할 때에는 삼각형 또는 사각형으로 나누는 것이 편리하다.

2 구분구적법을 이용하여 도형의 넓이 또는 부피 구하기

(ⅰ) 주어진 도형을 n개의 기본 도형으로 세분화한다.

(ⅱ) n개의 기본 도형의 넓이의 합 S_n 또는 부피의 합 V_n을 구한다.

(ⅲ) $\lim\limits_{n\to\infty} S_n$ 또는 $\lim\limits_{n\to\infty} V_n$을 구한다.

유형·18 구분구적법에 의한 넓이의 계산

25 다음은 밑변의 길이가 a, 높이가 h인 삼각형의 넓이 S를 구분구적법을 이용하여 구하는 과정이다. 빈칸에 알맞은 것을 써넣어라.

오른쪽 그림과 같이 삼각형의 높이를 n등분하여 n개의 직사각형을 만들면 직사각형의 가로의 길이는 위에서부터 차례대로

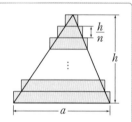

$$\frac{a}{n},\ \frac{2a}{n},\ \frac{3a}{n},\ \cdots,\ \frac{na}{n}$$

이때 직사각형 한 개의 세로의 길이는 □ 이므로 이들 직사각형의 넓이의 합을 S_n이라 하면

$$S_n=\boxed{}\times\frac{a}{n}+\boxed{}\times\frac{2a}{n}+\boxed{}\times\frac{3a}{n}+\cdots+\boxed{}\times\frac{na}{n}$$

$$=\boxed{}$$

$$\therefore S=\lim_{n\to\infty}S_n=\boxed{}$$

26 다음은 곡선 $y=x^2$과 직선 $x=1$및 x축으로 둘러싸인 부분의 넓이 S를 구분구적법을 이용하여 구하는 과정이다. 빈칸에 알맞은 것을 써넣어라.

오른쪽 그림과 같이 구간 $[0,1]$을 n등분하면 양 끝점을 포함한 각 분점의 x좌표는

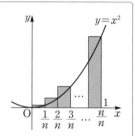

$$0,\ \frac{1}{n},\ \frac{2}{n},\ \frac{3}{n},\ \cdots,\ \frac{n}{n}=1$$

또, n등분한 소구간의 오른쪽 끝점을 기준으로 직사각형을 세우면 각 직사각형의 높이는

$$\left(\frac{1}{n}\right)^2,\ \left(\frac{2}{n}\right)^2,\ \left(\frac{3}{n}\right)^2,\ \cdots,\ \left(\frac{n}{n}\right)^2$$

이들 직사각형의 넓이의 합을 S_n이라 하면

$$S_n=\frac{1}{n}\times\left(\frac{1}{n}\right)^2+\frac{1}{n}\times\left(\frac{2}{n}\right)^2+\frac{1}{n}\times\left(\frac{3}{n}\right)^2+\cdots$$

$$+\frac{1}{n}\times\left(\frac{n}{n}\right)^2$$

$$=\frac{1}{n^3}(1^2+2^2+3^2+\cdots+n^2)=\boxed{}$$

$$\therefore S=\lim_{n\to\infty}S_n=\boxed{}$$

■ 풍쌤 POINT

곡선과 x축으로 둘러싸인 도형의 넓이

➡ n개의 직사각형의 넓이의 합 S_n을 구한 후, $\lim\limits_{n\to\infty} S_n$을 구한다.

🏆 정답과 풀이 099쪽

27 다음은 밑면의 반지름의 길이가 r, 높이가 h인 원뿔의 부피 V를 구분구적법을 이용하여 구하는 과정이다. 빈칸에 알맞은 것을 써넣어라.

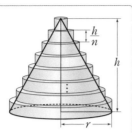

오른쪽 그림과 같이 원뿔의 높이를 n등분하여 n개의 원기둥을 만들면 각 원기둥의 높이는 $\dfrac{h}{n}$이고, 밑면의 반지름의 길이는 위에서부터 차례로

$$\frac{r}{n}, \frac{2r}{n}, \frac{3r}{n}, \cdots, \frac{nr}{n}$$

이들 원기둥의 부피의 합을 V_n이라 하면

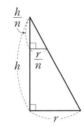

$$V_n = \pi\left(\frac{r}{n}\right)^2 \times \frac{h}{n} + \pi\left(\frac{2r}{n}\right)^2 \times \frac{h}{n}$$
$$+ \pi\left(\frac{3r}{n}\right)^2 \times \frac{h}{n} + \cdots$$
$$+ \pi\left(\frac{nr}{n}\right)^2 \times \frac{h}{n}$$
$$= \frac{\pi r^2 h}{n^3}(1^2 + 2^2 + 3^2 + \cdots + n^2)$$
$$= \boxed{}$$

$$\therefore V = \lim_{n \to \infty} V_n = \boxed{}$$

28 다음은 밑면은 한 변의 길이가 a인 정사각형이고 높이가 h인 정사각뿔의 부피 V를 구분구적법을 이용하여 구하는 과정이다. 빈칸에 알맞은 것을 써넣어라.

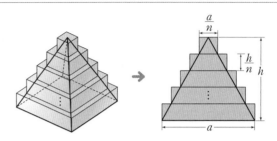

위의 그림과 같이 정사각뿔의 높이를 n등분하여 n개의 사각기둥을 만들면 각 사각기둥의 높이는 $\boxed{}$이고, 밑면인 정사각형의 한 변의 길이는 위에서부터 차례로

$$\frac{a}{n}, \frac{2a}{n}, \frac{3a}{n}, \cdots, \frac{na}{n}$$

이들 정사각기둥의 부피의 합을 V_n이라 하면

$$V_n = \left(\frac{a}{n}\right)^2 \times \frac{h}{n} + \left(\frac{2a}{n}\right)^2 \times \frac{h}{n} + \left(\frac{3a}{n}\right)^2 \times \frac{h}{n} + \cdots$$
$$+ \left(\frac{na}{n}\right)^2 \times \frac{h}{n}$$
$$= \frac{a^2 h}{n^3}(1^2 + 2^2 + 3^2 + \cdots + n^2)$$
$$= \boxed{}$$

$$\therefore V = \lim_{n \to \infty} V_n = \boxed{}$$

📐 풍쌤 POINT

입체도형의 부피

➡ n개의 원기둥 또는 각기둥의 부피의 합 V_n을 구한 후, $\lim_{n \to \infty} V_n$을 구한다.

O8

정적분과 급수의 관계

1 급수의 합을 이용한 정적분의 정의

함수 $f(x)$가 닫힌구간 $[a, b]$에서 연속일 때,

$$\int_a^b f(x)dx = \lim_{n \to \infty} \sum_{k=1}^n f(x_k)\Delta x \left(\text{단, } \Delta x = \frac{b-a}{n}, \ x_k = a + k\Delta x\right)$$

를 함수 $f(x)$의 a에서 b까지의 정적분이라고 한다.

보기 $\displaystyle\lim_{n \to \infty} \sum_{k=1}^n \left(\frac{3k}{n}\right)^2 \times \frac{3}{n}$

$= \displaystyle\int_0^3 x^2 \, dx$

2 정적분과 급수의 합의 관계

① $\displaystyle\lim_{n \to \infty} \sum_{k=1}^n f\left(a + \frac{(b-a)k}{n}\right) \times \frac{b-a}{n} = \int_a^b f(x)dx$ ← 정적분의 정의

② $\displaystyle\lim_{n \to \infty} \sum_{k=1}^n f\left(a + \frac{pk}{n}\right) \times \frac{p}{n} = \int_a^{a+p} f(x)dx$ ← ①에서 $b-a=p$

③ $\displaystyle\lim_{n \to \infty} \sum_{k=1}^n f\left(\frac{pk}{n}\right) \times \frac{p}{n} = \int_0^p f(x)dx$ ← ②에서 $a=0$, 아래끝이 0에 고정

④ $\displaystyle\lim_{n \to \infty} \sum_{k=1}^n f\left(\frac{k}{n}\right) \times \frac{1}{n} = \int_0^1 f(x)dx$ ← ③에서 $p=1$, 적분구간이 $[0, 1]$로 고정

유형·20 **정적분을 이용한 급수의 계산**(1)

29 정적분을 이용하여 다음 극한값을 구하여라.

(1) $\displaystyle\lim_{n \to \infty} \sum_{k=1}^n \left(1 + \frac{k}{n}\right)^2 \times \frac{1}{n}$

> 풀이 $1 + \dfrac{k}{n}$를 x로 바꾸면 $\dfrac{1}{n}$은 dx가 되고 적분구간은 구간 $[1, 2]$가 되므로

$$\lim_{n \to \infty} \sum_{k=1}^n \left(1 + \frac{k}{n}\right)^2 \times \frac{1}{n} = \int_1^2 \underline{\quad} dx$$
$$= \left[\underline{\qquad}\right]_1^2 = \underline{\quad}$$

(2) $\displaystyle\lim_{n \to \infty} \sum_{k=1}^n \left(-1 + \frac{2k}{n}\right)^3 \times \frac{2}{n}$

(3) $\displaystyle\lim_{n \to \infty} \sum_{k=1}^n \left(1 + \frac{3k}{n}\right) \times \frac{3}{n}$

(4) $\displaystyle\lim_{n \to \infty} \sum_{k=1}^n \frac{1}{n} e^{\frac{k}{n}}$

(5) $\displaystyle\lim_{n \to \infty} \sum_{k=1}^n \frac{3^{\frac{2k}{n}}}{n}$

(6) $\displaystyle\lim_{n \to \infty} \sum_{k=1}^n \frac{\pi}{n} \sin \frac{k\pi}{n}$

> 🔲 **풍쌤 POINT**
>
> $\displaystyle\lim_{n \to \infty} \sum_{k=1}^n f\left(a + \frac{p}{n}k\right) \times \frac{p}{n}$의 값을 구할 때에는 (　) 안의 k의
>
> 계수인 $\dfrac{p}{n}$가 (　) 밖에 곱해져 있도록 식을 변형한 후, 다음을 이용한다.
>
> ① $\displaystyle\lim_{n \to \infty} \sum_{k=1}^n f\left(\frac{p}{n}k\right) \times \frac{p}{n} = \int_0^p f(x)dx$
>
> ② $\displaystyle\lim_{n \to \infty} \sum_{k=1}^n f\left(a + \frac{p}{n}k\right) \times \frac{p}{n} = \int_a^{a+p} f(x)dx = \int_0^p f(a+x)dx$

30 정적분을 이용하여 다음 극한값을 구하여라.

(1) $\lim\limits_{n\to\infty} \dfrac{1+2+3+\cdots+n}{n^2}$

> 풀이 $\lim\limits_{n\to\infty} \dfrac{1+2+3+\cdots+n}{n^2} = \lim\limits_{n\to\infty} \sum\limits_{k=1}^{n} k \times \dfrac{1}{n^2}$
>
> $\qquad = \lim\limits_{n\to\infty} \sum\limits_{k=1}^{n} \dfrac{k}{n} \times \dfrac{1}{n}$
>
> $\qquad = \int_0^1 \underline{\quad} dx$
>
> $\qquad = \Big[\underline{\qquad} \Big]_0^1$
>
> $\qquad = \underline{\quad}$

(2) $\lim\limits_{n\to\infty} \dfrac{1^2+2^2+3^2+\cdots+n^2}{n^3}$

(3) $\lim\limits_{n\to\infty} \dfrac{1^3+2^3+3^3+\cdots+n^3}{n^4}$

(4) $\lim\limits_{n\to\infty} \dfrac{2}{n}\left\{\left(1+\dfrac{1}{n}\right)^2+\left(1+\dfrac{2}{n}\right)^2+\cdots+\left(1+\dfrac{n}{n}\right)^2\right\}$

(5) $\lim\limits_{n\to\infty} \dfrac{1}{n}\left\{\left(3+\dfrac{1}{n}\right)^3+\left(3+\dfrac{2}{n}\right)^3+\cdots+\left(3+\dfrac{n}{n}\right)^3\right\}$

(6) $\lim\limits_{n\to\infty} \dfrac{1}{n}\left\{\left(1+\dfrac{2}{n}\right)^2+\left(1+\dfrac{4}{n}\right)^2+\cdots+\left(1+\dfrac{2n}{n}\right)^2\right\}$

(7) $\lim\limits_{n\to\infty} \dfrac{(n+1)^2+(n+2)^2+(n+3)^2+\cdots+(2n)^2}{n^3}$

(8) $\lim\limits_{n\to\infty} \dfrac{(n+2)^2+(n+4)^2+(n+6)^2+\cdots+(3n)^2}{n^3}$

◤ 풍쌤 POINT

합이 나열된 경우

➡ 급수의 합을 이용한 정적분의 정의를 이용할 수 있도록 $\sum$를 포함한 식으로 변형한다.

· 중단원 점검문제 ·

01

정적분 $\int_0^1 (2^x+1)(4^x-2^x+1)dx=\dfrac{a}{\ln 8}+b$일 때, 자연수 a, b에 대하여 $a+b$의 값을 구하여라.

02

정적분 $\int_1^3 |x(x-2)|\,dx$를 구하여라.

03

함수 $f(x)=\begin{cases} e^x & (x<0) \\ \sin x+k & (x\geq 0) \end{cases}$ 가 모든 실수 x에 대하여 연속일 때, 정적분 $\int_{-1}^{\pi} f(x)dx$를 구하여라.

(단, k는 상수이다.)

04

정적분 $\int_{-\pi}^{\pi} x^2 \sin x\,dx$를 구하여라.

05

$\int_{\frac{1}{3}}^3 \sqrt{3x-1}\,dx$의 값을 구하여라.

06

$\int_2^3 \dfrac{x}{\sqrt{x^2-1}}dx=m\sqrt{2}+n\sqrt{3}$일 때, 유리수 m, n의 합 $m+n$의 값을 구하여라.

07

정적분 $\int_0^{\frac{\pi}{2}} \sin^3 x\,dx$를 구하여라.

08

$\int_0^a \dfrac{1}{a^2+x^2}dx=\pi$일 때, 양수 a의 값을 구하여라.

09

$\displaystyle\int_{\frac{1}{e}}^{1} \frac{\ln x}{x^2} dx$의 값을 구하여라.

10

등식 $\displaystyle\int_{0}^{\frac{\pi}{2}} e^x \sin x\, dx = ae^{\frac{\pi}{2}} + b$가 성립할 때, 유리수 a, b에 대하여 $a+b$의 값을 구하여라.

11

$x>0$에서 연속인 함수 $f(x)$가
$$\int_{1}^{x} f(t)dt = x^2 - \sqrt{x}$$
를 만족시킬 때, $f(1)$의 값을 구하여라.

12

$x>0$일 때, 함수 $f(x) = \displaystyle\int_{x}^{x+1} \left(t + \frac{2}{t} \right) dt$의 최솟값을 구하여라.

13

$\displaystyle\lim_{h \to 0} \frac{1}{h} \int_{\pi-h}^{\pi+h} x \sin\left(x + \frac{\pi}{2} \right) dx$의 값을 구하여라.

14

다음 중 곡선 $y=2x^2$과 x축 및 직선 $x=1$로 둘러싸인 도형의 넓이의 구분구적법을 이용하여 구하는 식으로 옳은 것은?

① $\displaystyle\lim_{n\to\infty} \frac{1}{n} \sum_{k=1}^{n} \left(\frac{k}{n} \right)^2$　　② $\displaystyle\lim_{n\to\infty} \frac{1}{n} \sum_{k=1}^{n} \left(\frac{2k}{n} \right)^2$

③ $\displaystyle\lim_{n\to\infty} \frac{1}{n} \sum_{k=1}^{n} \left(1 + \frac{2k}{n} \right)^2$　　④ $\displaystyle\lim_{n\to\infty} \frac{2}{n} \sum_{k=1}^{n} \left(\frac{k}{n} \right)^2$

⑤ $\displaystyle\lim_{n\to\infty} \frac{2}{n} \sum_{k=1}^{n} \left(1 + \frac{k}{n} \right)^2$

15

함수 $f(x) = 3x^2 - 2$일 때, $\displaystyle\lim_{n\to\infty} \sum_{k=1}^{n} f\left(\frac{k}{n} \right) \times \frac{2}{n}$의 값을 구하여라.

16

보기에서 $\displaystyle\lim_{n\to\infty} \sum_{k=1}^{n} \left(1 + \frac{2k}{n} \right)^2 \times \frac{2}{n}$를 정적분으로 나타낸 것으로 옳은 것만을 있는 대로 골라라.

> 보기
>
> ㄱ. $\displaystyle\int_{0}^{2} (1+x)^2 dx$　　ㄴ. $2\displaystyle\int_{0}^{1} (1+2x)^2 dx$
>
> ㄷ. $\displaystyle\int_{1}^{3} x^2 dx$　　ㄹ. $\frac{1}{2}\displaystyle\int_{1}^{2} x^2\, dx$

01

곡선과 x축 사이의 넓이

1 곡선과 x축 사이의 넓이

함수 $y=f(x)$가 닫힌구간 $[a, b]$에서 연속일 때, 곡선 $y=f(x)$와 x축 및 두 직선 $x=a$, $x=b$로 둘러싸인 도형의 넓이 S는

$$S=\int_a^b |f(x)|\,dx$$

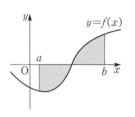

보기 곡선 $y=x^3$과 x축 및 두 직선 $x=-1$, $x=1$로 둘러싸인 도형의 넓이 S는

$$S=\int_{-1}^1 |x^3|\,dx$$

$$=\int_{-1}^0 (-x^3)dx+\int_0^1 x^3\,dx$$

유형·01 곡선과 x축 사이의 넓이

📜 정답과 풀이 104쪽

01 다음 곡선과 직선으로 둘러싸인 도형의 넓이를 구하여라.

(1) 곡선 $y=\sin x \, (0\le x\le 2\pi)$, x축

▶풀이 $0\le x\le\pi$일 때, $\sin x\ge 0$
$\pi\le x\le 2\pi$일 때, $\sin x\le 0$
따라서 구하는 넓이 S는

$$S=\int_0^{2\pi} |\sin x|\,dx$$

$$=\int_0^\pi \underline{\quad\quad}dx+\int_\pi^{2\pi}\underline{\quad\quad}dx$$

$$=\Big[\underline{\quad\quad}\Big]_0^\pi+\Big[\underline{\quad\quad}\Big]_\pi^{2\pi}$$

$$=\underline{\quad}$$

(2) 곡선 $y=\dfrac{1}{x}$, x축, 두 직선 $x=1$, $x=e$

(3) 곡선 $y=\sqrt{x}$, x축, 직선 $x=4$

(4) 곡선 $y=e^x$, x축, y축, 직선 $x=1$

(5) 곡선 $y=\ln x$, x축, 직선 $x=3$

(6) 곡선 $y=\cos x \, (0\le x\le\pi)$, x축

(7) 곡선 $y=2^x$, x축, 두 직선 $x=-1$, $x=1$

> **📕 풍쌤 POINT**
>
> 연속함수 $f(x)$에 대하여 곡선 $y=f(x)$와 x축 및 두 직선 $x=a$, $x=b$로 둘러싸인 도형의 넓이는
>
> ① 구간 $[a, b]$에서 $f(x)\ge 0$ ➡ $\displaystyle\int_a^b f(x)dx$
>
> ② 구간 $[a, b]$에서 $f(x)\le 0$ ➡ $\displaystyle\int_a^b \{-f(x)\}dx$
>
> ③ 구간 $[a, c]$에서 $f(x)\ge 0$, 구간 $[c, b]$에서 $f(x)\le 0$
>
> ➡ $\displaystyle\int_a^c f(x)dx+\int_c^b \{-f(x)\}dx$

02

곡선과 y축 사이의 넓이

1 곡선과 y축 사이의 넓이

함수 $x=g(y)$가 닫힌구간 $[a, b]$에서 연속일 때, 곡선 $x=g(y)$와 y축 및 두 직선 $y=a$, $y=b$로 둘러싸인 도형의 넓이 S는

$$S=\int_a^b |g(y)| \, dy$$

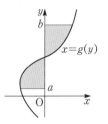

보기 곡선 $x=y^3$과 y축 및 두 직선 $y=-1$, $y=1$로 둘러싸인 도형의 넓이 S는

$$S=\int_{-1}^1 |y^3| \, dy$$
$$=\int_{-1}^0 (-y^3) \, dy + \int_0^1 y^3 \, dy$$

유형·02 곡선과 y축 사이의 넓이

🏆 정답과 풀이 104쪽

02 다음 곡선과 직선으로 둘러싸인 도형의 넓이를 구하여라.

(1) 곡선 $y=\sqrt{x}$, y축, 두 직선 $y=1$, $y=2$

> 풀이 $y=\sqrt{x}$에서 $x=$ ___
따라서 구하는 넓이 S는
$$S=\int_1^2 \underline{\quad} \, dy$$
$$=\Big[\quad\quad\Big]_1^2$$
$$=\underline{\quad}$$

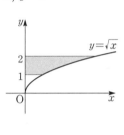

(2) 곡선 $y=\dfrac{1}{x}$, y축, 두 직선 $y=1$, $y=3$

(3) 곡선 $y=e^x$, y축, 직선 $y=\dfrac{1}{e}$

(4) 곡선 $y=\ln x$, x축, y축, 직선 $y=1$

(5) 곡선 $y=x^2 \, (x \geq 0)$, y축, 직선 $y=4$

(6) 곡선 $y=\dfrac{x-2}{x}$, y축, 두 직선 $y=-1$, $y=\dfrac{1}{2}$

(7) 곡선 $y=\ln(x+1)-1$, x축, y축

▓ 풍쌤 POINT

연속함수 $g(y)$에 대하여 곡선 $x=g(y)$와 y축 및 두 직선 $y=a$, $y=b$로 둘러싸인 도형의 넓이는

① 구간 $[a, b]$에서 $g(y) \geq 0$ ➡ $\int_a^b g(y) dy$

② 구간 $[a, b]$에서 $g(y) \leq 0$ ➡ $\int_a^b \{-g(y)\} dy$

③ 구간 $[a, c]$에서 $g(y) \geq 0$, 구간 $[c, b]$에서 $g(y) \leq 0$

➡ $\int_a^c g(y) dy + \int_c^b \{-g(y)\} dy$

O3

두 곡선 사이의 넓이

❶ 두 곡선 사이의 넓이

함수 $y=f(x)$와 $y=g(x)$가 닫힌구간 $[a,\ b]$에서 연속일 때, 두 곡선 $y=f(x)$와 $y=g(x)$ 및 두 직선 $x=a$, $x=b$로 둘러싸인 도형의 넓이 S는

$$S=\int_a^b |f(x)-g(x)|\,dx$$

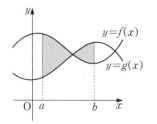

▶ 두 곡선 $x=f(y)$와 $x=g(y)$ 및 두 직선 $y=a$, $y=b$로 둘러싸인 도형의 넓이 S는

$$S=\int_a^b |f(y)-g(y)|\,dy$$

유형·03 두 곡선으로 둘러싸인 도형의 넓이

03 다음 곡선 또는 직선으로 둘러싸인 도형의 넓이를 구하여라.

(1) 두 곡선 $y=x^2$, $y=\sqrt{x}$

> ▶ 풀이 두 곡선 $y=x^2$, $y=\sqrt{x}$의 교점의 x좌표는
>
> $x^2=\underline{}$ 에서
>
> $x^4=x$, $x(x^3-1)=0$
>
> $x(x-1)(x^2+x+1)=0$
>
> $\therefore\ x=0$ 또는 $x=1$
>
> 따라서 구하는 넓이 S는
>
> $S=\int_0^1 (\underline{})\,dx=\left[\underline{}\right]_0^1=\underline{}$

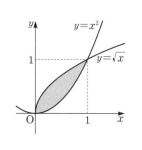

(2) 곡선 $y=\dfrac{2}{x}$, 직선 $y=-x+3$

(3) 곡선 $y=\sqrt{x}$, 직선 $y=x$

(4) 두 곡선 $y=e^x$, $y=e^{-x}$, 직선 $x=1$

(5) 두 곡선 $y=\sin x$, $y=\cos x\,(0\le x\le\pi)$

(6) 곡선 $y=e^x$, 두 직선 $y=-x+1$, $x=1$

(7) 두 곡선 $y=\ln x$, $y=-\ln x$, 직선 $x=e$

■ 풍쌤 POINT

두 곡선으로 둘러싸인 도형의 넓이

➡ (ⅰ) 두 곡선을 그려 위치 관계를 파악한다.

(ⅱ) 두 곡선의 교점의 x좌표를 구한다.

(ⅲ) {(위쪽의 식)－(아래쪽의 식)} 또는 {(오른쪽의 식)－(왼쪽의 식)}을 정적분한다.

유형·04 넓이를 이등분하는 경우

04 다음 물음에 답하여라.

(1) 곡선 $y=\dfrac{1}{x}$과 x축 및 두 직선 $x=1$, $x=4$로 둘러싸인 도형의 넓이를 직선 $x=k$가 이등분할 때, 양수 k의 값을 구하여라.

> **풀이** 오른쪽 그림에서 곡선
> $y=\dfrac{1}{x}$과 x축 및 두 직선
> $x=1$, $x=4$로 둘러싸인 도
> 형의 넓이를 S_1이라 하면
>
> $S_1=\displaystyle\int_1^4 \dfrac{1}{x}dx$
>
> $\qquad=\Big[\underline{\quad\quad}\Big]_1^4=\underline{\quad\quad}$
>
> 곡선 $y=\dfrac{1}{x}$과 x축 및 두 직선 $x=1$, $x=k$로 둘러싸인
> 도형의 넓이를 S_2라 하면
>
> $S_2=\displaystyle\int_1^k \dfrac{1}{x}dx=\Big[\underline{\quad\quad}\Big]_1^k=\underline{\quad\quad}$
>
> $S_2=\dfrac{1}{2}S_1$이므로 $k=\underline{\quad}$

(2) 곡선 $y=e^x$과 x축, y축 및 직선 $x=\ln 3$으로 둘러싸인 도형의 넓이를 직선 $x=k$가 이등분할 때, 상수 k의 값을 구하여라.

(3) 곡선 $y=\sqrt{x}$와 x축 및 직선 $x=1$로 둘러싸인 도형의 넓이를 곡선 $y=\sqrt{kx}$가 이등분할 때, 양수 k의 값을 구하여라.

■ **풍쌤 POINT**

오른쪽 그림의 색칠한 부분의 넓이
S를 곡선 $y=g(x)$가 이등분할 때

➡ $\displaystyle\int_0^a \{f(x)-g(x)\}dx=\dfrac{1}{2}S$

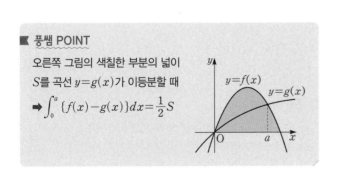

유형·05 곡선과 접선으로 둘러싸인 도형의 넓이

05 다음 물음에 답하여라.

(1) 원점에서 곡선 $y=e^x$에 그은 접선과 y축으로 둘러싸인 도형의 넓이를 구하여라.

> **풀이** $y=e^x$에서 $y'=e^x$
> 접점의 좌표를 (t, e^t)이라 하면
> 접선의 방정식은
> $y-e^t=e^t(x-t)$
> $\therefore y=e^tx-e^t(t-1)$
> 이 직선이 원점을 지나므로
> $-e^t(t-1)=0 \quad \therefore t=1$
> 따라서 구하는 넓이 S는
>
> $S=\displaystyle\int_0^1 (\underline{\quad\quad})dx=\Big[\underline{\quad\quad}\Big]_0^1$
>
> $\qquad=\underline{\quad\quad}$

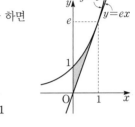

(2) 곡선 $y=\ln x$와 이 곡선 위의 점 $(e, 1)$에서의 접선 및 x축으로 둘러싸인 도형의 넓이를 구하여라.

(3) 곡선 $y=\sqrt{x}$와 점 $(0, 1)$에서 이 곡선에 그은 접선 및 y축으로 둘러싸인 도형의 넓이를 구하여라.

■ **풍쌤 POINT**

곡선 $y=f(x)$ 위의 점 $\mathrm{P}(a, f(a))$에서의 접선의 방정식은

➡ $y-f(a)=f'(a)(x-a)$

O4

함수와 그 역함수의 그래프로 둘러싸인 부분의 넓이

1 함수와 그 역함수의 그래프로 둘러싸인 부분의 넓이

함수 $y=f(x)$의 그래프와 그 역함수 $y=g(x)$의 그래프로 둘러싸인 부분의 넓이는 곡선 $y=f(x)$와 직선 $y=x$로 둘러싸인 부분의 넓이의 2배이다.

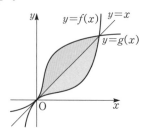

> 함수 $f(x)$의 역함수를 $g(x)$라 할 때, 두 함수 $y=f(x)$, $y=g(x)$의 그래프는 직선 $y=x$에 대하여 대칭이다.

유형·06 역함수와 그래프의 넓이

정답과 풀이 107쪽

06 다음 물음에 답하여라.

(1) 함수 $f(x)=\ln x$의 역함수를 $g(x)$라 할 때, $\int_1^e f(x)dx+\int_0^1 g(x)dx$의 값을 구하여라.

> **풀이** 곡선 $y=f(x)$와 x축, 직선 $x=e$로 둘러싸인 도형의 넓이를 A, 곡선 $y=g(x)$와 y축, 직선 $y=e$로 둘러싸인 도형의 넓이를 B라 하면
> $A=B$
> 이때 $\int_0^1 g(x)dx=C$라 하면
> $\int_1^e f(x)dx+\int_0^1 g(x)dx$
> $=A+C=B+C$
> $=$___

(2) 함수 $f(x)=\tan x$의 역함수를 $g(x)$라 할 때, $\int_0^{\frac{\pi}{4}} f(x)dx+\int_0^1 g(x)dx$의 값을 구하여라.

$$\left(단, -\frac{\pi}{2}<x<\frac{\pi}{2}\right)$$

07 다음 물음에 답하여라.

(1) 함수 $f(x)=\sqrt{x}$의 그래프와 그 역함수 $y=g(x)$의 그래프로 둘러싸인 도형의 넓이를 구하여라.

> **풀이** 구하는 넓이는 곡선 $f(x)=\sqrt{x}$와 직선 $y=x$로 둘러싸인 도형의 넓이의 2배이다.
> 곡선 $y=\sqrt{x}$와 직선 $y=x$의 교점의 x좌표는 $\sqrt{x}=x$에서
> $x=x^2$, $x(x-1)=0$
> $\therefore x=0$ 또는 $x=1$
> 따라서 구하는 넓이 S는
> $$S=2\int_0^1 (\underline{\quad})dx=2\left[\underline{\qquad}\right]_0^1$$
> $=$___

(2) 함수 $f(x)=\sqrt{4x-3}$의 그래프와 그 역함수 $y=g(x)$의 그래프로 둘러싸인 도형의 넓이를 구하여라.

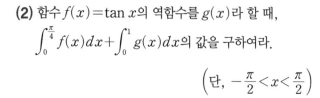

■ 풍쌤 POINT
두 함수 $y=f(x)$, $y=g(x)$가 서로 역함수 관계이면
➡ 두 함수의 그래프는 직선 $y=x$에 대하여 대칭이다.

입체도형의 부피

❶ 입체도형의 부피

닫힌구간 $[a, b]$의 임의의 점 x에서 x축에 수직인 평면으로 자른 입체도형의 단면의 넓이가 $S(x)$일 때, 이 입체도형의 부피 V는

$$V = \lim_{n \to \infty} \sum_{k=1}^{n} S(x_k) \Delta x = \int_a^b S(x) dx$$

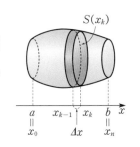

▶ $\Delta x = \dfrac{b-a}{n}$, $x_k = a + k \Delta x$

유형·07 단면이 밑면과 평행한 입체도형의 부피

🏆 정답과 풀이 107쪽

08 다음 물음에 답하여라.

(1) 높이가 5인 입체도형이 있다. 이 입체도형의 밑면으로부터의 높이가 x인 부분을 밑면에 평행한 평면으로 자른 단면의 넓이가 $\sqrt{5-x}$일 때, 이 입체도형의 부피를 구하여라.

> ▶ **풀이** 밑면으로부터 높이가 x인 부분의 단면의 넓이 $S(x)$는
> $$S(x) = \sqrt{5-x}$$
> 따라서 구하는 부피 V는
> $$V = \int_0^5 \underline{\quad\quad} dx = \left[\underline{\quad\quad\quad} \right]_0^5$$
> $$= \underline{\quad\quad}$$

(2) 어떤 그릇에 물을 채우는데 물의 깊이가 x일 때, 수면의 넓이는 $(\sin x - x)$라 한다. 물의 깊이가 π일 때, 물의 부피를 구하여라.

(3) 어떤 용기에 물을 채우는데 물의 깊이가 x일 때, 수면의 넓이는 $(3^x - e^x)$이라 한다. 물의 깊이가 4일 때, 이 용기에 담겨 있는 물의 부피를 구하여라.

(4) 어떤 입체도형의 밑면으로부터의 높이가 x인 곳에서 밑면과 평행한 평면으로 자른 단면은 한 변의 길이가 $\sqrt{16-4x}$인 정삼각형이다. 이 입체도형의 높이가 2일 때, 부피를 구하여라.

(5) 어떤 그릇에 물을 채우는데 물의 깊이가 x일 때, 수면은 한 변의 길이가 $\sec x$인 정사각형이라 한다. 물의 깊이가 $\dfrac{\pi}{4}$일 때, 이 그릇에 담겨 있는 물의 부피를 구하여라.

(6) 어떤 용기에 물을 채우는데 물의 깊이가 x일 때, 수면은 반지름의 길이가 $\sqrt{4-x^2}$인 원이라 한다. 물의 깊이가 2일 때, 이 용기에 담겨 있는 물의 부피를 구하여라.

■ **풍쌤 POINT**

입체도형의 부피
➡ 단면의 넓이를 적분한다.

09 다음 물음에 답하여라.

(1) 그림과 같이 곡선 $y=\sqrt{\sin x}\ (0\le x\le\pi)$ 와 x축으로 둘러싸인 부분을 밑면으로 하는 입체도형을 x축에 수직인 평면으로 자른 단면이 정사각형일 때, 이 입체도형의 부피 V를 구하여라.

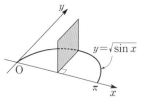

> 풀이　단면의 넓이 $S(x)$는
> $$S(x)=(\sqrt{\sin x})^2=\sin x$$
> 따라서 구하는 부피 V는
> $$V=\int_0^\pi S(x)dx=\int_0^\pi \sin x\,dx$$
> $$=\Big[\underline{\hspace{2cm}}\Big]_0^\pi$$
> $$=\underline{\hspace{1cm}}$$

(2) 그림과 같이 곡선 $y=\sqrt{x+1}$과 x축, y축과 직선 $x=1$로 둘러싸인 부분을 밑면으로 하는 입체도형을 x축에 수직인 평면으로 자른 단면이 정사각형일 때, 이 입체도형의 부피 V를 구하여라.

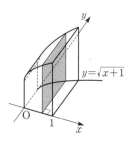

(3) $\dfrac{\pi}{4}\le x\le\dfrac{5}{4}\pi$에서 $x=t$일 때, x축에 수직인 평면으로 자른 단면이 한 변의 길이가 $\sin x-\cos x$인 정사각형일 때, 이 입체도형의 부피 V를 구하여라.

(4) 그림과 같이 곡선 $y=\dfrac{2}{x+1}$와 x축 및 직선 $x=2$로 둘러싸인 부분을 밑면으로 하는 입체도형을 x축에 수직인 평면으로 자른 단면이 정삼각형일 때, 이 입체도형의 부피 V를 구하여라.

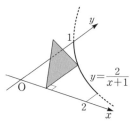

(5) 그림과 같이 곡선 $y=\cos x\left(0\le x\le\dfrac{\pi}{2}\right)$ 와 x축으로 둘러싸인 부분을 밑면으로 하는 입체도형을 x축에 수직인 평면으로 자른 단면이 정사각형일 때, 이 입체도형의 부피 V를 구하여라.

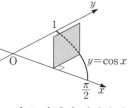

■ 풍쌤 POINT

입체도형의 부피는 다음의 순서로 구한다.
(ⅰ) 넓이를 적분할 x축을 잡는다.
(ⅱ) 구간 $[a,\ b]$의 임의의 점 x에서 x축에 수직으로 자른 단면의 넓이 $S(x)$를 구한다.
(ⅲ) $\int_a^b S(x)dx$를 계산한다.

좌표평면 위에서 점이 움직인 거리

❶ 수직선 위에서 점이 움직인 거리

수직선 위를 움직이는 점 P의 시각 t에서의 속도가 $v(t)$이고, 시각 $t=a$에서의 위치가 x_0일 때,

① 시각 t에서의 점 P의 위치 x는 $x=x_0+\int_a^t v(t)dt$

② 시각 $t=a$에서 $t=b$까지 점 P의 위치의 변화량은 $\int_a^b v(t)dt$

③ 시각 $t=a$에서 $t=b$까지 점 P가 움직인 거리 s는 $s=\int_a^b |v(t)|dt$

❷ 좌표평면 위에서 점이 움직인 거리

좌표평면 위를 움직이는 점 P의 시각 t에서의 위치 $(x,\ y)$가 $x=f(t)$, $y=g(t)$일 때, 시각 $t=a$에서 $t=b$까지 점 P가 움직인 거리를 s라고 하면

$$s=\int_a^b |v(t)|dt=\int_a^b \sqrt{\left(\frac{dx}{dt}\right)^2+\left(\frac{dy}{dt}\right)^2}\,dt=\int_a^b \sqrt{\{f'(t)\}^2+\{g'(t)\}^2}\,dt$$

> **보기** 원점을 출발하여 수직선 위를 움직이는 점 P의 시각 t에서의 속도가 $v(t)=2t$일 때, $t=0$부터 $t=1$까지 점 P가 움직인 거리는
>
> $\int_0^1 |2t|\,dt=\left[t^2\right]_0^1=1$

유형·09 수직선 위에서 점이 움직인 거리

🖋 정답과 풀이 108쪽

10 원점을 출발하여 수직선 위를 움직이는 점 P의 시각 t에서의 속도가 $v(t)=e^t-1$일 때, 다음을 구하여라.

(1) 시각 t에서 점 P의 위치

> 풀이　시각 $t=0$에서 점 P의 위치가 $x=0$이므로 구하는 위치는
>
> $x=0+\int_0^t (e^t-1)dt=\left[\underline{\quad\quad}\right]_0^t=\underline{\quad\quad}$

(2) 시각 $t=0$에서 $t=1$까지 점 P가 움직인 거리

> 풀이　$\int_0^1 |e^t-1|\,dt=\int_0^1 (e^t-1)dt=\left[\underline{\quad\quad}\right]_0^1=\underline{\quad\quad}$

11 원점을 출발하여 수직선 위를 움직이는 점 P의 시각 t에서의 속도가 $v(t)=\sin \pi t$일 때, 다음을 구하여라.

(1) 시각 t에서 점 P의 위치

(2) 시각 $t=0$에서 $t=2$까지 점 P가 움직인 거리

12 원점을 출발하여 수직선 위를 움직이는 점 P의 시각 t에서의 속도가 $v(t)=\cos \frac{\pi}{2}t$일 때, 다음을 구하여라.

(1) 시각 t에서 점 P의 위치

(2) 시각 $t=0$에서 $t=1$까지 점 P가 움직인 거리

📕 풍쌤 POINT

수직선 위를 움직이는 점 P의 시각 t에서의 속도를 $v(t)$, 위치를 $x(t)$라 하면

① 시각 $t=a$에서의 점 P의 위치는

$$x(a)=x(0)+\int_0^a v(t)dt$$

② 시각 $t=a$에서 $t=b$까지 점 P가 움직인 거리는

$$s=\int_a^b |v(t)|dt$$

13 좌표평면 위를 움직이는 점 $\mathrm{P}(x,\,y)$의 시각 t에서의 위치가 다음과 같을 때, $t=0$에서 $t=1$까지 점 P가 움직인 거리를 구하여라.

(1) $x=t,\ y=2t$

> ❯풀이 $\dfrac{dx}{dt}=1,\ \dfrac{dy}{dt}=2$이므로 $t=0$에서 $t=1$까지 점 P가 움직인 거리는

$$\int_0^1 \sqrt{\left(\dfrac{dx}{dt}\right)^2+\left(\dfrac{dy}{dt}\right)^2}\,dt=\int_0^1 \underline{\quad}\,dt=\Big[\underline{\quad}\Big]_0^1$$
$$=\underline{\quad}$$

(2) $x=t^2-1,\ y=3t^2$

(3) $x=\dfrac{1}{3}t^3-t,\ y=-t^2$

(4) $x=e^{2t},\ y=2e^{2t}$

(5) $x=\sin t,\ y=\cos t$

14 좌표평면 위를 움직이는 점 $\mathrm{P}(x,\,y)$의 시각 t에서의 위치가 다음과 같을 때, $t=0$에서 $t=\pi$까지 점 P가 움직인 거리를 구하여라.

(1) $x=\sin t+\cos t,\ y=\cos t-\sin t$

> ❯풀이 $\dfrac{dx}{dt}=\cos t-\sin t,\ \dfrac{dy}{dt}=-\sin t-\cos t$이므로 $t=0$에서 $t=\pi$까지 점 P가 움직인 거리는

$$\int_0^\pi \sqrt{\left(\dfrac{dx}{dt}\right)^2+\left(\dfrac{dy}{dt}\right)^2}\,dt=\int_0^\pi \underline{\quad}\,dt=\Big[\underline{\quad}\Big]_0^\pi$$
$$=\underline{\quad}$$

(2) $x=t^2,\ y=2t^2-1$

(3) $x=t^3,\ y=\dfrac{\sqrt{7}}{3}t^3$

(4) $x=2\sin^2 t,\ y=2\cos^2 t$

◼ 풍쌤 POINT

평면 위를 움직이는 점 $\mathrm{P}(x,\,y)$의 시각 t에서의 위치가 $x=f(t),\ y=g(t)$로 주어질 때, $t=a$에서 $t=b$까지 점 P가 움직인 거리는 다음의 순서로 구한다.

(ⅰ) $f'(t)=\dfrac{dx}{dt},\ g'(t)=\dfrac{dy}{dt}$ 를 구한다.

(ⅱ) $\displaystyle\int_a^b \sqrt{\{f'(t)\}^2+\{g'(t)\}^2}\,dt$의 값을 구한다.

곡선의 길이

1 곡선의 길이

① 매개변수로 나타낸 곡선 $x=f(t)$, $y=g(t)$의 $t=a$에서 $t=b$까지의 곡선의 길이 l은

$$l=\int_a^b \sqrt{\left(\frac{dx}{dt}\right)^2+\left(\frac{dy}{dt}\right)^2}\,dt$$

② $x=a$에서 $x=b$까지의 곡선 $y=f(x)$의 길이 l은

$$l=\int_a^b \sqrt{1+\{f'(x)\}^2}\,dx$$

▸ $y=2x$에서 $y'=2$이므로
$x=-1$에서 $x=1$까지 곡선
$y=2x$의 길이 l은

$$l=\int_{-1}^1 \sqrt{1+2^2}\,dx$$
$$=\int_{-1}^1 \sqrt{5}\,dx$$
$$=\left[\sqrt{5}x\right]_{-1}^1=2\sqrt{5}$$

유형·**11** 곡선의 길이

정답과 풀이 110쪽

15 다음 곡선의 길이를 구하여라.

(1) $t=0$에서 $t=1$까지 $x=\sqrt{2}t^2$, $y=2t^2$의 길이

▸ **풀이** $\dfrac{dx}{dt}=2\sqrt{2}t$, $\dfrac{dy}{dt}=4t$이므로 구하는 곡선의 길이는

$$\int_0^1 \sqrt{(2\sqrt{2}t)^2+(4t)^2}\,dt=\int_0^1 \underline{\quad\quad}\,dt=\Big[\underline{\quad\quad}\Big]_0^1$$
$$=\underline{\quad}$$

(2) $t=0$에서 $t=2$까지 $x=e^t+e^{-t}$, $y=-5$의 길이

(3) $t=0$에서 $t=\pi$까지 $x=\sin t$, $y=-\cos t$의 길이

(4) $t=\dfrac{1}{e}$에서 $t=e$까지 $x=\ln t$, $y=\dfrac{1}{2}\left(t+\dfrac{1}{t}\right)$의 길이

(5) $x=-1$에서 $x=1$까지 $y=-3x+2$의 길이

(6) $x=0$에서 $x=\dfrac{4}{3}$까지 $y=x\sqrt{x}$의 길이

(7) $x=0$에서 $x=2$까지 $y=\dfrac{1}{2}(e^x+e^{-x})$의 길이

(8) $x=1$에서 $x=e$까지 $y=\dfrac{1}{2}x^2-\dfrac{1}{4}\ln x$의 길이

✎ 풍쌤 POINT

① 점 P가 움직인 경로가 겹치지 않으면

➡ (점 P가 움직인 거리)=(점 P가 그리는 곡선의 길이)

② $y=f(x)$의 꼴로 주어진 곡선의 길이

➡ $x=t$, $y=f(t)$로 놓고 생각한다.

·중단원 점검문제·

정답과 풀이 111쪽

01

곡선 $y=\ln(x+a)$와 x축 및 y축으로 둘러싸인 도형의 넓이가 1일 때, 상수 a의 값을 구하여라. (단, $a>1$)

02

그림과 같이 곡선 $y=\sqrt[3]{x-1}$ 과 직선 $y=x-1$로 둘러싸인 도형의 넓이를 구하여라.

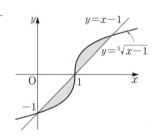

03

함수 $y=e^x$의 그래프와 x축, y축 및 직선 $x=2$로 둘러싸인 도형의 넓이가 직선 $y=kx$ $(0<k<e^2)$에 의하여 이등분될 때, 상수 k의 값을 구하여라.

04

곡선 $y=2^x$과 직선 $x=2$ 및 x축과 y축으로 둘러싸인 도형의 넓이를 A, 곡선 $y=\log_2 x$와 x축 및 직선 $x=4$로 둘러싸인 도형의 넓이를 B라 할 때, $A+B$의 값을 구하여라.

05

어떤 그릇에 높이가 x cm가 되도록 물을 넣으면 물의 부피는 $\dfrac{1}{\ln 3}(9^x+3^x-2)$ cm^{3}라 한다. 수면의 넓이가 21 cm^{2}일 때 채워진 물의 높이를 구하여라.

06

반지름의 길이가 2인 원을 밑면으로 하는 입체도형을 밑면의 한 지름에 수직인 평면으로 자른 단면이 정삼각형일 때, 이 입체도형의 부피를 구하여라.

07

원점을 출발하여 수직선 위를 움직이는 점 P의 시각 t에서의 속도가 $v(t)=(t-1)e^t$일 때, 시각 $t=0$에서 $t=2$까지 점 P가 움직인 거리를 구하여라.

08

$x=1$에서 $x=2$까지 $y=\dfrac{x^3}{6}+\dfrac{1}{2x}$의 길이를 구하여라.

I 수열의 극한

I-1 | 수열의 극한   006~017쪽

01 (1) 0   (2) 1   (3) 1   (4) 5

02 풀이 참조

03 (1) 발산   (2) 수렴, 0   (3) 발산   (4) 수렴, 0
    (5) 발산   (6) 발산

04 (1) 수렴, 0   (2) 발산   (3) 수렴, 2   (4) 발산   (5) 발산

05 (1) -1 (2) 3   (3) -2 (4) $-\dfrac{1}{2}$

06 (1) 3   (2) 5   (3) 1   (4) 2

07 (1) $\dfrac{1}{2}$ (2) $\dfrac{4}{3}$ (3) 0   (4) $\dfrac{1}{2}$

08 (1) $\dfrac{1}{2}$ (2) 3   (3) 2   **09** (1) 12   (2) 4   (3) -2

10 (1) $a=0,\ b=4$ (2) $a=0,\ b=-3$
    (3) $a=-\dfrac{1}{2},\ b=\dfrac{1}{2}$

11 (1) ∞ (2) $-\infty$ (3) 0   (4) ∞ (5) $\dfrac{1}{2}$

12 (1) 0   (2) 2   (3) $\dfrac{1}{2}$ (4) $\dfrac{1}{2}$

13 (1) 2   (2) $\dfrac{3}{4}$ (3) 1   (4) $2\sqrt{2}$

14 (1) -7 (2) $\dfrac{1}{4}$ (3) 20   (4) -3 (5) $-\dfrac{1}{2}$

15 (1) ×   (2) ×   (3) ×   (4) ○   (5) ○

16 (1) 1   (2) 4   (3) 3   (4) 6

17 (1) 1   (2) 2   (3) $\dfrac{5}{2}$

18 (1) 수렴   (2) 발산   (3) 발산   (4) 수렴   (5) 발산

19 (1) 발산   (2) 수렴   (3) 수렴   (4) 수렴   (5) 발산

20 (1) 수렴, 0   (2) 발산   (3) 수렴, 1
    (4) 수렴, -1 (5) 수렴, 1

21 (1) 2   (2) 1   (3) -4 (4) -1

22 (1) 3   (2) 9   (3) 7   (4) 1   (5) 1

23 (1) 0   (2) $\dfrac{1}{2}$ (3) 1

24 (1) $0<r<1$일 때 1, $r=1$일 때 0, $r>1$일 때 -1
    (2) $0<r<1$일 때 0, $r=1$일 때 0, $r>1$일 때 1

25 (1) $-\dfrac{1}{2}<x\leq\dfrac{1}{2}$ (2) $-3\leq x<3$ (3) $-4<x\leq-2$
    (4) $-2<x\leq6$ (5) $-\dfrac{6}{5}<x\leq\dfrac{4}{5}$ (6) $0\leq x\leq2$
    (7) $-3<x\leq-1$ (8) $x=4$ 또는 $1\leq x<3$
    (9) $x=3$ 또는 $-\dfrac{3}{2}<x\leq\dfrac{1}{2}$

중단원 점검문제 | I-1. 수열의 극한   018-019쪽

01 ㄱ, ㄹ   **02** -3 **03** -1 **04** -2

05 1   **06** 6   **07** $-\dfrac{1}{2}$ **08** -2

09 $-\dfrac{1}{3}$ **10** ㄴ   **11** 1   **12** -2

13 -7 **14** 5   **15** ㄱ, ㄷ

16 $x=-2$ 또는 $-1<x\leq0$

I-2 | 급수   020~032쪽

01 (1) 2   (2) $\dfrac{1}{4}$ (3) 0   (4) 1

02 (1) $\dfrac{n(n+1)}{2}$ (2) n^2 (3) $\dfrac{n}{n+1}$
    (4) $1-\left(\dfrac{1}{2}\right)^n$ (5) $\sqrt{n+1}-1$

03 (1) 수렴, 2   (2) 발산   (3) 발산
    (4) 수렴, $\dfrac{4}{3}$ (5) 발산

04 (1) 2   (2) $\dfrac{5}{2}$ (3) 9   (4) 8   (5) $\dfrac{1}{2}$

05 (1) $\dfrac{1}{2}$ (2) $\dfrac{1}{2}$ (3) $\dfrac{3}{4}$ (4) 2

06 (1) 발산   (2) 수렴, 1   (3) 수렴, 1   (4) 발산

07 (1) 발산   (2) 수렴, 0   (3) 발산   (4) 발산

08 풀이 참조

09 (1) 1   (2) -2 (3) $-\dfrac{1}{2}$ (4) 0   (5) -2
    (6) 0   (7) 0   (8) $\dfrac{4}{3}$ (9) $\dfrac{1}{3}$ (10) $\dfrac{1}{2}$

10 (1) 수렴   (2) 수렴   (3) 발산   (4) 수렴
    (5) 발산   (6) 수렴   (7) 발산   (8) 수렴

11 (1) 수렴, $\dfrac{5}{3}$ (2) 수렴, 32 (3) 수렴, 6

    (4) 발산 (5) 발산

12 (1) 5 (2) 7 (3) $\dfrac{1}{6}$ (4) $-\dfrac{2}{5}$ (5) $\dfrac{2}{3}$

13 (1) 2 (2) $\dfrac{3}{2}$ (3) $\dfrac{3}{2}$ (4) $\dfrac{5}{2}$

    (5) -2 (6) $\dfrac{18}{7}$ (7) $\dfrac{39}{10}$ (8) 5

14 (1) $-1<x<1$ (2) $-\dfrac{1}{2}<x<\dfrac{1}{2}$ (3) $-3<x<3$

    (4) $1<x<3$ (5) $-3<x<1$

15 (1) $-2<x\le0$ (2) $x=0$ 또는 $2<x<4$

    (3) $-1<x<1$ (4) $x<-1$ 또는 $x\ge1$

16 (1) $\dfrac{4}{33}$ (2) $\dfrac{47}{99}$ (3) $\dfrac{8}{45}$ (4) $\dfrac{23}{90}$

    (5) $\dfrac{124}{999}$ (6) $\dfrac{29}{111}$ (7) $\dfrac{56}{111}$ (8) $\dfrac{269}{330}$

17 2   **18** 2   **19** $\sqrt{2}+1$ **20** $\dfrac{1}{3}$

21 2   **22** $\dfrac{16}{3}\pi$

중단원 점검문제 I I -2. 급수	033-034쪽

01 4   **02** ㄴ   **03** $\dfrac{3}{4}$ **04** 1

05 -3 **06** $\dfrac{1}{4}$ **07** 162   **08** ㄱ, ㄷ

09 $\dfrac{4}{3}$ **10** ㄱ, ㄴ   **11** 2

12 $-4<x<-1$ 또는 $1<x<4$

13 $\dfrac{8}{9}$ **14** $\dfrac{9}{2}\pi$ **15** $8\pi-16$

Ⅱ 미분법

Ⅱ -1 I 여러 가지 함수의 미분	036~071쪽

01 (1) 1 (2) ∞ (3) 0 (4) 0 (5) 0

    (6) 1 (7) $-\infty$ (8) ∞ (9) 0 (10) 0

02 (1) 2 (2) ∞ (3) $-\infty$ (4) $-\infty$

    (5) 0 (6) -1 (7) 2 (8) 1

03 (1) e^2 (2) e^5 (3) $\sqrt{e}$ (4) e^2 (5) $\dfrac{1}{e^3}$

    (6) e^6 (7) $\sqrt{e}$ (8) $\dfrac{1}{e^3}$ (9) e (10) $\sqrt{e}$

04 (1) $\dfrac{1}{2}$ (2) 0 (3) 3 (4) $-\dfrac{1}{2}$ (5) 2 (6) $\sqrt{6}$ (7) 2

05 (1) e^2 (2) 1 (3) $\dfrac{1}{e}$ (4) $\ln 3$ (5) $\ln 2$

06 (1) 2 (2) 4 (3) $\dfrac{3}{2}$ (4) $\dfrac{3}{5}$

    (5) $-\dfrac{1}{3}$ (6) $-\dfrac{3}{5}$ (7) 2 (8) $\dfrac{3}{4}$

07 (1) 2 (2) 4 (3) $\dfrac{1}{2}$ (4) $\dfrac{3}{4}$ (5) $-\dfrac{2}{3}$

08 (1) $\dfrac{2}{\ln 10}$ (2) $\dfrac{4}{\ln 2}$ (3) $\dfrac{1}{5\ln 5}$ (4) $-\dfrac{2}{\ln 3}$ (5) $\dfrac{1}{3\ln 2}$

09 (1) $\dfrac{1}{2}\ln 3$ (2) $\dfrac{3}{5}\ln 2$ (3) $\dfrac{1}{\ln 2}$ (4) $\ln\dfrac{3}{2}$ (5) $\dfrac{1}{3}\ln 2$

10 (1) 1 (2) 2 (3) 1 (4) $-\dfrac{1}{\ln 2}$ (5) $\dfrac{1}{2}\ln 5$

11 (1) $y'=e^{x+1}$ (2) $y'=e^{x+3}$ (3) $y'=e^{x-2}$

    (4) $y'=4e^x$ (5) $y'=-e^{x+2}$

12 (1) $y'=(1+x)e^x$ (2) $y'=e^x+1$

    (3) $y'=e^x-6x$ (4) $y'=(x^2+2x)e^x$

    (5) $y'=(x^2+x-1)e^{x+1}$

13 (1) $y'=\dfrac{2^x\ln 2}{2}$ (2) $y'=3^{x+1}\ln 3$ (3) $y'=\dfrac{5^x\ln 5}{25}$

    (4) $y'=4^x\ln 4$ (5) $y'=-3^x$

14 (1) $y'=3^x(1+x\ln 3)$ (2) $y'=5^x\ln 5-1$

    (3) $y'=4^x\ln 4+2^x\ln 2$ (4) $y'=7^x(x^2\ln 7+2x)$

    (5) $y'=2^x\{(x-1)\ln 2+1\}$

15 (1) $\dfrac{e}{2}$ (2) e^2+1 (3) $7e^3$ (4) 0 (5) $-9\ln 3$

    (6) $10\ln 5$ (7) $\ln 2$ (8) 3

16 (1) $y'=\dfrac{2}{x}$ (2) $y'=-\dfrac{7}{x}$ (3) $y'=\dfrac{1}{x}$

    (4) $y'=\dfrac{3}{x}$ (5) $y'=-\dfrac{1}{x}$

17 (1) $y'=2\ln x+2+\dfrac{1}{x}$ (2) $y'=\dfrac{1}{x}+2x$ (3) $y'=\dfrac{1}{x}-5$

    (4) $y'=3\ln 5x+3-\dfrac{2}{x}$ (5) $y'=\dfrac{2\ln x}{x}$

18 (1) $y'=\dfrac{1}{x\ln 10}$ (2) $y'=\dfrac{1}{x\ln 5}$

(3) $y'=-\dfrac{2}{x\ln 2}$ (4) $y'=\dfrac{1}{x\ln 3}$

(5) $y'=\dfrac{2}{x\ln 2}$ (6) $y'=-\dfrac{1}{x\ln 3}$

19 (1) $y'=\log_7 x+\dfrac{1}{\ln 7}$ (2) $y'=\log_3 x+\dfrac{x+2}{x\ln 3}$

(3) $y'=\dfrac{1}{x}+\dfrac{1}{x\ln 10}$ (4) $y'=\dfrac{3}{2x\ln 2}$

(5) $y'=2^x\Big(\ln 2\log_5 x+\dfrac{1}{x\ln 5}\Big)$

20 (1) $\dfrac{2}{3}$ (2) $3e^2-\dfrac{1}{e}$ (3) $\ln 2+\dfrac{5}{2}$ (4) 1

(5) $-\dfrac{1}{3\ln 3}$ (6) $\dfrac{2}{\ln 10}$ (7) $\dfrac{1}{5\ln 5}$ (8) $3\Big(1+\dfrac{1}{\ln 2}\Big)$

21 (1) $a=1,\ b=e$ (2) $a=\dfrac{1}{2},\ b=e\sqrt{e}$

(3) $a=-1,\ b=-1$ (4) $a=\dfrac{1}{e},\ b=0$

(5) $a=3,\ b=0$ (6) $a=\dfrac{1}{\ln 3},\ b=2-\dfrac{1}{\ln 3}$

22 (1) $\csc\theta=2,\ \sec\theta=\dfrac{2\sqrt{3}}{3},\ \cot\theta=\sqrt{3}$

(2) $\csc\theta=\sqrt{2},\ \sec\theta=\sqrt{2},\ \cot\theta=1$

(3) $\csc\theta=\dfrac{2\sqrt{3}}{3},\ \sec\theta=-2,\ \cot\theta=-\dfrac{\sqrt{3}}{3}$

(4) $\csc\theta=-\dfrac{2\sqrt{3}}{3},\ \sec\theta=-2,\ \cot\theta=\dfrac{\sqrt{3}}{3}$

(5) $\csc\theta=-\sqrt{2},\ \sec\theta=-\sqrt{2},\ \cot\theta=1$

(6) $\csc\theta=-\sqrt{2},\ \sec\theta=\sqrt{2},\ \cot\theta=-1$

23 (1) $2\csc\theta$ (2) 1 (3) $2\sec\theta$ (4) 2

24 (1) $-\dfrac{3}{4}$ (2) -2 (3) $\dfrac{81}{16}$

25 (1) $\dfrac{\sqrt{6}+\sqrt{2}}{4}$ (2) $\dfrac{\sqrt{6}+\sqrt{2}}{4}$ (3) $\dfrac{\sqrt{6}-\sqrt{2}}{4}$

(4) $\dfrac{\sqrt{2}-\sqrt{6}}{4}$ (5) $\dfrac{\sqrt{6}+\sqrt{2}}{4}$ (6) $2+\sqrt{3}$

(7) $2-\sqrt{3}$

26 (1) $\dfrac{\sqrt{2}}{2}$ (2) 1 (3) $\dfrac{1}{2}$ (4) $\dfrac{\sqrt{2}}{2}$ (5) $\dfrac{\sqrt{3}}{2}$

(6) $\dfrac{1}{2}$ (7) $\sqrt{3}$ (8) 1 (9) $\dfrac{\sqrt{3}}{3}$

27 (1) $\dfrac{4}{3}$ (2) -1 (3) $\dfrac{1}{3}$ (4) 0 (5) -1

28 (1) $\dfrac{56}{65}$ (2) $-\dfrac{16}{65}$ (3) $\dfrac{33}{65}$ (4) $\dfrac{63}{65}$ (5) $\dfrac{56}{33}$ (6) $-\dfrac{16}{63}$

29 (1) $\dfrac{4\sqrt{15}-3\sqrt{10}}{25}$ (2) $-\dfrac{4\sqrt{15}+3\sqrt{10}}{25}$

(3) $-\dfrac{3\sqrt{15}+4\sqrt{10}}{25}$ (4) $\dfrac{4\sqrt{10}-3\sqrt{15}}{25}$

(5) $12-5\sqrt{6}$ (6) $-12-5\sqrt{6}$

30 (1) $\dfrac{\pi}{4}$ (2) $\dfrac{\pi}{4}$ (3) $\dfrac{\pi}{4}$

31 (1) $-\dfrac{3\sqrt{7}}{8}$ (2) $\dfrac{1}{8}$ (3) $-3\sqrt{7}$

32 (1) $\dfrac{24}{25}$ (2) $-\dfrac{7}{25}$ (3) $-\dfrac{24}{7}$

33 (1) $-\dfrac{8}{9}$ (2) $-\dfrac{9}{4}$

34 (1) $-\dfrac{3}{4}$ (2) $-\dfrac{8}{3}$

35 (1) $\dfrac{117}{128}$ (2) $\dfrac{5\sqrt{2}}{8}$ (3) $\dfrac{11}{16}$

36 (1) $\dfrac{2\sqrt{5}}{5}$ (2) $\dfrac{\sqrt{5}}{5}$ (3) 2

37 (1) $\dfrac{3-\sqrt{5}}{6}$ (2) $\dfrac{3+\sqrt{5}}{6}$ (3) $\dfrac{7-3\sqrt{5}}{2}$

38 (1) $\dfrac{2-\sqrt{2}}{4}$ (2) $\dfrac{2+\sqrt{2}}{4}$ (3) $3-2\sqrt{2}$

(4) $\dfrac{2-\sqrt{3}}{4}$ (5) $\dfrac{2+\sqrt{3}}{4}$ (6) $7-4\sqrt{3}$

39 (1) $2\sin\Big(x+\dfrac{\pi}{6}\Big)$ (2) $\sqrt{2}\sin\Big(x-\dfrac{\pi}{4}\Big)$

(3) $2\sin\Big(x+\dfrac{\pi}{4}\Big)$

40 (1) $2\cos\Big(x-\dfrac{\pi}{6}\Big)$ (2) $\sqrt{2}\cos\Big(x-\dfrac{\pi}{4}\Big)$

41 (1) $2\sin\Big(x+\dfrac{\pi}{3}\Big)$ (2) $2\sin\Big(x+\dfrac{3}{4}\pi\Big)$

(3) $2\sin\Big(x+\dfrac{2}{3}\pi\Big)$ (4) $2\sqrt{2}\sin\Big(x-\dfrac{\pi}{4}\Big)$

(5) $\sqrt{7}\sin(x+\alpha)\ \Big($단, $\sin\alpha=\dfrac{\sqrt{3}}{\sqrt{7}},\ \cos\alpha=\dfrac{2}{\sqrt{7}}\Big)$

(6) $\sqrt{7}\sin(x+\alpha)\ \Big($단, $\sin\alpha=\dfrac{5}{2\sqrt{7}},\ \cos\alpha=\dfrac{\sqrt{3}}{2\sqrt{7}}\Big)$

42 (1) 최댓값: 1, 최솟값: -1, 주기: 2π

(2) 최댓값: $\sqrt{2}$, 최솟값: $-\sqrt{2}$, 주기: 2π

(3) 최댓값: 2, 최솟값: -2, 주기: 2π

(4) 최댓값: 1, 최솟값: -1, 주기: 2π

(5) 최댓값: $\sqrt{3}$, 최솟값: $-\sqrt{3}$, 주기: 2π

(6) 최댓값: $\sqrt{7}$, 최솟값: $-\sqrt{7}$, 주기: 2π

43 (1) 최댓값: 7, 최솟값: -5, 주기: 2π

(2) 최댓값: $3+2\sqrt{2}$, 최솟값: $3-2\sqrt{2}$, 주기: 2π

(3) 최댓값: 6, 최솟값: 2, 주기: 2π

(4) 최댓값: $\sqrt{6}-2$, 최솟값: $-2-\sqrt{6}$, 주기: 2π

(5) 최댓값: 4, 최솟값: 0, 주기: 2π

(6) 최댓값: $5+4\sqrt{3}$, 최솟값: $5-4\sqrt{3}$, 주기: 2π

44 (1) $\dfrac{1}{2}$ (2) $\dfrac{\sqrt{2}}{2}$ (3) $\sqrt{3}$ (4) 1

(5) 0 (6) 0 (7) $-\dfrac{\sqrt{2}}{2}$ (8) $-\dfrac{\sqrt{3}}{2}$

45 (1) 0 (2) $-\dfrac{1}{2}$ (3) -1

46 (1) 2 (2) 2 (3) $\dfrac{1}{2}$ (4) $-2\sqrt{2}$ (5) 0 (6) 0

47 (1) $\dfrac{2}{3}$ (2) $\dfrac{5}{4}$ (3) 3 (4) 2

(5) $\dfrac{3}{2}$ (6) 6 (7) 2 (8) $\dfrac{7}{2}$

48 (1) 2 (2) 3 (3) $\dfrac{5}{3}$ (4) 2 (5) 1

49 (1) 0 (2) $\dfrac{1}{4}$ (3) 2 (4) 1 (5) $\dfrac{1}{2}$

50 (1) -1 (2) -1 (3) -2 (4) $-\dfrac{\pi}{2}$

51 (1) $a=-1$, $b=1$ (2) $a=1$, $b=1$

(3) $a=-2$, $b=2\pi$ (4) $a=2$, $b=1$

(5) $a=-1$, $b=1$ (6) $a=2$, $b=0$

(7) $a=1$, $b=4$ (8) $a=2$, $b=0$

(9) $a=1$, $b=-\dfrac{\pi}{2}$

52 2 **53** 2

54 (1) $y'=\cos x-\sin x$ (2) $y'=2\cos x$

(3) $y'=2\sin x$ (4) $y'=2+\cos x$

(5) $y'=2x+4\sin x$ (6) $y'=2\cos x-3\sin x$

(7) $y'=\cos x-x\sin x$ (8) $y'=2\sin x\cos x$

(9) $y'=e^x(\cos x-\sin x)$

55 (1) $-\pi$ (2) $\dfrac{\pi}{2}+\sqrt{2}$ (3) $\dfrac{5}{2}\sqrt{3}$ (4) -1

(5) 1 (6) 0 (7) $-2\sqrt{3}$ (8) 2

56 (1) $a=1$, $b=1$ (2) $a=1$, $b=0$ (3) $a=1$, $b=1$

(4) $a=1$, $b=1$ (5) $a=0$, $b=0$ (6) $a=2$, $b=0$

(7) $a=2$, $b=0$

01 0 **02** 4 **03** e **04** e

05 1 **06** $\dfrac{1}{2}$ **07** $\dfrac{3}{4}$ **08** 4

09 $\dfrac{\sqrt{2}}{2}$ **10** $\ln(e-1)$ **11** e^{e-1}

12 $a=\dfrac{1}{2\ln 10}+2$, $b=\dfrac{1}{2\ln 10}$

13 -3 **14** $\dfrac{1}{4}$ **15** $2\sin\theta$ **16** $\dfrac{1}{4}$

17 $-\dfrac{1}{2}$ **18** $\dfrac{119}{169}$ **19** $\dfrac{3}{2}$ **20** $\dfrac{3}{2}$

21 -1 **22** $\dfrac{1-4\sqrt{5}}{9}$ **23** $\dfrac{\sqrt{3}}{3}$ **24** 8

25 2 **26** 50 **27** 1 **28** 1

29 9 **30** 2 **31** $\dfrac{5}{12}\pi$ **32** -3π

Ⅱ-2 | 여러 가지 미분법　076~095쪽

01 (1) $y'=-\dfrac{5}{(2x-1)^2}$ (2) $y'=\dfrac{7}{(x+2)^2}$

(3) $y'=\dfrac{-x^2+1}{(x^2+1)^2}$ (4) $y'=\dfrac{2x^2+4x-3}{(x+1)^2}$

(5) $y'=-\dfrac{1}{(x+3)^2}$ (6) $y'=-\dfrac{x}{e^x}$

(7) $y'=\dfrac{\sin x-x\cos x-1}{x^2}$ (8) $y'=\dfrac{\ln x-1}{(\ln x)^2}$

02 (1) $y'=-\dfrac{6}{x^4}$ (2) $y'=-\dfrac{15}{x^6}$ (3) $y'=\dfrac{10}{x^3}$

(4) $y'=\dfrac{4}{x^5}$ (5) $y'=-\dfrac{3}{2x^7}$

03 (1) $y'=-\dfrac{2}{x^3}+1$ (2) $y'=-\dfrac{1}{x^2}+\dfrac{2}{x^3}$

(3) $y'=-\dfrac{4}{x^5}-\dfrac{3}{x^4}$ (4) $y'=-\dfrac{2}{x^2}+\dfrac{3}{x^4}$

(5) $y'=1+\dfrac{1}{x^2}-\dfrac{2}{x^3}$

04 (1) $y'=-3\sec^2 x$ (2) $y'=\dfrac{1}{2}\cos x$

(3) $y'=4\sin x$ (4) $y'=-5\csc x\cot x$

(5) $y'=-\sec x\tan x$ (6) $y'=\dfrac{1}{3}\csc^2 x$

05 (1) $y'=\sec x(2\sec x-\tan x)$

(2) $y'=-3\csc x\cot x+1$

(3) $y'=-\sec^2 x+e^x$

(4) $y'=-2\csc^2 x+3^x\ln 3$

(5) $y'=3\sec x\tan x-\dfrac{2}{x}$

(6) $y=\dfrac{1}{x\ln 10}-2\csc x\cot x$

(7) $y'=\sec^2 x+4\sin x$

(8) $y'=\sec x\tan x-\csc^2 x$

(9) $y'=\sec x\tan x+2\csc x\cot x$

(10) $y'=\sec x(-4\sec x+3\tan x)$

06 **(1)** $y'=-\csc x(\cot^2 x+\csc^2 x)$

(2) $y'=\sec x(1+x\tan x)$

(3) $y'=x\sec x(x\tan x+2)$

(4) $y'=e^x(\tan x+\sec^2 x)$

(5) $y'=\dfrac{\cot x}{x}-\ln x\times\csc^2 x$

(6) $y'=\sin x+\tan x\sec x$

(7) $y'=-\sin x\cot x-\cos x\csc^2 x$

(8) $y'=-2\sec^2 x$

(9) $y'=3\csc x\tan^2 x$

(10) $y'=5(-\csc^2 x+\sec^2 x)$

07 **(1)** $y'=\dfrac{\tan x-x\sec^2 x-1}{x^2}$ **(2)** $y'=\dfrac{\sec x(x\tan x-1)}{x^2}$

(3) $y'=\dfrac{x\sec^2 x-2\tan x}{x^3}$

(4) $y'=\dfrac{\cos x-\ln 2(1+\sin x)}{2^x}$

(5) $y'=\dfrac{\sec^2 x-\tan x}{e^x}$ **(6)** $y'=\dfrac{1}{1+\cos x}$

(7) $y'=-\dfrac{\sin x\tan x+\sin x+\sec x}{(\tan x+1)^2}$

(8) $y'=\dfrac{2\sec^2 x}{(1-\tan x)^2}$ **(9)** $y'=\dfrac{2\sin x}{(1+\cos x)^2}$

(10) $y'=\sec^2 x$

08 **(1)** $y'=8(2x+1)^3$

(2) $y'=3(x^2+x-1)^2(2x+1)$

(3) $y'=-\dfrac{9}{(3x-2)^4}$ **(4)** $y'=\dfrac{-4(6x+5)}{(3x^2+5x+2)^5}$

(5) $y'=(x+2)^4(7x^2+10x+2)$

(6) $y'=42x(2x-1)^2(3x+2)^3$

(7) $y'=3\left(x-\dfrac{1}{x}\right)^2\left(1+\dfrac{1}{x^2}\right)$ **(8)** $y'=4\left(x+\dfrac{2}{x}\right)^3\left(1-\dfrac{2}{x^2}\right)$

09 **(1)** $y'=-\cos x\sin(\sin x)$

(2) $y'=2\cos(2x+1)$

(3) $y'=(2x+2)\sec(x^2+2x)\tan(x^2+2x)$

(4) $y'=-3x^2\csc^2 x^3$

(5) $y'=\sec^2 x\cos(\tan x)$

(6) $y'=6\sin 3x\cos 3x$

(7) $y'=-4\cos(2x+3)\sin(2x+3)$

(8) $y'=3\tan^2 x\sec^2 x$

10 **(1)** $-\dfrac{7}{8}$ **(2)** $-\dfrac{4}{49}$ **(3)** 0 **(4)** $-\dfrac{1}{2}$

11 **(1)** 1 **(2)** 0 **(3)** 1 **(4)** 0

12 **(1)** $y'=(6x+1)e^{3x^2+x}$ **(2)** $y'=5e^{5x-2}$

(3) $y'=12e^{4x+1}$ **(4)** $y'=-2e^{\sin x}\cos x$

(5) $y'=7\times 2^{7x+5}\ln 2$ **(6)** $y'=4\times 5^{4x-1}\ln 5$

(7) $y'=(-2x+1)\times 2^{-x^2+x+3}\ln 2$

(8) $y'=-\sin x\times 3^{\cos x}\ln 3$

13 **(1)** $y'=\dfrac{2x+1}{x^2+x+1}$ **(2)** $y'=\dfrac{2}{2x+1}$

(3) $y'=\dfrac{2x-3}{x^2-3x}$ **(4)** $y'=\dfrac{\cos x}{\sin x}$

(5) $y'=\dfrac{e^x}{e^x+3}$ **(6)** $y'=\dfrac{2^x\ln 2}{2^x+1}$

(7) $y'=\dfrac{1}{x\ln 2}$ **(8)** $y'=\dfrac{3x^2}{(x^3-1)\ln 10}$

(9) $y'=-\dfrac{\tan x}{\ln 5}$ **(10)** $y'=\dfrac{e^x}{(e^x+1)\ln 3}$

(11) $y'=\dfrac{3^x\ln 3}{(3^x+4)\ln 2}$

14 **(1)** $y'=x^x(\ln x+1)$ **(2)** $y'=4x^{4x}(\ln x+1)$

(3) $y'=2x^{\ln x-1}\ln x$

(4) $y'=x^{\sin x}\left(\cos x\ln x+\dfrac{\sin x}{x}\right)$

15 **(1)** $y'=\dfrac{2(x+1)(x^2-3x-1)}{(x-2)^2}$

(2) $y'=\dfrac{2(x+5)}{(x+2)^3}$

(3) $y'=\dfrac{(x-1)^2(3x^2+4x+2)}{x^2}$

(4) $y'=\dfrac{(x-1)(-x^2+3x+2)}{x^3(x+1)^2}$

16 **(1)** $y'=\dfrac{2}{\sqrt{4x+3}}$ **(2)** $y'=\dfrac{2}{5\sqrt[5]{x^3}}$ **(3)** $y'=-\dfrac{3}{4x\sqrt[4]{x^3}}$

(4) $y'=-\dfrac{3}{2x^2\sqrt{x}}$ **(5)** $y'=\dfrac{3}{2}\sqrt{2x}$ **(6)** $y'=\dfrac{7}{3}x^3\sqrt{x}$

(7) $y'=\dfrac{1}{2\sqrt{x+1}}$ **(8)** $y'=\dfrac{2}{3\sqrt[3]{(2x-5)^2}}$

(9) $y'=\sqrt{2}x^{\sqrt{2}-1}$ **(10)** $y'=-\pi x^{-\pi-1}$

17 **(1)** $\dfrac{dy}{dx}=\dfrac{3t^2+2}{-2t+1}$ $\left(\text{단, }t\neq\dfrac{1}{2}\right)$ **(2)** $\dfrac{dy}{dx}=-8(t-1)^3$

(3) $\dfrac{dy}{dx}=\dfrac{t^2+1}{t^2-1}$ $(\text{단, }t\neq\pm 1)$ **(4)** $\dfrac{dy}{dx}=-\tan t$

(5) $\dfrac{dy}{dx}=e^t$ **(6)** $\dfrac{dy}{dx}=2t^2$

18 (1) $2xy-x+y=0$ $\left(\text{단}, x\neq-\dfrac{1}{2}\right)$

(2) $3x-y+4=0$

(3) $xy+y-2=0$ (단, $x\neq-1$)

(4) $xy+x+3y-1=0$ (단, $x\neq-3$)

(5) $x-y^2=0$ (단, $y\geq0$)

(6) $y^2+3x-1=0$ (단, $y\geq0$)

(7) $x^2+y^2-1=0$ (단, $y\geq0$)

(8) $x^3y^2-1=0$ (단, $x\neq0$)

19 (1) $\dfrac{dy}{dx}=-\dfrac{x}{y}$ (단, $y\neq0$)　(2) $\dfrac{dy}{dx}=-\dfrac{y}{x}$ (단, $x\neq0$)

(3) $\dfrac{dy}{dx}=-\dfrac{y}{2x}$ (단, $x\neq0$)　(4) $\dfrac{dy}{dx}=\dfrac{2}{y}$ (단, $y\neq0$)

(5) $\dfrac{dy}{dx}=\dfrac{x}{y}$ (단, $y\neq0$)　(6) $\dfrac{dy}{dx}=\dfrac{2x-y}{x-1}$ (단, $x\neq1$)

(7) $\dfrac{dy}{dx}=\dfrac{2x-y}{x-2y}$ (단, $x-2y\neq0$)

(8) $\dfrac{dy}{dx}=-\dfrac{\sqrt{y}}{\sqrt{x}}$ (단, $x\neq0$)　(9) $\dfrac{dy}{dx}=-\dfrac{9x}{4y}$ (단, $y\neq0$)

(10) $\dfrac{dy}{dx}=-\dfrac{2x+5y}{5x+2y}$ (단, $5x+2y\neq0$)

20 (1) $\dfrac{dy}{dx}=\dfrac{1}{2\sqrt{x-1}}$ (단, $x\geq1$)

(2) $\dfrac{dy}{dx}=\dfrac{1}{3\sqrt[3]{x^2}}$ (단, $x\neq0$)

(3) $\dfrac{dy}{dx}=\dfrac{1}{2\sqrt[4]{(2x+3)^3}}$ $\left(\text{단}, x\neq-\dfrac{3}{2}\right)$

(4) $\dfrac{dy}{dx}=-\dfrac{1}{6y}$ (단, $y\neq0$)

(5) $\dfrac{dy}{dx}=\dfrac{1}{3y^2-1}$ (단, $3y^2-1\neq0$)

(6) $\dfrac{dy}{dx}=-\dfrac{3}{x^2}$ (단, $x\neq0$)

(7) $\dfrac{dy}{dx}=\dfrac{\sqrt{2y}}{3y}$ (단, $y\neq0$)

21 (1) $\dfrac{1}{12}$　(2) $\dfrac{1}{2}$　(3) $\dfrac{1}{8}$　(4) $\dfrac{1}{3}$　(5) 1

(6) $\sqrt{2}$　(7) $-\dfrac{2}{3}\sqrt{3}$　(8) $\dfrac{1}{2}$

22 (1) $y''=108(3x-1)^2$　(2) $y''=12x^2+6$

(3) $y''=\dfrac{8}{(2x+1)^3}$　(4) $y''=-\dfrac{1}{4\sqrt{(x-1)^3}}$

(5) $y''=9e^{-3x}$　(6) $y''=(x^2+4x+2)e^x$

(7) $y''=-\dfrac{1}{x^2}$　(8) $y''=-\dfrac{1}{x}-\dfrac{1}{x^2}$

(9) $y''=-\cos x$

23 (1) -24　(2) 74　(3) $\dfrac{2}{27}$　(4) $e+\dfrac{1}{e}$　(5) -9

24 (1) 0　(2) -1　(3) 2　(4) 0

01 $a=-2$, $b=1$　**02** -3　**03** 2

04 $\dfrac{1}{2}$　**05** $-3\sqrt{3}$　**06** $-\dfrac{3}{2}$　**07** -2

08 1　**09** 2　**10** $\dfrac{4}{3}$　**11** 37

12 $-\dfrac{1}{2}$　**13** 2　**14** -2　**15** 0

16 2

Ⅱ-3 ㅣ 도함수의 활용　098~122쪽

01 (1) $y=-\pi x+\pi^2$　(2) $y=\dfrac{1}{2}x+\dfrac{1}{2}$

(3) $y=x+1$　(4) $y=x-1$

(5) $y=1$　(6) $y=-x+3$

02 (1) $y=\dfrac{1}{2}x$　(2) $y=3x-1$　(3) $y=-2x+\pi$

(4) $y=x-1$　(5) $y=2x-e$　(6) $y=\dfrac{1}{4}x+1$

03 (1) $y=x-1$　(2) $y=-x+2$　(3) $y=\dfrac{1}{2}x+\dfrac{1}{2}$

(4) $y=-ex$　(5) $y=\dfrac{1}{e^2}x+1$

04 (1) $\dfrac{5}{4}$　(2) $\dfrac{1}{2e}$　(3) $-\dfrac{1}{e}$　(4) -1　(5) 2

05 (1) $x<-1$에서 감소, $x>-1$에서 증가

(2) $0<x<\dfrac{2}{3}\pi$ 또는 $\dfrac{4}{3}\pi<x<2\pi$에서 증가,

$\dfrac{2}{3}\pi<x<\dfrac{4}{3}\pi$에서 감소

06 (1) $-2\sqrt{2}\leq a\leq2\sqrt{2}$　(2) $-\sqrt{2}\leq a\leq\sqrt{2}$　(3) $a\geq1$

07 (1) $a\geq\dfrac{1}{4}$　(2) $-2\leq a\leq2$　(3) $a\leq-\dfrac{\sqrt{3}}{3}$

08 (1) 극댓값: -2, 극솟값: 2

(2) 극댓값: $\dfrac{1}{2}$, 극솟값: $-\dfrac{1}{2}$

(3) 극댓값: 없다., 극솟값: 1

(4) 극댓값: -1, 극솟값: 없다.

(5) 극댓값: 없다., 극솟값: $-\dfrac{1}{e}$

(6) 극댓값: 없다., 극솟값: 0

09 (1) 극댓값: $(2+2\sqrt{2})e^{-\sqrt{2}}$, 극솟값: $(2-2\sqrt{2})e^{\sqrt{2}}$

(2) 극댓값: 없다., 극솟값: -1

(3) 극댓값: 없다., 극솟값: $\dfrac{1}{2}(1+\ln 2)$

(4) 극댓값: 2, 극솟값: -2

10 (1) $a<2$　(2) $a<0$　(3) $0<a<\dfrac{1}{4}$　(4) $a<\dfrac{5}{4}$

11 (1) $-2\le a\le 2$　(2) $a\ge \dfrac{5}{4}$　(3) $a\le -2$ 또는 $a\ge 2$

12 (1) $\left(-1,\ \dfrac{1}{2}\right),\ \left(1,\ \dfrac{1}{2}\right)$　　(2) $(-1,\ 9)$

　　(3) $(0,\ 4),\ (1,\ 5)$　　(4) $(-1,\ 0)$

　　(5) $\left(-1,\ \dfrac{1}{4}\right),\ \left(1,\ \dfrac{1}{4}\right)$

　　(6) $\left(-\dfrac{\sqrt{2}}{2},\ \dfrac{1}{\sqrt{e}}\right),\ \left(\dfrac{\sqrt{2}}{2},\ \dfrac{1}{\sqrt{e}}\right)$　(7) $\left(-2,\ -\dfrac{2}{e^2}\right)$

　　(8) $(-\sqrt{3},\ \ln 6),\ (\sqrt{3},\ \ln 6)$

　　(9) $(\pi,\ \pi)$　　(10) $\left(\dfrac{\pi}{4},\ 0\right),\ \left(\dfrac{3}{4}\pi,\ 0\right)$

13 (1) $a=-2,\ b=5$　　(2) $a=3,\ b=-2$

　　(3) $a=-1,\ b=3,\ c=-2$　(4) $a=\dfrac{1}{3},\ b=-2,\ c=\dfrac{14}{3}$

14 풀이 참조　　**15** 풀이 참조　　**16** 풀이 참조

17 (1) 최댓값: 1, 최솟값: -1　(2) 최댓값: $\dfrac{9}{2}$, 최솟값: $2\sqrt{2}$

　　(3) 최댓값: 2, 최솟값: 0　(4) 최댓값: $\dfrac{1}{2}$, 최솟값: $-\dfrac{1}{2}$

18 (1) 최댓값: $e-1$, 최솟값: 1

　　(2) 최댓값: $\dfrac{1}{e}$, 최솟값: 0

　　(3) 최댓값: $\dfrac{e^3}{5}$, 최솟값: $\dfrac{e\sqrt{e}}{2}$

　　(4) 최댓값: 1, 최솟값: $-e^2$

　　(5) 최댓값: $\ln 10$, 최솟값: 0

　　(6) 최댓값: $\dfrac{5}{\ln 5}$, 최솟값: e

19 (1) 최댓값: $\dfrac{\pi}{2}$, 최솟값: $-\dfrac{3}{2}\pi$

　　(2) 최댓값: $\sqrt{3}-\dfrac{\pi}{3}$, 최솟값: $-\pi$

　　(3) 최댓값: π, 최솟값: -2π

　　(4) 최댓값: 1, 최솟값: 0

　　(5) 최댓값: $\dfrac{3\sqrt{3}}{4}$, 최솟값: $-\dfrac{3\sqrt{3}}{4}$

　　(6) 최댓값: $\dfrac{\sqrt{2}e^{\frac{\pi}{4}}}{2}$, 최솟값: 0

20 (1) 2　(2) 2　(3) 0　(4) 0　(5) 1

21 (1) $a>e$　　(2) $0<a<1$　　(3) $a>1$

　　(4) $a<-1$　　(5) $0<a<\dfrac{1}{2e}$

22 풀이 참조

23 (1) $a\le 2$　　(2) $a\le 1$　　(3) $a>-e$

　　(4) $a<-1$　　(5) $0<a<e$　　(6) $a\ge 0$

24 (1) 속도: $2\ln 2+\dfrac{5}{2}$, 가속도: $2\ln 2+\dfrac{7}{4}$

　　(2) 속도: $e+1$, 가속도: e

25 (1) $\dfrac{3}{4}\pi$　(2) $0,\ 2$

26 (1) 속도: $(4t-1,\ 2t+3)$, 속력: $\sqrt{20t^2+4t+10}$

　　(2) 속도: $(3,\ 4)$, 속력: 5

　　(3) 속도: $(2t+1,\ t)$, 속력: $\sqrt{5t^2+4t+1}$

　　(4) 속도: $(\cos t,\ -\sin t)$, 속력: 1

27 (1) 가속도: $(-2,\ 6)$, 가속도의 크기: $2\sqrt{10}$

　　(2) 가속도: $(e^t,\ -e^t)$, 가속도의 크기: $\sqrt{2}e^t$

　　(3) 가속도: $(-\sin t,\ \cos t)$, 가속도의 크기: 1

28 (1) 속도: $(12,\ 26)$, 가속도: $(4,\ 18)$

　　(2) 속도: $(4,\ 7)$, 가속도: $(0,\ 2)$

　　(3) 속도: $\left(\dfrac{1}{4},\ 3\right)$, 가속도: $\left(-\dfrac{1}{32},\ \dfrac{3}{8}\right)$

　　(4) 속도: $(1,\ -4)$, 가속도: $(0,\ 16)$

　　(5) 속도: $(e+1,\ 2e^2-2)$, 가속도: $(e,\ 4e^2)$

　　(6) 속도: $(\ln 2+1,\ 2)$, 가속도: $\left(\dfrac{1}{2},\ 2\right)$

　　(7) 속도: $(2,\ 0)$, 가속도: $(0,\ -4)$

　　(8) 속도: $\left(0,\ -\dfrac{3}{2}\pi\right)$, 가속도: $\left(\dfrac{3}{4}\pi^2,\ 0\right)$

중단원 점검문제 | Ⅱ-3. 도함수의 활용　　123-124쪽

01 $\dfrac{2}{3}e$　　**02** -1　　**03** $\ln 3$　　**04** e

05 6　　**06** 4　　**07** -1　　**08** π

09 $2e$　　**10** $\dfrac{e^2}{4}$　　**11** ㄱ, ㄷ　　**12** $1-\dfrac{1}{e^\pi}$

13 $\dfrac{2}{e}$　　**14** $0<a<\dfrac{e^2}{4}$　**15** 2　　**16** $\sqrt{5}$

Ⅲ 적분법

Ⅲ-1 | 여러 가지 적분법　　126~141쪽

01 (1) $-\dfrac{1}{2x^2}+C$　　　(2) $-\dfrac{1}{4x^4}+C$

　　(3) $(\sqrt{2}-1)x^{\sqrt{2}+1}+C$　(4) $-\dfrac{1}{3x^3}+C$

　　(5) $2\ln|x|+C$　　　(6) $\dfrac{2}{3}x\sqrt{x}+C$

　　(7) $\dfrac{5}{7}x^5\sqrt[5]{x^2}+C$　　(8) $\dfrac{2}{5}x^2\sqrt{x}+C$

(9) $\dfrac{3}{2}\sqrt[3]{x^2}+C$ (10) $-\dfrac{2}{x\sqrt{x}}+C$

02 (1) $\dfrac{1}{2}x^2+\ln|x|+C$ (2) $\dfrac{1}{2}x^2+\dfrac{2}{3}x\sqrt{x}+C$

    (3) $x^2-2\sqrt{x}+C$ (4) $\dfrac{3}{2}x^2+\dfrac{1}{x}+C$

    (5) $\dfrac{1}{2}x^2+2x-\ln|x|+C$ (6) $x-2\ln|x|+C$

    (7) $\dfrac{2}{3}x\sqrt{x}+x+C$ (8) $x-\dfrac{1}{x}+2\ln|x|+C$

    (9) $\dfrac{1}{3}x^3-\dfrac{1}{x}-2x+C$ (10) $\dfrac{1}{2}x^2+2x+\ln|x|+C$

    (11) $x-4\sqrt{x}+\ln|x|+C$

03 (1) $e^{x-1}+C$ (2) $e^{x+2}+C$ (3) $2e^x+C$ (4) $3e^{x-3}+C$

    (5) $\dfrac{e^{2x}}{2}+C$ (6) $\dfrac{2^x}{\ln 2}+C$ (7) $-\dfrac{1}{3^x\ln 3}+C$

    (8) $-\dfrac{1}{25^x\ln 25}+C$ (9) $\dfrac{2\times 4^x}{\ln 2}+C$ (10) 7^x+C

04 (1) $e^x-\dfrac{1}{2^x\ln 2}+C$ (2) $2e^x-\dfrac{3^x}{\ln 3}+C$

    (3) $e^{x+1}-\dfrac{4^x}{\ln 4}+C$ (4) $e^{x+3}+\ln|x|+C$

    (5) $\dfrac{3^x}{\ln 3}+C$ (6) $\dfrac{4^x}{\ln 4}+\dfrac{2^{x+1}}{\ln 2}+x+C$

    (7) $\dfrac{25^{2x}-1}{25^x\ln 25}-2x+C$ (8) $\dfrac{e^{2x}}{2}-x+C$

    (9) e^x+x+C (10) $\dfrac{3^x}{\ln 3}+x+C$

    (11) $e^x+3x+\ln|x|+C$

05 (1) $-\cot x+C$ (2) $\tan x+C$
    (3) $-\csc x+C$ (4) $3\sin x-2\cos x+C$
    (5) $\sin x+\cot x+C$ (6) $\tan x+\sec x+C$
    (7) $-\csc x+\cot x+C$ (8) $\tan x+x+C$
    (9) $x-\cot x+C$

06 (1) $x+\sin x+C$ (2) $\tan x+C$
    (3) $\sin x+C$ (4) $-\cos x-2\sin x+C$
    (5) $-\cot x+C$ (6) $\tan x-x+C$
    (7) $-\cot x-x+C$ (8) $-\cot x+x+C$
    (9) $\tan x-\cot x+C$ (10) $\tan x-\sec x+C$

07 (1) $\dfrac{1}{3}(2x-1)^3+C$ (2) $\dfrac{1}{4}(x+1)^4+C$

    (3) $\dfrac{1}{2}(x^2-2)^2+C$ (4) $\left(\dfrac{1}{5}x+2\right)^5+C$

    (5) $\dfrac{1}{3}(x^4-1)^3+C$ (6) $\dfrac{1}{4}(x^2+3x)^4+C$

    (7) $\dfrac{1}{6}(x^3-2x+3)^6+C$ (8) $\dfrac{1}{4}(x^2-2x-1)^2+C$

08 (1) $2\sqrt{x^2+1}+C$ (2) $\dfrac{2}{9}(3x+4)\sqrt{3x+4}+C$

    (3) $-\dfrac{2}{3}(5-x)\sqrt{5-x}+C$

(4) $\dfrac{2}{5}(x-1)^2\sqrt{x-1}+\dfrac{2}{3}(x-1)\sqrt{x-1}+C$

(5) $2\sqrt{x+1}+C$ (6) $\dfrac{1}{3}(x^2+5)\sqrt{x^2+5}+C$

(7) $\dfrac{2}{3}(x^2+5x)\sqrt{x^2+5x}+C$ (8) $2\sqrt{x^3+x+2}+C$

(9) $\dfrac{2}{3}(1-x)\sqrt{1-x}-4\sqrt{1-x}+C$

09 (1) $2e^x+C$ (2) $-e^{-x}+C$
    (3) $\dfrac{1}{3}(e^x-1)^3+C$ (4) $\dfrac{2}{3}(e^x+2)\sqrt{e^x+2}+C$

10 (1) $\dfrac{1}{2}(\ln x)^2+C$ (2) $\dfrac{1}{3}(\ln x)^3+C$

    (3) $\dfrac{1}{2}\{\ln(x+1)\}^2+C$

    (4) $\dfrac{2}{3}(\ln 2+2)\sqrt{\ln x+2}+C$

11 (1) $-\dfrac{1}{3}\cos 3x+C$ (2) $-\dfrac{1}{5}\cos(5x-2)+C$

    (3) $\dfrac{1}{2}\sin(2x+1)+C$ (4) $\dfrac{1}{3}\sin^3 x+C$

    (5) $-\dfrac{1}{4}\cos^4 x+C$ (6) $\dfrac{1}{2}\tan^2 x+C$

    (7) $\dfrac{1}{3}(1-\cos x)^3+C$ (8) $-\dfrac{1}{3}\sin^3 x+\sin x+C$
    (9) $e^{\sin x}+C$ (10) $-\cos(\ln x)+C$

12 (1) $\ln(x^2+x+1)+C$ (2) $\ln|x^2-1|+C$

    (3) $-\dfrac{1}{2}\ln(x^2-2x+3)+C$ (4) $\ln|x^3-1|+C$

13 (1) $-\ln|\cos x|+C$ (2) $\ln(1+e^x)+C$

    (3) $\ln(e^x+e^{-x})+C$ (4) $\dfrac{\ln(2^x+1)}{\ln 2}+C$

    (5) $\ln|\ln x|+C$ (6) $2\ln|\ln 2x|+C$

    (7) $\ln(2+\sin x)+C$ (8) $\dfrac{1}{2}\ln|2\cos x-1|+C$

    (9) $\ln|\sin x|+C$

14 (1) $\dfrac{1}{2}x^2-x+\ln|x+1|+C$ (2) $\dfrac{1}{2}x^2+3x+C$

    (3) $\dfrac{1}{3}x^3-\dfrac{1}{2}x^2+x+C$

    (4) $\dfrac{1}{2}x^2+\ln|x+2|+C$

    (5) $\dfrac{1}{2}x^2+x+4\ln|x-1|+C$

    (6) $\dfrac{1}{2}x^2+x+\dfrac{3}{2}\ln|2x+1|+C$

15 (1) $\ln\left|\dfrac{x}{x+1}\right|+C$ (2) $\ln\left|\dfrac{x+1}{x+2}\right|+C$

    (3) $\dfrac{1}{4}\ln\left|\dfrac{x-1}{x+3}\right|+C$ (4) $\ln\left|\dfrac{x-1}{x+1}\right|+C$

    (5) $2\ln|x-3|-\ln|x+2|+C$

    (6) $\dfrac{1}{2}\ln|2x+1|+2\ln|x-2|+C$

    (7) $2\ln|x+2|-\ln|x+1|+C$

(8) $\dfrac{3}{2}\ln|x-4|-\dfrac{1}{2}\ln|x-2|+C$

(9) $\ln|x-1|+\dfrac{2}{3}\ln|3x+1|+C$

16 (1) $(x-1)e^x+C$ (2) $(x+2)e^x+C$

(3) $(-x-1)e^{-x}+C$

(4) $\left(\dfrac{1}{2}x^2-x\right)\ln x-\dfrac{1}{4}x^2+x+C$

(5) $\dfrac{1}{3}x^3\ln x-\dfrac{1}{9}x^3+C$ (6) $x\ln x-x+C$

(7) $x\sin x+\cos x+C$

(8) $-(2x+1)\cos x+2\sin x+C$

(9) $-\dfrac{1}{2}(x-3)\cos 2x+\dfrac{1}{4}\sin 2x+C$

17 (1) $2x\sin x-(x^2-2)\cos x+C$

(2) $(x^2-2)\sin x+2x\cos x+C$

(3) $(x^2-2x+2)e^x+C$

(4) $(x^2-2x+3)e^x+C$

(5) $\dfrac{1}{2}x^2(\ln x)^2-\dfrac{1}{2}x^2\ln x+\dfrac{1}{4}x^2+C$

(6) $x(\ln x)^2-2x\ln x+2x+C$

(7) $\dfrac{1}{2}e^x(\sin x-\cos x)+C$

(8) $\dfrac{1}{5}e^{2x}(2\sin x-\cos x)+C$

중단원 점검문제 | Ⅲ-1. 여러 가지 적분법　142-143쪽

01 $\dfrac{4}{3}-\dfrac{1}{3}e^3$ **02** 9 **03** $\ln 4$

04 $f(x)=\dfrac{1}{2}e^{2x}-e^x+1$ **05** $2\pi+2$

06 -1 **07** 1 **08** $\dfrac{1}{2}$

09 $x=-1$ 또는 $x=1$ **10** $f(x)=\dfrac{1}{2}(\ln x)^2+\dfrac{1}{2}$

11 $\ln|1+\tan x|+C$ **12** $3\ln 4-2\ln 3$

13 $\ln\left|\dfrac{x-1}{x+2}\right|+C$ **14** 6

15 1 **16** $\dfrac{3}{2}$

Ⅲ-2 | 정적분　144~163쪽

01 (1) $\dfrac{3}{8}$ (2) 2 (3) 2 (4) e (5) $2\ln 3-\ln 5$

02 (1) 2 (2) $-\dfrac{31}{3}$ (3) $-\dfrac{1}{10}$ (4) $\dfrac{8}{3}$ (5) $\dfrac{17}{6}$

03 (1) $\dfrac{1}{2}(e^{2\pi}-1)$ (2) $\dfrac{14}{\ln 2}$ (3) $\dfrac{40}{3\ln 3}$

---

(4) $e-\dfrac{1}{e}$ (5) $\dfrac{255}{64\ln 2}+2$

04 (1) 1 (2) $\sqrt{3}$ (3) $\dfrac{\pi}{2}-1$ (4) $\dfrac{1}{4}$ (5) $-1+\sqrt{3}$

05 (1) $\dfrac{9}{\ln 3}-\dfrac{1}{3\ln 3}+3$ (2) $\ln 4$ (3) 2 (4) $\dfrac{40}{3}$

(5) 0 (6) $10-e^3$ (7) $\ln 2+\dfrac{1}{2}$ (8) $2\sqrt{3}$

06 (1) $\dfrac{1}{3}$ (2) $3-\dfrac{\pi}{2}$ (3) $1-\dfrac{1}{e^2}+\ln 2$ (4) $\pi-2+\dfrac{1}{\ln 2}$

07 (1) 0 (2) 1 (3) 0 (4) 0 (5) $\dfrac{\pi^3}{12}-2$

(6) 0 (7) $2e-\dfrac{2}{e}$ (8) 0

08 (1) 0 (2) 0 (3) 0 (4) $\sqrt{3}$ **09** (1) 6 (2) 9 (3) 30

10 (1) 2 (2) $2e^3-2$ (3) 0 **11** (1) 2 (2) 2 (3) 4 (4) $\dfrac{4}{3}$

12 (1) $\dfrac{4\sqrt{2}-2}{3}$ (2) $\dfrac{1}{6}$ (3) $\ln 3-\ln 2$ (4) $\dfrac{52}{3}$

(5) $\dfrac{4\sqrt{2}-2}{3}$ (6) e^2-e (7) $e-1$ (8) -2

(9) $\dfrac{3}{2}$ (10) $\ln 2$ (11) $\sqrt{e}-1$ (12) $-\dfrac{1}{2}$

13 (1) π (2) $\dfrac{\pi}{4}$ (3) $\dfrac{\pi}{2}$ (4) $\dfrac{\pi}{6}$

14 (1) $\dfrac{\pi}{4}$ (2) $\dfrac{\pi}{8}$ (3) $\dfrac{\pi}{18}$

15 (1) $\dfrac{1}{2}\ln 5$ (2) $\ln 2$ (3) $\ln\dfrac{e^2+2}{e+1}$ (4) $\ln 2$ (5) $\dfrac{1}{2}\ln 2$

16 (1) 1 (2) $\dfrac{3}{4}e^2-\dfrac{1}{4}$ (3) $\dfrac{1}{4}e^2+\dfrac{1}{4}$

(4) 1 (5) $1-\dfrac{3}{e^2}$ (6) 1 (7) $e-2$

17 (1) $f(x)=e^x+\dfrac{1}{2e}-\dfrac{1}{2}$ (2) $f(x)=e^{-x}+x+\dfrac{1}{e^2}-3$

(3) $f(x)=\sin x+\dfrac{2}{1-\pi}$

18 (1) $f(x)=e^x+2(e-1)x$ (2) $f(x)=e^{-x}+\left(\dfrac{2}{3e^2}-\dfrac{2}{3}\right)x$

(3) $f(x)=\sin x-2\cos x$

19 (1) $f(x)=\sin x-1$ (2) $f(x)=\cos x+\dfrac{\sqrt{2}}{4}$

(3) $f(x)=e^x+2$

20 (1) $f(x)=2e^{2x}+1$ (2) $f(x)=2\cos x$

(3) $f(x)=\dfrac{1}{x}+2$ (4) $f(x)=2e^{2x}-1$

(5) $f(x)=\cos x-3e^x$ (6) $f(x)=\ln x+2$

(7) $f(x)=6^x \ln 6-2^x \ln 2-3^x \ln 3$

(8) $f(x)=2(e^{2x}-e^x)$

(9) $f(x)=2(\sin^2 x-\cos^2 x)$ (10) $f(x)=\dfrac{2x}{e^x}$

21 (1) $f(x)=(x+1)e^x-e$ (2) $f(x)=\dfrac{1}{2}(\ln x)^2+\ln x$

(3) $f(x)=2x\ln x-x$

22 (1) $f(x)=e^x$ (2) $f(x)=e^x+\sin x$ (3) $f(x)=4e^{2x}$

23 (1) $-\dfrac{1}{4}$ (2) 0

24 (1) $e+1$ (2) e (3) 1 (4) 4 (5) $e+1$ (6) 1

25 $\dfrac{h}{n},\ \dfrac{h}{n},\ \dfrac{h}{n},\ \dfrac{h}{n},\ \dfrac{h}{n},\ \dfrac{ah(n+1)}{2n},\ \dfrac{ah}{2}$

26 $\dfrac{(n+1)(2n+1)}{6n^2},\ \dfrac{1}{3}$

27 $\dfrac{\pi r^2 h(n+1)(2n+1)}{6n^2},\ \dfrac{1}{3}\pi r^2 h$

28 $\dfrac{h}{n},\ \dfrac{a^2 h(n+1)(2n+1)}{6n^2},\ \dfrac{1}{3}a^2 h$

29 (1) $\dfrac{7}{3}$ (2) 0 (3) $\dfrac{15}{2}$ (4) $e-1$ (5) $\dfrac{4}{\ln 3}$ (6) 2

30 (1) $\dfrac{1}{2}$ (2) $\dfrac{1}{3}$ (3) $\dfrac{1}{4}$ (4) $\dfrac{14}{3}$

(5) $\dfrac{175}{4}$ (6) $\dfrac{13}{3}$ (7) $\dfrac{7}{3}$ (8) $\dfrac{13}{3}$

중단원 점검문제 | Ⅲ-2. 정적분   164-165쪽

01 8 **02** 2 **03** $3+\pi-\dfrac{1}{e}$

04 0 **05** $\dfrac{32\sqrt{2}}{9}$ **06** 1 **07** $\dfrac{2}{3}$

08 $\dfrac{1}{4}$ **09** -1 **10** 1 **11** $\dfrac{3}{2}$

12 $\dfrac{3}{2}+2\ln 2$ **13** -2π **14** ④

15 -2 **16** ㄱ, ㄴ, ㄷ

Ⅲ-3 | 정적분의 활용   166~175쪽

01 (1) 4 (2) 1 (3) $\dfrac{16}{3}$ (4) $e-1$

(5) $3\ln 3-2$ (6) 2 (7) $\dfrac{3}{2\ln 2}$

---

02 (1) $\dfrac{7}{3}$ (2) $\ln 3$ (3) $1-\dfrac{2}{e}$ (4) $e-1$ (5) $\dfrac{16}{3}$

(6) $4\ln 2$ (7) $e-2$

03 (1) $\dfrac{1}{3}$ (2) $\dfrac{3}{2}-2\ln 2$ (3) $\dfrac{1}{6}$ (4) $e+\dfrac{1}{e}-2$

(5) $2\sqrt{2}$ (6) $e-\dfrac{3}{2}$ (7) 2

04 (1) 2 (2) $\ln 2$ (3) $\dfrac{1}{4}$

05 (1) $\dfrac{e}{2}-1$ (2) $\dfrac{e}{2}-1$ (3) $\dfrac{2}{3}$

06 (1) e (2) $\dfrac{\pi}{4}$ **07** (1) $\dfrac{1}{3}$ (2) $\dfrac{2}{3}$

08 (1) $\dfrac{10}{3}\sqrt{5}$ (2) $2-\dfrac{\pi^2}{2}$ (3) $\dfrac{80}{\ln 3}-e^4+1$

(4) $6\sqrt{3}$ (5) 1 (6) $\dfrac{16}{3}\pi$

09 (1) 2 (2) $\dfrac{3}{2}$ (3) π (4) $\dfrac{2\sqrt{3}}{3}$ (5) $\dfrac{\pi}{4}$

10 (1) e^t-t-1 (2) $e-2$

11 (1) $-\dfrac{1}{\pi}\cos \pi t+\dfrac{1}{\pi}$ (2) $\dfrac{4}{\pi}$

12 (1) $\dfrac{2}{\pi}\sin \dfrac{\pi}{2}t$ (2) $\dfrac{2}{\pi}$

13 (1) $\sqrt{5}$ (2) $\sqrt{10}$ (3) $\dfrac{4}{3}$ (4) $\sqrt{5}(e^2-1)$ (5) 1

14 (1) $\sqrt{2}\pi$ (2) $\sqrt{5}\pi^2$ (3) $\dfrac{4}{3}\pi^3$ (4) $4\sqrt{2}$

15 (1) $\sqrt{6}$ (2) $e^2+\dfrac{1}{e^2}-2$ (3) π (4) $e-\dfrac{1}{e}$

(5) $2\sqrt{10}$ (6) $\dfrac{56}{27}$ (7) $\dfrac{1}{2}\left(e^2-\dfrac{1}{e^2}\right)$ (8) $\dfrac{1}{2}e^2-\dfrac{1}{4}$

중단원 점검문제 | Ⅲ-3. 정적분의 활용   176쪽

01 e **02** $\dfrac{1}{2}$ **03** $\dfrac{1}{4}(e^2-1)$

04 8 **05** $1\,\text{cm}$ **06** $\dfrac{32\sqrt{3}}{3}$ **07** $2e-2$

08 $\dfrac{17}{12}$

고등 풍산자와 함께하면
개념부터 ~ 고난도 문제까지!
어떤 시험 문제도 익숙해집니다!

고등 풍산자 1등급 로드맵

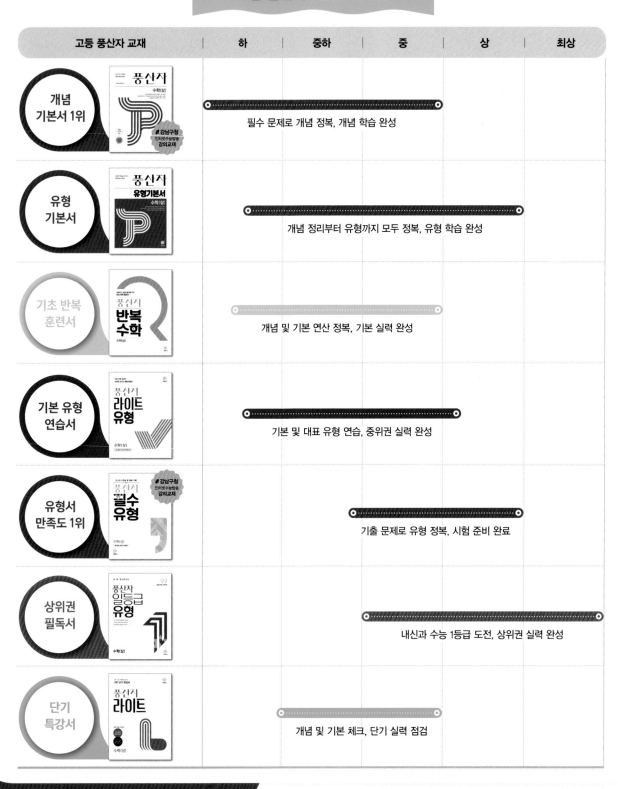

고등 풍산자 교재	하	중하	중	상	최상
개념 기본서 1위 — 풍산자 수학(상)	필수 문제로 개념 정복, 개념 학습 완성				
유형 기본서 — 풍산자 유형기본서 수학(상)		개념 정리부터 유형까지 모두 정복, 유형 학습 완성			
기초 반복 훈련서 — 풍산자 반복수학 수학(상)	개념 및 기본 연산 정복, 기본 실력 완성				
기본 유형 연습서 — 풍산자 라이트유형 수학(상)		기본 및 대표 유형 연습, 중위권 실력 완성			
유형서 만족도 1위 — 풍산자 필수유형 수학(상)			기출 문제로 유형 정복, 시험 준비 완료		
상위권 필독서 — 풍산자 일등급유형 수학(상)			내신과 수능 1등급 도전, 상위권 실력 완성		
단기 특강서 — 풍산자 라이트 수학(상)		개념 및 기본 체크, 단기 실력 점검			

정확하고 빠른 풀이를 위한
연산 반복 훈련서

풍산자
반복
수학

미적분

정답과 풀이

지학사

풍산자 반복수학

미적분

정답과 풀이

I
수열의 극한

01 답 (1) 0   (2) 1   (3) 1   (4) 5

풀이 (1) 주어진 수열의 일반항

을 a_n이라 하면 $a_n = \dfrac{1}{n}$

오른쪽 그래프에서 n이 한없

이 커질 때 a_n의 값은 0에 한

없이 가까워지므로

$\lim\limits_{n\to\infty} a_n = 0$

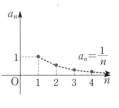

(2) 주어진 수열의 일반항을 a_n이

라 하면 $a_n = \dfrac{n}{n+1}$

오른쪽 그래프에서 n이 한없

이 커질 때 a_n의 값은 1에 한없이 가까워지므로

$\lim\limits_{n\to\infty} a_n = 1$

(3) 주어진 수열의 일반항을 a_n이

라 하면 $a_n = 1 - \dfrac{1}{n}$

오른쪽 그래프에서 n이 한없

이 커질 때 a_n의 값은 1에 한없이 가까워지므로

$\lim\limits_{n\to\infty} a_n = 1$

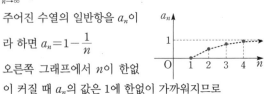

(4) 주어진 수열의 일반항을 a_n이라 하

면 $a_n = 5$

오른쪽 그래프에서 n이 한없이 커질

때 a_n의 값은 5에 한없이 가까워지

므로

$\lim\limits_{n\to\infty} a_n = 5$

02 답 풀이 참조

풀이 (1) 주어진 수열의 일반항을

a_n이라 하면 $a_n = n$

오른쪽 그래프에서 n이 한없이

커질 때 a_n의 값은 한없이 커지

므로

$\lim\limits_{n\to\infty} a_n = \infty$(발산)

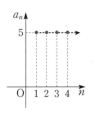

(2) 주어진 수열의 일반항을 a_n이라 하면

$a_n = 15 - 5n$

오른쪽 그래프에서 n이 한없이 커질 때

a_n의 값은 음수이면서 그 절댓값이 한

없이 커지므로

$\lim\limits_{n\to\infty} a_n = -\infty$(발산)

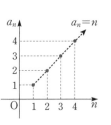

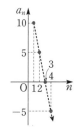

(3) 주어진 수열의 일반항을 a_n이라 하면

$a_n = 2^n$

오른쪽 그래프에서 n이 한없이 커질 때

a_n의 값은 한없이 커지므로

$\lim\limits_{n\to\infty} a_n = \infty$(발산)

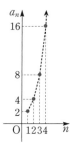

(4) 주어진 수열의 일반항을 a_n이

라 하면 $a_n = (-1)^n$

오른쪽 그래프에서 n이 한없

이 커질 때 a_n의 값은 일정한

수에 수렴하지도 않고, 양의

무한대 또는 음의 무한대로 발산하지도 않으므로 진동한

다. 따라서 이 수열은 발산(진동)한다.

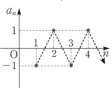

03 답 (1) 발산   (2) 수렴, 0   (3) 발산   (4) 수렴, 0
    (5) 발산   (6) 발산

풀이 (1) 주어진 수열의 일반항을 a_n이라 하면 $a_n = n^2$

n이 한없이 커질 때 a_n의 값은 한없이 커지므로 이 수열

은 양의 무한대로 발산한다.

(2) 주어진 수열의 일반항을 a_n이라 하면 $a_n = \dfrac{1}{2n}$

n이 한없이 커질 때 a_n의 값은 0에 한없이 가까워지므로

이 수열은 수렴하고, 그 극한값은 0이다.

(3) 주어진 수열의 일반항을 a_n이라 하면 $a_n = 1 + (-1)^n$

n이 한없이 커질 때 a_n의 값은 0, 2, 0, 2, …와 같이 일

정한 수에 수렴하지도 않고, 양의 무한대 또는 음의 무

한대로 발산하지도 않으므로 진동한다. 따라서 이 수열

은 발산(진동)한다.

(4) 주어진 수열의 일반항을 a_n이라 하면 $a_n = -\left(\dfrac{2}{3}\right)^{n-1}$

n이 한없이 커질 때 a_n의 값은 0에 한없이 가까워지므로

이 수열은 수렴하고, 그 극한값은 0이다.

(5) 주어진 수열의 일반항을 a_n이라 하면 $a_n = 10 - 4n$

n이 한없이 커질 때 a_n의 값은 음수이면서 그 절댓값이

한없이 커지므로 이 수열은 음의 무한대로 발산한다.

(6) 주어진 수열의 일반항을 a_n이라 하면 $a_n = n(n+1)$

n이 한없이 커질 때 a_n의 값은 한없이 커지므로 이 수열

은 양의 무한대로 발산한다.

04 답 (1) 수렴, 0   (2) 발산   (3) 수렴, 2   (4) 발산   (5) 발산

풀이 (1) n이 한없이 커질 때 $\dfrac{1}{2n+1}$의 값은 0에 한없이 가

까워지므로 수열 $\left\{\dfrac{1}{2n+1}\right\}$은 수렴하고, 그 극한값은 0

이다.

$\therefore \lim\limits_{n\to\infty} \dfrac{1}{2n+1} = 0$

(2) n이 한없이 커질 때 $n^2 + 4n$의 값은 한없이 커지므로 수

열 $\{n^2 + 4n\}$은 양의 무한대로 발산한다.

$\therefore \lim\limits_{n\to\infty} (n^2 + 4n) = \infty$

(3) n이 한없이 커질 때 $2-\left(\dfrac{1}{5}\right)^n$의 값은 2에 한없이 가까워지므로 수열 $\left\{2-\left(\dfrac{1}{5}\right)^n\right\}$은 수렴하고, 그 극한값은 2이다.

$\therefore \displaystyle\lim_{n\to\infty}\left\{2-\left(\dfrac{1}{5}\right)^n\right\}=2$

(4) n이 한없이 커질 때 $\dfrac{-n^2+1}{3n}$의 값은 음수이면서 그 절댓값이 한없이 커지므로 수열 $\left\{\dfrac{-n^2+1}{3n}\right\}$은 음의 무한대로 발산한다.

$\therefore \displaystyle\lim_{n\to\infty}\dfrac{-n^2+1}{3n}=-\infty$

(5) n이 한없이 커질 때 $n\times(-1)^n$의 값은 -1, 2, -3, 4, $\cdots$와 같이 일정한 수에 수렴하지도 않고, 양의 무한대 또는 음의 무한대로 발산하지도 않으므로 진동한다. 따라서 이 수열은 발산(진동)한다.

05 답 (1) -1 (2) 3 (3) -2 (4) $-\dfrac{1}{2}$

풀이 (1) $\displaystyle\lim_{n\to\infty}(a_n+b_n)=\lim_{n\to\infty}a_n+\lim_{n\to\infty}b_n=1+(-2)=\underline{-1}$

(2) $\displaystyle\lim_{n\to\infty}(a_n-b_n)=\lim_{n\to\infty}a_n-\lim_{n\to\infty}b_n=1-(-2)=3$

(3) $\displaystyle\lim_{n\to\infty}a_nb_n=\lim_{n\to\infty}a_n\times\lim_{n\to\infty}b_n=1\times(-2)=-2$

(4) $\displaystyle\lim_{n\to\infty}\dfrac{a_n}{b_n}=\dfrac{\lim\limits_{n\to\infty}a_n}{\lim\limits_{n\to\infty}b_n}=-\dfrac{1}{2}$

06 답 (1) 3 (2) 5 (3) 1 (4) 2

풀이 (1) $\displaystyle\lim_{n\to\infty}\left(3+\dfrac{4}{n}\right)=\lim_{n\to\infty}3+4\lim_{n\to\infty}\dfrac{1}{n}=3+4\times0=\underline{3}$

(2) $\displaystyle\lim_{n\to\infty}\left(5-\dfrac{1}{n}\right)=\lim_{n\to\infty}5-\lim_{n\to\infty}\dfrac{1}{n}=5-0=5$

(3) $\displaystyle\lim_{n\to\infty}\left(1+\dfrac{3}{n}\right)\left(1-\dfrac{3}{n}\right)=\lim_{n\to\infty}\left(1+\dfrac{3}{n}\right)\lim_{n\to\infty}\left(1-\dfrac{3}{n}\right)$
$=1\times1=1$

(4) $\displaystyle\lim_{n\to\infty}\dfrac{4+\dfrac{2}{n}+\dfrac{1}{n^2}}{2-\dfrac{5}{n}}=\dfrac{\lim\limits_{n\to\infty}\left(4+\dfrac{2}{n}+\dfrac{1}{n^2}\right)}{\lim\limits_{n\to\infty}\left(2-\dfrac{5}{n}\right)}=\dfrac{4}{2}=2$

07 답 (1) $\dfrac{1}{2}$ (2) $\dfrac{4}{3}$ (3) 0 (4) $\dfrac{1}{2}$

풀이 (1) n으로 분모, 분자를 각각 나누면

$\displaystyle\lim_{n\to\infty}\dfrac{n-1}{2n+1}=\lim_{n\to\infty}\dfrac{1-\dfrac{1}{n}}{2+\dfrac{1}{n}}=\dfrac{1-0}{2+0}=\underline{\dfrac{1}{2}}$

(2) n^2으로 분모, 분자를 각각 나누면

$\displaystyle\lim_{n\to\infty}\dfrac{4n^2+3}{3n^2+n}=\lim_{n\to\infty}\dfrac{4+\dfrac{3}{n^2}}{3+\dfrac{1}{n}}=\dfrac{4+0}{3+0}=\dfrac{4}{3}$

(3) n^2으로 분모, 분자를 각각 나누면

$\displaystyle\lim_{n\to\infty}\dfrac{-3n+2}{(n+1)(n+3)}=\lim_{n\to\infty}\dfrac{-3n+2}{n^2+4n+3}$

$=\displaystyle\lim_{n\to\infty}\dfrac{-\dfrac{3}{n}+\dfrac{2}{n^2}}{1+\dfrac{4}{n}+\dfrac{3}{n^2}}=\dfrac{0+0}{1+0+0}=0$

(4) $\sqrt{n}$으로 분모, 분자를 각각 나누면

$\displaystyle\lim_{n\to\infty}\dfrac{\sqrt{n}}{\sqrt{n+2}+\sqrt{n}}=\lim_{n\to\infty}\dfrac{\sqrt{1}}{\sqrt{1+\dfrac{2}{n}}+\sqrt{1}}=\dfrac{1}{1+1}=\dfrac{1}{2}$

08 답 (1) $\dfrac{1}{2}$ (2) 3 (3) 2

풀이 (1) $1+2+3+\cdots+n=\displaystyle\sum_{k=1}^{n}k=\dfrac{n(n+1)}{2}$이므로

$\displaystyle\lim_{n\to\infty}\dfrac{1+2+3+\cdots+n}{n^2}=\lim_{n\to\infty}\dfrac{\dfrac{n(n+1)}{2}}{n^2}$

$=\displaystyle\lim_{n\to\infty}\dfrac{n+1}{2n}=\underline{\dfrac{1}{2}}$

(2) $1^2+2^2+3^2+\cdots+n^2=\displaystyle\sum_{k=1}^{n}k^2$
$=\dfrac{n(n+1)(2n+1)}{6}$

이므로

$\displaystyle\lim_{n\to\infty}\dfrac{n^3}{1^2+2^2+3^2+\cdots+n^2}=\lim_{n\to\infty}\dfrac{6n^3}{n(n+1)(2n+1)}$

$=3$

(3) $\left(1+\dfrac{1}{2}\right)\left(1+\dfrac{1}{3}\right)\left(1+\dfrac{1}{4}\right)\cdots\left(1+\dfrac{1}{n+1}\right)$

$=\dfrac{3}{2}\times\dfrac{4}{3}\times\dfrac{5}{4}\times\cdots\times\dfrac{n+2}{n+1}=\dfrac{n+2}{2}$

이므로

$\displaystyle\lim_{n\to\infty}\dfrac{n}{\left(1+\dfrac{1}{2}\right)\left(1+\dfrac{1}{3}\right)\left(1+\dfrac{1}{4}\right)\cdots\left(1+\dfrac{1}{n+1}\right)}$

$=\displaystyle\lim_{n\to\infty}\dfrac{2n}{n+2}=2$

09 답 (1) 12 (2) 4 (3) -2

풀이 (1) $\displaystyle\lim_{n\to\infty}\dfrac{an-1}{4n+2}=\lim_{n\to\infty}\dfrac{a-\dfrac{1}{n}}{4+\dfrac{2}{n}}=\dfrac{a}{4}$

즉, $\dfrac{a}{4}=3$이므로 $a=\underline{12}$

(2) $\displaystyle\lim_{n\to\infty}\dfrac{2(2n+3)(n-2)}{an^2+1}=\lim_{n\to\infty}\dfrac{4n^2-2n-12}{an^2+1}$

$=\displaystyle\lim_{n\to\infty}\dfrac{4-\dfrac{2}{n}-\dfrac{12}{n^2}}{a+\dfrac{1}{n^2}}=\dfrac{4}{a}$

즉, $\dfrac{4}{a}=1$이므로 $a=4$

(3) $\displaystyle\lim_{n\to\infty}\dfrac{an^2-2n+3}{(n+4)^2}=\lim_{n\to\infty}\dfrac{an^2-2n+3}{n^2+8n+16}$

$=\displaystyle\lim_{n\to\infty}\dfrac{a-\dfrac{2}{n}+\dfrac{3}{n^2}}{1+\dfrac{8}{n}+\dfrac{16}{n^2}}=a$

$\therefore a=-2$

10 답 (1) $a=0$, $b=4$ (2) $a=0$, $b=-3$

(3) $a=-\dfrac{1}{2}$, $b=\dfrac{1}{2}$

풀이 (1) $\displaystyle\lim_{n\to\infty}\dfrac{an^2+bn+1}{2n-3}$ 에서 $a\neq0$이면 발산하므로 $a=0$

(좌변)$=\displaystyle\lim_{n\to\infty}\dfrac{bn+1}{2n-3}=\dfrac{b}{2}=2$

$\therefore b=4$

(2) $\displaystyle\lim_{n\to\infty}\dfrac{bn^2-4n+3}{an^3+n^2-1}$ 에서 $a\neq0$이면

$\displaystyle\lim_{n\to\infty}\dfrac{bn^2-4n+3}{an^3+n^2-1}=0$이므로

$a=0$

(좌변)$=\displaystyle\lim_{n\to\infty}\dfrac{bn^2-4n+3}{n^2-1}=b$

$\therefore b=-3$

(3) $\displaystyle\lim_{n\to\infty}\dfrac{(a+b)n^2+bn}{\sqrt{9n^2+4n+1}}$ 에서 $a+b\neq0$이면 발산하므로

$a+b=0$ …… ㉠

(좌변)$=\displaystyle\lim_{n\to\infty}\dfrac{bn}{\sqrt{9n^2+4n+1}}$

$\qquad=\displaystyle\lim_{n\to\infty}\dfrac{b}{\sqrt{9+\dfrac{4}{n}+\dfrac{1}{n^2}}}=\dfrac{b}{3}=\dfrac{1}{6}$

$\therefore b=\dfrac{1}{2}$

$b=\dfrac{1}{2}$을 ㉠에 대입하면 $a=-\dfrac{1}{2}$

11 답 (1) ∞ (2) $-\infty$ (3) 0 (4) ∞ (5) $\dfrac{1}{2}$

풀이 (1) $\displaystyle\lim_{n\to\infty}(n^2-2n)=\lim_{n\to\infty}n^2\Big(1-\dfrac{2}{n}\Big)$

이때 $\displaystyle\lim_{n\to\infty}n^2=\infty$, $\displaystyle\lim_{n\to\infty}\Big(1-\dfrac{2}{n}\Big)=1$이므로

$\displaystyle\lim_{n\to\infty}(n^2-2n)=\underline{\infty}$

(2) $\displaystyle\lim_{n\to\infty}n\Big(n-\dfrac{1}{5}n^2\Big)=\lim_{n\to\infty}n^2\Big(1-\dfrac{1}{5}n\Big)$

이때 $\displaystyle\lim_{n\to\infty}n^2=\infty$, $\displaystyle\lim_{n\to\infty}\Big(1-\dfrac{1}{5}n\Big)=-\infty$이므로

$\displaystyle\lim_{n\to\infty}n\Big(n-\dfrac{1}{5}n^2\Big)=-\infty$

(3) 분모를 1로 보고 분자를 유리화하면

$\displaystyle\lim_{n\to\infty}(n-\sqrt{n^2+1})=\lim_{n\to\infty}\dfrac{n-\sqrt{n^2+1}}{1}$

$\qquad=\displaystyle\lim_{n\to\infty}\dfrac{(n-\sqrt{n^2+1})(n+\sqrt{n^2+1})}{n+\sqrt{n^2+1}}$

$\qquad=\displaystyle\lim_{n\to\infty}\dfrac{-1}{n+\sqrt{n^2+1}}=0$

(4) 분모를 유리화하면

$\displaystyle\lim_{n\to\infty}\dfrac{1}{\sqrt{n+3}-\sqrt{n}}=\lim_{n\to\infty}\dfrac{\sqrt{n+3}+\sqrt{n}}{(\sqrt{n+3}-\sqrt{n})(\sqrt{n+3}+\sqrt{n})}$

$\qquad=\displaystyle\lim_{n\to\infty}\dfrac{\sqrt{n+3}+\sqrt{n}}{3}=\infty$

(5) 분모를 유리화하면

$\displaystyle\lim_{n\to\infty}\dfrac{1}{\sqrt{n(n+4)}-n}$

$\qquad=\displaystyle\lim_{n\to\infty}\dfrac{\sqrt{n(n+4)}+n}{\{\sqrt{n(n+4)}-n\}\{\sqrt{n(n+4)}+n\}}$

$\qquad=\displaystyle\lim_{n\to\infty}\dfrac{\sqrt{n(n+4)}+n}{n(n+4)-n^2}=\lim_{n\to\infty}\dfrac{\sqrt{n^2+4n}+n}{4n}$

$\qquad=\displaystyle\lim_{n\to\infty}\dfrac{\sqrt{1+\dfrac{4}{n}}+1}{4}=\dfrac{1+1}{4}=\dfrac{1}{2}$

12 답 (1) 0 (2) 2 (3) $\dfrac{1}{2}$ (4) $\dfrac{1}{2}$

풀이 (1) $\displaystyle\lim_{n\to\infty}(\sqrt{n+2}-\sqrt{n+1})$

$\qquad=\displaystyle\lim_{n\to\infty}\dfrac{(\sqrt{n+2}-\sqrt{n+1})(\sqrt{n+2}+\sqrt{n+1})}{\sqrt{n+2}+\sqrt{n+1}}$

$\qquad=\displaystyle\lim_{n\to\infty}\dfrac{1}{\sqrt{n+2}+\sqrt{n+1}}=\underline{0}$

(2) $\displaystyle\lim_{n\to\infty}(\sqrt{n^2+2n}-\sqrt{n^2-2n})$

$\qquad=\displaystyle\lim_{n\to\infty}\dfrac{(\sqrt{n^2+2n}-\sqrt{n^2-2n})(\sqrt{n^2+2n}+\sqrt{n^2-2n})}{\sqrt{n^2+2n}+\sqrt{n^2-2n}}$

$\qquad=\displaystyle\lim_{n\to\infty}\dfrac{4n}{\sqrt{n^2+2n}+\sqrt{n^2-2n}}$

$\qquad=\displaystyle\lim_{n\to\infty}\dfrac{4}{\sqrt{1+\dfrac{2}{n}}+\sqrt{1-\dfrac{2}{n}}}$

$\qquad=\dfrac{4}{1+1}=2$

(3) $\displaystyle\lim_{n\to\infty}(\sqrt{n^2+n+1}-n)$

$\qquad=\displaystyle\lim_{n\to\infty}\dfrac{(\sqrt{n^2+n+1}-n)(\sqrt{n^2+n+1}+n)}{\sqrt{n^2+n+1}+n}$

$\qquad=\displaystyle\lim_{n\to\infty}\dfrac{n+1}{\sqrt{n^2+n+1}+n}$

$\qquad=\displaystyle\lim_{n\to\infty}\dfrac{1+\dfrac{1}{n}}{\sqrt{1+\dfrac{1}{n}+\dfrac{1}{n^2}}+1}$

$\qquad=\dfrac{1}{1+1}=\dfrac{1}{2}$

(4) $\displaystyle\lim_{n\to\infty}\dfrac{1}{\sqrt{n^2+4n}-n}=\lim_{n\to\infty}\dfrac{\sqrt{n^2+4n}+n}{(\sqrt{n^2+4n}-n)(\sqrt{n^2+4n}+n)}$

$\qquad=\displaystyle\lim_{n\to\infty}\dfrac{\sqrt{n^2+4n}+n}{4n}$

$\qquad=\displaystyle\lim_{n\to\infty}\dfrac{\sqrt{1+\dfrac{4}{n}}+1}{4}$

$\qquad=\dfrac{1+1}{4}=\dfrac{1}{2}$

13 답 (1) 2 (2) $\dfrac{3}{4}$ (3) 1 (4) $2\sqrt{2}$

풀이 (1) (좌변)$=\displaystyle\lim_{n\to\infty}\dfrac{(\sqrt{n^2+an}-n)(\sqrt{n^2+an}+n)}{\sqrt{n^2+an}+n}$

$$=\lim_{n\to\infty}\frac{an}{\sqrt{n^2+an}+n}=\lim_{n\to\infty}\frac{a}{\sqrt{1+\dfrac{a}{n}}+1}$$

$$=\frac{a}{2}$$

즉, $\dfrac{a}{2}=1$이므로 $a=2$

(2) (좌변)$=\lim_{n\to\infty}\dfrac{a(\sqrt{4n^2-n}+2n)}{(\sqrt{4n^2-n}-2n)(\sqrt{4n^2-n}+2n)}$

$$=\lim_{n\to\infty}\frac{a(\sqrt{4n^2-n}+2n)}{-n}$$

$$=\lim_{n\to\infty}\frac{a\left(\sqrt{4-\dfrac{1}{n}}+2\right)}{-1}$$

$$=-4a$$

즉, $-4a=-3$이므로 $a=\dfrac{3}{4}$

(3) (좌변)$=\lim_{n\to\infty}\dfrac{(\sqrt{n^2+an}-\sqrt{n^2+3})(\sqrt{n^2+an}+\sqrt{n^2+3})}{\sqrt{n^2+an}+\sqrt{n^2+3}}$

$$=\lim_{n\to\infty}\frac{an-3}{\sqrt{n^2+an}+\sqrt{n^2+3}}$$

$$=\lim_{n\to\infty}\frac{a-\dfrac{3}{n}}{\sqrt{1+\dfrac{a}{n}}+\sqrt{1+\dfrac{3}{n^2}}}=\frac{a}{2}$$

즉, $\dfrac{a}{2}=\dfrac{1}{2}$이므로 $a=1$

(4) (좌변)$=\lim_{n\to\infty}\dfrac{a\sqrt{n}(\sqrt{2n+1}-\sqrt{2n-1})(\sqrt{2n+1}+\sqrt{2n-1})}{\sqrt{2n+1}+\sqrt{2n-1}}$

$$=\lim_{n\to\infty}\frac{2a\sqrt{n}}{\sqrt{2n+1}+\sqrt{2n-1}}$$

$$=\lim_{n\to\infty}\frac{2a}{\sqrt{2+\dfrac{1}{n}}+\sqrt{2-\dfrac{1}{n}}}=\frac{a}{\sqrt{2}}$$

즉, $\dfrac{a}{\sqrt{2}}=2$이므로 $a=2\sqrt{2}$

14 답 (1) -7 (2) $\dfrac{1}{4}$ (3) 20 (4) -3 (5) $-\dfrac{1}{2}$

풀이 (1) $\dfrac{5a_n-3}{3a_n+2}=b_n$으로 놓으면 $5a_n-3=b_n(3a_n+2)$에서

$a_n(5-3b_n)=3+2b_n$

$\therefore a_n=\dfrac{3+2b_n}{5-3b_n}$

이때 $\lim_{n\to\infty}b_n=2$이므로

$\lim_{n\to\infty}a_n=\lim_{n\to\infty}\dfrac{3+2b_n}{5-3b_n}=\dfrac{3+2\times2}{5-3\times2}=-7$

(2) $\dfrac{3a_n-2}{a_n+1}=b_n$으로 놓으면

$3a_n-2=b_n(a_n+1)$에서

$a_n(3-b_n)=2+b_n$

$\therefore a_n=\dfrac{2+b_n}{3-b_n}$

이때 $\lim_{n\to\infty}b_n=-1$이므로

$\lim_{n\to\infty}a_n=\lim_{n\to\infty}\dfrac{2+b_n}{3-b_n}=\dfrac{2-1}{3-(-1)}=\dfrac{1}{4}$

(3) $na_n=b_n$으로 놓으면 $a_n=\dfrac{b_n}{n}$

이때 $\lim_{n\to\infty}b_n=5$이므로

$\lim_{n\to\infty}(4n-3)a_n=\lim_{n\to\infty}\dfrac{(4n-3)b_n}{n}=\lim_{n\to\infty}\left(4-\dfrac{3}{n}\right)b_n$

$$=4\times5=20$$

(4) $\dfrac{a_n}{3n+5}=b_n$으로 놓으면 $a_n=(3n+5)b_n$

이때 $\lim_{n\to\infty}b_n=-4$이므로

$\lim_{n\to\infty}\dfrac{4a_n}{16n+3}=\lim_{n\to\infty}\dfrac{4(3n+5)b_n}{16n+3}$

$$=\lim_{n\to\infty}\frac{4\left(3+\dfrac{5}{n}\right)b_n}{16+\dfrac{3}{n}}$$

$$=\frac{4\times3\times(-4)}{16}=-3$$

(5) $(2n^2+3)a_n=b_n$으로 놓으면 $a_n=\dfrac{b_n}{2n^2+3}$

이때 $\lim_{n\to\infty}b_n=-1$이므로

$\lim_{n\to\infty}n^2a_n=\lim_{n\to\infty}\dfrac{n^2b_n}{2n^2+3}=\lim_{n\to\infty}\dfrac{b_n}{2+\dfrac{3}{n^2}}=\dfrac{-1}{2+0}=-\dfrac{1}{2}$

15 답 (1) $\times$ (2) $\times$ (3) $\times$ (4) $\bigcirc$ (5) $\bigcirc$

풀이 (1) [반례] $a_n=n$, $b_n=\dfrac{1}{n}$이면

$\lim_{n\to\infty}a_n=\infty$, $\lim_{n\to\infty}b_n=0$이지만

$\lim_{n\to\infty}a_nb_n=\lim_{n\to\infty}1=1$이므로 $\lim_{n\to\infty}a_nb_n\neq0$이다.

(2) [반례] $a_n=n$, $b_n=2n$이면

$\lim_{n\to\infty}a_n=\infty$, $\lim_{n\to\infty}b_n=\infty$이지만

$\lim_{n\to\infty}\dfrac{b_n}{a_n}=\lim_{n\to\infty}\dfrac{2n}{n}=2$이므로 $\lim_{n\to\infty}\dfrac{b_n}{a_n}\neq1$이다.

(3) [반례] $\{a_n\}$: $1, 0, 1, 0, 1, \cdots$

$\{b_n\}$: $0, 1, 0, 1, 0, \cdots$

이면 $\lim_{n\to\infty}a_nb_n=\lim_{n\to\infty}0=0$이지만

$\lim_{n\to\infty}a_n\neq0$, $\lim_{n\to\infty}b_n\neq0$이다.

(4) $a_n-b_n=c_n$이라 하면 $\lim_{n\to\infty}c_n=3$

이때 $\lim_{n\to\infty}b_n=\infty$이므로

$\lim_{n\to\infty}a_n=\lim_{n\to\infty}(b_n+c_n)=\infty$

(5) $\dfrac{b_n}{a_n}=c_n$이라 하면 $b_n=a_nc_n$

이때 $\lim_{n\to\infty}c_n=1$이므로

$\lim_{n\to\infty}(a_n-b_n)=\lim_{n\to\infty}(a_n-a_nc_n)$

$$=\lim_{n\to\infty}a_n-\lim_{n\to\infty}a_n\lim_{n\to\infty}c_n$$

$$=0-0\times1=0$$

16 답 (1) 1 (2) 4 (3) 3 (4) 6

풀이 (1) $1+\dfrac{1}{n}\leq a_n\leq1+\dfrac{2}{n}$에서

$\lim\limits_{n\to\infty}\left(1+\dfrac{1}{n}\right)=1$, $\lim\limits_{n\to\infty}\left(1+\dfrac{2}{n}\right)=1$이므로

$\lim\limits_{n\to\infty}a_n=\underline{1}$

(2) $\dfrac{4n-1}{n+2}\leq a_n\leq\dfrac{4n+3}{n+2}$에서

$\lim\limits_{n\to\infty}\dfrac{4n-1}{n+2}=4$, $\lim\limits_{n\to\infty}\dfrac{4n+3}{n+2}=4$이므로

$\lim\limits_{n\to\infty}a_n=4$

(3) $3+\dfrac{2}{n^2}\leq a_n\leq 3+\dfrac{4}{n^2}$에서

$\lim\limits_{n\to\infty}\left(3+\dfrac{2}{n^2}\right)=3$, $\lim\limits_{n\to\infty}\left(3+\dfrac{4}{n^2}\right)=3$이므로

$\lim\limits_{n\to\infty}a_n=3$

(4) $2+\dfrac{n}{n+3}\leq a_n\leq 2+\dfrac{n+2}{n+3}$에서

$\lim\limits_{n\to\infty}\left(2+\dfrac{n}{n+3}\right)=3$, $\lim\limits_{n\to\infty}\left(2+\dfrac{n+2}{n+3}\right)=3$이므로

$\lim\limits_{n\to\infty}a_n=3$

$\therefore \lim\limits_{n\to\infty}2a_n=2\lim\limits_{n\to\infty}a_n=2\times3=6$

17 답 (1) 1 (2) 2 (3) $\dfrac{5}{2}$

풀이 (1) 부등식의 각 변을 $n+1$로 나누면

$\dfrac{n}{n+1}<a_n<\dfrac{n+2}{n+1}$

$\lim\limits_{n\to\infty}\dfrac{n}{n+1}=1$, $\lim\limits_{n\to\infty}\dfrac{n+2}{n+1}=1$이므로

$\lim\limits_{n\to\infty}a_n=\underline{1}$

(2) 부등식의 각 변을 n^2으로 나누면

$\dfrac{2n^2+1}{n^2}<a_n<\dfrac{2n^2+3}{n^2}$

$\lim\limits_{n\to\infty}\dfrac{2n^2+1}{n^2}=2$, $\lim\limits_{n\to\infty}\dfrac{2n^2+3}{n^2}=2$이므로

$\lim\limits_{n\to\infty}a_n=2$

(3) 부등식의 각 변을 $n(2n+1)$로 나누면

$\dfrac{5n^2-1}{n(2n+1)}<\dfrac{a_n}{n}<\dfrac{5n^2+3}{n(2n+1)}$

$\lim\limits_{n\to\infty}\dfrac{5n^2-1}{n(2n+1)}=\dfrac{5}{2}$, $\lim\limits_{n\to\infty}\dfrac{5n^2+3}{n(2n+1)}=\dfrac{5}{2}$이므로

$\lim\limits_{n\to\infty}\dfrac{a_n}{n}=\dfrac{5}{2}$

18 답 (1) 수렴 (2) 발산 (3) 발산 (4) 수렴 (5) 발산

풀이 (1) 주어진 등비수열의 공비는 $\underline{0.5}$이고, $-1<\underline{0.5}<1$이므로 주어진 수열은 $\underline{0}$에 수렴한다.

(2) 주어진 등비수열의 공비는 -1.1이고, $-1.1<-1$이므로 주어진 수열은 진동하면서 발산한다.

(3) 주어진 등비수열의 공비는 $\dfrac{5}{3}$이고, $\dfrac{5}{3}>1$이므로 주어진 수열은 ∞로 발산한다.

(4) 주어진 등비수열의 공비는 $-\dfrac{1}{5}$이고, $-1<-\dfrac{1}{5}<1$이므로 주어진 수열은 0에 수렴한다.

(5) 주어진 등비수열의 공비는 $\sqrt{3}$이고, $\sqrt{3}>1$이므로 주어진 수열은 ∞로 발산한다.

19 답 (1) 발산 (2) 수렴 (3) 수렴 (4) 수렴 (5) 발산

풀이 (1) 주어진 등비수열의 공비는 $\underline{-2}$이고, $\underline{-2}<-1$이므로 주어진 수열은 진동하면서 발산한다.

(2) 주어진 등비수열의 공비는 $\dfrac{2}{3}$이고, $-1<\dfrac{2}{3}<1$이므로 주어진 수열은 0에 수렴한다.

(3) 주어진 등비수열의 공비는 0.1이고, $-1<0.1<1$이므로 주어진 수열은 0에 수렴한다.

(4) 주어진 등비수열의 공비는 1이므로 주어진 수열은 4에 수렴한다.

(5) 주어진 등비수열의 공비는 $\sqrt{2}$이고, $\sqrt{2}>1$이므로 주어진 수열은 ∞로 발산한다.

20 답 (1) 수렴, 0 (2) 발산 (3) 수렴, 1
　　 (4) 수렴, -1 (5) 수렴, 1

풀이 (1) 3^n으로 분모, 분자를 각각 나누면

$\lim\limits_{n\to\infty}\dfrac{2^n+1}{3^n+1}=\lim\limits_{n\to\infty}\dfrac{\left(\dfrac{2}{3}\right)^n+\left(\dfrac{1}{3}\right)^n}{1+\left(\dfrac{1}{3}\right)^n}=\dfrac{0+0}{1+0}=\underline{0}$

따라서 주어진 수열은 수렴하고, 그 극한값은 $\underline{0}$이다.

(2) 4^n으로 분모, 분자를 각각 나누면

$\lim\limits_{n\to\infty}\dfrac{5^n-1}{4^n}=\lim\limits_{n\to\infty}\dfrac{\left(\dfrac{5}{4}\right)^n-\left(\dfrac{1}{4}\right)^n}{1}=\infty-0=\infty$

따라서 주어진 수열은 발산한다.

(3) 4^n으로 분모, 분자를 각각 나누면

$\lim\limits_{n\to\infty}\dfrac{4^n+3}{2^{2n}-2}=\lim\limits_{n\to\infty}\dfrac{4^n+3}{4^n-2}=\lim\limits_{n\to\infty}\dfrac{1+3\times\left(\dfrac{1}{4}\right)^n}{1-2\times\left(\dfrac{1}{4}\right)^n}$

$=\dfrac{1+0}{1-0}=1$

따라서 주어진 수열은 수렴하고, 그 극한값은 1이다.

(4) 5^n으로 분모, 분자를 각각 나누면

$\lim\limits_{n\to\infty}\dfrac{2^n-5^n}{2^n+5^n}=\lim\limits_{n\to\infty}\dfrac{\left(\dfrac{2}{5}\right)^n-1}{\left(\dfrac{2}{5}\right)^n+1}=\dfrac{0-1}{0+1}=-1$

따라서 주어진 수열은 수렴하고, 그 극한값은 -1이다.

(5) 3^n으로 분모, 분자를 각각 나누면

$\lim\limits_{n\to\infty}\dfrac{3^{n+1}+(-2)^n}{3^{n+1}-(-2)^n}=\lim\limits_{n\to\infty}\dfrac{3\times3^n+(-2)^n}{3\times3^n-(-2)^n}$

$=\lim\limits_{n\to\infty}\dfrac{3+\left(-\dfrac{2}{3}\right)^n}{3-\left(-\dfrac{2}{3}\right)^n}=\dfrac{3+0}{3-0}=1$

따라서 주어진 수열은 수렴하고, 그 극한값은 1이다.

21 답 (1) 2 (2) 1 (3) -4 (4) -1

풀이 (1) 2^n으로 분모, 분자를 각각 나누면

$$\lim_{n \to \infty} \frac{2^{n+1}}{2^n+1} = \lim_{n \to \infty} \frac{2 \times 2^n}{2^n+1} = \lim_{n \to \infty} \frac{2}{1+\left(\frac{1}{2}\right)^n} = \frac{2}{1+0} = \underline{2}$$

(2) 9^n으로 분모, 분자를 각각 나누면

$$\lim_{n \to \infty} \frac{9^n-3^n}{9^n+3^n} = \lim_{n \to \infty} \frac{1-\left(\frac{1}{3}\right)^n}{1+\left(\frac{1}{3}\right)^n} = \frac{1-0}{1+0} = 1$$

(3) 3^n으로 분모, 분자를 각각 나누면

$$\lim_{n \to \infty} \frac{2^n-4 \times 3^n}{2^n+3^n} = \lim_{n \to \infty} \frac{\left(\frac{2}{3}\right)^n-4}{\left(\frac{2}{3}\right)^n+1} = \frac{0-4}{0+1} = -4$$

(4) 4^n으로 분모, 분자를 각각 나누면

$$\lim_{n \to \infty} \frac{3^{n+1}-2^{2n}}{4^n+3^n} = \lim_{n \to \infty} \frac{3 \times 3^n-4^n}{4^n+3^n} = \lim_{n \to \infty} \frac{3 \times \left(\frac{3}{4}\right)^n-1}{1+\left(\frac{3}{4}\right)^n}$$

$$= \frac{0-1}{1+0} = -1$$

22 답 (1) 3 (2) 9 (3) 7 (4) 1 (5) 1

풀이 (1) 4^n으로 분모, 분자를 각각 나누면

$$\lim_{n \to \infty} \frac{3 \times 4^n+2}{4^n} = \lim_{n \to \infty} \frac{3+2 \times \left(\frac{1}{4}\right)^n}{1} = \frac{3+0}{1} = \underline{3}$$

(2) 3^n으로 분모, 분자를 각각 나누면

$$\lim_{n \to \infty} \frac{3^{n+2}}{3^n+2^n} = \lim_{n \to \infty} \frac{9 \times 3^n}{3^n+2^n} = \lim_{n \to \infty} \frac{9}{1+\left(\frac{2}{3}\right)^n} = \frac{9}{1+0} = 9$$

(3) 5^n으로 분모, 분자를 각각 나누면

$$\lim_{n \to \infty} \frac{7 \times 5^n-3^n}{5^n+3^n+1} = \lim_{n \to \infty} \frac{7-\left(\frac{3}{5}\right)^n}{1+\left(\frac{3}{5}\right)^n+\left(\frac{1}{5}\right)^n}$$

$$= \frac{7-0}{1+0+0} = 7$$

(4) 4^n으로 분모, 분자를 각각 나누면

$$\lim_{n \to \infty} \frac{4^n+2^n+1}{(2^n+1)^2} = \lim_{n \to \infty} \frac{4^n+2^n+1}{4^n+2 \times 2^n+1}$$

$$= \lim_{n \to \infty} \frac{1+\left(\frac{1}{2}\right)^n+\left(\frac{1}{4}\right)^n}{1+2 \times \left(\frac{1}{2}\right)^n+\left(\frac{1}{4}\right)^n}$$

$$= \frac{1+0+0}{1+0+0} = 1$$

(5) 6^n으로 분모, 분자를 각각 나누면

$$\lim_{n \to \infty} \frac{6^n+3^n}{(3^n+1)(2^n+1)} = \lim_{n \to \infty} \frac{6^n+3^n}{6^n+3^n+2^n+1}$$

$$= \lim_{n \to \infty} \frac{1+\left(\frac{1}{2}\right)^n}{1+\left(\frac{1}{2}\right)^n+\left(\frac{1}{3}\right)^n+\left(\frac{1}{6}\right)^n}$$

$$= \frac{1+0}{1+0+0+0} = 1$$

23 답 (1) 0 (2) $\frac{1}{2}$ (3) 1

풀이 (1) $0<r<1$일 때, $\lim\limits_{n \to \infty} r^n=0$이므로

$$\lim_{n \to \infty} \frac{r^n}{1+r^n} = \frac{0}{1+0} = \underline{0}$$

(2) $r=1$일 때, $\lim\limits_{n \to \infty} r^n=1$이므로

$$\lim_{n \to \infty} \frac{r^n}{1+r^n} = \frac{1}{1+1} = \frac{1}{2}$$

(3) $r>1$일 때, $\lim\limits_{n \to \infty} r^n=\infty$이므로 r^n으로 분모, 분자를 각각 나누면

$$\lim_{n \to \infty} \frac{r^n}{1+r^n} = \lim_{n \to \infty} \frac{1}{\left(\frac{1}{r}\right)^n+1} = \frac{1}{0+1} = 1$$

24 답 (1) $0<r<1$일 때 1, $r=1$일 때 0, $r>1$일 때 -1
(2) $0<r<1$일 때 0, $r=1$일 때 0, $r>1$일 때 1

풀이 (1) (i) $0<r<1$일 때, $\lim\limits_{n \to \infty} r^n=0$이므로

$$\lim_{n \to \infty} \frac{1-r^n}{1+r^n} = \frac{1-0}{1+0} = \underline{1}$$

(ii) $r=1$일 때, $\lim\limits_{n \to \infty} r^n=1$이므로

$$\lim_{n \to \infty} \frac{1-r^n}{1+r^n} = \frac{1-1}{1+1} = \underline{0}$$

(iii) $r>1$일 때, $\lim\limits_{n \to \infty} r^n=\infty$이므로 r^n으로 분모, 분자를 각각 나누면

$$\lim_{n \to \infty} \frac{1-r^n}{1+r^n} = \lim_{n \to \infty} \frac{\left(\frac{1}{r}\right)^n-1}{\left(\frac{1}{r}\right)^n+1} = \frac{0-1}{0+1} = -1$$

(2) (i) $0<r<1$일 때, $\lim\limits_{n \to \infty} r^n=0$이므로

$$\lim_{n \to \infty} \frac{r^{2n}-r^n}{r^{2n}+1} = \frac{0-0}{0+1} = 0$$

(ii) $r=1$일 때, $\lim\limits_{n \to \infty} r^n=1$이므로

$$\lim_{n \to \infty} \frac{r^{2n}-r^n}{r^{2n}+1} = \frac{1-1}{1+1} = 0$$

(iii) $r>1$일 때, $\lim\limits_{n \to \infty} r^n=\infty$이므로 r^{2n}으로 분모, 분자를 각각 나누면

$$\lim_{n \to \infty} \frac{r^{2n}-r^n}{r^{2n}+1} = \lim_{n \to \infty} \frac{1-\left(\frac{1}{r}\right)^n}{1+\left(\frac{1}{r}\right)^{2n}} = \frac{1-0}{1+0} = 1$$

25 답 (1) $-\frac{1}{2}<x \le \frac{1}{2}$ (2) $-3 \le x<3$ (3) $-4<x \le -2$
(4) $-2<x \le 6$ (5) $-\frac{6}{5}<x \le \frac{4}{5}$ (6) $0 \le x \le 2$
(7) $-3<x \le -1$ (8) $x=4$ 또는 $1 \le x<3$
(9) $x=3$ 또는 $-\frac{3}{2}<x \le \frac{1}{2}$

풀이 (1) 공비가 $2x$이므로 수렴하려면

$$-1<2x \le 1 \qquad \therefore -\frac{1}{2}<x \le \frac{1}{2}$$

(2) 공비가 $-\frac{x}{3}$이므로 수렴하려면

$$-1<-\frac{x}{3} \le 1 \qquad \therefore -3 \le x<3$$

(3) 공비가 $x+3$이므로 수렴하려면

$-1<x+3\leq1$ $\therefore -4<x\leq-2$

(4) 공비가 $\dfrac{x-2}{4}$이므로 수렴하려면

$-1<\dfrac{x-2}{4}\leq1,\ -4<x-2\leq4$ $\therefore -2<x\leq6$

(5) 공비가 $x+\dfrac{1}{5}$이므로 수렴하려면

$-1<x+\dfrac{1}{5}\leq1$ $\therefore -\dfrac{6}{5}<x\leq\dfrac{4}{5}$

(6) 첫째항이 x, 공비가 $x-1$이므로 수렴하려면

$x=0$ 또는 $-1<x-1\leq1$

$x=0$ 또는 $0<x\leq2$

$\therefore 0\leq x\leq2$

(7) 첫째항이 $x+1$, 공비가 $x+2$이므로 수렴하려면

$x+1=0$ 또는 $-1<x+2\leq1$

$x=-1$ 또는 $-3<x\leq-1$

$\therefore -3<x\leq-1$

(8) 첫째항이 $x-4$, 공비가 $2-x$이므로 수렴하려면

$x-4=0$ 또는 $-1<2-x\leq1$

$x=4$ 또는 $-3<-x\leq-1$

$\therefore x=4$ 또는 $1\leq x<3$

(9) 첫째항이 $3-x$, 공비가 $\dfrac{1+2x}{2}$이므로 수렴하려면

$3-x=0$ 또는 $-1<\dfrac{1+2x}{2}\leq1$

$x=3$ 또는 $-2<1+2x\leq2$

$x=3$ 또는 $-3<2x\leq1$

$\therefore x=3$ 또는 $-\dfrac{3}{2}<x\leq\dfrac{1}{2}$

01 답 ㄱ, ㄹ

풀이 ㄱ. n이 한없이 커질 때 $3-4n$의 값은 음수이면서 그 절댓값이 한없이 커지므로 수열 $\{3-4n\}$은 음의 무한대로 발산한다.

ㄴ. n이 한없이 커질 때 $\dfrac{1}{n^2}$의 값은 0에 한없이 가까워지므로 수열 $\left\{\dfrac{1}{n^2}\right\}$은 0에 수렴한다.

ㄷ. n이 한없이 커질 때 $\dfrac{2n}{n+1}$의 값은 2에 한없이 가까워지므로 수열 $\left\{\dfrac{2n}{n+1}\right\}$은 2에 수렴한다.

ㄹ. n이 한없이 커질 때 $(-2)^n$의 값은 -2, 4, -8, 16, $\cdots$과 같이 일정한 수에 수렴하지도 않고, 양의 무한대 또는 음의 무한대로 발산하지도 않으므로 진동한다. 따라서 수열 $\{(-2)^n\}$은 발산(진동)한다.

02 답 -3

풀이 $\lim\limits_{n\to\infty}\dfrac{a_nb_n+3}{2a_n+b_n}=\dfrac{\lim\limits_{n\to\infty}(a_nb_n+3)}{\lim\limits_{n\to\infty}(2a_n+b_n)}=\dfrac{\lim\limits_{n\to\infty}a_n\times\lim\limits_{n\to\infty}b_n+3}{2\lim\limits_{n\to\infty}a_n+\lim\limits_{n\to\infty}b_n}$

$=\dfrac{2\times(-3)+3}{2\times2-3}=-3$

03 답 -1

풀이 $\lim\limits_{n\to\infty}a_n=\alpha(\alpha$는 실수$)$라 하면

$\lim\limits_{n\to\infty}\dfrac{3a_n-1}{a_n+2}=-4$에서 $\dfrac{3\alpha-1}{\alpha+2}=-4$

$3\alpha-1=-4(\alpha+2),\ 7\alpha=-7$ $\therefore \alpha=-1$

$\therefore \lim\limits_{n\to\infty}a_n=-1$

다른 풀이 $\dfrac{3a_n-1}{a_n+2}=b_n$이라 하면 $a_n=\dfrac{2b_n+1}{3-b_n}$

이때 $\lim\limits_{n\to\infty}b_n=-4$이므로

$\lim\limits_{n\to\infty}a_n=\lim\limits_{n\to\infty}\dfrac{2b_n+1}{3-b_n}=\dfrac{2\times(-4)+1}{3-(-4)}=-1$

04 답 -2

풀이 $\log_2(n+1)-\log_2(4n+1)=\log_2\dfrac{n+1}{4n+1}$이므로

$\lim\limits_{n\to\infty}\{\log_2(n+1)-\log_2(4n+1)\}$

$=\lim\limits_{n\to\infty}\log_2\dfrac{n+1}{4n+1}$

이때 $\lim\limits_{n\to\infty}\dfrac{n+1}{4n+1}=\dfrac{1}{4}$이므로 구하는 값은 $\log_2\dfrac{1}{4}=-2$

05 답 1

풀이 $1^2+2^2+3^2+\cdots+n^2=\sum\limits_{k=1}^{n}k^2=\dfrac{n(n+1)(2n+1)}{6}$

이므로

$$\lim_{n\to\infty}\frac{3(1^2+2^2+3^2+\cdots+n^2)}{n(n+1)(n-1)}=\lim_{n\to\infty}\frac{n(n+1)(2n+1)}{2n(n+1)(n-1)}$$
$$=\lim_{n\to\infty}\frac{2n+1}{2(n-1)}=1$$

06 답 6

풀이 $\lim_{n\to\infty}\dfrac{an^2+bn-1}{2n+5}$에서 $a\neq0$이면 발산하므로 $a=0$

(좌변)$=\lim_{n\to\infty}\dfrac{bn-1}{2n+5}=\lim_{n\to\infty}\dfrac{b-\dfrac{1}{n}}{2+\dfrac{5}{n}}=\dfrac{b}{2}=3$ $\therefore b=6$

$\therefore a+b=6$

07 답 $-\dfrac{1}{2}$

풀이 $\lim_{n\to\infty}\sqrt{n}(\sqrt{n-1}-\sqrt{n})$

$=\lim_{n\to\infty}\dfrac{\sqrt{n}(\sqrt{n-1}-\sqrt{n})(\sqrt{n-1}+\sqrt{n})}{\sqrt{n-1}+\sqrt{n}}$

$=\lim_{n\to\infty}\dfrac{-\sqrt{n}}{\sqrt{n-1}+\sqrt{n}}=\lim_{n\to\infty}\dfrac{-\sqrt{1}}{\sqrt{1-\dfrac{1}{n}}+\sqrt{1}}$

$=\dfrac{-1}{1+1}=-\dfrac{1}{2}$

08 답 -2

풀이 $a\leq0$이면 $\lim_{n\to\infty}\{\sqrt{n^2+4n+3}-(an+b)\}=\infty$이므로 $a>0$

$\therefore \lim_{n\to\infty}\{\sqrt{n^2+4n+3}-(an+b)\}$

$=\lim_{n\to\infty}\dfrac{\{\sqrt{n^2+4n+3}-(an+b)\}\{\sqrt{n^2+4n+3}+(an+b)\}}{\sqrt{n^2+4n+3}+(an+b)}$

$=\lim_{n\to\infty}\dfrac{n^2+4n+3-(an+b)^2}{\sqrt{n^2+4n+3}+an+b}$

$=\lim_{n\to\infty}\dfrac{(1-a^2)n^2+2(2-ab)n+3-b^2}{\sqrt{n^2+4n+3}+(an+b)}$

$=\lim_{n\to\infty}\dfrac{(1-a^2)n+2(2-ab)+\dfrac{3-b^2}{n}}{\sqrt{1+\dfrac{4}{n}+\dfrac{3}{n^2}}+a+\dfrac{b}{n}}$

이때 극한값이 4이므로

$1-a^2=0$, $\dfrac{2(2-ab)}{1+a}=4$

위의 두 식을 연립하여 풀면 $a=1$, $b=-2$ ($\because a>0$)

$\therefore ab=-2$

09 답 $-\dfrac{1}{3}$

풀이 $(3n+2)a_n=b_n$으로 놓으면 $a_n=\dfrac{b_n}{3n+2}$

이때 $\lim_{n\to\infty}b_n=-1$이므로

$\lim_{n\to\infty}(n+3)a_n=\lim_{n\to\infty}\dfrac{(n+3)b_n}{3n+2}=\lim_{n\to\infty}\dfrac{\left(1+\dfrac{3}{n}\right)b_n}{3+\dfrac{2}{n}}$

$=\dfrac{1\times(-1)}{3}=-\dfrac{1}{3}$

10 답 ㄴ

풀이 ㄱ. [반례] $\{a_n\}$: 1, 0, 1, 0, 1, $\cdots$
      $\{b_n\}$: 0, 1, 0, 1, 0, $\cdots$

이면 두 수열 $\{a_n\}$, $\{b_n\}$은 모두 발산하지만

$\lim_{n\to\infty}a_nb_n=0$이므로 수열 $\{a_nb_n\}$은 수렴한다.

ㄴ. $a_n-b_n=c_n$이라 하면 $b_n=a_n-c_n$

이때 $\lim_{n\to\infty}a_n=\alpha$ (α는 실수), $\lim_{n\to\infty}c_n=0$이므로

$\lim_{n\to\infty}b_n=\lim_{n\to\infty}(a_n-c_n)=\lim_{n\to\infty}a_n-\lim_{n\to\infty}c_n=\alpha$ (참)

ㄷ. [반례] $a_n=(-1)^n$이면 $\lim_{n\to\infty}|a_n|=1$이지만 $\lim_{n\to\infty}a_n$은 발산(진동)한다.

ㄹ. [반례] $a_n=\dfrac{1}{n}$, $b_n=\dfrac{2}{n}$이면 $a_n<b_n$이지만

$\lim_{n\to\infty}a_n=\lim_{n\to\infty}b_n=0$

따라서 옳은 것은 ㄴ이다.

11 답 1

풀이 부등식의 각 변을 $(3n+1)(3n-1)$로 나누면

$$\dfrac{9n^2}{(3n+1)(3n-1)}<\dfrac{a_n}{3n-1}<\dfrac{9n^2+3}{(3n+1)(3n-1)}$$

이때 $\lim_{n\to\infty}\dfrac{9n^2}{(3n+1)(3n-1)}=1$, $\lim_{n\to\infty}\dfrac{9n^2+3}{(3n+1)(3n-1)}=1$

이므로

$$\lim_{n\to\infty}\dfrac{a_n}{3n-1}=1$$

12 답 -2

풀이 공비가 $-\dfrac{x}{2}$이므로 수렴하려면

$-1<-\dfrac{x}{2}\leq1$ $\therefore -2\leq x<2$

따라서 실수 x의 최솟값은 -2이다.

13 답 -7

풀이 7^n으로 분모, 분자를 각각 나누면

$$\lim_{n\to\infty}\dfrac{1-7^{n+1}}{7^n+3^n}=\lim_{n\to\infty}\dfrac{\left(\dfrac{1}{7}\right)^n-7}{1+\left(\dfrac{3}{7}\right)^n}$$

$$=\dfrac{0-7}{1+0}=-7$$

14 답 5

풀이 (i) $|r|<3$일 때, $\lim_{n\to\infty}\left(\dfrac{r}{3}\right)^n=0$이므로

$$\lim_{n\to\infty}\dfrac{r^n-3^n}{r^n+3^n}=\lim_{n\to\infty}\dfrac{\left(\dfrac{r}{3}\right)^n-1}{\left(\dfrac{r}{3}\right)^n+1}=-1$$

(ii) $|r|>3$일 때, $\lim_{n\to\infty}\left(\dfrac{3}{r}\right)^n=0$이므로

$$\lim_{n\to\infty}\dfrac{r^n-3^n}{r^n+3^n}=\lim_{n\to\infty}\dfrac{1-\left(\dfrac{3}{r}\right)^n}{1+\left(\dfrac{3}{r}\right)^n}=1$$

(i), (ii)에서 $\displaystyle\lim_{n\to\infty}\dfrac{r^n-3^n}{r^n+3^n}=-1$을 만족시키는 r의 값의 범위

는 $|r|<3$이므로 정수 r는 -2, -1, 0, 1, 2의 5개이다.

15 답 ㄱ, ㄷ

풀이 등비수열 $\{r^n\}$은 공비가 r이므로 수렴하려면

$-1<r\le 1$

ㄱ. $-\dfrac{1}{2}<\dfrac{r}{2}\le \dfrac{1}{2}$이므로 수열 $\left\{\left(\dfrac{r}{2}\right)^n\right\}$은 항상 수렴한다.

ㄴ. $-1\le -r<1$이므로 수열 $\{(-r)^n\}$은 $-r=-1$, 즉

$r=1$일 때 발산한다.

ㄷ. $0\le r^2\le 1$이므로 수열 $\{r^{2n}\}$은 항상 수렴한다.

따라서 항상 수렴하는 수열은 ㄱ, ㄷ이다.

16 답 $x=-2$ 또는 $-1<x\le 0$

풀이 등비수열 $\left\{\left(\dfrac{1-x}{3}\right)^n\right\}$은 공비가 $\dfrac{1-x}{3}$이므로 수렴하

려면

$-1<\dfrac{1-x}{3}\le 1$, $-3<1-x\le 3$, $-4<-x\le 2$

$\therefore -2\le x<4$ $\qquad\qquad$ ...... ㉠

등비수열 $\{(x+2)(2x+1)^{n-1}\}$은 첫째항이 $x+2$, 공비가

$2x+1$이므로 수렴하려면

$x+2=0$ 또는 $-1<2x+1\le 1$

$\therefore x=-2$ 또는 $-1<x\le 0$ $\qquad$ ...... ㉡

㉠, ㉡에서 $x=-2$ 또는 $-1<x\le 0$

---

01 답 (1) 2 (2) $\dfrac{1}{4}$ (3) 0 (4) 1

풀이 (1) $\displaystyle\sum_{n=1}^{\infty} a_n=\lim_{n\to\infty} S_n=\lim_{n\to\infty}\dfrac{2n}{n+1}=2$

(2) $\displaystyle\sum_{n=1}^{\infty} a_n=\lim_{n\to\infty} S_n=\lim_{n\to\infty}\dfrac{n^2+n+1}{4n^2}=\dfrac{1}{4}$

(3) $\displaystyle\sum_{n=1}^{\infty} a_n=\lim_{n\to\infty} S_n=\lim_{n\to\infty}\left(\dfrac{\sqrt{3}}{2}\right)^n=0$

(4) $\displaystyle\sum_{n=1}^{\infty} a_n=\lim_{n\to\infty} S_n=\lim_{n\to\infty}\left\{1+\left(\dfrac{1}{3}\right)^n\right\}=1$

02 답 (1) $\dfrac{n(n+1)}{2}$ (2) n^2 (3) $\dfrac{n}{n+1}$

(4) $1-\left(\dfrac{1}{2}\right)^n$ (5) $\sqrt{n+1}-1$

풀이 (1) 주어진 급수의 제 n항을 a_n이라 하면 $a_n=n$

따라서 첫째항부터 제 n항까지의 부분합 S_n은

$S_n=1+2+3+\cdots+n$

$=\displaystyle\sum_{k=1}^{n} k=\dfrac{n(n+1)}{2}$

(2) 주어진 급수의 제 n항을 a_n이라 하면 $a_n=2n-1$

따라서 첫째항부터 제 n항까지의 부분합 S_n은

$S_n=1+3+5+\cdots+(2n-1)$

$=\displaystyle\sum_{k=1}^{n}(2k-1)=2\times\dfrac{n(n+1)}{2}-n=n^2$

(3) 주어진 급수의 제 n항을 a_n이라 하면 $a_n=\dfrac{1}{n(n+1)}$

따라서 첫째항부터 제 n항까지의 부분합 S_n은

$S_n=\dfrac{1}{1\times 2}+\dfrac{1}{2\times 3}+\dfrac{1}{3\times 4}+\cdots+\dfrac{1}{n(n+1)}$

$=\left(1-\dfrac{1}{2}\right)+\left(\dfrac{1}{2}-\dfrac{1}{3}\right)+\left(\dfrac{1}{3}-\dfrac{1}{4}\right)+\cdots$

$\qquad\qquad\qquad\qquad +\left(\dfrac{1}{n}-\dfrac{1}{n+1}\right)$

$=1-\dfrac{1}{n+1}=\dfrac{n}{n+1}$

(4) 주어진 급수의 제 n항을 a_n이라 하면 $a_n=\left(\dfrac{1}{2}\right)^n$

따라서 첫째항부터 제 n항까지의 부분합 S_n은

$S_n=\displaystyle\sum_{k=1}^{n}\left(\dfrac{1}{2}\right)^k=\dfrac{\dfrac{1}{2}\left\{1-\left(\dfrac{1}{2}\right)^n\right\}}{1-\dfrac{1}{2}}=1-\left(\dfrac{1}{2}\right)^n$

(5) 주어진 급수의 제 n항을 a_n이라 하면

$a_n=\sqrt{n+1}-\sqrt{n}$

따라서 첫째항부터 제 n항까지의 부분합 S_n은

$S_n=\displaystyle\sum_{k=1}^{n}(\sqrt{k+1}-\sqrt{k})$

$=(\sqrt{2}-1)+(\sqrt{3}-\sqrt{2})+(\sqrt{4}-\sqrt{3})+\cdots$

$\qquad\qquad\qquad\qquad +(\sqrt{n+1}-\sqrt{n})$

$=\sqrt{n+1}-1$

03 답 (1) 수렴, 2　　(2) 발산　(3) 발산

(4) 수렴, $\dfrac{4}{3}$　(5) 발산

풀이 (1) 주어진 급수는 첫째항이 $\dfrac{2}{3}$, 공비가 $\dfrac{2}{3}$인 등비수열의 합이므로 제n항까지의 부분합을 S_n이라 하면

$$S_n=\dfrac{\dfrac{2}{3}\left\{1-\left(\dfrac{2}{3}\right)^n\right\}}{1-\dfrac{2}{3}}=2\left\{1-\left(\dfrac{2}{3}\right)^n\right\}$$

$$\therefore \lim_{n\to\infty}S_n=2$$

따라서 주어진 급수는 수렴하고, 그 합은 2이다.

(2) 주어진 급수의 제n항까지의 부분합을 S_n이라 하면

$$S_n=1^2+2^2+3^2+\cdots+n^2$$
$$=\sum_{k=1}^{n}k^2=\dfrac{n(n+1)(2n+1)}{6}$$

$$\therefore \lim_{n\to\infty}S_n=\infty$$

따라서 주어진 급수는 발산한다.

(3) 주어진 급수의 제n항까지의 부분합을 S_n이라 하면

$$S_n=n$$

$$\therefore \lim_{n\to\infty}S_n=\infty$$

따라서 주어진 급수는 발산한다.

(4) 주어진 급수는 첫째항이 1, 공비가 $\dfrac{1}{4}$인 등비수열의 합이므로 제n항까지의 부분합을 S_n이라 하면

$$S_n=\dfrac{1-\left(\dfrac{1}{4}\right)^n}{1-\dfrac{1}{4}}=\dfrac{4}{3}\left\{1-\left(\dfrac{1}{4}\right)^n\right\}$$

$$\therefore \lim_{n\to\infty}S_n=\dfrac{4}{3}$$

따라서 주어진 급수는 수렴하고, 그 합은 $\dfrac{4}{3}$이다.

(5) 주어진 급수의 제n항까지의 부분합을 S_n이라 하면

$$S_n=\sum_{k=1}^{n}(k+1)=\dfrac{n(n+1)}{2}+n=\dfrac{n(n+3)}{2}$$

$$\therefore \lim_{n\to\infty}S_n=\infty$$

따라서 주어진 급수는 발산한다.

04 답 (1) 2　(2) $\dfrac{5}{2}$　(3) 9　(4) 8　(5) $\dfrac{1}{2}$

풀이 (1) 주어진 급수는 첫째항이 1, 공비가 $\dfrac{1}{2}$인 등비수열의 합이므로 제n항까지의 부분합을 S_n이라 하면

$$S_n=\dfrac{1-\left(\dfrac{1}{2}\right)^n}{1-\dfrac{1}{2}}=2\left\{1-\left(\dfrac{1}{2}\right)^n\right\}$$

$$\therefore \lim_{n\to\infty}S_n=2$$

(2) 주어진 급수는 첫째항이 1, 공비가 $\dfrac{3}{5}$인 등비수열의 합이므로 제n항까지의 부분합을 S_n이라 하면

$$S_n=\dfrac{1-\left(\dfrac{3}{5}\right)^n}{1-\dfrac{3}{5}}=\dfrac{5}{2}\left\{1-\left(\dfrac{3}{5}\right)^n\right\}$$

$$\therefore \lim_{n\to\infty}S_n=\dfrac{5}{2}$$

(3) 주어진 급수는 첫째항이 6, 공비가 $\dfrac{1}{3}$인 등비수열의 합이므로 제n항까지의 부분합을 S_n이라 하면

$$S_n=\dfrac{6\left\{1-\left(\dfrac{1}{3}\right)^n\right\}}{1-\dfrac{1}{3}}=9\left\{1-\left(\dfrac{1}{3}\right)^n\right\}$$

$$\therefore \lim_{n\to\infty}S_n=9$$

(4) 주어진 급수는 첫째항이 2, 공비가 $\dfrac{3}{4}$인 등비수열의 합이므로 제n항까지의 부분합을 S_n이라 하면

$$S_n=\dfrac{2\left\{1-\left(\dfrac{3}{4}\right)^n\right\}}{1-\dfrac{3}{4}}=8\left\{1-\left(\dfrac{3}{4}\right)^n\right\}$$

$$\therefore \lim_{n\to\infty}S_n=8$$

(5) 주어진 급수는 첫째항이 $\dfrac{1}{10}$, 공비가 $\dfrac{4}{5}$인 등비수열의 합이므로 제n항까지의 부분합을 S_n이라 하면

$$S_n=\dfrac{\dfrac{1}{10}\left\{1-\left(\dfrac{4}{5}\right)^n\right\}}{1-\dfrac{4}{5}}=\dfrac{1}{2}\left\{1-\left(\dfrac{4}{5}\right)^n\right\}$$

$$\therefore \lim_{n\to\infty}S_n=\dfrac{1}{2}$$

05 답 (1) $\dfrac{1}{2}$　(2) $\dfrac{1}{2}$　(3) $\dfrac{3}{4}$　(4) 2

풀이 (1) 주어진 급수의 제n항을 a_n, 제n항까지의 부분합을 S_n이라 하면

$$a_n=\dfrac{1}{(2n-1)(2n+1)}=\dfrac{1}{2}\left(\dfrac{1}{2n-1}-\dfrac{1}{2n+1}\right)$$

이므로

$$S_n=\sum_{k=1}^{n}a_k=\sum_{k=1}^{n}\dfrac{1}{2}\left(\dfrac{1}{2k-1}-\dfrac{1}{2k+1}\right)$$
$$=\dfrac{1}{2}\sum_{k=1}^{n}\left(\dfrac{1}{2k-1}-\dfrac{1}{2k+1}\right)$$
$$=\dfrac{1}{2}\left\{\left(1-\dfrac{1}{3}\right)+\left(\dfrac{1}{3}-\dfrac{1}{5}\right)+\left(\dfrac{1}{5}-\dfrac{1}{7}\right)+\cdots\right.$$
$$\left.+\left(\dfrac{1}{2n-1}-\dfrac{1}{2n+1}\right)\right\}$$
$$=\dfrac{1}{2}\left(1-\dfrac{1}{2n+1}\right)=\dfrac{n}{2n+1}$$

$$\therefore \lim_{n\to\infty}S_n=\dfrac{1}{2}$$

(2) 주어진 급수의 제n항을 a_n, 제n항까지의 부분합을 S_n이라 하면

$$a_n=\dfrac{1}{(n+1)(n+2)}=\dfrac{1}{n+1}-\dfrac{1}{n+2}$$

이므로

$$S_n=\sum_{k=1}^{n}a_k=\sum_{k=1}^{n}\left(\dfrac{1}{k+1}-\dfrac{1}{k+2}\right)$$

$$=\left(\frac{1}{2}-\frac{1}{3}\right)+\left(\frac{1}{3}-\frac{1}{4}\right)+\left(\frac{1}{4}-\frac{1}{5}\right)+\cdots$$
$$+\left(\frac{1}{n+1}-\frac{1}{n+2}\right)$$
$$=\frac{1}{2}-\frac{1}{n+2}$$
$$\therefore \lim_{n\to\infty} S_n=\frac{1}{2}$$

(3) 주어진 급수의 제n항을 a_n, 제n항까지의 부분합을 S_n이라 하면
$$a_n=\frac{1}{n(n+2)}=\frac{1}{2}\left(\frac{1}{n}-\frac{1}{n+2}\right)$$
이므로
$$S_n=\sum_{k=1}^{n}a_k=\sum_{k=1}^{n}\frac{1}{2}\left(\frac{1}{k}-\frac{1}{k+2}\right)$$
$$=\frac{1}{2}\sum_{k=1}^{n}\left(\frac{1}{k}-\frac{1}{k+2}\right)$$
$$=\frac{1}{2}\left\{\left(1-\frac{1}{3}\right)+\left(\frac{1}{2}-\frac{1}{4}\right)+\left(\frac{1}{3}-\frac{1}{5}\right)+\cdots\right.$$
$$\left.+\left(\frac{1}{n-1}-\frac{1}{n+1}\right)+\left(\frac{1}{n}-\frac{1}{n+2}\right)\right\}$$
$$=\frac{1}{2}\left(1+\frac{1}{2}-\frac{1}{n+1}-\frac{1}{n+2}\right)$$
$$\therefore \lim_{n\to\infty} S_n=\frac{3}{4}$$

(4) 주어진 급수의 제n항을 a_n, 제n항까지의 부분합을 S_n이라 하면
$$a_n=\frac{1}{1+2+3+\cdots+n}=\frac{1}{\dfrac{n(n+1)}{2}}$$
$$=\frac{2}{n(n+1)}=2\left(\frac{1}{n}-\frac{1}{n+1}\right)$$
이므로
$$S_n=\sum_{k=1}^{n}a_k=\sum_{k=1}^{n}2\left(\frac{1}{k}-\frac{1}{k+1}\right)$$
$$=2\left\{\left(1-\frac{1}{2}\right)+\left(\frac{1}{2}-\frac{1}{3}\right)+\left(\frac{1}{3}-\frac{1}{4}\right)+\cdots\right.$$
$$\left.+\left(\frac{1}{n}-\frac{1}{n+1}\right)\right\}$$
$$=2\left(1-\frac{1}{n+1}\right)$$
$$\therefore \lim_{n\to\infty} S_n=2$$

06 답 (1) 발산 (2) 수렴, 1 (3) 수렴, 1 (4) 발산

풀이 (1) 주어진 급수의 제n항을 a_n, 제n항까지의 부분합을 S_n이라 하면 $a_n=\sqrt{n+1}-\sqrt{n}$이므로
$$S_n=\sum_{k=1}^{n}a_k=\sum_{k=1}^{n}(\sqrt{k+1}-\sqrt{k})$$
$$=(\sqrt{2}-1)+(\sqrt{3}-\sqrt{2})+(2-\sqrt{3})+\cdots$$
$$+(\sqrt{n+1}-\sqrt{n})$$
$$=\sqrt{n+1}-1$$
$$\therefore \lim_{n\to\infty} S_n=\infty$$

따라서 주어진 급수는 발산한다.

(2) 주어진 급수의 제n항을 a_n, 제n항까지의 부분합을 S_n이라 하면
$$a_n=\frac{1}{\sqrt{n}}-\frac{1}{\sqrt{n+1}}$$
이므로
$$S_n=\sum_{k=1}^{n}a_k=\sum_{k=1}^{n}\left(\frac{1}{\sqrt{n}}-\frac{1}{\sqrt{n+1}}\right)$$
$$=\left(1-\frac{1}{\sqrt{2}}\right)+\left(\frac{1}{\sqrt{2}}-\frac{1}{\sqrt{3}}\right)+\left(\frac{1}{\sqrt{3}}-\frac{1}{\sqrt{4}}\right)+\cdots$$
$$+\left(\frac{1}{\sqrt{n}}-\frac{1}{\sqrt{n+1}}\right)$$
$$=1-\frac{1}{\sqrt{n+1}}$$
$$\therefore \lim_{n\to\infty} S_n=1$$
따라서 주어진 급수는 수렴하고, 그 합은 1이다.

(3) 주어진 급수의 제n항을 a_n, 제n항까지의 부분합을 S_n이라 하면
$$a_n=\frac{1}{\sqrt{2n-1}}-\frac{1}{\sqrt{2n+1}}$$
이므로
$$S_n=\sum_{k=1}^{n}a_k=\sum_{k=1}^{n}\left(\frac{1}{\sqrt{2k-1}}-\frac{1}{\sqrt{2k+1}}\right)$$
$$=\left(1-\frac{1}{\sqrt{3}}\right)+\left(\frac{1}{\sqrt{3}}-\frac{1}{\sqrt{5}}\right)+\left(\frac{1}{\sqrt{5}}-\frac{1}{\sqrt{7}}\right)+\cdots$$
$$+\left(\frac{1}{\sqrt{2n-1}}-\frac{1}{\sqrt{2n+1}}\right)$$
$$=1-\frac{1}{\sqrt{2n+1}}$$
$$\therefore \lim_{n\to\infty} S_n=1$$
따라서 주어진 급수는 수렴하고, 그 합은 1이다.

(4) 주어진 급수의 제n항을 a_n, 제n항까지의 부분합을 S_n이라 하면
$$a_n=\frac{2}{\sqrt{n+2}+\sqrt{n}}=\sqrt{n+2}-\sqrt{n}$$
이므로
$$S_n=\sum_{k=1}^{n}a_k=\sum_{k=1}^{n}(\sqrt{k+2}-\sqrt{k})$$
$$=(\sqrt{3}-1)+(2-\sqrt{2})+(\sqrt{5}-\sqrt{3})+\cdots$$
$$+(\sqrt{n+1}-\sqrt{n-1})+(\sqrt{n+2}-\sqrt{n})$$
$$=\sqrt{n+1}+\sqrt{n+2}-1-\sqrt{2}$$
$$\therefore \lim_{n\to\infty} S_n=\infty$$
따라서 주어진 급수는 발산한다.

07 답 (1) 발산 (2) 수렴, 0 (3) 발산 (4) 발산

풀이 (1) 주어진 급수의 제n항까지의 부분합을 S_n이라 하면
$$S_1=1, \ S_2=0, \ S_3=1, \ S_4=0, \ S_5=1, \ S_6=0, \ \cdots$$
이므로
$$S_{2n-1}=1, \ S_{2n}=0$$
따라서 $\lim_{n\to\infty} S_{2n-1}\neq\lim_{n\to\infty} S_{2n}$이므로 주어진 급수는 발산한다.

(2) 주어진 급수의 제n항까지의 부분합을 S_n이라 하면
$$S_1=0,\ S_2=0,\ S_3=0,\ S_4=0,\ \cdots$$
이므로 $S_n=0$
따라서 주어진 급수는 수렴하고 그 합은 0이다.

(3) 주어진 급수의 제n항까지의 부분합을 S_n이라 하면
$$S_1=1,\ S_2=-1,\ S_3=2,\ S_4=-2,\ S_5=3,\ S_6=-3,\ \cdots$$
이므로
$$S_{2n-1}=n,\ S_{2n}=-n$$
따라서 $\lim\limits_{n\to\infty}S_{2n-1}\ne\lim\limits_{n\to\infty}S_{2n}$이므로 주어진 급수는 발산한다.

(4) 주어진 급수의 제n항까지의 부분합을 S_n이라 하면
$$S_1=-1,\ S_2=-2,\ S_3=-3,\ \cdots$$
이므로
$$S_n=-n$$
따라서 주어진 급수는 발산한다.

08 답 풀이 참조
풀이 **(1)** 주어진 급수의 제n항을 a_n이라 하면
$$a_n=\frac{n}{n+2}$$
이므로
$$\lim_{n\to\infty}a_n=\lim_{n\to\infty}\frac{n}{n+2}=1$$
따라서 $\lim\limits_{n\to\infty}a_n\ne0$이므로 주어진 급수는 발산한다.

(2) 주어진 급수의 제n항을 a_n이라 하면
$$a_n=\frac{2n-1}{2n+1}$$
이므로
$$\lim_{n\to\infty}a_n=\lim_{n\to\infty}\frac{2n-1}{2n+1}=1$$
따라서 $\lim\limits_{n\to\infty}a_n\ne0$이므로 주어진 급수는 발산한다.

(3) 주어진 급수의 제n항을 a_n이라 하면
$$a_n=4n+1$$
이므로
$$\lim_{n\to\infty}a_n=\lim_{n\to\infty}(4n+1)=\infty$$
따라서 $\lim\limits_{n\to\infty}a_n\ne0$이므로 주어진 급수는 발산한다.

(4) 주어진 급수의 제n항을 a_n이라 하면
$$a_n=(-1)^n\times n$$
이므로 $\lim\limits_{n\to\infty}a_n$은 존재하지 않는다.
따라서 $\lim\limits_{n\to\infty}a_n\ne0$이므로 주어진 급수는 발산한다.

(5) 주어진 급수의 제n항을 a_n이라 하면
$$a_n=\frac{n}{5n-1}$$
이므로
$$\lim_{n\to\infty}a_n=\lim_{n\to\infty}\frac{n}{5n-1}=\frac{1}{5}$$
따라서 $\lim\limits_{n\to\infty}a_n\ne0$이므로 주어진 급수는 발산한다.

(6) 주어진 급수의 제n항을 a_n이라 하면
$$a_n=2n$$

이므로
$$\lim_{n\to\infty}a_n=\lim_{n\to\infty}2n=\infty$$
따라서 $\lim\limits_{n\to\infty}a_n\ne0$이므로 주어진 급수는 발산한다.

(7) 주어진 급수의 제n항을 a_n이라 하면
$$a_n=\frac{1+(-1)^n}{2}$$
이므로 $\lim\limits_{n\to\infty}a_n$은 존재하지 않는다.
따라서 $\lim\limits_{n\to\infty}a_n\ne0$이므로 주어진 급수는 발산한다.

09 답 (1) 1   (2) -2 (3) $-\dfrac{1}{2}$ (4) 0   (5) -2
(6) 0   (7) 0   (8) $\dfrac{4}{3}$ (9) $\dfrac{1}{3}$ (10) $\dfrac{1}{2}$

풀이 **(1)** $\sum\limits_{n=1}^{\infty}(a_n-1)$이 수렴하므로 $\lim\limits_{n\to\infty}(a_n-1)=0$
$$\therefore\ \lim_{n\to\infty}a_n=1$$

(2) $\sum\limits_{n=1}^{\infty}(a_n+2)$가 수렴하므로 $\lim\limits_{n\to\infty}(a_n+2)=0$
$$\therefore\ \lim_{n\to\infty}a_n=-2$$

(3) $\sum\limits_{n=1}^{\infty}(2a_n+1)$이 수렴하므로 $\lim\limits_{n\to\infty}(2a_n+1)=0$
$$\therefore\ \lim_{n\to\infty}a_n=-\frac{1}{2}$$

(4) $\sum\limits_{n=1}^{\infty}\left(a_n-\dfrac{1}{n}\right)$이 수렴하므로 $\lim\limits_{n\to\infty}\left(a_n-\dfrac{1}{n}\right)=0$
$$\therefore\ \lim_{n\to\infty}a_n=\lim_{n\to\infty}\frac{1}{n}=0$$

(5) $\sum\limits_{n=1}^{\infty}\left(a_n+\dfrac{4n}{2n+3}\right)$이 수렴하므로 $\lim\limits_{n\to\infty}\left(a_n+\dfrac{4n}{2n+3}\right)=0$
$$\therefore\ \lim_{n\to\infty}a_n=\lim_{n\to\infty}\left(-\frac{4n}{2n+3}\right)=-2$$

(6) $\sum\limits_{n=1}^{\infty}a_n$이 수렴하므로 $\lim\limits_{n\to\infty}a_n=0$

(7) $\sum\limits_{n=1}^{\infty}\dfrac{a_n}{3}$이 수렴하므로 $\lim\limits_{n\to\infty}\dfrac{a_n}{3}=0$
$$\therefore\ \lim_{n\to\infty}a_n=0$$

(8) $\sum\limits_{n=1}^{\infty}(3a_n-4)$가 수렴하므로 $\lim\limits_{n\to\infty}(3a_n-4)=0$
$$\therefore\ \lim_{n\to\infty}a_n=\frac{4}{3}$$

(9) $\sum\limits_{n=1}^{\infty}\left(a_n-\dfrac{n-1}{3n+1}\right)$이 수렴하므로 $\lim\limits_{n\to\infty}\left(a_n-\dfrac{n-1}{3n+1}\right)=0$
$$\therefore\ \lim_{n\to\infty}a_n=\lim_{n\to\infty}\frac{n-1}{3n+1}=\frac{1}{3}$$

(10) $\sum\limits_{n=1}^{\infty}\left(a_n-\dfrac{n^2+1}{2n^2}\right)$이 수렴하므로 $\lim\limits_{n\to\infty}\left(a_n-\dfrac{n^2+1}{2n^2}\right)=0$
$$\therefore\ \lim_{n\to\infty}a_n=\lim_{n\to\infty}\frac{n^2+1}{2n^2}=\frac{1}{2}$$

10 답 (1) 수렴   (2) 수렴   (3) 발산   (4) 수렴
(5) 발산   (6) 수렴   (7) 발산   (8) 수렴

풀이 **(1)** 주어진 급수의 공비는 $\dfrac{1}{2}$이고,
$$-1<\frac{1}{2}<1$$이므로 주어진 급수는 수렴한다.

(2) 주어진 급수의 공비는 $\dfrac{2}{3}$이고,

$-1<\dfrac{2}{3}<1$이므로 주어진 급수는 수렴한다.

(3) 주어진 급수의 공비는 2이고,

$2>1$이므로 주어진 급수는 발산한다.

(4) 주어진 급수의 공비는 $-\dfrac{1}{\sqrt{2}}$이고,

$-1<-\dfrac{1}{\sqrt{2}}<1$이므로 주어진 급수는 수렴한다.

(5) 주어진 급수의 공비는 3이고,

$3>1$이므로 주어진 급수는 발산한다.

(6) 주어진 급수의 공비는 $\dfrac{3}{4}$이고,

$-1<\dfrac{3}{4}<1$이므로 주어진 급수는 수렴한다.

(7) 주어진 급수의 공비는 $-\sqrt{3}$이고,

$-\sqrt{3}<-1$이므로 주어진 급수는 발산한다.

(8) 주어진 급수의 공비는 $\sqrt{2}-1$이고,

$-1<\sqrt{2}-1<1$이므로 주어진 급수는 수렴한다.

11 답 (1) 수렴, $\dfrac{5}{3}$ (2) 수렴, 32 (3) 수렴, 6

(4) 발산 (5) 발산

풀이 (1) 첫째항 $a=1$, 공비 $r=\dfrac{2}{5}$에서 $-1<r<1$이므로

주어진 급수는 수렴하고, 그 합은

$$\dfrac{1}{1-\dfrac{2}{5}}=\dfrac{5}{3}$$

(2) 첫째항 $a=16$, 공비 $r=\dfrac{1}{2}$에서 $-1<r<1$이므로 주어진 급수는 수렴하고, 그 합은

$$\dfrac{16}{1-\dfrac{1}{2}}=32$$

(3) 첫째항 $a=\dfrac{6}{7}$, 공비 $r=\dfrac{6}{7}$에서 $-1<r<1$이므로 주어진 급수는 수렴하고, 그 합은

$$\dfrac{\dfrac{6}{7}}{1-\dfrac{6}{7}}=6$$

(4) 첫째항 $a=1$, 공비 $r=\sqrt{2}$에서 $r>1$이므로 주어진 급수는 발산한다.

(5) 첫째항 $a=\dfrac{3}{2}$, 공비 $r=-\dfrac{3}{2}$에서 $r<-1$이므로 주어진 급수는 발산한다.

12 답 (1) 5 (2) 7 (3) $\dfrac{1}{6}$ (4) $-\dfrac{2}{5}$ (5) $\dfrac{2}{3}$

풀이 (1) 첫째항 $a=1$, 공비 $r=\dfrac{4}{5}$이므로 주어진 급수의 합은

$$\dfrac{1}{1-\dfrac{4}{5}}=5$$

(2) 첫째항 $a=4$, 공비 $r=\dfrac{3}{7}$이므로 주어진 급수의 합은

$$\dfrac{4}{1-\dfrac{3}{7}}=7$$

(3) 첫째항 $a=\left(-\dfrac{1}{2}\right)^2=\dfrac{1}{4}$, 공비 $r=-\dfrac{1}{2}$이므로 주어진 급수의 합은 $\dfrac{\dfrac{1}{4}}{1-\left(-\dfrac{1}{2}\right)}=\dfrac{1}{6}$

(4) $\displaystyle\sum_{n=1}^{\infty}(-1)^n\times\left(\dfrac{2}{3}\right)^n=\sum_{n=1}^{\infty}\left(-\dfrac{2}{3}\right)^n$

따라서 첫째항 $a=-\dfrac{2}{3}$, 공비 $r=-\dfrac{2}{3}$이므로 주어진 급수의 합은

$$\dfrac{-\dfrac{2}{3}}{1-\left(-\dfrac{2}{3}\right)}=-\dfrac{2}{5}$$

(5) $\displaystyle\sum_{n=1}^{\infty}2^{1-2n}=\sum_{n=1}^{\infty}2\times\left(\dfrac{1}{4}\right)^n$

따라서 첫째항 $a=2\times\dfrac{1}{4}=\dfrac{1}{2}$, 공비 $r=\dfrac{1}{4}$이므로 주어진 급수의 합은

$$\dfrac{\dfrac{1}{2}}{1-\dfrac{1}{4}}=\dfrac{2}{3}$$

13 답 (1) 2 (2) $\dfrac{3}{2}$ (3) $\dfrac{3}{2}$ (4) $\dfrac{5}{2}$

(5) -2 (6) $\dfrac{18}{7}$ (7) $\dfrac{39}{10}$ (8) 5

풀이 (1) $\displaystyle\sum_{n=1}^{\infty}\dfrac{2}{3^n}$는 첫째항이 $\dfrac{2}{3}$이고, 공비가 $\dfrac{1}{3}$인 등비급수

이고, $\displaystyle\sum_{n=1}^{\infty}\dfrac{1}{2^n}$은 첫째항이 $\dfrac{1}{2}$이고, 공비가 $\dfrac{1}{2}$인 등비급수

이다.

$$\therefore \sum_{n=1}^{\infty}\left(\dfrac{2}{3^n}+\dfrac{1}{2^n}\right)=\sum_{n=1}^{\infty}\dfrac{2}{3^n}+\sum_{n=1}^{\infty}\dfrac{1}{2^n}$$

$$=\dfrac{\dfrac{2}{3}}{1-\dfrac{1}{3}}+\dfrac{\dfrac{1}{2}}{1-\dfrac{1}{2}}$$

$$=1+1=2$$

(2) $\displaystyle\sum_{n=1}^{\infty}\left(\dfrac{1}{2}\right)^n$은 첫째항이 $\dfrac{1}{2}$이고, 공비가 $\dfrac{1}{2}$인 등비급수이

고, $\displaystyle\sum_{n=1}^{\infty}\left(\dfrac{1}{3}\right)^n$은 첫째항이 $\dfrac{1}{3}$이고, 공비가 $\dfrac{1}{3}$인 등비급수

이다.

$$\therefore \sum_{n=1}^{\infty}\left\{\left(\dfrac{1}{2}\right)^n+\left(\dfrac{1}{3}\right)^n\right\}=\sum_{n=1}^{\infty}\left(\dfrac{1}{2}\right)^n+\sum_{n=1}^{\infty}\left(\dfrac{1}{3}\right)^n$$

$$=\dfrac{\dfrac{1}{2}}{1-\dfrac{1}{2}}+\dfrac{\dfrac{1}{3}}{1-\dfrac{1}{3}}$$

$$=1+\dfrac{1}{2}=\dfrac{3}{2}$$

(3) $\displaystyle\sum_{n=1}^{\infty}\dfrac{4}{3^n}$는 첫째항이 $\dfrac{4}{3}$이고, 공비가 $\dfrac{1}{3}$인 등비급수이고,

$\sum\limits_{n=1}^{\infty}\dfrac{2}{5^n}$ 는 첫째항이 $\dfrac{2}{5}$ 이고, 공비가 $\dfrac{1}{5}$ 인 등비급수이다.

$$\therefore \sum_{n=1}^{\infty}\left(\dfrac{4}{3^n}-\dfrac{2}{5^n}\right)=\sum_{n=1}^{\infty}\dfrac{4}{3^n}-\sum_{n=1}^{\infty}\dfrac{2}{5^n}$$
$$=\dfrac{\dfrac{4}{3}}{1-\dfrac{1}{3}}-\dfrac{\dfrac{2}{5}}{1-\dfrac{1}{5}}$$
$$=2-\dfrac{1}{2}=\dfrac{3}{2}$$

(4) $\sum\limits_{n=1}^{\infty}\dfrac{2^n+1}{3^n}=\sum\limits_{n=1}^{\infty}\dfrac{2^n}{3^n}+\sum\limits_{n=1}^{\infty}\dfrac{1}{3^n}=\sum\limits_{n=1}^{\infty}\left(\dfrac{2}{3}\right)^n+\sum\limits_{n=1}^{\infty}\dfrac{1}{3^n}$

$\sum\limits_{n=1}^{\infty}\left(\dfrac{2}{3}\right)^n$ 은 첫째항이 $\dfrac{2}{3}$ 이고, 공비가 $\dfrac{2}{3}$ 인 등비급수이고,

$\sum\limits_{n=1}^{\infty}\dfrac{1}{3^n}$ 은 첫째항이 $\dfrac{1}{3}$ 이고, 공비가 $\dfrac{1}{3}$ 인 등비급수이다.

$$\therefore \sum_{n=1}^{\infty}\dfrac{2^n+1}{3^n}=\sum_{n=1}^{\infty}\left(\dfrac{2}{3}\right)^n+\sum_{n=1}^{\infty}\dfrac{1}{3^n}$$
$$=\dfrac{\dfrac{2}{3}}{1-\dfrac{2}{3}}+\dfrac{\dfrac{1}{3}}{1-\dfrac{1}{3}}$$
$$=2+\dfrac{1}{2}=\dfrac{5}{2}$$

(5) $\sum\limits_{n=1}^{\infty}\dfrac{2^n-3^n}{4^n}=\sum\limits_{n=1}^{\infty}\dfrac{2^n}{4^n}-\sum\limits_{n=1}^{\infty}\dfrac{3^n}{4^n}$
$$=\sum_{n=1}^{\infty}\left(\dfrac{1}{2}\right)^n-\sum_{n=1}^{\infty}\left(\dfrac{3}{4}\right)^n$$

$\sum\limits_{n=1}^{\infty}\left(\dfrac{1}{2}\right)^n$ 은 첫째항이 $\dfrac{1}{2}$ 이고, 공비가 $\dfrac{1}{2}$ 인 등비급수이고, $\sum\limits_{n=1}^{\infty}\left(\dfrac{3}{4}\right)^n$ 은 첫째항이 $\dfrac{3}{4}$ 이고, 공비가 $\dfrac{3}{4}$ 인 등비급수이다.

$$\therefore \sum_{n=1}^{\infty}\dfrac{2^n-3^n}{4^n}=\sum_{n=1}^{\infty}\left(\dfrac{1}{2}\right)^n-\sum_{n=1}^{\infty}\left(\dfrac{3}{4}\right)^n$$
$$=\dfrac{\dfrac{1}{2}}{1-\dfrac{1}{2}}-\dfrac{\dfrac{3}{4}}{1-\dfrac{3}{4}}$$
$$=1-3=-2$$

(6) $\sum\limits_{n=1}^{\infty}\dfrac{3^n+(-3)^n}{4^n}=\sum\limits_{n=1}^{\infty}\dfrac{3^n}{4^n}+\sum\limits_{n=1}^{\infty}\dfrac{(-3)^n}{4^n}$
$$=\sum_{n=1}^{\infty}\left(\dfrac{3}{4}\right)^n+\sum_{n=1}^{\infty}\left(-\dfrac{3}{4}\right)^n$$

$\sum\limits_{n=1}^{\infty}\left(\dfrac{3}{4}\right)^n$ 은 첫째항이 $\dfrac{3}{4}$ 이고, 공비가 $\dfrac{3}{4}$ 인 등비급수이고,

$\sum\limits_{n=1}^{\infty}\left(-\dfrac{3}{4}\right)^n$ 은 첫째항이 $-\dfrac{3}{4}$ 이고, 공비가 $-\dfrac{3}{4}$ 인 등비급수이다.

$$\therefore \sum_{n=1}^{\infty}\dfrac{3^n+(-3)^n}{4^n}=\sum_{n=1}^{\infty}\left(\dfrac{3}{4}\right)^n+\sum_{n=1}^{\infty}\left(-\dfrac{3}{4}\right)^n$$
$$=\dfrac{\dfrac{3}{4}}{1-\dfrac{3}{4}}+\dfrac{-\dfrac{3}{4}}{1-\left(-\dfrac{3}{4}\right)}$$
$$=3-\dfrac{3}{7}=\dfrac{18}{7}$$

(7) $\sum\limits_{n=1}^{\infty}\dfrac{12}{6^n}$ 는 첫째항이 2이고, 공비가 $\dfrac{1}{6}$ 인 등비급수이고,

$\sum\limits_{n=1}^{\infty}\dfrac{1}{3^{n-1}}$ 은 첫째항이 1이고, 공비가 $\dfrac{1}{3}$ 인 등비급수이다.

$$\therefore \sum_{n=1}^{\infty}\left(\dfrac{12}{6^n}+\dfrac{1}{3^{n-1}}\right)=\sum_{n=1}^{\infty}\dfrac{12}{6^n}+\sum_{n=1}^{\infty}\dfrac{1}{3^{n-1}}$$
$$=\dfrac{2}{1-\dfrac{1}{6}}+\dfrac{1}{1-\dfrac{1}{3}}$$
$$=\dfrac{12}{5}+\dfrac{3}{2}=\dfrac{39}{10}$$

(8) $\sum\limits_{n=1}^{\infty}\dfrac{3^{n+1}}{4^n}=\sum\limits_{n=1}^{\infty}3\times\left(\dfrac{3}{4}\right)^n$ 은 첫째항이 $\dfrac{9}{4}$ 이고, 공비가 $\dfrac{3}{4}$ 인 등비급수이고, $\sum\limits_{n=1}^{\infty}\dfrac{4}{2^n}$ 는 첫째항이 2이고, 공비가 $\dfrac{1}{2}$ 인 등비급수이다.

$$\therefore \sum_{n=1}^{\infty}\left(\dfrac{3^{n+1}}{4^n}-\dfrac{4}{2^n}\right)=\sum_{n=1}^{\infty}3\times\left(\dfrac{3}{4}\right)^n-\sum_{n=1}^{\infty}\dfrac{4}{2^n}$$
$$=\dfrac{\dfrac{9}{4}}{1-\dfrac{3}{4}}-\dfrac{2}{1-\dfrac{1}{2}}$$
$$=9-4=5$$

14 답 (1) $-1<x<1$ (2) $-\dfrac{1}{2}<x<\dfrac{1}{2}$ (3) $-3<x<3$
(4) $1<x<3$ (5) $-3<x<1$

풀이 (1) 주어진 급수의 공비가 x이므로
$\underline{-1<x<1}$

(2) 주어진 급수의 공비가 $2x$이므로
$-1<2x<1$ $\therefore -\dfrac{1}{2}<x<\dfrac{1}{2}$

(3) 주어진 급수의 공비가 $\dfrac{x}{3}$이므로
$-1<\dfrac{x}{3}<1$ $\therefore -3<x<3$

(4) 주어진 급수의 공비가 $x-2$이므로
$-1<x-2<1$ $\therefore 1<x<3$

(5) 주어진 급수의 공비가 $\dfrac{x+1}{2}$이므로
$-1<\dfrac{x+1}{2}<1$, $-2<x+1<2$
$\therefore -3<x<1$

15 답 (1) $-2<x\leq0$ (2) $x=0$ 또는 $2<x<4$
(3) $-1<x<1$ (4) $x<-1$ 또는 $x\geq1$

풀이 (1) 주어진 등비급수의 첫째항은 x, 공비는 $x+1$이므로 수렴하려면
$x=0$ 또는 $-1<\underline{x+1}<1$
$x=0$ 또는 $\underline{-2<x<0}$
$\therefore \underline{-2<x\leq0}$

(2) 주어진 등비급수의 첫째항은 x, 공비는 $x-3$이므로 수렴하려면
$x=0$ 또는 $-1<x-3<1$

$\therefore \ x=0 \ \text{또는} \ 2<x<4$

(3) 주어진 등비급수의 첫째항은 $-x$, 공비는 $-x$이므로 수렴하려면

$x=0 \ \text{또는} \ -1<-x<1$

$x=0 \ \text{또는} \ -1<-x<1$

$\therefore \ -1<x<1$

(4) 주어진 등비급수의 첫째항은 $1-x$, 공비는 $\dfrac{1}{x}$이므로 수렴하려면

$1-x=0 \ \text{또는} \ -1<\dfrac{1}{x}<1$

$x=1 \ \text{또는} \ x<-1 \ \text{또는} \ x>1$

$\therefore \ x<-1 \ \text{또는} \ x\geq 1$

---

16 답 (1) $\dfrac{4}{33}$ (2) $\dfrac{47}{99}$ (3) $\dfrac{8}{45}$ (4) $\dfrac{23}{90}$

(5) $\dfrac{124}{999}$ (6) $\dfrac{29}{111}$ (7) $\dfrac{56}{111}$ (8) $\dfrac{269}{330}$

풀이 **(1)** $0.\dot{1}\dot{2}=0.12+0.0012+0.000012+\cdots$

따라서 $0.\dot{1}\dot{2}$는 첫째항이 0.12이고, 공비가 $\underline{0.01}$인 등비급수의 합이므로

$0.\dot{1}\dot{2}=\dfrac{0.12}{1-0.01}=\dfrac{12}{99}=\dfrac{4}{33}$

(2) $0.\dot{4}\dot{7}=0.47+0.0047+0.000047+\cdots$

따라서 $0.\dot{4}\dot{7}$은 첫째항이 0.47이고, 공비가 0.01인 등비급수의 합이므로

$0.\dot{4}\dot{7}=\dfrac{0.47}{1-0.01}=\dfrac{47}{99}$

(3) $0.1\dot{7}=0.1+0.07+0.007+0.0007+\cdots$

$=0.1+\dfrac{0.07}{1-0.1}$

$=\dfrac{1}{10}+\dfrac{7}{90}=\dfrac{16}{90}=\dfrac{8}{45}$

(4) $0.2\dot{5}=0.2+0.05+0.005+0.0005+\cdots$

$=0.2+\dfrac{0.05}{1-0.1}$

$=\dfrac{2}{10}+\dfrac{5}{90}=\dfrac{23}{90}$

(5) $0.\dot{1}2\dot{4}=0.124+0.000124+0.000000124+\cdots$

$=\dfrac{0.124}{1-0.001}=\dfrac{124}{999}$

(6) $0.\dot{2}6\dot{1}=0.261+0.000261+0.000000261+\cdots$

$=\dfrac{0.261}{1-0.001}=\dfrac{261}{999}=\dfrac{29}{111}$

(7) $0.\dot{5}0\dot{4}=0.504+0.000504+0.000000504+\cdots$

$=\dfrac{0.504}{1-0.001}=\dfrac{504}{999}=\dfrac{56}{111}$

(8) $0.8\dot{1}\dot{5}=0.8+0.015+0.00015+0.0000015+\cdots$

$=0.8+\dfrac{0.015}{1-0.01}$

$=\dfrac{8}{10}+\dfrac{15}{990}=\dfrac{807}{990}=\dfrac{269}{330}$

---

17 답 2

풀이 선분 A_1A_2를 $3:1$로 외분하는 점이 A_3이므로

$\overline{A_2A_3}=\dfrac{1}{2}\overline{A_1A_2}$

선분 A_2A_3을 $3:1$로 외분하는 점이 A_4이므로

$\overline{A_3A_4}=\dfrac{1}{2}\times\overline{A_2A_3}=\left(\dfrac{1}{2}\right)^2\times\overline{A_1A_2}$

$\vdots$

따라서 구하는 값은 첫째항이 1, 공비가 $\dfrac{1}{2}$인 등비급수의 합이므로

$\displaystyle\sum_{n=1}^{\infty}\overline{A_nA_{n+1}}=\sum_{n=1}^{\infty}\left(\dfrac{1}{2}\right)^{n-1}=\dfrac{1}{1-\dfrac{1}{2}}=2$

---

18 답 2

풀이 $\triangle$POQ에서 $\overline{PQ}=\overline{OQ}=x$라고 하면

$x^2+x^2=(\sqrt{2})^2$, $2x^2=2$ $\therefore \ x=1 \ (\because \ x>0)$

즉, $\overline{PQ}=1$이고 $\triangle$POQ$\backsim\triangle$P$_1$OQ$_1$이므로

$\overline{PQ}:\overline{P_1Q_1}=\overline{OP}:\overline{OP_1}=1:\dfrac{1}{2}$

$\therefore \ \overline{P_1Q_1}=\dfrac{1}{2}$

같은 방법으로

$\overline{P_2Q_2}=\dfrac{1}{2}\overline{P_1Q_1}=\left(\dfrac{1}{2}\right)^2$, $\overline{P_3Q_3}=\dfrac{1}{2}\overline{P_2Q_2}=\left(\dfrac{1}{2}\right)^3, \cdots$

따라서 구하는 값은 첫째항이 1, 공비가 $\dfrac{1}{2}$인 등비급수의 합이므로

$\overline{PQ}+\overline{P_1Q_1}+\overline{P_2Q_2}+\cdots$

$=1+\dfrac{1}{2}+\left(\dfrac{1}{2}\right)^2+\left(\dfrac{1}{2}\right)^3+\cdots$

$=\dfrac{1}{1-\dfrac{1}{2}}=2$

---

19 답 $\sqrt{2}+1$

풀이 $\triangle$OP$_1$P$_2$, $\triangle$OP$_2$P$_3$, $\triangle$OP$_3$P$_4$, $\cdots$는 모두 직각이등변삼각형이므로

$\overline{P_1P_2}=\overline{OP_1}\times\sin 45°=1\times\dfrac{1}{\sqrt{2}}=\dfrac{1}{\sqrt{2}}$

$\overline{P_2P_3}=\overline{OP_2}\times\sin 45°=\overline{P_1P_2}\times\sin 45°=\dfrac{1}{\sqrt{2}}\times\dfrac{1}{\sqrt{2}}=\dfrac{1}{2}$

$\overline{P_3P_4}=\overline{OP_3}\times\sin 45°=\overline{P_2P_3}\times\sin 45°=\dfrac{1}{2}\times\dfrac{1}{\sqrt{2}}=\dfrac{1}{2\sqrt{2}}$

$\vdots$

따라서 구하는 값은 첫째항이 $\dfrac{1}{\sqrt{2}}$, 공비가 $\dfrac{1}{\sqrt{2}}$인 등비급수의 합이므로

$\overline{P_1P_2}+\overline{P_2P_3}+\overline{P_3P_4}+\cdots=\dfrac{1}{\sqrt{2}}+\dfrac{1}{2}+\dfrac{1}{2\sqrt{2}}+\cdots$

$=\dfrac{\dfrac{1}{\sqrt{2}}}{1-\dfrac{1}{\sqrt{2}}}=\dfrac{1}{\sqrt{2}-1}$

$=\sqrt{2}+1$

20 답 $\dfrac{1}{3}$

풀이 정사각형의 한 변의 길이를 차례대로 a_1, a_2, a_3, $\cdots$이라 하면

$a_1=\dfrac{1}{2}$, $a_2=\left(\dfrac{1}{2}\right)^2$, $a_3=\left(\dfrac{1}{2}\right)^3$, $\cdots$

정사각형의 넓이를 차례대로 S_1, S_2, S_3, $\cdots$이라 하면

$S_1=\left(\dfrac{1}{2}\right)^2=\dfrac{1}{4}$, $S_2=\left\{\left(\dfrac{1}{2}\right)^2\right\}^2=\dfrac{1}{16}$,

$S_3=\left\{\left(\dfrac{1}{2}\right)^3\right\}^2=\dfrac{1}{64}$, $\cdots$

따라서 정사각형의 넓이는 첫째항이 $\dfrac{1}{4}$, 공비가 $\dfrac{1}{4}$인 등비수열을 이루므로 구하는 정사각형의 넓이의 합은

$S_1+S_2+S_3+\cdots=\dfrac{\dfrac{1}{4}}{1-\dfrac{1}{4}}=\dfrac{1}{3}$

21 답 2

풀이 정사각형의 한 변의 길이를 차례대로 a_1, a_2, a_3 $\cdots$ 이라 하면

$a_1=1$

$a_2=\overline{A_1 B_1}$이고, $\overline{A_1 C}=1$이므로

$\overline{A_1 C}=\sqrt{a_2^2+a_2^2}=\sqrt{2}a_2=1$

$\therefore a_2=\dfrac{1}{\sqrt{2}}$

즉, $a_{n+1}=\dfrac{1}{\sqrt{2}}a_n$이므로 수열 $\{a_n\}$은 첫째항이 $a_1=1$,

공비가 $\dfrac{1}{\sqrt{2}}$인 등비수열이다.

따라서 정사각형의 넓이는 첫째항이 $a_1^2=1$, 공비가

$\left(\dfrac{1}{\sqrt{2}}\right)^2=\dfrac{1}{2}$인 등비수열을 이루므로 구하는 모든 정사각형의 넓이의 합은

$\dfrac{1}{1-\dfrac{1}{2}}=2$

22 답 $\dfrac{16}{3}\pi$

풀이 원 C_1의 넓이는 $\pi\times 2^2=4\pi$

원 C_2의 넓이는 $\pi\times\left(\dfrac{2}{2}\right)^2=\pi$

원 C_3의 넓이는 $\pi\times\left(\dfrac{1}{2}\right)^2=\dfrac{\pi}{4}$

$\vdots$

따라서 원의 넓이는 첫째항이 4π, 공비가 $\dfrac{1}{4}$인 등비수열을 이루므로 구하는 모든 원의 넓이의 합은

$\dfrac{4\pi}{1-\dfrac{1}{4}}=\dfrac{16}{3}\pi$

01 답 4

풀이 $\displaystyle\lim_{n\to\infty}(S_n+2)=\lim_{n\to\infty}S_n+\lim_{n\to\infty}2$

$\displaystyle\qquad\qquad\qquad =\sum_{n=1}^{\infty}a_n+2$

$\qquad\qquad\qquad =2+2=4$

02 답 ㄴ

풀이 주어진 급수의 제n항까지의 부분합을 S_n이라 하자.

ㄱ. $S_n=(\sqrt{3}-1)+(\sqrt{5}-\sqrt{3})+(\sqrt{7}-\sqrt{5})+\cdots$
$\qquad\qquad\qquad\qquad\qquad +(\sqrt{2n+1}-\sqrt{2n-1})$

$\qquad =\sqrt{2n+1}-1$

$\therefore \displaystyle\lim_{n\to\infty}S_n=\lim_{n\to\infty}(\sqrt{2n+1}-1)=\infty$ (발산)

ㄴ. $S_n=\left(\dfrac{1}{2}-\dfrac{1}{3}\right)+\left(\dfrac{1}{3}-\dfrac{1}{4}\right)+\cdots+\left(\dfrac{1}{n+1}-\dfrac{1}{n+2}\right)$

$\qquad =\dfrac{1}{2}-\dfrac{1}{n+2}$

$\therefore \displaystyle\lim_{n\to\infty}S_n=\lim_{n\to\infty}\left(\dfrac{1}{2}-\dfrac{1}{n+2}\right)=\dfrac{1}{2}$ (수렴)

ㄷ. $S_n=\begin{cases}-1 & (n=2k-1) \\ 0 & (n=2k)\end{cases}$ (단, k는 자연수)

따라서 $\displaystyle\lim_{n\to\infty}S_{2n-1}\neq\lim_{n\to\infty}S_{2n}$이므로 주어진 급수는 발산한다.

따라서 수렴하는 급수는 ㄴ이다.

03 답 $\dfrac{3}{4}$

풀이 주어진 급수의 제n항을 a_n, 제n항까지의 부분합을 S_n이라 하면

$a_n=\dfrac{1}{(n+1)^2-1}$

$\quad =\dfrac{1}{n(n+2)}$

$\quad =\dfrac{1}{2}\left(\dfrac{1}{n}-\dfrac{1}{n+2}\right)$

이므로

$\displaystyle S_n=\sum_{k=1}^{n}a_k=\sum_{k=1}^{n}\dfrac{1}{2}\left(\dfrac{1}{k}-\dfrac{1}{k+2}\right)$

$\quad\displaystyle =\dfrac{1}{2}\sum_{k=1}^{n}\left(\dfrac{1}{k}-\dfrac{1}{k+2}\right)$

$\quad =\dfrac{1}{2}\left\{\left(1-\dfrac{1}{3}\right)+\left(\dfrac{1}{2}-\dfrac{1}{4}\right)+\left(\dfrac{1}{3}-\dfrac{1}{5}\right)+\cdots\right.$
$\qquad\qquad\qquad\left.+\left(\dfrac{1}{n-1}-\dfrac{1}{n+1}\right)+\left(\dfrac{1}{n}-\dfrac{1}{n+2}\right)\right\}$

$\quad =\dfrac{1}{2}\left(1+\dfrac{1}{2}-\dfrac{1}{n+1}-\dfrac{1}{n+2}\right)$

$\therefore \displaystyle\lim_{n\to\infty}S_n=\lim_{n\to\infty}\dfrac{1}{2}\left(1+\dfrac{1}{2}-\dfrac{1}{n+1}-\dfrac{1}{n+2}\right)$

$\qquad\qquad =\dfrac{1}{2}\left(1+\dfrac{1}{2}\right)=\dfrac{3}{4}$

04 답 1

풀이 $\sum\limits_{n=2}^{\infty} \log_2 \dfrac{n^2}{(n-1)(n+1)}$

$=\lim\limits_{n\to\infty} \sum\limits_{k=2}^{n} \log_2 \dfrac{k \times k}{(k-1)(k+1)}$

$=\lim\limits_{n\to\infty} \sum\limits_{k=2}^{n} \log_2 \left(\dfrac{k}{k-1} \times \dfrac{k}{k+1}\right)$

$=\lim\limits_{n\to\infty} \left\{ \log_2 \left(\dfrac{2}{1} \times \dfrac{2}{3}\right) + \log_2 \left(\dfrac{3}{2} \times \dfrac{3}{4}\right) +\right.$

$\left. \log_2 \left(\dfrac{4}{3} \times \dfrac{4}{5}\right) + \cdots + \log_2 \left(\dfrac{n}{n-1} \times \dfrac{n}{n+1}\right)\right\}$

$=\lim\limits_{n\to\infty} \log_2 \left(\dfrac{2}{1} \times \dfrac{2}{3} \times \dfrac{3}{2} \times \dfrac{3}{4} \times \dfrac{4}{3} \times \dfrac{4}{5} \times \cdots \right.$

$\left. \times \dfrac{n}{n-1} \times \dfrac{n}{n+1}\right)$

$=\lim\limits_{n\to\infty} \log_2 \dfrac{2n}{n+1}$

$=\log_2 2 = 1$

05 답 -3

풀이 $\sum\limits_{n=1}^{\infty} a_n$이 수렴하므로 $\lim\limits_{n\to\infty} a_n = 0$

$\therefore \lim\limits_{n\to\infty} \dfrac{5a_n - 6n + 3}{3a_n + 2n - 1} = \lim\limits_{n\to\infty} \dfrac{-6n+3}{2n-1} = -3$

06 답 $\dfrac{1}{4}$

풀이 첫째항이 1, 공비가 $2x$인 등비급수의 합이 2이므로

$\dfrac{1}{1-2x} = 2$, $1-2x = \dfrac{1}{2}$, $2x = \dfrac{1}{2}$

$\therefore x = \dfrac{1}{4}$

07 답 162

풀이 등비수열 $\{a_n\}$의 공비를 $r\,(-1<r<1)$라 하면

$\sum\limits_{n=1}^{\infty} a_n = 9$에서

$\dfrac{12}{1-r} = 9$, $1-r = \dfrac{4}{3}$ $\therefore r = -\dfrac{1}{3}$

따라서 수열 $\{a_n^2\}$은 첫째항이 $a_1^2 = 12^2 = 144$이고, 공비가

$r^2 = \left(-\dfrac{1}{3}\right)^2 = \dfrac{1}{9}$인 등비수열이므로

$\sum\limits_{n=1}^{\infty} a_n^2 = \dfrac{144}{1-\dfrac{1}{9}} = 162$

08 답 ㄱ, ㄷ

풀이 등비급수 $\sum\limits_{n=1}^{\infty} r^n$이 수렴하므로 $-1<r<1$

ㄱ. $-1<-r<1$이므로 등비급수 $\sum\limits_{n=1}^{\infty} (-r)^n$은 수렴한다.

ㄴ. $\dfrac{1}{r}<-1$ 또는 $\dfrac{1}{r}>1$이므로 등비급수 $\sum\limits_{n=1}^{\infty} \left(\dfrac{1}{r}\right)^n$은 발산한다.

ㄷ. $0<\dfrac{r+1}{2}<1$이므로 등비급수 $\sum\limits_{n=1}^{\infty} \left(\dfrac{r+1}{2}\right)^n$은 수렴한다.

따라서 항상 수렴하는 급수는 ㄱ, ㄷ이다.

09 답 $\dfrac{4}{3}$

풀이 $\sum\limits_{n=1}^{\infty} \dfrac{1}{4^n}$은 첫째항이 $\dfrac{1}{4}$이고, 공비가 $\dfrac{1}{4}$인 등비급수이고,

$\sum\limits_{n=1}^{\infty} \dfrac{2^{n-1}}{3^n} = \sum\limits_{n=1}^{\infty} \dfrac{1}{2} \times \left(\dfrac{2}{3}\right)^n$은 첫째항이 $\dfrac{1}{3}$이고, 공비가 $\dfrac{2}{3}$인

등비급수이다.

$\therefore \sum\limits_{n=1}^{\infty} \left(\dfrac{1}{4^n} + \dfrac{2^{n-1}}{3^n}\right) = \sum\limits_{n=1}^{\infty} \left(\dfrac{1}{4}\right)^n + \sum\limits_{n=1}^{\infty} \dfrac{1}{2} \times \left(\dfrac{2}{3}\right)^n$

$= \dfrac{\dfrac{1}{4}}{1-\dfrac{1}{4}} + \dfrac{\dfrac{1}{3}}{1-\dfrac{2}{3}}$

$= \dfrac{1}{3} + 1 = \dfrac{4}{3}$

10 답 ㄱ, ㄴ

풀이 ㄱ. $\sum\limits_{n=1}^{\infty} a_n = \alpha$, $\sum\limits_{n=1}^{\infty} (a_n - b_n) = \beta$ $(\alpha, \beta$는 실수)라 하면

$\sum\limits_{n=1}^{\infty} b_n = \sum\limits_{n=1}^{\infty} \{a_n - (a_n - b_n)\}$

$= \sum\limits_{n=1}^{\infty} a_n - \sum\limits_{n=1}^{\infty} (a_n - b_n)$

$= \alpha - \beta$

이므로 $\sum\limits_{n=1}^{\infty} b_n$도 수렴한다. (참)

ㄴ. $\sum\limits_{n=1}^{\infty} a_n$이 수렴하므로 $\lim\limits_{n\to\infty} a_n = 0$

$\sum\limits_{n=1}^{\infty} b_n$이 수렴하므로 $\lim\limits_{n\to\infty} b_n = 0$

$\therefore \lim\limits_{n\to\infty} a_n b_n = \lim\limits_{n\to\infty} a_n \lim\limits_{n\to\infty} b_n = 0$ (참)

ㄷ. [반례] $a_n = \left(\dfrac{1}{2}\right)^n$이면 $\sum\limits_{n=1}^{\infty} a_n = \dfrac{\dfrac{1}{2}}{1-\dfrac{1}{2}} = 1$로 수렴하지

만 $\sum\limits_{n=1}^{\infty} \dfrac{1}{a_n} = \sum\limits_{n=1}^{\infty} 2^n$은 발산한다. (거짓)

따라서 옳은 것은 ㄱ, ㄴ이다.

11 답 2

풀이 등비급수 $\sum\limits_{n=1}^{\infty} (\log_3 x)^{n-1}$의 공비가 $\log_3 x$이므로 주어

진 급수가 수렴하려면

$-1 < \log_3 x < 1$, $3^{-1} < x < 3$ $\therefore \dfrac{1}{3} < x < 3$

따라서 정수 x는 1, 2의 2개이다.

12 답 $-4<x<-1$ 또는 $1<x<4$

풀이 $\sum\limits_{n=1}^{\infty} \left(\dfrac{x}{4}\right)^n$이 수렴하려면 $-1 < \dfrac{x}{4} < 1$

$\therefore -4 < x < 4$ ...... ㉠

$\sum\limits_{n=1}^{\infty} \left(\dfrac{1}{x}\right)^n$이 수렴하려면 $-1 < \dfrac{1}{x} < 1$

$\therefore x < -1$ 또는 $x > 1$ ...... ㉡

㉠, ㉡에서 구하는 실수 x의 값의 범위는

$-4 < x < -1$ 또는 $1 < x < 4$

13 답 $\dfrac{8}{9}$

풀이 주어진 등비급수의 공비를 r라 하면

$$0.\dot{4} \times r^2 = 0.\dot{1} \qquad\qquad \cdots\cdots\ \bigcirc$$

이때 $0.\dot{4} = 0.4 + 0.04 + 0.004 + \cdots = \dfrac{0.4}{1-0.1} = \dfrac{4}{9}$,

$0.\dot{1} = 0.1 + 0.01 + 0.001 + \cdots = \dfrac{0.1}{1-0.1} = \dfrac{1}{9}$

이므로 이것을 $\bigcirc$에 대입하면

$$\dfrac{4}{9}r^2 = \dfrac{1}{9}, \quad r^2 = \dfrac{1}{4}$$

$$\therefore r = \dfrac{1}{2} \ (\because r > 0)$$

따라서 주어진 등비급수의 합은

$$\dfrac{\dfrac{4}{9}}{1-\dfrac{1}{2}} = \dfrac{8}{9}$$

14 답 $\dfrac{9}{2}\pi$

풀이 $\overline{A_1A_2} = 3$이므로 선분 A_1A_2를 지름으로 하는 반원의 호의 길이 l_1은

$$l_1 = \dfrac{1}{2} \times 2\pi \times \dfrac{3}{2} = \dfrac{3}{2}\pi$$

오른쪽 그림과 같이 선분 A_nA_{n+1}을 $1 : 2$로 내분하는 점이 A_{n+2}이므로

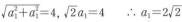

$$\overline{A_{n+1}A_{n+2}} = \dfrac{2}{3}\overline{A_nA_{n+1}}$$

$$\therefore l_{n+1} = \dfrac{2}{3}l_n$$

따라서 구하는 급수의 합은 첫째항이 $\dfrac{3}{2}\pi$, 공비가 $\dfrac{2}{3}$인 등비급수의 합이므로

$$\sum_{n=1}^{\infty} l_n = \dfrac{\dfrac{3}{2}\pi}{1-\dfrac{2}{3}} = \dfrac{9}{2}\pi$$

15 답 $8\pi - 16$

풀이 원 C_1은 반지름의 길이가 2인 원이므로 넓이는

$\pi \times 2^2 = 4\pi$

오른쪽 그림에서 원 C_1에 내접하는 정사각형의 대각선의 길이는 4이므로 정사각형 T_1의 한 변의 길이를 a_1이라 하면

$\sqrt{a_1^2 + a_1^2} = 4, \quad \sqrt{2}\,a_1 = 4 \qquad \therefore a_1 = 2\sqrt{2}$

따라서 정사각형 T_1의 넓이는 $(2\sqrt{2})^2 = 8$

$$\therefore S_1 = 4\pi - 8$$

한편, 정사각형 T_1에 내접하는 원 C_2의 반지름의 길이는

$$\dfrac{1}{2}a_1 = \dfrac{1}{2} \times 2\sqrt{2} = \sqrt{2}$$

이므로 원 C_2의 넓이는 $\pi \times (\sqrt{2})^2 = 2\pi$

원 C_2에 내접하는 정사각형의 대각선의 길이는 $2\sqrt{2}$이므로 정사각형 T_2의 한 변의 길이를 a_2라 하면

$\sqrt{a_2^2 + a_2^2} = 2\sqrt{2}, \quad \sqrt{2}\,a_2 = 2\sqrt{2} \qquad \therefore a_2 = 2$

따라서 원 C_2에 내접하는 정사각형 T_2의 넓이는 $2^2 = 4$

$$\therefore S_2 = 2\pi - 4 = \dfrac{1}{2} \times (4\pi - 8) = \dfrac{1}{2}S_1$$

$$\vdots$$

따라서 수열 $\{S_n\}$은 첫째항이 $4\pi - 8$, 공비가 $\dfrac{1}{2}$인 등비수열을 이루므로

$$\sum_{n=1}^{\infty} S_n = \dfrac{4\pi - 8}{1 - \dfrac{1}{2}} = 8\pi - 16$$

Ⅱ
미분법

Ⅱ-1 │ 여러 가지 함수의 미분   036~071쪽

01 답 (1) 1   (2) ∞   (3) 0   (4) 0   (5) 0
      (6) 1   (7) $-\infty$ (8) ∞   (9) 0   (10) 0

풀이 (1) $\displaystyle\lim_{x\to\infty}\frac{4^x-3^x}{4^x+3^x}=\lim_{x\to\infty}\frac{1-\left(\frac{3}{4}\right)^x}{1+\left(\frac{3}{4}\right)^x}=\frac{1-0}{1+0}=\underline{1}$

(2) $\displaystyle\lim_{x\to\infty}2^x=\infty$

(3) $\displaystyle\lim_{x\to\infty}0.1^x=\lim_{x\to\infty}\left(\frac{1}{10}\right)^x=0$

(4) $\displaystyle\lim_{x\to\infty}\left(\frac{1}{3}\right)^x=0$

(5) $\displaystyle\lim_{x\to\infty}\frac{2^{2x}}{5^x}=\lim_{x\to\infty}\frac{4^x}{5^x}=\lim_{x\to\infty}\left(\frac{4}{5}\right)^x=0$

(6) $\displaystyle\lim_{x\to\infty}\frac{5^x-2^x}{5^x+2^x}=\lim_{x\to\infty}\frac{1-\left(\frac{2}{5}\right)^x}{1+\left(\frac{2}{5}\right)^x}=\frac{1-0}{1+0}=1$

(7) $\displaystyle\lim_{x\to\infty}(3^x-4^x)=\lim_{x\to\infty}4^x\left\{\left(\frac{3}{4}\right)^x-1\right\}=-\infty$

(8) $\displaystyle\lim_{x\to\infty}(2^{2x}-2^x)=\lim_{x\to\infty}(4^x-2^x)$
$\displaystyle\qquad\qquad\qquad\quad=\lim_{x\to\infty}4^x\left\{1-\left(\frac{1}{2}\right)^x\right\}=\infty$

(9) $\displaystyle\lim_{x\to-\infty}4^x=0$

(10) $\displaystyle\lim_{x\to-\infty}\frac{2^x}{2^x+2^{-x}}=\lim_{x\to-\infty}\frac{4^x}{4^x+1}=\lim_{x\to-\infty}\frac{1}{1+\left(\frac{1}{4}\right)^x}=0$

다른 풀이 (10) $-x=t$로 치환하면 $x\to-\infty$이면 $t\to\infty$이
므로

$\displaystyle\lim_{x\to-\infty}\frac{2^x}{2^x+2^{-x}}=\lim_{t\to\infty}\frac{2^{-t}}{2^{-t}+2^t}=\lim_{t\to\infty}\frac{2^{-2t}}{2^{-2t}+1}$
$\displaystyle\qquad\qquad\qquad=\lim_{t\to\infty}\frac{\left(\frac{1}{4}\right)^t}{\left(\frac{1}{4}\right)^t+1}=0$

02 답 (1) 2   (2) ∞   (3) $-\infty$ (4) $-\infty$
      (5) 0   (6) -1 (7) 2   (8) 1

풀이 (1) $\displaystyle\lim_{x\to\infty}\{\log_2(4x+3)-\log_2 x\}$
$\displaystyle\qquad\qquad=\lim_{x\to\infty}\log_2\frac{4x+3}{x}=\log_2\underline{4}=\underline{2}$

(2) $\displaystyle\lim_{x\to\infty}\log_3 x=\infty$

(3) $\displaystyle\lim_{x\to 0+}\log_5 x=-\infty$

(4) $\displaystyle\lim_{x\to\infty}\log_{\frac{1}{2}} x=-\infty$

(5) $\displaystyle\lim_{x\to\infty}\log\frac{x-1}{x+1}=\log 1=0$

(6) $\displaystyle\lim_{x\to\infty}\log_{3^{-1}}\frac{3x+1}{x+2}=\log_{3^{-1}}3=-1$

(7) $\displaystyle\lim_{x\to\infty}\{\log_3 9x-\log_3(x+3)\}=\lim_{x\to\infty}\log_3\frac{9x}{x+3}$
$\displaystyle\qquad\qquad\qquad\qquad\qquad=\log_3 9=2$

(8) $\displaystyle\lim_{x\to\infty}\left\{\log_2\frac{1}{x^2+5}+\log_2(2x^2+1)\right\}=\lim_{x\to\infty}\log_2\frac{2x^2+1}{x^2+5}$
$\displaystyle\qquad\qquad\qquad\qquad\qquad\qquad\qquad=\log_2 2=1$

03 답 (1) e^2 (2) e^5 (3) $\sqrt{e}$ (4) e^2 (5) $\dfrac{1}{e^3}$
      (6) e^6 (7) $\sqrt{e}$ (8) $\dfrac{1}{e^3}$ (9) e (10) $\sqrt{e}$

풀이 (1) $\displaystyle\lim_{x\to 0}(1+x)^{\frac{2}{x}}=\lim_{x\to 0}\left\{(1+x)^{\frac{1}{x}}\right\}^2=\underline{e^2}$

(2) $\displaystyle\lim_{x\to 0}(1+x)^{\frac{5}{x}}=\lim_{x\to 0}\left\{(1+x)^{\frac{1}{x}}\right\}^5=e^5$

(3) $\displaystyle\lim_{x\to 0}(1+x)^{\frac{1}{2x}}=\lim_{x\to 0}\left\{(1+x)^{\frac{1}{x}}\right\}^{\frac{1}{2}}=e^{\frac{1}{2}}=\sqrt{e}$

(4) $\displaystyle\lim_{x\to 0}(1+2x)^{\frac{1}{x}}=\lim_{x\to 0}\left\{(1+2x)^{\frac{1}{2x}}\right\}^2=e^2$

(5) $\displaystyle\lim_{x\to 0}(1-3x)^{\frac{1}{x}}=\lim_{x\to 0}\left\{(1-3x)^{-\frac{1}{3x}}\right\}^{-3}=e^{-3}=\frac{1}{e^3}$

(6) $\displaystyle\lim_{x\to 0}(1+2x)^{\frac{3}{x}}=\lim_{x\to 0}\left\{(1+2x)^{\frac{1}{2x}}\right\}^6=e^6$

(7) $\displaystyle\lim_{x\to 0}\left(1-\frac{x}{4}\right)^{-\frac{2}{x}}=\lim_{x\to 0}\left\{\left(1-\frac{x}{4}\right)^{-\frac{4}{x}}\right\}^{\frac{1}{2}}=e^{\frac{1}{2}}=\sqrt{e}$

(8) $\displaystyle\lim_{x\to\infty}\left(1+\frac{1}{x}\right)^{-3x}=\lim_{x\to\infty}\left\{\left(1+\frac{1}{x}\right)^x\right\}^{-3}=e^{-3}=\frac{1}{e^3}$

(9) $\displaystyle\lim_{x\to\infty}\left(1+\frac{2}{x}\right)^{\frac{x}{2}}=e$

(10) $\displaystyle\lim_{x\to\infty}\left(1+\frac{3}{x}\right)^{\frac{x}{6}}=\lim_{x\to\infty}\left\{\left(1+\frac{3}{x}\right)^{\frac{x}{3}}\right\}^{\frac{1}{2}}=e^{\frac{1}{2}}=\sqrt{e}$

04 답 (1) $\dfrac{1}{2}$ (2) 0   (3) 3   (4) $-\dfrac{1}{2}$
      (5) 2   (6) $\sqrt{6}$ (7) 2

풀이 (1) $\ln\sqrt{e}=\ln e^{\frac{1}{2}}=\frac{1}{2}\ln e=\underline{\frac{1}{2}}$

(2) $\ln 1=0$

(3) $\ln e^3=3\ln e=3$

(4) $\ln\dfrac{1}{\sqrt{e}}=\ln e^{-\frac{1}{2}}=-\frac{1}{2}\ln e=-\frac{1}{2}$

(5) $e^{\ln 2}=2^{\ln e}=2$

(6) $e^{\ln\sqrt{6}}=(\sqrt{6})^{\ln e}=\sqrt{6}$

(7) $e^{\frac{1}{2}\ln 4}=e^{\ln 4^{\frac{1}{2}}}=e^{\ln 2}=2^{\ln e}=2$

05 답 (1) e^2 (2) 1   (3) $\dfrac{1}{e}$ (4) $\ln 3$ (5) $\ln 2$

풀이 (1) $\ln x=2$에서 $x=\underline{e^2}$

(2) $\ln x=0$에서 $x=e^0=1$

(3) $\ln x=-1$에서 $x=e^{-1}=\dfrac{1}{e}$

(4) $e^x=3$에서 $x=\ln 3$

(5) $e^{2x}=4$에서 $2x=\ln 4=2\ln 2$ $\therefore x=\ln 2$

06 답 (1) 2　　　(2) 4　　　(3) $\dfrac{3}{2}$　(4) $\dfrac{3}{5}$

(5) $-\dfrac{1}{3}$　(6) $-\dfrac{3}{5}$　(7) 2　(8) $\dfrac{3}{4}$

풀이 (1) $\displaystyle\lim_{x\to 0}\dfrac{\ln(1+2x)}{x}=\lim_{x\to 0}\left\{\dfrac{\ln(1+2x)}{2x}\times 2\right\}=\underline{2}$

(2) $\displaystyle\lim_{x\to 0}\dfrac{\ln(1+4x)}{x}=\lim_{x\to 0}\left\{\dfrac{\ln(1+4x)}{4x}\times 4\right\}=4$

(3) $\displaystyle\lim_{x\to 0}\dfrac{\ln(1+3x)}{2x}=\lim_{x\to 0}\left\{\dfrac{\ln(1+3x)}{3x}\times \dfrac{3}{2}\right\}=\dfrac{3}{2}$

(4) $\displaystyle\lim_{x\to 0}\dfrac{\ln(1+3x)}{5x}=\lim_{x\to 0}\left\{\dfrac{\ln(1+3x)}{3x}\times \dfrac{3}{5}\right\}=\dfrac{3}{5}$

(5) $\displaystyle\lim_{x\to 0}\dfrac{\ln(1+x)}{-3x}=\lim_{x\to 0}\left\{\dfrac{\ln(1+x)}{x}\times \left(-\dfrac{1}{3}\right)\right\}=-\dfrac{1}{3}$

(6) $\displaystyle\lim_{x\to 0}\dfrac{\ln(1+3x)}{-5x}=\lim_{x\to 0}\left\{\dfrac{\ln(1+3x)}{3x}\times \left(-\dfrac{3}{5}\right)\right\}=-\dfrac{3}{5}$

(7) $\displaystyle\lim_{x\to 0}\dfrac{\ln(1+2x)}{\ln(1+x)}=\lim_{x\to 0}\left\{\dfrac{\ln(1+2x)}{2x}\times \dfrac{x}{\ln(1+x)}\times 2\right\}$

$=\displaystyle\lim_{x\to 0}\dfrac{\ln(1+2x)}{2x}\times\lim_{x\to 0}\dfrac{x}{\ln(1+x)}\times 2$

$=2$

(8) $\displaystyle\lim_{x\to 0}\dfrac{\ln(1+3x)}{\ln(1+4x)}$

$=\displaystyle\lim_{x\to 0}\left\{\dfrac{\ln(1+3x)}{3x}\times \dfrac{4x}{\ln(1+4x)}\times \dfrac{3}{4}\right\}$

$=\displaystyle\lim_{x\to 0}\dfrac{\ln(1+3x)}{3x}\times\lim_{x\to 0}\dfrac{4x}{\ln(1+4x)}\times\dfrac{3}{4}$

$=\dfrac{3}{4}$

07 답 (1) 2　(2) 4　(3) $\dfrac{1}{2}$　(4) $\dfrac{3}{4}$　(5) $-\dfrac{2}{3}$

풀이 (1) $\displaystyle\lim_{x\to 0}\dfrac{e^{2x}-1}{x}=\lim_{x\to 0}\left(\dfrac{e^{2x}-1}{2x}\times 2\right)=\underline{2}$

(2) $\displaystyle\lim_{x\to 0}\dfrac{e^{4x}-1}{x}=\lim_{x\to 0}\left(\dfrac{e^{4x}-1}{4x}\times 4\right)=4$

(3) $\displaystyle\lim_{x\to 0}\dfrac{e^{x}-1}{2x}=\lim_{x\to 0}\left(\dfrac{e^{x}-1}{x}\times \dfrac{1}{2}\right)=\dfrac{1}{2}$

(4) $\displaystyle\lim_{x\to 0}\dfrac{e^{3x}-1}{4x}=\lim_{x\to 0}\left(\dfrac{e^{3x}-1}{3x}\times \dfrac{3}{4}\right)=\dfrac{3}{4}$

(5) $\displaystyle\lim_{x\to 0}\dfrac{e^{2x}-1}{-3x}=\lim_{x\to 0}\left\{\dfrac{e^{2x}-1}{2x}\times \left(-\dfrac{2}{3}\right)\right\}=-\dfrac{2}{3}$

08 답 (1) $\dfrac{2}{\ln 10}$　(2) $\dfrac{4}{\ln 2}$　(3) $\dfrac{1}{5\ln 5}$　(4) $-\dfrac{2}{\ln 3}$　(5) $\dfrac{1}{3\ln 2}$

풀이 (1) $\displaystyle\lim_{x\to 0}\dfrac{\log(1+2x)}{x}=\lim_{x\to 0}\left\{\dfrac{\log(1+2x)}{2x}\times 2\right\}$

$=\dfrac{1}{\ln 10}\times 2=\underline{\dfrac{2}{\ln 10}}$

(2) $\displaystyle\lim_{x\to 0}\dfrac{\log_2(1+4x)}{x}=\lim_{x\to 0}\left\{\dfrac{\log_2(1+4x)}{4x}\times 4\right\}$

$=\dfrac{1}{\ln 2}\times 4=\dfrac{4}{\ln 2}$

(3) $\displaystyle\lim_{x\to 0}\dfrac{\log_5(1+x)}{5x}=\lim_{x\to 0}\left\{\dfrac{\log_5(1+x)}{x}\times \dfrac{1}{5}\right\}$

$=\dfrac{1}{\ln 5}\times \dfrac{1}{5}=\dfrac{1}{5\ln 5}$

(4) $\displaystyle\lim_{x\to 0}\dfrac{\log_3(1+6x)}{-3x}=\lim_{x\to 0}\left\{\dfrac{\log_3(1+6x)}{6x}\times (-2)\right\}$

$=\dfrac{1}{\ln 3}\times (-2)=-\dfrac{2}{\ln 3}$

(5) $\displaystyle\lim_{x\to 0}\dfrac{\log_2(3+x)-\log_2 3}{x}=\lim_{x\to 0}\dfrac{\log_2\left(1+\dfrac{x}{3}\right)}{x}$

$=\displaystyle\lim_{x\to 0}\left\{\dfrac{\log_2\left(1+\dfrac{x}{3}\right)}{\dfrac{x}{3}}\times \dfrac{1}{3}\right\}$

$=\dfrac{1}{\ln 2}\times \dfrac{1}{3}=\dfrac{1}{3\ln 2}$

09 답 (1) $\dfrac{1}{2}\ln 3$　(2) $\dfrac{3}{5}\ln 2$　(3) $\dfrac{1}{\ln 2}$

(4) $\ln\dfrac{3}{2}$　(5) $\dfrac{1}{3}\ln 2$

풀이 (1) $\displaystyle\lim_{x\to 0}\dfrac{3^{x}-1}{2x}=\lim_{x\to 0}\left(\dfrac{3^{x}-1}{x}\times \dfrac{1}{2}\right)=\dfrac{1}{2}\ln 3$

(2) $\displaystyle\lim_{x\to 0}\dfrac{3(2^{x}-1)}{5x}=\lim_{x\to 0}\left(\dfrac{2^{x}-1}{x}\times \dfrac{3}{5}\right)=\dfrac{3}{5}\ln 2$

(3) $\displaystyle\lim_{x\to 0}\dfrac{x}{2^{x}-1}=\lim_{x\to 0}\dfrac{1}{\dfrac{2^{x}-1}{x}}=\dfrac{1}{\ln 2}$

(4) $\displaystyle\lim_{x\to 0}\dfrac{3^{x}-2^{x}}{x}=\lim_{x\to 0}\dfrac{3^{x}-1-2^{x}+1}{x}$

$=\displaystyle\lim_{x\to 0}\left(\dfrac{3^{x}-1}{x}-\dfrac{2^{x}-1}{x}\right)$

$=\ln 3-\ln 2=\ln\dfrac{3}{2}$

(5) $\displaystyle\lim_{x\to 0}\dfrac{6^{x}-3^{x}}{3x}=\lim_{x\to 0}\dfrac{1}{3}\left(\dfrac{6^{x}-1-3^{x}+1}{x}\right)$

$=\displaystyle\lim_{x\to 0}\dfrac{1}{3}\left(\dfrac{6^{x}-1}{x}-\dfrac{3^{x}-1}{x}\right)$

$=\dfrac{1}{3}(\ln 6-\ln 3)$

$=\dfrac{1}{3}\ln 2$

10 답 (1) 1　(2) 2　(3) 1　(4) $-\dfrac{1}{\ln 2}$　(5) $\dfrac{1}{2}\ln 5$

풀이 (1) $\dfrac{1}{x}=t$로 놓으면 $x\to\infty$일 때 $t\to 0$이므로

$\displaystyle\lim_{x\to\infty} x\{\ln(x+1)-\ln x\}$

$=\displaystyle\lim_{x\to\infty} x\ln\dfrac{x+1}{x}=\lim_{x\to\infty} x\ln\left(1+\dfrac{1}{x}\right)$

$=\displaystyle\lim_{t\to 0}\dfrac{\ln(1+t)}{t}=\underline{1}$

(2) $\dfrac{1}{x}=t$로 놓으면 $x\to\infty$일 때 $t\to 0$이므로

$\displaystyle\lim_{x\to\infty} x\{\ln(x+2)-\ln x\}=\lim_{x\to\infty} x\ln\dfrac{x+2}{x}$

$$= \lim_{x \to \infty} x \ln\left(1 + \frac{2}{x}\right)$$

$$= \lim_{t \to 0} \frac{\ln(1+2t)}{t}$$

$$= \lim_{t \to 0} \left\{\frac{\ln(1+2t)}{2t} \times 2\right\} = 2$$

(3) $x-2=t$로 놓으면 $x \to 2$일 때 $t \to 0$이므로

$$\lim_{x \to 2} \frac{e^{x-2}-1}{x-2} = \lim_{t \to 0} \frac{e^t-1}{t} = 1$$

(4) $x-1=t$로 놓으면 $x=t+1$이고, $x \to 1$일 때 $t \to 0$이므로

$$\lim_{x \to 1} \frac{\log_2 x}{1-x} = \lim_{t \to 0} \frac{\log_2 (t+1)}{-t} = -\frac{1}{\ln 2}$$

(5) $x-1=t$로 놓으면 $x=t+1$이고, $x \to 1$일 때 $t \to 0$이므로

$$\lim_{x \to 1} \frac{5^{x-1}-1}{(x-1)(x+1)} = \lim_{t \to 0} \frac{5^t-1}{t(t+2)}$$

$$= \lim_{t \to 0} \left(\frac{5^t-1}{t} \times \frac{1}{t+2}\right)$$

$$= \lim_{t \to 0} \frac{5^t-1}{t} \times \lim_{t \to 0} \frac{1}{t+2}$$

$$= \ln 5 \times \frac{1}{2} = \frac{1}{2} \ln 5$$

11 답 (1) $y'=e^{x+1}$　(2) $y'=e^{x+3}$　(3) $y'=e^{x-2}$
　　(4) $y'=4e^x$　(5) $y'=-e^{x+2}$

풀이 (1) $y=e^{x+1}=\underline{e} \times e^x$이므로 $y'=e \times e^x = \underline{e^{x+1}}$

(2) $y=e^{x+3}=e^3 \times e^x$이므로 $y'=e^3 \times e^x = e^{x+3}$

(3) $y=e^{x-2}=e^{-2} \times e^x$이므로 $y'=e^{-2} \times e^x = e^{x-2}$

(4) $y=4e^x$이므로 $y'=4e^x$

(5) $y=-e^{x+2}=-e^2 \times e^x$이므로 $y'=-e^2 \times e^x = -e^{x+2}$

12 답 (1) $y'=(1+x)e^x$　(2) $y'=e^x+1$
　　(3) $y'=e^x-6x$　(4) $y'=(x^2+2x)e^x$
　　(5) $y'=(x^2+x-1)e^{x+1}$

풀이 (1) $y'=\underline{1} \times e^x + \underline{x} \times e^x = \underline{(1+x)e^x}$

(2) $y'=e^x+1$

(3) $y'=e^x-3 \times 2x = e^x - 6x$

(4) $y'=2x \times e^x + x^2 \times e^x = (x^2+2x)e^x$

(5) $y'=e^{x+1} \times (x^2-x) + e^{x+1} \times (2x-1)$
　　$=(x^2+x-1)e^{x+1}$

13 답 (1) $y'=\dfrac{2^x \ln 2}{2}$　(2) $y'=3^{x+1} \ln 3$　(3) $y'=\dfrac{5^x \ln 5}{25}$

　　(4) $y'=4^x \ln 4$　(5) $y'=-3^x$

풀이 (1) $y=2^{x-1}=\underline{2^{-1}} \times 2^x$이므로

$$y'=2^{-1} \times 2^x \ln 2 = \frac{2^x \ln 2}{2}$$

(2) $y=3^{x+1}=3 \times 3^x$이므로

$$y'=3 \times 3^x \ln 3 = 3^{x+1} \ln 3$$

(3) $y=5^{x-2}=5^{-2} \times 5^x$이므로

$$y'=5^{-2} \times 5^x \ln 5 = \frac{5^x \ln 5}{25}$$

(4) $y=2^{2x}=4^x$이므로 $y'=4^x \ln 4$

(5) $y=-\dfrac{1}{\ln 3} \times 3^x$이므로

$$y'=-\frac{1}{\ln 3} \times 3^x \ln 3 = -3^x$$

14 답 (1) $y'=3^x(1+x \ln 3)$　(2) $y'=5^x \ln 5-1$
　　(3) $y'=4^x \ln 4 + 2^x \ln 2$　(4) $y'=7^x(x^2 \ln 7 + 2x)$
　　(5) $y'=2^x\{(x-1)\ln 2 + 1\}$

풀이 (1) $y'=\underline{1} \times 3^x + x \times \underline{3^x \ln 3} = \underline{3^x(1+x \ln 3)}$

(2) $y'=5^x \ln 5-1$

(3) $y=2^{2x}+2^x=4^x+2^x$이므로 $y'=4^x \ln 4 + 2^x \ln 2$

(4) $y'=2x \times 7^x + x^2 \times 7^x \ln 7 = 7^x(x^2 \ln 7 + 2x)$

(5) $y'=2^x \ln 2 \times (x-1) + 2^x \times 1 = 2^x\{(x-1)\ln 2 + 1\}$

15 답 (1) $\dfrac{e}{2}$　(2) e^2+1　(3) $7e^3$　(4) 0　(5) $-9 \ln 3$
　　(6) $10 \ln 5$　　(7) $\ln 2$　(8) 3

풀이 (1) $\lim\limits_{h \to 0} \dfrac{f(1+h)-f(1)}{2h} = \dfrac{1}{2} \lim\limits_{h \to 0} \dfrac{f(1+h)-f(1)}{h}$

$$= \frac{1}{2} f'(1)$$

이때 $f'(x)=\underline{e^x}$이므로

$$\lim_{h \to 0} \frac{f(1+h)-f(1)}{2h} = \frac{1}{2} f'(1) = \frac{e}{2}$$

(2) $f'(x)=e^x+1$이므로

$$\lim_{h \to 0} \frac{f(2+h)-f(2)}{h} = f'(2) = e^2+1$$

(3) $f'(x)=e^x \times (2x-1) + e^x \times 2 = e^x(2x+1)$이므로

$$\lim_{x \to 3} \frac{f(x)-f(3)}{x-3} = f'(3) = 7e^3$$

(4) $f'(x)=1 \times e^x + x \times e^x = e^x(x+1)$이므로

$$\lim_{x \to 0} \frac{f(x^2)-f(0)}{x} = \lim_{x \to 0} \left\{\frac{f(x^2)-f(0)}{x^2} \times x\right\}$$

$$= \lim_{x \to 0} \frac{f(x^2)-f(0)}{x^2} \times \lim_{x \to 0} x$$

$$= f'(0) \times 0 = 0$$

(5) $f'(x)=3^x \ln 3$이므로

$$\lim_{h \to 0} \frac{f(2-h)-f(2)}{h} = \lim_{h \to 0} \left\{\frac{f(2-h)-f(2)}{-h} \times (-1)\right\}$$

$$= -f'(2) = -9 \ln 3$$

(6) $\lim\limits_{h \to 0} \dfrac{f(1+h)-f(1-h)}{h}$

$$= \lim_{h \to 0} \left\{\frac{f(1+h)-f(1)}{h} + \frac{f(1-h)-f(1)}{-h}\right\}$$

$$= f'(1) + f'(1) = 2f'(1)$$

이때 $f'(x)=5^x \ln 5$이므로

$$\lim_{h \to 0} \frac{f(1+h)-f(1-h)}{h} = 2f'(1) = 2 \times 5 \ln 5 = 10 \ln 5$$

(7) $f(0)=1$이고, $f'(x)=2^x \ln 2$이므로

$$\lim_{x \to 0} \frac{f(x)-1}{x} = \lim_{x \to 0} \frac{f(x)-f(0)}{x}$$
$$= f'(0) = \ln 2$$

(8) $\lim_{x \to 1} \frac{f(x)-f(1)}{(x-1)\ln 3} = \frac{1}{\ln 3} \lim_{x \to 1} \frac{f(x)-f(1)}{x-1}$
$$= \frac{1}{\ln 3} f'(1)$$

이때 $f(x) = (\sqrt{3})^{2x} = 3^x$에서 $f'(x) = 3^x \ln 3$이므로

$$\lim_{x \to 1} \frac{f(x)-f(1)}{(x-1)\ln 3} = \frac{1}{\ln 3} f'(1) = \frac{1}{\ln 3} \times 3 \ln 3 = 3$$

16 답 (1) $y' = \dfrac{2}{x}$ (2) $y' = -\dfrac{7}{x}$ (3) $y' = \dfrac{1}{x}$

(4) $y' = \dfrac{3}{x}$ (5) $y' = -\dfrac{1}{x}$

풀이 (1) $y = \ln x^2 = 2 \ln x$이므로 $y' = \dfrac{2}{x}$

(2) $y' = -7 \times \dfrac{1}{x} = -\dfrac{7}{x}$

(3) $y = \ln 3x = \ln 3 + \ln x$이므로 $y' = \dfrac{1}{x}$

(4) $y = \ln(2x)^3 = \ln 8x^3 = \ln 8 + 3 \ln x$이므로 $y' = \dfrac{3}{x}$

(5) $y = \ln \dfrac{1}{x} = -\ln x$이므로 $y' = -\dfrac{1}{x}$

17 답 (1) $y' = 2\ln x + 2 + \dfrac{1}{x}$ (2) $y' = \dfrac{1}{x} + 2x$ (3) $y' = \dfrac{1}{x} - 5$

(4) $y' = 3\ln 5x + 3 - \dfrac{2}{x}$ (5) $y' = \dfrac{2\ln x}{x}$

풀이 (1) $y' = 2 \times \ln x + (2x+1) \times \dfrac{1}{x} = 2\ln x + 2 + \dfrac{1}{x}$

(2) $y' = \dfrac{1}{x} + 2x$

(3) $y = \ln 2x - 5x = \ln 2 + \ln x - 5x$이므로
$$y' = \dfrac{1}{x} - 5$$

(4) $y = (3x-2)\ln 5x = (3x-2)(\ln 5 + \ln x)$이므로
$$y' = 3(\ln 5 + \ln x) + (3x-2) \times \dfrac{1}{x}$$
$$= 3\ln 5x + 3 - \dfrac{2}{x}$$

(5) $y = (\ln x)^2 = \ln x \times \ln x$이므로
$$y' = \dfrac{1}{x} \times \ln x + \ln x \times \dfrac{1}{x} = \dfrac{2\ln x}{x}$$

18 답 (1) $y' = \dfrac{1}{x \ln 10}$ (2) $y' = \dfrac{1}{x \ln 5}$

(3) $y' = -\dfrac{2}{x \ln 2}$ (4) $y' = \dfrac{1}{x \ln 3}$

(5) $y' = \dfrac{2}{x \ln 2}$ (6) $y' = -\dfrac{1}{x \ln 3}$

풀이 (1) $y = \log 2x = \log 2 + \log x$이므로 $y' = \dfrac{1}{x \ln 10}$

(2) $y' = \dfrac{1}{x \ln 5}$

(3) $y' = -2 \times \dfrac{1}{x \ln 2} = -\dfrac{2}{x \ln 2}$

(4) $y = \log_3 9x = \log_3 9 + \log_3 x = 2 + \log_3 x$이므로
$$y' = \dfrac{1}{x \ln 3}$$

(5) $y = \log_{\sqrt{2}} x = \dfrac{1}{\frac{1}{2}} \log_2 x = 2 \log_2 x$이므로
$$y' = 2 \times \dfrac{1}{x \ln 2} = \dfrac{2}{x \ln 2}$$

(6) $y = \log_3 \dfrac{1}{x} = -\log_3 x$이므로 $y' = -\dfrac{1}{x \ln 3}$

19 답 (1) $y' = \log_7 x + \dfrac{1}{\ln 7}$ (2) $y' = \log_3 x + \dfrac{x+2}{x \ln 3}$

(3) $y' = \dfrac{1}{x} + \dfrac{1}{x \ln 10}$ (4) $y' = \dfrac{3}{2x \ln 2}$

(5) $y' = 2^x \left(\ln 2 \log_5 x + \dfrac{1}{x \ln 5}\right)$

풀이 (1) $y' = 1 \times \log_7 x + x \times \dfrac{1}{x \ln 7} = \log_7 x + \dfrac{1}{\ln 7}$

(2) $y' = 1 \times \log_3 x + (x+2) \times \dfrac{1}{x \ln 3} = \log_3 x + \dfrac{x+2}{x \ln 3}$

(3) $y' = \dfrac{1}{x} + \dfrac{1}{x \ln 10}$

(4) $y' = \dfrac{1}{x \ln 2} + \dfrac{1}{x \ln 4} = \dfrac{1}{x \ln 2} + \dfrac{1}{2x \ln 2} = \dfrac{3}{2x \ln 2}$

(5) $y' = 2^x \ln 2 \times \log_5 x + 2^x \times \dfrac{1}{x \ln 5}$
$$= 2^x \left(\ln 2 \log_5 x + \dfrac{1}{x \ln 5}\right)$$

20 답 (1) $\dfrac{2}{3}$ (2) $3e^2 - \dfrac{1}{e}$ (3) $\ln 2 + \dfrac{5}{2}$

(4) 1 (5) $-\dfrac{1}{3 \ln 3}$ (6) $\dfrac{2}{\ln 10}$

(7) $\dfrac{1}{5 \ln 5}$ (8) $3\left(1 + \dfrac{1}{\ln 2}\right)$

풀이 (1) $\lim_{h \to 0} \dfrac{f(1+2h)-f(1)}{3h} = \dfrac{2}{3} \lim_{h \to 0} \dfrac{f(1+2h)-f(1)}{2h}$
$$= \dfrac{2}{3} f'(1)$$

이때 $f'(x) = \dfrac{1}{x}$이므로

$$\lim_{h \to 0} \dfrac{f(1+2h)-f(1)}{3h} = \dfrac{2}{3}$$

(2) $f'(x) = 3x^2 - \dfrac{1}{x}$이므로

$$\lim_{h \to 0} \dfrac{f(e+h)-f(e)}{h} = f'(e) = 3e^2 - \dfrac{1}{e}$$

(3) $f'(x) = 1 \times \ln x + (x+3) \times \dfrac{1}{x} = \ln x + 1 + \dfrac{3}{x}$이므로

$$\lim_{x \to 2} \dfrac{f(x)-f(2)}{x-2} = f'(2) = \ln 2 + 1 + \dfrac{3}{2} = \ln 2 + \dfrac{5}{2}$$

(4) $f(1) = 0$이고 $f'(x) = 1 \times \ln x + x \times \dfrac{1}{x} = \ln x + 1$이므로

$$\lim_{x \to 1} \dfrac{f(x)}{x-1} = \lim_{x \to 1} \dfrac{f(x)-f(1)}{x-1} = f'(1) = 1$$

(5) $f'(x) = \dfrac{1}{x \ln 3}$이므로

$$\lim_{h \to 0} \frac{f(3-h) - f(3)}{h} = -\lim_{h \to 0} \frac{f(3-h) - f(3)}{-h}$$

$$= -f'(3) = -\frac{1}{3 \ln 3}$$

(6) $\displaystyle\lim_{h \to 0} \frac{f(1+h) - f(1-h)}{h}$

$$= \lim_{h \to 0} \left\{ \frac{f(1+h) - f(1)}{h} + \frac{f(1-h) - f(1)}{-h} \right\}$$

$$= f'(1) + f'(1) = 2f'(1)$$

이때 $f(x) = \log e + \log x$에서 $f'(x) = \dfrac{1}{x \ln 10}$이므로

$$\lim_{h \to 0} \frac{f(1+h) - f(1-h)}{h} = 2f'(1) = \frac{2}{\ln 10}$$

(7) $\displaystyle\lim_{x \to \sqrt{5}} \frac{f(x) - f(\sqrt{5})}{x^2 - 5} = \lim_{x \to \sqrt{5}} \frac{f(x) - f(\sqrt{5})}{(x+\sqrt{5})(x-\sqrt{5})}$

$$= \lim_{x \to \sqrt{5}} \frac{1}{x+\sqrt{5}} \times \lim_{x \to \sqrt{5}} \frac{f(x) - f(\sqrt{5})}{x - \sqrt{5}}$$

$$= \frac{f'(\sqrt{5})}{2\sqrt{5}}$$

이때 $f(x) = \log_5 x^2 = 2 \log_5 x$에서

$$f'(x) = \frac{2}{x \ln 5}$$

이므로

$$\lim_{x \to \sqrt{5}} \frac{f(x) - f(\sqrt{5})}{x^2 - 5} = \frac{1}{2\sqrt{5}} \times f'(\sqrt{5})$$

$$= \frac{1}{2\sqrt{5}} \times \frac{2}{\sqrt{5} \ln 5} = \frac{1}{5 \ln 5}$$

(8) $f(2) = 2$이고,

$$f'(x) = 1 \times \log_2 x + x \times \frac{1}{x \ln 2} = \log_2 x + \frac{1}{\ln 2}$$이므로

$$\lim_{x \to 2} \frac{3\{f(x) - 2\}}{x - 2} = \lim_{x \to 2} \frac{3\{f(x) - f(2)\}}{x - 2} = 3f'(2)$$

$$= 3\left(1 + \frac{1}{\ln 2}\right)$$

21 답 (1) $a = 1$, $b = e$ (2) $a = \dfrac{1}{2}$, $b = e\sqrt{e}$

     (3) $a = -1$, $b = -1$ (4) $a = \dfrac{1}{e}$, $b = 0$

     (5) $a = 3$, $b = 0$ (6) $a = \dfrac{1}{\ln 3}$, $b = 2 - \dfrac{1}{\ln 3}$

풀이 (1) 함수 $f(x)$가 정의역의 모든 실수 x에서 미분가능하므로 $x=1$에서 연속이고 미분가능하다.

  (i) $x=1$에서 연속이어야 하므로

$$\lim_{x \to 1+} \ln bx = \lim_{x \to 1-} ax = f(1)$$

$$\therefore a = \ln b \qquad\qquad \cdots\cdots \text{㉠}$$

  (ii) $x=1$에서 미분가능하므로

$$f'(x) = \begin{cases} a & (x<1) \\ \dfrac{1}{x} & (x>1) \end{cases} \text{에서 } a = 1$$

$a=1$을 ㉠에 대입하면 $b = \underline{e}$

(2) 함수 $f(x)$가 정의역의 모든 실수 x에서 미분가능하므로 $x=1$에서 연속이고 미분가능하다.

  (i) $x=1$에서 연속이어야 하므로

$$\lim_{x \to 1+} \ln bx = \lim_{x \to 1-} (ax^2 + 1) = f(1)$$

$$\therefore a + 1 = \ln b \qquad\qquad \cdots\cdots \text{㉠}$$

  (ii) $x=1$에서 미분가능하므로

$$f'(x) = \begin{cases} 2ax & (x<1) \\ \dfrac{1}{x} & (x>1) \end{cases} \text{에서}$$

$$2a = 1 \qquad \therefore a = \frac{1}{2}$$

$a = \dfrac{1}{2}$을 ㉠에 대입하면

$$\frac{3}{2} = \ln b, \ b = e^{\frac{3}{2}} \qquad \therefore b = e\sqrt{e}$$

(3) 함수 $f(x)$가 정의역의 모든 실수 x에서 미분가능하므로 $x=1$에서 연속이고 미분가능하다.

  (i) $x=1$에서 연속이어야 하므로

$$\lim_{x \to 1+} be^{x-1} = \lim_{x \to 1-} (\ln x + ax^2) = f(1)$$

$$\therefore a = b \qquad\qquad \cdots\cdots \text{㉠}$$

  (ii) $x=1$에서 미분가능하므로

$$f'(x) = \begin{cases} \dfrac{1}{x} + 2ax & (0<x<1) \\ be^{x-1} & (x>1) \end{cases} \text{에서}$$

$$1 + 2a = b \quad \therefore 2a - b = -1 \qquad \cdots\cdots \text{㉡}$$

㉠, ㉡을 연립하여 풀면

$$a = -1, \ b = -1$$

(4) 함수 $f(x)$가 정의역의 모든 실수 x에서 미분가능하므로 $x=e$에서 연속이고 미분가능하다.

  (i) $x=e$에서 연속이어야 하므로

$$\lim_{x \to e+} (ax + b) = \lim_{x \to e-} \ln x = f(e)$$

$$\therefore ae + b = 1 \qquad\qquad \cdots\cdots \text{㉠}$$

  (ii) $x=e$에서 미분가능하므로

$$f'(x) = \begin{cases} \dfrac{1}{x} & (0<x<e) \\ a & (x>e) \end{cases} \text{에서 } a = \frac{1}{e}$$

$a = \dfrac{1}{e}$을 ㉠에 대입하면 $1 + b = 1$ $\therefore b = 0$

(5) 함수 $f(x)$가 정의역의 모든 실수 x에서 미분가능하므로 $x=2$에서 연속이고 미분가능하다.

  (i) $x=2$에서 연속이어야 하므로

$$\lim_{x \to 2+} (b \log_2 x + 3) = \lim_{x \to 2-} a = f(2)$$

$$\therefore a = b + 3 \qquad\qquad \cdots\cdots \text{㉠}$$

  (ii) $x=2$에서 미분가능하므로

$$f'(x) = \begin{cases} 0 & (x<2) \\ \dfrac{b}{x \ln 2} & (x>2) \end{cases} \text{에서}$$

$$\frac{b}{2 \ln 2} = 0 \quad \therefore b = 0$$

$b = 0$을 ㉠에 대입하면 $a = 3$

(6) 함수 $f(x)$가 정의역의 모든 실수 x에서 미분가능하므로 $x=1$에서 연속이고 미분가능하다.

(i) $x=1$에서 연속이어야 하므로

$$\lim_{x \to 1+} \log_3 9x = \lim_{x \to 1-} (ax+b) = f(1)$$

$$\therefore a+b=2 \qquad \cdots\cdots \text{㉠}$$

(ii) $x=1$에서 미분가능하므로

$$f'(x) = \begin{cases} a & (x<1) \\ \dfrac{1}{x \ln 3} & (x>1) \end{cases} \text{에서 } a = \frac{1}{\ln 3}$$

$a = \dfrac{1}{\ln 3}$을 ㉠에 대입하면 $\dfrac{1}{\ln 3} + b = 2$

$$\therefore b = 2 - \frac{1}{\ln 3}$$

22 답 **(1)** $\csc\theta = 2$, $\sec\theta = \dfrac{2\sqrt{3}}{3}$, $\cot\theta = \sqrt{3}$

(2) $\csc\theta = \sqrt{2}$, $\sec\theta = \sqrt{2}$, $\cot\theta = 1$

(3) $\csc\theta = \dfrac{2\sqrt{3}}{3}$, $\sec\theta = -2$, $\cot\theta = -\dfrac{\sqrt{3}}{3}$

(4) $\csc\theta = -\dfrac{2\sqrt{3}}{3}$, $\sec\theta = -2$, $\cot\theta = \dfrac{\sqrt{3}}{3}$

(5) $\csc\theta = -\sqrt{2}$, $\sec\theta = -\sqrt{2}$, $\cot\theta = 1$

(6) $\csc\theta = -\sqrt{2}$, $\sec\theta = \sqrt{2}$, $\cot\theta = -1$

풀이 (1) 그림과 같이 반지름의 길이가 1인 원에서 30°의 동경과 이 원의 교점을 P, 점 P에서 x축에 내린 수선의 발을 H라 하면 직각삼각형 POH에서

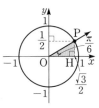

$\angle POH = \dfrac{\pi}{6}$이므로 점 P의 좌표는

$\left(\dfrac{\sqrt{3}}{2}, \dfrac{1}{2} \right)$

$\therefore \csc\theta = \dfrac{1}{\frac{1}{2}} = 2$, $\sec\theta = \dfrac{1}{\frac{\sqrt{3}}{2}} = \dfrac{2}{\sqrt{3}} = \dfrac{2\sqrt{3}}{3}$,

$$\cot\theta = \frac{\frac{\sqrt{3}}{2}}{\frac{1}{2}} = \sqrt{3}$$

(2) 그림과 같이 반지름의 길이가 1인 원에서 45°를 나타내는 동경과 이 원의 교점을 P, 점 P에서 x축에 내린 수선의 발을 H라 하면 직각삼각형 POH에서

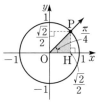

$\angle POH = \dfrac{\pi}{4}$이므로 점 P의 좌표는

$\left(\dfrac{\sqrt{2}}{2}, \dfrac{\sqrt{2}}{2} \right)$

$\therefore \csc\theta = \dfrac{1}{\frac{\sqrt{2}}{2}} = \sqrt{2}$, $\sec\theta = \dfrac{1}{\frac{\sqrt{2}}{2}} = \sqrt{2}$,

$$\cot\theta = \frac{\frac{\sqrt{2}}{2}}{\frac{\sqrt{2}}{2}} = 1$$

(3) 그림과 같이 반지름의 길이가 1인 원에서 120°를 나타내는 동경과 이 원의 교점을 P, 점 P에서 x축에 내린 수선의 발을 H라 하면 직각삼각형 POH에서

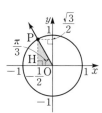

$\angle POH = \dfrac{\pi}{3}$이므로 점 P의 좌표는 $\left(-\dfrac{1}{2}, \dfrac{\sqrt{3}}{2} \right)$

$\therefore \csc\theta = \dfrac{1}{\frac{\sqrt{3}}{2}} = \dfrac{2\sqrt{3}}{3}$, $\sec\theta = \dfrac{1}{-\frac{1}{2}} = -2$,

$$\cot\theta = \frac{-\frac{1}{2}}{\frac{\sqrt{3}}{2}} = -\frac{\sqrt{3}}{3}$$

(4) 그림과 같이 반지름의 길이가 1인 원에서 $\dfrac{4}{3}\pi$를 나타내는 동경과 이 원의 교점을 P, 점 P에서 x축에 내린 수선의 발을 H라 하면 직각삼각형 POH에서

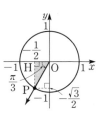

$\angle POH = \dfrac{\pi}{3}$이므로 점 P의 좌표는 $\left(-\dfrac{1}{2}, -\dfrac{\sqrt{3}}{2} \right)$

$\therefore \csc\theta = \dfrac{1}{-\frac{\sqrt{3}}{2}} = -\dfrac{2\sqrt{3}}{3}$, $\sec\theta = \dfrac{1}{-\frac{1}{2}} = -2$,

$$\cot\theta = \frac{-\frac{1}{2}}{-\frac{\sqrt{3}}{2}} = \frac{\sqrt{3}}{3}$$

(5) 그림과 같이 반지름의 길이가 1인 원에서 $\dfrac{5}{4}\pi$를 나타내는 동경과 이 원의 교점을 P, 점 P에서 x축에 내린 수선의 발을 H라 하면 직각삼각형 POH에서

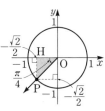

$\angle POH = \dfrac{\pi}{4}$이므로 점 P의 좌표는 $\left(-\dfrac{\sqrt{2}}{2}, -\dfrac{\sqrt{2}}{2} \right)$

$\therefore \csc\theta = \dfrac{1}{-\frac{\sqrt{2}}{2}} = -\sqrt{2}$, $\sec\theta = \dfrac{1}{-\frac{\sqrt{2}}{2}} = -\sqrt{2}$,

$$\cot\theta = \frac{-\frac{\sqrt{2}}{2}}{-\frac{\sqrt{2}}{2}} = 1$$

(6) 그림과 같이 반지름의 길이가 1인 원에서 $-\dfrac{\pi}{4}$를 나타내는 동경과 이 원의 교점을 P, 점 P에서 x축에 내린 수선의 발을 H라 하

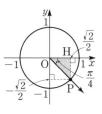

면 직각삼각형 POH에서

$\angle POH = \dfrac{\pi}{4}$이므로 점 P의 좌표는 $\left(\dfrac{\sqrt{2}}{2}, -\dfrac{\sqrt{2}}{2}\right)$

$\therefore \csc\theta = \dfrac{1}{-\dfrac{\sqrt{2}}{2}} = -\sqrt{2}$, $\sec\theta = \dfrac{1}{\dfrac{\sqrt{2}}{2}} = \sqrt{2}$,

$\cot\theta = \dfrac{\dfrac{\sqrt{2}}{2}}{-\dfrac{\sqrt{2}}{2}} = -1$

23 답 (1) $2\csc\theta$　(2) 1　(3) $2\sec\theta$　(4) 2

풀이 (1) $\dfrac{1}{\csc\theta + \cot\theta} + \dfrac{1}{\csc\theta - \cot\theta}$

$= \dfrac{\csc\theta - \cot\theta + \csc\theta + \cot\theta}{(\csc\theta + \cot\theta)(\csc\theta - \cot\theta)}$

$= \dfrac{2\csc\theta}{\csc^2\theta - \cot^2\theta}$

이때 $1 + \cot^2\theta = \csc^2\theta$에서 $\csc^2\theta - \cot^2\theta = \underline{1}$이므로

$\dfrac{1}{\csc\theta + \cot\theta} + \dfrac{1}{\csc\theta - \cot\theta} = \underline{2\csc\theta}$

(2) $(1 - \sin^2\theta)(1 + \tan^2\theta) = \cos^2\theta \times \sec^2\theta$

$\qquad\qquad = \cos^2\theta \times \dfrac{1}{\cos^2\theta} = 1$

(3) $\dfrac{1}{\sec\theta + \tan\theta} + \dfrac{1}{\sec\theta - \tan\theta}$

$= \dfrac{\sec\theta - \tan\theta + \sec\theta + \tan\theta}{(\sec\theta + \tan\theta)(\sec\theta - \tan\theta)}$

$= \dfrac{2\sec\theta}{\sec^2\theta - \tan^2\theta}$

이때 $1 + \tan^2\theta = \sec^2\theta$에서 $\sec^2\theta - \tan^2\theta = 1$이므로

$\dfrac{1}{\sec\theta + \tan\theta} + \dfrac{1}{\sec\theta - \tan\theta} = 2\sec\theta$

(4) $\dfrac{\sin\theta}{\csc\theta + \cot\theta} + \dfrac{\sin\theta}{\csc\theta - \cot\theta}$

$= \dfrac{\sin\theta(\csc\theta - \cot\theta) + \sin\theta(\csc\theta + \cot\theta)}{(\csc\theta + \cot\theta)(\csc\theta - \cot\theta)}$

$= \dfrac{2\sin\theta\csc\theta}{\csc^2\theta - \cot^2\theta} = \dfrac{2}{\csc^2\theta - \cot^2\theta}$

이때 $1 + \cot^2\theta = \csc^2\theta$에서 $\csc^2\theta - \cot^2\theta = 1$이므로

$\dfrac{\sin\theta}{\csc\theta + \cot\theta} + \dfrac{\sin\theta}{\csc\theta - \cot\theta} = 2$

24 답 (1) $-\dfrac{3}{4}$　(2) -2　(3) $\dfrac{81}{16}$

풀이 (1) $\sin\theta + \cos\theta = \dfrac{1}{3}$의 양변을 제곱하면

$\sin^2\theta + \cos^2\theta + 2\sin\theta\cos\theta = \dfrac{1}{9}$

$\underline{1} + 2\sin\theta\cos\theta = \dfrac{1}{9}$, $2\sin\theta\cos\theta = -\dfrac{8}{9}$

$\therefore \sin\theta\cos\theta = -\dfrac{4}{9}$

$\therefore \csc\theta + \sec\theta = \dfrac{1}{\sin\theta} + \dfrac{1}{\cos\theta} = \dfrac{\sin\theta + \sin\theta}{\sin\theta\cos\theta}$

$= \dfrac{\dfrac{1}{3}}{-\dfrac{4}{9}} = -\dfrac{3}{4}$

(2) $\sec\theta = \dfrac{1}{\cos\theta} = \dfrac{5}{3}$이므로 $\cos\theta = \dfrac{3}{5}$

$\sin^2\theta + \cos^2\theta = 1$에서

$\sin^2\theta = 1 - \cos^2\theta = 1 - \left(\dfrac{3}{5}\right)^2 = \dfrac{16}{25}$

$\dfrac{3}{2}\pi < \theta < 2\pi$이므로 $\sin\theta < 0$

$\therefore \sin\theta = -\dfrac{4}{5}$　$\therefore \csc\theta = -\dfrac{5}{4}$

따라서 $\tan\theta = \dfrac{\sin\theta}{\cos\theta} = -\dfrac{4}{3}$이므로

$\cot\theta = -\dfrac{3}{4}$

$\therefore \csc\theta + \cot\theta = -\dfrac{5}{4} - \dfrac{3}{4} = -2$

(3) $\tan\theta + \cot\theta = -\dfrac{9}{4}$에서

$\dfrac{\sin\theta}{\cos\theta} + \dfrac{\cos\theta}{\sin\theta} = -\dfrac{9}{4}$

$\dfrac{\sin^2\theta + \cos^2\theta}{\sin\theta\cos\theta} = -\dfrac{9}{4}$

$\dfrac{1}{\sin\theta\cos\theta} = -\dfrac{9}{4}$

$\therefore \sin\theta\cos\theta = -\dfrac{4}{9}$

$\therefore \csc^2\theta + \sec^2\theta = \dfrac{1}{\sin^2\theta} + \dfrac{1}{\cos^2\theta}$

$= \dfrac{\sin^2\theta + \cos^2\theta}{\sin^2\theta\cos^2\theta}$

$= \dfrac{1}{(\sin\theta\cos\theta)^2}$

$= \dfrac{1}{\left(-\dfrac{4}{9}\right)^2} = \dfrac{81}{16}$

25 답 (1) $\dfrac{\sqrt{6} + \sqrt{2}}{4}$　(2) $\dfrac{\sqrt{6} + \sqrt{2}}{4}$　(3) $\dfrac{\sqrt{6} - \sqrt{2}}{4}$

(4) $\dfrac{\sqrt{2} - \sqrt{6}}{4}$　(5) $\dfrac{\sqrt{6} + \sqrt{2}}{4}$　(6) $2 + \sqrt{3}$

(7) $2 - \sqrt{3}$

풀이 (1) $\sin 75° = \sin(30° + 45°)$

$= \sin 30° \underline{\cos 45°} + \cos 30° \underline{\sin 45°}$

$= \dfrac{1}{2} \times \dfrac{\sqrt{2}}{2} + \dfrac{\sqrt{3}}{2} \times \dfrac{\sqrt{2}}{2} = \dfrac{\sqrt{2} + \sqrt{6}}{4}$

(2) $\sin 105° = \sin(60° + 45°)$

$= \sin 60° \cos 45° + \cos 60° \sin 45°$

$= \dfrac{\sqrt{3}}{2} \times \dfrac{\sqrt{2}}{2} + \dfrac{1}{2} \times \dfrac{\sqrt{2}}{2} = \dfrac{\sqrt{6} + \sqrt{2}}{4}$

(3) $\sin 15° = \sin(45° - 30°)$

$= \sin 45° \cos 30° - \cos 45° \sin 30°$

$= \dfrac{\sqrt{2}}{2} \times \dfrac{\sqrt{3}}{2} - \dfrac{\sqrt{2}}{2} \times \dfrac{1}{2} = \dfrac{\sqrt{6} - \sqrt{2}}{4}$

(4) $\cos 105° = \cos(60° + 45°)$

$\quad = \cos 60° \cos 45° - \sin 60° \sin 45°$

$\quad = \dfrac{1}{2} \times \dfrac{\sqrt{2}}{2} - \dfrac{\sqrt{3}}{2} \times \dfrac{\sqrt{2}}{2}$

$\quad = \dfrac{\sqrt{2} - \sqrt{6}}{4}$

(5) $\cos 15° = \cos(45° - 30°)$

$\quad = \cos 45° \cos 30° + \sin 45° \sin 30°$

$\quad = \dfrac{\sqrt{2}}{2} \times \dfrac{\sqrt{3}}{2} + \dfrac{\sqrt{2}}{2} \times \dfrac{1}{2}$

$\quad = \dfrac{\sqrt{6} + \sqrt{2}}{4}$

(6) $\tan 75° = \tan(45° + 30°)$

$\quad = \dfrac{\tan 45° + \tan 30°}{1 - \tan 45° \tan 30°}$

$\quad = \dfrac{1 + \dfrac{1}{\sqrt{3}}}{1 - 1 \times \dfrac{1}{\sqrt{3}}}$

$\quad = \dfrac{\sqrt{3} + 1}{\sqrt{3} - 1} = \dfrac{(\sqrt{3} + 1)^2}{(\sqrt{3} - 1)(\sqrt{3} + 1)} = \dfrac{4 + 2\sqrt{3}}{2}$

$\quad = 2 + \sqrt{3}$

(7) $\tan 15° = \tan(60° - 45°)$

$\quad = \dfrac{\tan 60° - \tan 45°}{1 + \tan 60° \tan 45°}$

$\quad = \dfrac{\sqrt{3} - 1}{1 + \sqrt{3}} = \dfrac{(\sqrt{3} - 1)^2}{(\sqrt{3} + 1)(\sqrt{3} - 1)} = \dfrac{4 - 2\sqrt{3}}{2}$

$\quad = 2 - \sqrt{3}$

26 답 **(1)** $\dfrac{\sqrt{2}}{2}$ **(2)** 1 **(3)** $\dfrac{1}{2}$ **(4)** $\dfrac{\sqrt{2}}{2}$ **(5)** $\dfrac{\sqrt{3}}{2}$

　(6) $\dfrac{1}{2}$ **(7)** $\sqrt{3}$ **(8)** 1 **(9)** $\dfrac{\sqrt{3}}{3}$

풀이 **(1)** $\sin 15° \cos 30° + \cos 15° \sin 30°$

$\quad = \sin(15° + 30°)$

$\quad = \sin 45° = \dfrac{\sqrt{2}}{2}$

(2) $\sin 35° \cos 55° + \cos 35° \sin 55°$

$\quad = \sin(35° + 55°)$

$\quad = \sin 90° = 1$

(3) $\sin 40° \cos 10° - \cos 40° \sin 10°$

$\quad = \sin(40° - 10°)$

$\quad = \sin 30° = \dfrac{1}{2}$

(4) $\cos 30° \cos 15° - \sin 30° \sin 15°$

$\quad = \cos(30° + 15°)$

$\quad = \cos 45° = \dfrac{\sqrt{2}}{2}$

(5) $\cos 45° \cos 15° + \sin 45° \sin 15°$

$\quad = \cos(45° - 15°)$

$\quad = \cos 30° = \dfrac{\sqrt{3}}{2}$

(6) $\cos 27° \cos 33° - \sin 27° \sin 33°$

$\quad = \cos(27° + 33°)$

$\quad = \cos 60° = \dfrac{1}{2}$

(7) $\dfrac{\tan 25° + \tan 35°}{1 - \tan 25° \tan 35°} = \tan(25° + 35°)$

$\qquad\qquad\qquad\qquad = \tan 60° = \sqrt{3}$

(8) $\dfrac{\tan 65° - \tan 20°}{1 + \tan 65° \tan 20°} = \tan(65° - 20°)$

$\qquad\qquad\qquad\qquad = \tan 45° = 1$

(9) $\dfrac{\tan 43° - \tan 13°}{1 + \tan 43° \tan 13°} = \tan(43° - 13°)$

$\qquad\qquad\qquad\qquad = \tan 30° = \dfrac{\sqrt{3}}{3}$

27 답 **(1)** $\dfrac{4}{3}$ **(2)** -1 **(3)** $\dfrac{1}{3}$ **(4)** 0 **(5)** -1

풀이 **(1)** 이차방정식의 근과 계수의 관계에 의하여

$\tan\alpha + \tan\beta = 2$, $\tan\alpha \tan\beta = -\dfrac{1}{2}$

$\therefore \tan(\alpha + \beta) = \dfrac{\tan\alpha + \tan\beta}{1 - \tan\alpha \tan\beta}$

$\qquad\qquad = \dfrac{2}{1 - \left(-\dfrac{1}{2}\right)} = \dfrac{4}{3}$

(2) 이차방정식의 근과 계수의 관계에 의하여

$\tan\alpha + \tan\beta = -3$, $\tan\alpha \tan\beta = -2$

$\therefore \tan(\alpha + \beta) = \dfrac{\tan\alpha + \tan\beta}{1 - \tan\alpha \tan\beta}$

$\qquad\qquad = \dfrac{-3}{1 - (-2)} = -1$

(3) 이차방정식의 근과 계수의 관계에 의하여

$\tan\alpha + \tan\beta = 1$, $\tan\alpha \tan\beta = -2$

$\therefore \tan(\alpha + \beta) = \dfrac{\tan\alpha + \tan\beta}{1 - \tan\alpha \tan\beta}$

$\qquad\qquad = \dfrac{1}{1 - (-2)} = \dfrac{1}{3}$

(4) 이차방정식의 근과 계수의 관계에 의하여

$\tan\alpha + \tan\beta = 0$, $\tan\alpha \tan\beta = -\dfrac{4}{3}$

$\therefore \tan(\alpha + \beta) = \dfrac{\tan\alpha + \tan\beta}{1 - \tan\alpha \tan\beta} = 0$

(5) 이차방정식의 근과 계수의 관계에 의하여

$\tan\alpha + \tan\beta = -\dfrac{3}{2}$, $\tan\alpha \tan\beta = -\dfrac{1}{2}$

$\therefore \tan(\alpha + \beta) = \dfrac{\tan\alpha + \tan\beta}{1 - \tan\alpha \tan\beta}$

$\qquad\qquad = \dfrac{-\dfrac{3}{2}}{1 - \left(-\dfrac{1}{2}\right)} = -1$

28 답 **(1)** $\dfrac{56}{65}$ **(2)** $-\dfrac{16}{65}$ **(3)** $\dfrac{33}{65}$

　(4) $\dfrac{63}{65}$ **(5)** $\dfrac{56}{33}$ **(6)** $-\dfrac{16}{63}$

풀이 α, β가 모두 예각이므로 $\cos\alpha>0$, $\sin\beta>0$

$$\therefore \cos\alpha=\sqrt{1-\sin^2\alpha}=\sqrt{1-\left(\frac{5}{13}\right)^2}=\frac{12}{13}$$

$$\sin\beta=\sqrt{1-\cos^2\beta}=\sqrt{1-\left(\frac{4}{5}\right)^2}=\frac{3}{5}$$

(1) $\sin(\alpha+\beta)=\sin\alpha\cos\beta+\cos\alpha\sin\beta$
$$=\frac{5}{13}\times\frac{4}{5}+\frac{12}{13}\times\frac{3}{5}=\frac{56}{65}$$

(2) $\sin(\alpha-\beta)=\sin\alpha\cos\beta-\cos\alpha\sin\beta$
$$=\frac{5}{13}\times\frac{4}{5}-\frac{12}{13}\times\frac{3}{5}=-\frac{16}{65}$$

(3) $\cos(\alpha+\beta)=\cos\alpha\cos\beta-\sin\alpha\sin\beta$
$$=\frac{12}{13}\times\frac{4}{5}-\frac{5}{13}\times\frac{3}{5}=\frac{33}{65}$$

(4) $\cos(\alpha-\beta)=\cos\alpha\cos\beta+\sin\alpha\sin\beta$
$$=\frac{12}{13}\times\frac{4}{5}+\frac{5}{13}\times\frac{3}{5}=\frac{63}{65}$$

(5) $\tan\alpha=\dfrac{\sin\alpha}{\cos\alpha}=\dfrac{\frac{5}{13}}{\frac{12}{13}}=\dfrac{5}{12}$, $\tan\beta=\dfrac{\sin\beta}{\cos\beta}=\dfrac{\frac{3}{5}}{\frac{4}{5}}=\dfrac{3}{4}$

$$\therefore \tan(\alpha+\beta)=\frac{\tan\alpha+\tan\beta}{1-\tan\alpha\tan\beta}$$
$$=\frac{\frac{5}{12}+\frac{3}{4}}{1-\frac{5}{12}\times\frac{3}{4}}=\frac{56}{33}$$

(6) (5)에서 $\tan\alpha=\dfrac{5}{12}$, $\tan\beta=\dfrac{3}{4}$이므로

$$\tan(\alpha-\beta)=\frac{\tan\alpha-\tan\beta}{1+\tan\alpha\tan\beta}$$
$$=\frac{\frac{5}{12}-\frac{3}{4}}{1+\frac{5}{12}\times\frac{3}{4}}=-\frac{16}{63}$$

29 답 (1) $\dfrac{4\sqrt{15}-3\sqrt{10}}{25}$ (2) $-\dfrac{4\sqrt{15}+3\sqrt{10}}{25}$

(3) $-\dfrac{3\sqrt{15}+4\sqrt{10}}{25}$ (4) $\dfrac{4\sqrt{10}-3\sqrt{15}}{25}$

(5) $12-5\sqrt{6}$ (6) $-12-5\sqrt{6}$

풀이 $0<\alpha<\dfrac{\pi}{2}$, $\dfrac{\pi}{2}<\beta<\pi$이므로 $\cos\alpha>0$, $\sin\beta>0$

$$\therefore \cos\alpha=\sqrt{1-\sin^2\alpha}=\sqrt{1-\left(\frac{\sqrt{10}}{5}\right)^2}=\frac{\sqrt{15}}{5}$$

$$\sin\beta=\sqrt{1-\cos^2\beta}=\sqrt{1-\left(-\frac{3}{5}\right)^2}=\frac{4}{5}$$

(1) $\sin(\alpha+\beta)=\sin\alpha\cos\beta+\cos\alpha\sin\beta$
$$=\frac{\sqrt{10}}{5}\times\left(-\frac{3}{5}\right)+\frac{\sqrt{15}}{5}\times\frac{4}{5}$$
$$=\frac{4\sqrt{15}-3\sqrt{10}}{25}$$

(2) $\sin(\alpha-\beta)=\sin\alpha\cos\beta-\cos\alpha\sin\beta$
$$=\frac{\sqrt{10}}{5}\times\left(-\frac{3}{5}\right)-\frac{\sqrt{15}}{5}\times\frac{4}{5}$$
$$=-\frac{4\sqrt{15}+3\sqrt{10}}{25}$$

(3) $\cos(\alpha+\beta)=\cos\alpha\cos\beta-\sin\alpha\sin\beta$
$$=\frac{\sqrt{15}}{5}\times\left(-\frac{3}{5}\right)-\frac{\sqrt{10}}{5}\times\frac{4}{5}$$
$$=-\frac{3\sqrt{15}+4\sqrt{10}}{25}$$

(4) $\cos(\alpha-\beta)=\cos\alpha\cos\beta+\sin\alpha\sin\beta$
$$=\frac{\sqrt{15}}{5}\times\left(-\frac{3}{5}\right)+\frac{\sqrt{10}}{5}\times\frac{4}{5}$$
$$=\frac{4\sqrt{10}-3\sqrt{15}}{25}$$

(5) $\tan\alpha=\dfrac{\sin\alpha}{\cos\alpha}=\dfrac{\frac{\sqrt{10}}{5}}{\frac{\sqrt{15}}{5}}=\dfrac{\sqrt{6}}{3}$,

$\tan\beta=\dfrac{\sin\beta}{\cos\beta}=\dfrac{\frac{4}{5}}{-\frac{3}{5}}=-\dfrac{4}{3}$

$$\therefore \tan(\alpha+\beta)=\frac{\tan\alpha+\tan\beta}{1-\tan\alpha\tan\beta}=\frac{\frac{\sqrt{6}}{3}-\frac{4}{3}}{1-\frac{\sqrt{6}}{3}\times\left(-\frac{4}{3}\right)}$$

$$=\frac{3\sqrt{6}-12}{9+4\sqrt{6}}=\frac{(3\sqrt{6}-12)(4\sqrt{6}-9)}{(4\sqrt{6}+9)(4\sqrt{6}-9)}$$

$$=\frac{180-75\sqrt{6}}{15}=12-5\sqrt{6}$$

(6) (5)에서 $\tan\alpha=\dfrac{\sqrt{6}}{3}$, $\tan\beta=-\dfrac{4}{3}$이므로

$$\tan(\alpha-\beta)=\frac{\tan\alpha-\tan\beta}{1+\tan\alpha\tan\beta}=\frac{\frac{\sqrt{6}}{3}-\left(-\frac{4}{3}\right)}{1+\frac{\sqrt{6}}{3}\times\left(-\frac{4}{3}\right)}$$

$$=\frac{3\sqrt{6}+12}{9-4\sqrt{6}}=\frac{(3\sqrt{6}+12)(9+4\sqrt{6})}{(9-4\sqrt{6})(9+4\sqrt{6})}$$

$$=\frac{180+75\sqrt{6}}{-15}=-12-5\sqrt{6}$$

30 답 (1) $\dfrac{\pi}{4}$ (2) $\dfrac{\pi}{4}$ (3) $\dfrac{\pi}{4}$

풀이 (1) 두 직선 $y=3x+1$, $y=-2x$가 x축의 양의 방향과 이루는 각의 크기를 각각 α, β라 하면

$\tan\alpha=3$, $\tan\beta=-2$

두 직선이 이루는 예각의 크기를 θ라 하면 $\theta=\alpha-\beta$이므로

$$\tan\theta=|\tan(\alpha-\beta)|=\left|\frac{\tan\alpha-\tan\beta}{1+\tan\alpha\tan\beta}\right|$$

$$=\left|\frac{3-(-2)}{1+3\times(-2)}\right|=1$$

$$\therefore \theta=\frac{\pi}{4}$$

(2) 두 직선 $y=-3x+4$, $y=2x+1$이 x축의 양의 방향과 이루는 각의 크기를 각각 α, β라 하면

$\tan\alpha=-3$, $\tan\beta=2$

두 직선이 이루는 예각의 크기를 θ라 하면 $\theta=\alpha-\beta$이므로

$$\tan \theta = |\tan(\alpha - \beta)| = \left| \frac{\tan \alpha - \tan \beta}{1 + \tan \alpha \tan \beta} \right|$$
$$= \left| \frac{-3-2}{1+(-3) \times 2} \right| = 1$$
$$\therefore \theta = \frac{\pi}{4}$$

(3) 두 직선 $y=4x+1$, $y=\dfrac{3}{5}x+2$가 x축의 양의 방향과 이루는 각의 크기를 각각 α, β라 하면
$$\tan \alpha = 4, \ \tan \beta = \frac{3}{5}$$
두 직선이 이루는 예각의 크기를 θ라 하면 $\theta = \alpha - \beta$이므로
$$\tan \theta = |\tan(\alpha - \beta)| = \left| \frac{\tan \alpha - \tan \beta}{1 + \tan \alpha \tan \beta} \right|$$
$$= \left| \frac{4 - \frac{3}{5}}{1 + 4 \times \frac{3}{5}} \right| = 1$$
$$\therefore \theta = \frac{\pi}{4}$$

31 답 (1) $-\dfrac{3\sqrt{7}}{8}$ (2) $\dfrac{1}{8}$ (3) $-3\sqrt{7}$

풀이 (1) $\dfrac{\pi}{2} < \alpha < \pi$에서 $\sin \theta > 0$이므로
$$\sin \theta = \sqrt{1 - \cos^2 \theta} = \sqrt{1 - \left(-\frac{3}{4}\right)^2} = \frac{\sqrt{7}}{4}$$
$$\therefore \sin 2\theta = 2 \sin \theta \cos \theta = 2 \times \frac{\sqrt{7}}{4} \times \left(-\frac{3}{4}\right) = -\frac{3\sqrt{7}}{8}$$

(2) $\cos 2\theta = 2\cos^2 \theta - 1 = 2 \times \left(-\frac{3}{4}\right)^2 - 1 = \frac{1}{8}$

(3) $\tan 2\theta = \dfrac{\sin 2\theta}{\cos 2\theta} = \dfrac{-\frac{3\sqrt{7}}{8}}{\frac{1}{8}} = -3\sqrt{7}$

32 답 (1) $\dfrac{24}{25}$ (2) $-\dfrac{7}{25}$ (3) $-\dfrac{24}{7}$

풀이 (1) $0 < \alpha < \dfrac{\pi}{2}$에서 $\cos \theta > 0$이므로
$$\cos \theta = \sqrt{1 - \sin^2 \theta} = \sqrt{1 - \left(\frac{4}{5}\right)^2} = \frac{3}{5}$$
$$\therefore \sin 2\theta = 2 \sin \theta \cos \theta = 2 \times \frac{4}{5} \times \frac{3}{5} = \frac{24}{25}$$

(2) $\cos 2\theta = 1 - 2\sin^2 \theta = 1 - 2 \times \left(\frac{4}{5}\right)^2 = -\frac{7}{25}$

(3) $\tan 2\theta = \dfrac{\sin 2\theta}{\cos 2\theta} = \dfrac{\frac{24}{25}}{-\frac{7}{25}} = -\frac{24}{7}$

33 답 (1) $-\dfrac{8}{9}$ (2) $-\dfrac{9}{4}$

풀이 (1) $\sin \theta + \cos \theta = \dfrac{1}{3}$의 양변을 제곱하면
$$\sin^2 \theta + 2\sin \theta \cos \theta + \cos^2 \theta = \frac{1}{9}$$
$$1 + 2\sin \theta \cos \theta = \frac{1}{9}$$
$$\therefore 2\sin \theta \cos \theta = -\frac{8}{9}$$
$$\therefore \sin 2\theta = 2\sin \theta \cos \theta = -\frac{8}{9}$$

(2) $\tan \theta + \cot \theta = \dfrac{\sin \theta}{\cos \theta} + \dfrac{\cos \theta}{\sin \theta} = \dfrac{\sin^2 \theta + \cos^2 \theta}{\sin \theta \cos \theta}$
$$= \frac{1}{\sin \theta \cos \theta}$$
이때 (1)에서 $2\sin \theta \cos \theta = -\dfrac{8}{9}$이므로
$$\sin \theta \cos \theta = -\frac{4}{9}$$
$$\therefore \tan \theta + \cot \theta = -\frac{9}{4}$$

34 답 (1) $-\dfrac{3}{4}$ (2) $-\dfrac{8}{3}$

풀이 (1) $\sin \theta + \cos \theta = \dfrac{1}{2}$의 양변을 제곱하면
$$\sin^2 \theta + 2\sin \theta \cos \theta + \cos^2 \theta = \frac{1}{4}$$
$$1 + 2\sin \theta \cos \theta = \frac{1}{4}$$
$$\therefore 2\sin \theta \cos \theta = -\frac{3}{4}$$
$$\therefore \sin 2\theta = 2\sin \theta \cos \theta = -\frac{3}{4}$$

(2) $\tan \theta + \cot \theta = \dfrac{\sin \theta}{\cos \theta} + \dfrac{\cos \theta}{\sin \theta} = \dfrac{\sin^2 \theta + \cos^2 \theta}{\sin \theta \cos \theta}$
$$= \frac{1}{\sin \theta \cos \theta}$$
이때 (1)에서 $2\sin \theta \cos \theta = -\dfrac{3}{4}$이므로
$$\sin \theta \cos \theta = -\frac{3}{8}$$
$$\therefore \tan \theta + \cot \theta = -\frac{8}{3}$$

35 답 (1) $\dfrac{117}{128}$ (2) $\dfrac{5\sqrt{2}}{8}$ (3) $\dfrac{11}{16}$

풀이 (1) $\sin \theta + \cos \theta = \dfrac{3}{4}$의 양변을 제곱하면
$$\sin^2 \theta + 2\sin \theta \cos \theta + \cos^2 \theta = \frac{9}{16}$$
$$1 + 2\sin \theta \cos \theta = \frac{9}{16}$$
$$\therefore \sin \theta \cos \theta = -\frac{7}{32}$$
$$\therefore \sin^3 \theta + \cos^3 \theta$$
$$= (\sin \theta + \cos \theta)(\sin^2 \theta - \sin \theta \cos \theta + \cos^2 \theta)$$
$$= \frac{3}{4} \times \left\{ 1 - \left(-\frac{7}{32}\right) \right\} = \frac{117}{128}$$

(2) $\sin \theta + \cos \theta = \dfrac{\sqrt{2}}{2}$의 양변을 제곱하면
$$\sin^2 \theta + 2\sin \theta \cos \theta + \cos^2 \theta = \frac{1}{2}$$
$$1 + 2\sin \theta \cos \theta = \frac{1}{2}$$

$$\therefore \sin\theta\cos\theta = -\frac{1}{4}$$

$$\therefore \sin^3\theta + \cos^3\theta$$
$$= (\sin\theta + \cos\theta)(\sin^2\theta - \sin\theta\cos\theta + \cos^2\theta)$$
$$= \frac{\sqrt{2}}{2} \times \left\{1 - \left(-\frac{1}{4}\right)\right\} = \frac{5\sqrt{2}}{8}$$

(3) $\sin\theta - \cos\theta = \dfrac{1}{2}$의 양변을 제곱하면

$$\sin^2\theta - 2\sin\theta\cos\theta + \cos^2\theta = \frac{1}{4}$$

$$1 - 2\sin\theta\cos\theta = \frac{1}{4}$$

$$\therefore \sin\theta\cos\theta = \frac{3}{8}$$

$$\therefore \sin^3\theta - \cos^3\theta$$
$$= (\sin\theta - \cos\theta)(\sin^2\theta + \sin\theta\cos\theta + \cos^2\theta)$$
$$= \frac{1}{2} \times \left(1 + \frac{3}{8}\right) = \frac{11}{16}$$

36 답 (1) $\dfrac{2\sqrt{5}}{5}$ (2) $\dfrac{\sqrt{5}}{5}$ (3) 2

풀이 (1) $\dfrac{\pi}{2} < \theta < \pi$에서 $\dfrac{\pi}{4} < \dfrac{\theta}{2} < \dfrac{\pi}{2}$이므로 $\sin\dfrac{\theta}{2} > 0$

$$\sin^2\frac{\theta}{2} = \frac{1-\cos\theta}{2} = \frac{1-\left(-\frac{3}{5}\right)}{2} = \frac{4}{5}$$

$$\therefore \sin\frac{\theta}{2} = \frac{2\sqrt{5}}{5}$$

(2) $\dfrac{\pi}{2} < \theta < \pi$에서 $\dfrac{\pi}{4} < \dfrac{\theta}{2} < \dfrac{\pi}{2}$이므로 $\cos\dfrac{\theta}{2} > 0$

$$\cos^2\frac{\theta}{2} = \frac{1+\cos\theta}{2} = \frac{1+\left(-\frac{3}{5}\right)}{2} = \frac{1}{5}$$

$$\therefore \cos\frac{\theta}{2} = \frac{\sqrt{5}}{5}$$

(3) $\dfrac{\pi}{2} < \theta < \pi$에서 $\dfrac{\pi}{4} < \dfrac{\theta}{2} < \dfrac{\pi}{2}$이므로 $\tan\dfrac{\theta}{2} > 0$

$$\tan^2\frac{\theta}{2} = \frac{1-\cos\theta}{1+\cos\theta} = \frac{1-\left(-\frac{3}{5}\right)}{1+\left(-\frac{3}{5}\right)} = 4$$

$$\therefore \tan\frac{\theta}{2} = 2$$

다른 풀이 (2) $\dfrac{\pi}{2} < \theta < \pi$에서 $\dfrac{\pi}{4} < \dfrac{\theta}{2} < \dfrac{\pi}{2}$이므로

$$\cos\frac{\theta}{2} > 0$$

$\sin^2\dfrac{\theta}{2} + \cos^2\dfrac{\theta}{2} = 1$이고, **(1)**에서

$\sin^2\dfrac{\theta}{2} = \dfrac{4}{5}$이므로

$$\cos^2\frac{\theta}{2} = 1 - \frac{4}{5} = \frac{1}{5}$$

$$\therefore \cos\frac{\theta}{2} = \frac{\sqrt{5}}{5}$$

(3) $\tan\dfrac{\theta}{2} = \dfrac{\sin\dfrac{\theta}{2}}{\cos\dfrac{\theta}{2}} = \dfrac{\dfrac{2\sqrt{5}}{5}}{\dfrac{\sqrt{5}}{5}} = 2$

37 답 (1) $\dfrac{3-\sqrt{5}}{6}$ (2) $\dfrac{3+\sqrt{5}}{6}$ (3) $\dfrac{7-3\sqrt{5}}{2}$

풀이 $0 < \theta < \dfrac{\pi}{2}$이므로 $\cos\theta > 0$

$$\cos\theta = \sqrt{1-\sin^2\theta} = \sqrt{1-\left(\frac{2}{3}\right)^2} = \frac{\sqrt{5}}{3}$$

(1) $\sin^2\dfrac{\theta}{2} = \dfrac{1-\cos\theta}{2} = \dfrac{1-\dfrac{\sqrt{5}}{3}}{2} = \dfrac{3-\sqrt{5}}{6}$

(2) $\cos^2\dfrac{\theta}{2} = \dfrac{1+\cos\theta}{2} = \dfrac{1+\dfrac{\sqrt{5}}{3}}{2} = \dfrac{3+\sqrt{5}}{6}$

(3) $\tan^2\dfrac{\theta}{2} = \dfrac{1-\cos\theta}{1+\cos\theta} = \dfrac{1-\dfrac{\sqrt{5}}{3}}{1+\dfrac{\sqrt{5}}{3}}$

$$= \frac{3-\sqrt{5}}{3+\sqrt{5}} = \frac{(3-\sqrt{5})^2}{(3+\sqrt{5})(3-\sqrt{5})} = \frac{14-6\sqrt{5}}{4}$$

$$= \frac{7-3\sqrt{5}}{2}$$

38 답 (1) $\dfrac{2-\sqrt{2}}{4}$ (2) $\dfrac{2+\sqrt{2}}{4}$ (3) $3-2\sqrt{2}$

(4) $\dfrac{2-\sqrt{3}}{4}$ (5) $\dfrac{2+\sqrt{3}}{4}$ (6) $7-4\sqrt{3}$

풀이 (1) $\sin^2 22.5° = \sin^2\dfrac{45°}{2} = \dfrac{1-\cos 45°}{2}$

$$= \frac{1-\dfrac{\sqrt{2}}{2}}{2} = \frac{2-\sqrt{2}}{4}$$

(2) $\cos^2 22.5° = \cos^2\dfrac{45°}{2} = \dfrac{1+\cos 45°}{2}$

$$= \frac{1+\dfrac{\sqrt{2}}{2}}{2} = \frac{2+\sqrt{2}}{4}$$

(3) $\tan^2 22.5° = \dfrac{1-\cos 45°}{1+\cos 45°} = \dfrac{1-\dfrac{\sqrt{2}}{2}}{1+\dfrac{\sqrt{2}}{2}}$

$$= \frac{2-\sqrt{2}}{2+\sqrt{2}} = \frac{(2-\sqrt{2})^2}{(2+\sqrt{2})(2-\sqrt{2})}$$

$$= \frac{6-4\sqrt{2}}{2} = 3-2\sqrt{2}$$

(4) $\sin^2 15° = \sin^2\dfrac{30°}{2} = \dfrac{1-\cos 30°}{2}$

$$= \frac{1-\dfrac{\sqrt{3}}{2}}{2} = \frac{2-\sqrt{3}}{4}$$

(5) $\cos^2 15° = \dfrac{1+\cos 30°}{2} = \dfrac{1+\dfrac{\sqrt{3}}{2}}{2} = \dfrac{2+\sqrt{3}}{4}$

(6) $\tan^2 15° = \dfrac{1-\cos 30°}{1+\cos 30°} = \dfrac{1-\dfrac{\sqrt{3}}{2}}{1+\dfrac{\sqrt{3}}{2}}$

$$=\frac{2-\sqrt{3}}{2+\sqrt{3}}=\frac{(2-\sqrt{3})^2}{(2+\sqrt{3})(2-\sqrt{3})}$$
$$=7-4\sqrt{3}$$

39 답 (1) $2\sin\left(x+\frac{\pi}{6}\right)$ (2) $\sqrt{2}\sin\left(x-\frac{\pi}{4}\right)$

(3) $2\sin\left(x+\frac{\pi}{4}\right)$

풀이 (1) $r=\sqrt{(\sqrt{3})^2+1^2}=2$이므로

$$\sqrt{3}\sin x+\cos x=2\left(\frac{\sqrt{3}}{2}\sin x+\frac{1}{2}\cos x\right)$$
$$=2\left(\cos\frac{\pi}{6}\sin x+\sin\frac{\pi}{6}\cos x\right)$$
$$=2\sin\left(x+\frac{\pi}{6}\right)$$

(2) $r=\sqrt{1^2+(-1)^2}=\sqrt{2}$이므로

$$\sin x-\cos x=\sqrt{2}\left(\frac{\sqrt{2}}{2}\sin x-\frac{\sqrt{2}}{2}\cos x\right)$$
$$=\sqrt{2}\left(\cos\frac{\pi}{4}\sin x-\sin\frac{\pi}{4}\cos x\right)$$
$$=\sqrt{2}\sin\left(x-\frac{\pi}{4}\right)$$

(3) $r=\sqrt{(\sqrt{2})^2+(\sqrt{2})^2}=2$이므로

$$\sqrt{2}\sin x+\sqrt{2}\cos x=2\left(\frac{\sqrt{2}}{2}\sin x+\frac{\sqrt{2}}{2}\cos x\right)$$
$$=2\left(\cos\frac{\pi}{4}\sin x+\sin\frac{\pi}{4}\cos x\right)$$
$$=2\sin\left(x+\frac{\pi}{4}\right)$$

40 답 (1) $2\cos\left(x-\frac{\pi}{6}\right)$ (2) $\sqrt{2}\cos\left(x-\frac{\pi}{4}\right)$

풀이 (1) $r=\sqrt{1^2+(\sqrt{3})^2}=2$이므로

$$\sin x+\sqrt{3}\cos x=2\left(\frac{1}{2}\sin x+\frac{\sqrt{3}}{2}\cos x\right)$$
$$=2\left(\sin\frac{\pi}{6}\sin x+\cos\frac{\pi}{6}\cos x\right)$$
$$=2\cos\left(x-\frac{\pi}{6}\right)$$

(2) $r=\sqrt{1^2+1^2}=\sqrt{2}$이므로

$$\sin x+\cos x=\sqrt{2}\left(\frac{\sqrt{2}}{2}\sin x+\frac{\sqrt{2}}{2}\cos x\right)$$
$$=\sqrt{2}\left(\sin\frac{\pi}{4}\sin x+\cos\frac{\pi}{4}\cos x\right)$$
$$=\sqrt{2}\cos\left(x-\frac{\pi}{4}\right)$$

41 답 (1) $2\sin\left(x+\frac{\pi}{3}\right)$ (2) $2\sin\left(x+\frac{3}{4}\pi\right)$

(3) $2\sin\left(x+\frac{2}{3}\pi\right)$ (4) $2\sqrt{2}\sin\left(x-\frac{\pi}{4}\right)$

(5) $\sqrt{7}\sin(x+\alpha)$ $\left(단,\ \sin\alpha=\frac{\sqrt{3}}{\sqrt{7}},\ \cos\alpha=\frac{2}{\sqrt{7}}\right)$

(6) $\sqrt{7}\sin(x+\alpha)$ $\left(단,\ \sin\alpha=\frac{5}{2\sqrt{7}},\ \cos\alpha=\frac{\sqrt{3}}{2\sqrt{7}}\right)$

풀이 (1) $\cos\left(x+\frac{\pi}{6}\right)=\cos x\cos\frac{\pi}{6}-\sin x\sin\frac{\pi}{6}$

$$=-\frac{1}{2}\sin x+\frac{\sqrt{3}}{2}\cos x$$

이므로

$$2\sin x+2\cos\left(x+\frac{\pi}{6}\right)$$
$$=2\sin x+2\left(-\frac{1}{2}\sin x+\frac{\sqrt{3}}{2}\cos x\right)$$
$$=\sin x+\sqrt{3}\cos x$$

이때 $r=\sqrt{1^2+(\sqrt{3})^2}=2$이므로

$$2\sin x+2\cos\left(x+\frac{\pi}{6}\right)$$
$$=\sin x+\sqrt{3}\cos x$$
$$=2\left(\frac{1}{2}\sin x+\frac{\sqrt{3}}{2}\cos x\right)$$
$$=2\left(\cos\frac{\pi}{3}\sin x+\sin\frac{\pi}{3}\cos x\right)$$
$$=2\sin\left(x+\frac{\pi}{3}\right)$$

(2) $\cos\left(x-\frac{\pi}{4}\right)=\cos x\cos\frac{\pi}{4}+\sin x\sin\frac{\pi}{4}$
$$=\frac{\sqrt{2}}{2}\sin x+\frac{\sqrt{2}}{2}\cos x$$

이므로

$$2\cos\left(x-\frac{\pi}{4}\right)-2\sqrt{2}\sin x$$
$$=2\left(\frac{\sqrt{2}}{2}\sin x+\frac{\sqrt{2}}{2}\cos x\right)-2\sqrt{2}\sin x$$
$$=-\sqrt{2}\sin x+\sqrt{2}\cos x$$

이때 $r=\sqrt{(-\sqrt{2})^2+(\sqrt{2})^2}=2$이므로

(주어진 식) $=-\sqrt{2}\sin x+\sqrt{2}\cos x$
$$=2\left(-\frac{\sqrt{2}}{2}\sin x+\frac{\sqrt{2}}{2}\cos x\right)$$
$$=2\left(\cos\frac{3}{4}\pi\sin x+\sin\frac{3}{4}\pi\cos x\right)$$
$$=2\sin\left(x+\frac{3}{4}\pi\right)$$

(3) $2\sqrt{3}\sin\left(x+\frac{\pi}{6}\right)-4\sin x$
$$=2\sqrt{3}\left(\sin x\cos\frac{\pi}{6}+\cos x\sin\frac{\pi}{6}\right)-4\sin x$$
$$=2\sqrt{3}\left(\frac{\sqrt{3}}{2}\sin x+\frac{1}{2}\cos x\right)-4\sin x$$
$$=3\sin x+\sqrt{3}\cos x-4\sin x$$
$$=-\sin x+\sqrt{3}\cos x$$

이때 $r=\sqrt{(-1)^2+(\sqrt{3})^2}=2$이므로

(주어진 식) $=-\sin x+\sqrt{3}\cos x$
$$=2\left(-\frac{1}{2}\sin x+\frac{\sqrt{3}}{2}\cos x\right)$$
$$=2\left(\cos\frac{2}{3}\pi\sin x+\sin\frac{2}{3}\pi\cos x\right)$$
$$=2\sin\left(x+\frac{2}{3}\pi\right)$$

(4) $-2\sqrt{2}\sin\left(x+\frac{\pi}{4}\right)+4\sin x$
$$=-2\sqrt{2}\left(\sin x\cos\frac{\pi}{4}+\cos x\sin\frac{\pi}{4}\right)+4\sin x$$

$$=-2\sqrt{2}\left(\frac{\sqrt{2}}{2}\sin x+\frac{\sqrt{2}}{2}\cos x\right)+4\sin x$$

$$=2\sin x-2\cos x$$

이때 $r=\sqrt{2^2+(-2)^2}=2\sqrt{2}$이므로

$$(\text{주어진 식})=2\sin x-2\cos x$$

$$=2\sqrt{2}\left(\frac{1}{\sqrt{2}}\sin x-\frac{1}{\sqrt{2}}\cos x\right)$$

$$=2\sqrt{2}\left(\cos\frac{\pi}{4}\sin x-\sin\frac{\pi}{4}\cos x\right)$$

$$=2\sqrt{2}\sin\left(x-\frac{\pi}{4}\right)$$

(5) $2\sin\left(x+\frac{\pi}{3}\right)+\sin x$

$$=2\left(\sin x\cos\frac{\pi}{3}+\cos x\sin\frac{\pi}{3}\right)+\sin x$$

$$=2\left(\frac{1}{2}\sin x+\frac{\sqrt{3}}{2}\cos x\right)+\sin x$$

$$=2\sin x+\sqrt{3}\cos x$$

이때 $r=\sqrt{2^2+(\sqrt{3})^2}=\sqrt{7}$이므로

$$(\text{주어진 식})=2\sin x+\sqrt{3}\cos x$$

$$=\sqrt{7}\left(\frac{2}{\sqrt{7}}\sin x+\frac{\sqrt{3}}{\sqrt{7}}\cos x\right)$$

$$=\sqrt{7}(\sin x\cos\alpha+\cos x\sin\alpha)$$

$$=\sqrt{7}\sin(x+\alpha)$$

$$\left(\text{단, }\sin\alpha=\frac{\sqrt{3}}{\sqrt{7}},\ \cos\alpha=\frac{2}{\sqrt{7}}\right)$$

(6) $\cos\left(x-\frac{\pi}{3}\right)+2\cos x$

$$=\left(\cos x\cos\frac{\pi}{3}+\sin x\sin\frac{\pi}{3}\right)+2\cos x$$

$$=\left(\frac{1}{2}\cos x+\frac{\sqrt{3}}{2}\sin x\right)+2\cos x$$

$$=\frac{\sqrt{3}}{2}\sin x+\frac{5}{2}\cos x$$

이때 $r=\sqrt{\left(\frac{\sqrt{3}}{2}\right)^2+\left(\frac{5}{2}\right)^2}=\sqrt{7}$이므로

$$(\text{주어진 식})=\frac{\sqrt{3}}{2}\sin x+\frac{5}{2}\cos x$$

$$=\sqrt{7}\left(\frac{\sqrt{3}}{2\sqrt{7}}\sin x+\frac{5}{2\sqrt{7}}\cos x\right)$$

$$=\sqrt{7}(\sin x\cos\alpha+\cos x\sin\alpha)$$

$$=\sqrt{7}\sin(x+\alpha)$$

$$\left(\text{단, }\sin\alpha=\frac{5}{2\sqrt{7}},\ \cos\alpha=\frac{\sqrt{3}}{2\sqrt{7}}\right)$$

42 답 (1) 최댓값: 1, 최솟값: -1, 주기: 2π
(2) 최댓값: $\sqrt{2}$, 최솟값: $-\sqrt{2}$, 주기: 2π
(3) 최댓값: 2, 최솟값: -2, 주기: 2π
(4) 최댓값: 1, 최솟값: -1, 주기: 2π
(5) 최댓값: $\sqrt{3}$, 최솟값: $-\sqrt{3}$, 주기: 2π
(6) 최댓값: $\sqrt{7}$, 최솟값: $-\sqrt{7}$, 주기: 2π

풀이 (1) $\sqrt{\left(\frac{1}{2}\right)^2+\left(\frac{\sqrt{3}}{2}\right)^2}=1$이므로

$$y=\frac{1}{2}\sin x+\frac{\sqrt{3}}{2}\cos x$$

$$=\cos\frac{\pi}{3}\sin x+\sin\frac{\pi}{3}\cos x$$

$$=\sin\left(x+\frac{\pi}{3}\right)$$

따라서 최댓값은 1, 최솟값은 -1, 주기는 2π이다.

(2) $\sqrt{1^2+(-1)^2}=\sqrt{2}$이므로

$$y=\sin x-\cos x$$

$$=\sqrt{2}\left(\frac{\sqrt{2}}{2}\sin x-\frac{\sqrt{2}}{2}\cos x\right)$$

$$=\sqrt{2}\left(\cos\frac{\pi}{4}\sin x-\sin\frac{\pi}{4}\cos x\right)$$

$$=\sqrt{2}\sin\left(x-\frac{\pi}{4}\right)$$

따라서 최댓값은 $\sqrt{2}$, 최솟값은 $-\sqrt{2}$, 주기는 2π이다.

(3) $\sqrt{(\sqrt{2})^2+(-\sqrt{2})^2}=2$이므로

$$y=\sqrt{2}\sin x-\sqrt{2}\cos x$$

$$=2\left(\frac{\sqrt{2}}{2}\sin x-\frac{\sqrt{2}}{2}\cos x\right)$$

$$=2\left(\cos\frac{\pi}{4}\sin x-\sin\frac{\pi}{4}\cos x\right)$$

$$=2\sin\left(x-\frac{\pi}{4}\right)$$

따라서 최댓값은 2, 최솟값은 -2, 주기는 2π이다.

(4) $y=2\sin x-\sqrt{3}\sin\left(x+\frac{\pi}{6}\right)$

$$=2\sin x-\sqrt{3}\left(\sin x\cos\frac{\pi}{6}+\cos x\sin\frac{\pi}{6}\right)$$

$$=2\sin x-\sqrt{3}\left(\frac{\sqrt{3}}{2}\sin x+\frac{1}{2}\cos x\right)$$

$$=\frac{1}{2}\sin x-\frac{\sqrt{3}}{2}\cos x$$

이때 $\sqrt{\left(\frac{1}{2}\right)^2+\left(-\frac{\sqrt{3}}{2}\right)^2}=1$이므로

$$y=\frac{1}{2}\sin x-\frac{\sqrt{3}}{2}\cos x$$

$$=\cos\frac{\pi}{3}\sin x-\sin\frac{\pi}{3}\cos x$$

$$=\sin\left(x-\frac{\pi}{3}\right)$$

따라서 최댓값은 1, 최솟값은 -1, 주기는 2π이다.

(5) $y=\cos\left(x+\frac{\pi}{6}\right)-\sin x$

$$=\cos x\cos\frac{\pi}{6}-\sin x\sin\frac{\pi}{6}-\sin x$$

$$=\frac{\sqrt{3}}{2}\cos x-\frac{1}{2}\sin x-\sin x$$

$$=-\frac{3}{2}\sin x+\frac{\sqrt{3}}{2}\cos x$$

이때 $\sqrt{\left(-\frac{3}{2}\right)^2+\left(\frac{\sqrt{3}}{2}\right)^2}=\sqrt{3}$이므로

$$y=-\frac{3}{2}\cos x+\frac{\sqrt{3}}{2}\cos x$$

$$=\sqrt{3}\left(-\frac{\sqrt{3}}{2}\sin x+\frac{1}{2}\cos x\right)$$

$$= \sqrt{3}\left(\cos\frac{5}{6}\pi \sin x + \sin\frac{5}{6}\pi \cos x\right)$$
$$= \sqrt{3}\sin\left(x+\frac{5}{6}\pi\right)$$

따라서 최댓값은 $\sqrt{3}$, 최솟값은 $-\sqrt{3}$, 주기는 2π이다.

(6) $y = 2\cos x + \cos\left(x-\frac{\pi}{3}\right)$
$$= 2\cos x + \left(\cos x\cos\frac{\pi}{3} + \sin x\sin\frac{\pi}{3}\right)$$
$$= 2\cos x + \frac{1}{2}\cos x + \frac{\sqrt{3}}{2}\sin x$$
$$= \frac{\sqrt{3}}{2}\sin x + \frac{5}{2}\cos x$$

이때 $\sqrt{\left(\frac{\sqrt{3}}{2}\right)^2 + \left(\frac{5}{2}\right)^2} = \sqrt{7}$이므로

$$y = \frac{\sqrt{3}}{2}\sin x + \frac{5}{2}\cos x$$
$$= \sqrt{7}\left(\frac{\sqrt{21}}{14}\sin x + \frac{5\sqrt{7}}{14}\cos x\right)$$
$$= \sqrt{7}(\sin x\cos\alpha + \cos x\sin\alpha)$$
$$= \sqrt{7}\sin(x+\alpha)$$

$$\left(\text{단, } \sin\alpha = \frac{5\sqrt{7}}{14}, \cos\alpha = \frac{\sqrt{21}}{14}\right)$$

따라서 최댓값은 $\sqrt{7}$, 최솟값은 $-\sqrt{7}$, 주기는 2π이다.

43 답 (1) 최댓값: 7, 최솟값: -5, 주기: 2π
  (2) 최댓값: $3+2\sqrt{2}$, 최솟값: $3-2\sqrt{2}$, 주기: 2π
  (3) 최댓값: 6, 최솟값: 2, 주기: 2π
  (4) 최댓값: $\sqrt{6}-2$, 최솟값: $-2-\sqrt{6}$, 주기: 2π
  (5) 최댓값: 4, 최솟값: 0, 주기: 2π
  (6) 최댓값: $5+4\sqrt{3}$, 최솟값: $5-4\sqrt{3}$, 주기: 2π

풀이 (1) $\sqrt{(3\sqrt{3})^2 + (-3)^2} = 6$이므로
$$y = 3\sqrt{3}\sin x - 3\cos x + 1$$
$$= 6\left(\frac{\sqrt{3}}{2}\sin x - \frac{1}{2}\cos x\right) + 1$$
$$= 6\left(\cos\frac{\pi}{6}\sin x - \sin\frac{\pi}{6}\cos x\right) + 1$$
$$= 6\sin\left(x-\frac{\pi}{6}\right) + 1$$

이때 $-1 \le \sin\left(x-\frac{\pi}{6}\right) \le 1$이므로

$$\underline{-5} \le 6\sin\left(x-\frac{\pi}{6}\right) + 1 \le \underline{7}$$

따라서 최댓값은 $\underline{7}$, 최솟값은 $\underline{-5}$, 주기는 $\underline{2\pi}$이다.

(2) $\sqrt{2^2 + (-2)^2} = 2\sqrt{2}$이므로
$$y = 2\sin x - 2\cos x + 3$$
$$= 2\sqrt{2}\left(\frac{\sqrt{2}}{2}\sin x - \frac{\sqrt{2}}{2}\cos x\right) + 3$$
$$= 2\sqrt{2}\left(\cos\frac{\pi}{4}\sin x - \sin\frac{\pi}{4}\cos x\right) + 3$$
$$= 2\sqrt{2}\sin\left(x-\frac{\pi}{4}\right) + 3$$

이때 $-1 \le \sin\left(x-\frac{\pi}{4}\right) \le 1$이므로

$$3-2\sqrt{2} \le 2\sqrt{2}\sin\left(x-\frac{\pi}{4}\right) + 3 \le 3+2\sqrt{2}$$

따라서 최댓값은 $3+2\sqrt{2}$, 최솟값은 $3-2\sqrt{2}$, 주기는 2π이다.

(3) $\sqrt{1^2 + (\sqrt{3})^2} = 2$이므로
$$y = \sin x + \sqrt{3}\cos x + 4$$
$$= 2\left(\frac{1}{2}\sin x + \frac{\sqrt{3}}{2}\cos x\right) + 4$$
$$= 2\left(\cos\frac{\pi}{3}\sin x + \sin\frac{\pi}{3}\cos x\right) + 4$$
$$= 2\sin\left(x+\frac{\pi}{3}\right) + 4$$

이때 $-1 \le \sin\left(x+\frac{\pi}{3}\right) \le 1$이므로

$$2 \le 2\sin\left(x+\frac{\pi}{3}\right) + 4 \le 6$$

따라서 최댓값은 6, 최솟값은 2, 주기는 2π이다.

(4) $\sqrt{(\sqrt{3})^2 + (\sqrt{3})^2} = \sqrt{6}$이므로
$$y = \sqrt{3}\sin x + \sqrt{3}\cos x - 2$$
$$= \sqrt{6}\left(\frac{\sqrt{2}}{2}\sin x + \frac{\sqrt{2}}{2}\cos x\right) - 2$$
$$= \sqrt{6}\left(\cos\frac{\pi}{4}\sin x + \sin\frac{\pi}{4}\cos x\right) - 2$$
$$= \sqrt{6}\sin\left(x+\frac{\pi}{4}\right) - 2$$

이때 $-1 \le \sin\left(x+\frac{\pi}{4}\right) \le 1$이므로

$$-2-\sqrt{6} \le \sqrt{6}\sin\left(x+\frac{\pi}{4}\right) - 2 \le \sqrt{6}-2$$

따라서 최댓값은 $\sqrt{6}-2$, 최솟값은 $-2-\sqrt{6}$, 주기는 2π이다.

(5) $\sqrt{(\sqrt{3})^2 + 1^2} = 2$이므로
$$y = \sqrt{3}\sin x + \cos x + 2$$
$$= 2\left(\frac{\sqrt{3}}{2}\sin x + \frac{1}{2}\cos x\right) + 2$$
$$= 2\left(\cos\frac{\pi}{6}\sin x + \sin\frac{\pi}{6}\cos x\right) + 2$$
$$= 2\sin\left(x+\frac{\pi}{6}\right) + 2$$

이때 $-1 \le \sin\left(x+\frac{\pi}{6}\right) \le 1$이므로

$$0 \le 2\sin\left(x+\frac{\pi}{6}\right) + 2 \le 4$$

따라서 최댓값은 4, 최솟값은 0, 주기는 2π이다.

(6) $\sqrt{(2\sqrt{3})^2 + (-6)^2} = 4\sqrt{3}$이므로
$$y = 2\sqrt{3}\sin x - 6\cos x + 5$$
$$= 4\sqrt{3}\left(\frac{1}{2}\sin x - \frac{\sqrt{3}}{2}\cos x\right) + 5$$
$$= 4\sqrt{3}\left(\cos\frac{\pi}{3}\sin x - \sin\frac{\pi}{3}\cos x\right) + 5$$
$$= 4\sqrt{3}\sin\left(x-\frac{\pi}{3}\right) + 5$$

이때 $-1 \le \sin\left(x-\frac{\pi}{3}\right) \le 1$이므로

$$5-4\sqrt{3}\leq 4\sqrt{3}\sin\left(x-\frac{\pi}{3}\right)+5\leq 5+4\sqrt{3}$$

따라서 최댓값은 $5+4\sqrt{3}$, 최솟값은 $5-4\sqrt{3}$, 주기는 2π 이다.

44 답 (1) $\dfrac{1}{2}$ (2) $\dfrac{\sqrt{2}}{2}$ (3) $\sqrt{3}$ (4) 1

(5) 0 (6) 0 (7) $-\dfrac{\sqrt{2}}{2}$ (8) $-\dfrac{\sqrt{3}}{2}$

풀이 (1) $\displaystyle\lim_{x\to\frac{\pi}{6}}\sin x=\sin\frac{\pi}{6}=\frac{1}{2}$

(2) $\displaystyle\lim_{x\to\frac{\pi}{4}}\cos x=\cos\frac{\pi}{4}=\frac{\sqrt{2}}{2}$

(3) $\displaystyle\lim_{x\to\frac{\pi}{3}}\tan x=\tan\frac{\pi}{3}=\sqrt{3}$

(4) $\displaystyle\lim_{x\to\frac{\pi}{2}}\sin x=\sin\frac{\pi}{2}=1$

(5) $\displaystyle\lim_{x\to\frac{\pi}{2}}\cos x=\cos\frac{\pi}{2}=0$

(6) $\displaystyle\lim_{x\to\pi}\tan x=\tan\pi=0$

(7) $\displaystyle\lim_{x\to\frac{5}{4}\pi}\sin x=\sin\frac{5}{4}\pi=-\sin\frac{\pi}{4}=-\frac{\sqrt{2}}{2}$

(8) $\displaystyle\lim_{x\to-\frac{7}{6}\pi}\cos x=\cos\left(-\frac{7}{6}\pi\right)=\cos\frac{7}{6}\pi$

$$=-\cos\frac{\pi}{6}=-\frac{\sqrt{3}}{2}$$

45 답 (1) 0 (2) $-\dfrac{1}{2}$ (3) -1

풀이 (1) $\displaystyle\lim_{x\to 0}\frac{\sin 3x}{\cos 2x}=\frac{\sin 0}{\cos 0}=\frac{0}{1}=0$

(2) $\displaystyle\lim_{x\to\frac{\pi}{2}}\frac{\sin(-x)}{2\sin x}=\frac{\sin\left(-\frac{\pi}{2}\right)}{2\sin\frac{\pi}{2}}=\frac{-1}{2\times 1}=-\frac{1}{2}$

(3) $\displaystyle\lim_{x\to 0}\frac{\cos 2x}{\sin x-\cos x}=\frac{\cos 0}{\sin 0-\cos 0}=\frac{1}{-1}=-1$

46 답 (1) 2 (2) 2 (3) $\dfrac{1}{2}$ (4) $-2\sqrt{2}$ (5) 0 (6) 0

풀이 (1) $\sin^2 x=1-\cos^2 x$이므로

$$\lim_{x\to 0}\frac{\sin^2 x}{1-\cos x}=\lim_{x\to 0}\frac{1-\cos^2 x}{1-\cos x}$$
$$=\lim_{x\to 0}\frac{(1-\cos x)(1+\cos x)}{1-\cos x}$$
$$=\lim_{x\to 0}(1+\cos x)$$
$$=1+\cos 0=1+1=\underline{2}$$

(2) $\displaystyle\lim_{x\to\frac{\pi}{2}}\frac{\cos^2 x}{1-\sin x}=\lim_{x\to\frac{\pi}{2}}\frac{1-\sin^2 x}{1-\sin x}$
$$=\lim_{x\to\frac{\pi}{2}}\frac{(1-\sin x)(1+\sin x)}{1-\sin x}$$
$$=\lim_{x\to\frac{\pi}{2}}(1+\sin x)$$
$$=1+\sin\frac{\pi}{2}=1+1=2$$

(3) $\displaystyle\lim_{x\to 0}\frac{\sin^2\frac{x}{2}}{1-\cos x}=\lim_{x\to 0}\frac{\frac{1-\cos x}{2}}{1-\cos x}=\lim_{x\to 0}\frac{1}{2}=\frac{1}{2}$

(4) $\displaystyle\lim_{x\to\frac{\pi}{4}}\frac{1-\tan^2 x}{\sin x-\cos x}$

$$=\lim_{x\to\frac{\pi}{4}}\frac{1-\dfrac{\sin^2 x}{\cos^2 x}}{\sin x-\cos x}$$
$$=\lim_{x\to\frac{\pi}{4}}\frac{\cos^2 x-\sin^2 x}{\cos^2 x(\sin x-\cos x)}$$
$$=\lim_{x\to\frac{\pi}{4}}\frac{(\cos x+\sin x)(\cos x-\sin x)}{\cos^2 x(\sin x-\cos x)}$$
$$=\lim_{x\to\frac{\pi}{4}}\frac{-(\cos x+\sin x)}{\cos^2 x}$$
$$=\frac{-\left(\dfrac{\sqrt{2}}{2}+\dfrac{\sqrt{2}}{2}\right)}{\left(\dfrac{\sqrt{2}}{2}\right)^2}=\frac{-\sqrt{2}}{\dfrac{1}{2}}=-2\sqrt{2}$$

(5) $\displaystyle\lim_{x\to\frac{\pi}{2}}(\sec x-\tan x)=\lim_{x\to\frac{\pi}{2}}\left(\frac{1}{\cos x}-\frac{\sin x}{\cos x}\right)$

$$=\lim_{x\to\frac{\pi}{2}}\frac{1-\sin x}{\cos x}$$
$$=\lim_{x\to\frac{\pi}{2}}\frac{(1-\sin x)(1+\sin x)}{\cos x(1+\sin x)}$$
$$=\lim_{x\to\frac{\pi}{2}}\frac{\cos^2 x}{\cos x(1+\sin x)}$$
$$=\lim_{x\to\frac{\pi}{2}}\frac{\cos x}{1+\sin x}=\frac{0}{1+1}=0$$

(6) $\displaystyle\lim_{x\to 0}\frac{2\sin x-\sin 2x}{\sin^2 x}=\lim_{x\to 0}\frac{2\sin x-2\sin x\cos x}{1-\cos^2 x}$

$$=\lim_{x\to 0}\frac{2\sin x(1-\cos x)}{(1+\cos x)(1-\cos x)}$$
$$=\lim_{x\to 0}\frac{2\sin x}{1+\cos x}=\frac{2\times 0}{1+1}=0$$

47 답 (1) $\dfrac{2}{3}$ (2) $\dfrac{5}{4}$ (3) 3 (4) 2

(5) $\dfrac{3}{2}$ (6) 6 (7) 2 (8) $\dfrac{7}{2}$

풀이 (1) $\displaystyle\lim_{x\to 0}\frac{\sin 2x}{3x}=\lim_{x\to 0}\left(\frac{\sin 2x}{2x}\times\frac{2}{3}\right)=1\times\frac{2}{3}=\frac{2}{3}$

(2) $\displaystyle\lim_{x\to 0}\frac{5x}{\sin 4x}=\lim_{x\to 0}\left(\frac{4x}{\sin 4x}\times\frac{5}{4}\right)=1\times\frac{5}{4}=\frac{5}{4}$

(3) $\displaystyle\lim_{x\to 0}\frac{\tan 3x}{x}=\lim_{x\to 0}\left(\frac{\tan 3x}{3x}\times 3\right)=1\times 3=3$

(4) $\displaystyle\lim_{x\to 0}\frac{4x}{\tan 2x}=\lim_{x\to 0}\left(\frac{2x}{\tan 2x}\times 2\right)=1\times 2=2$

(5) $\displaystyle\lim_{x\to 0}\frac{\sin 3x}{\sin 2x}=\lim_{x\to 0}\left(\frac{2x}{\sin 2x}\times\frac{\sin 3x}{3x}\times\frac{3}{2}\right)$

$$=1\times 1\times\frac{3}{2}=\frac{3}{2}$$

(6) $\displaystyle\lim_{x\to 0}\frac{\tan 6x}{\tan x}=\lim_{x\to 0}\left(\frac{x}{\tan x}\times\frac{\tan 6x}{6x}\times 6\right)=1\times 1\times 6=6$

(7) $\displaystyle\lim_{x\to 0}\frac{\sin 8x}{\tan 4x}=\lim_{x\to 0}\left(\frac{4x}{\tan 4x}\times\frac{\sin 8x}{8x}\times 2\right)=1\times 1\times 2=2$

(8) $\displaystyle\lim_{x\to0}\frac{\tan7x}{\sin2x}=\lim_{x\to0}\left(\frac{2x}{\sin2x}\times\frac{\tan7x}{7x}\times\frac{7}{2}\right)$

$\qquad\qquad\quad=1\times1\times\dfrac{7}{2}=\dfrac{7}{2}$

48 답 (1) 2　(2) 3　(3) $\dfrac{5}{3}$　(4) 2　(5) 1

풀이 (1) $\displaystyle\lim_{x\to0}\frac{\sin(\sin2x)}{x}=\lim_{x\to0}\left\{\frac{\sin(\sin2x)}{\sin2x}\times\frac{\sin2x}{x}\right\}$

$\qquad\qquad\qquad\qquad=\displaystyle\lim_{x\to0}\frac{\sin2x}{x}$

$\qquad\qquad\qquad\qquad=\displaystyle\lim_{x\to0}\left(\frac{\sin2x}{2x}\times\underline{2}\right)$

$\qquad\qquad\qquad\qquad=1\times2=\underline{2}$

(2) $\displaystyle\lim_{x\to0}\frac{\sin(\sin6x)}{2x}=\lim_{x\to0}\left\{\frac{\sin(\sin6x)}{\sin6x}\times\frac{\sin6x}{2x}\right\}$

$\qquad\qquad\qquad\qquad=\displaystyle\lim_{x\to0}\frac{\sin6x}{2x}=\lim_{x\to0}\left(\frac{\sin6x}{6x}\times3\right)$

$\qquad\qquad\qquad\qquad=1\times3=3$

(3) $\displaystyle\lim_{x\to0}\frac{\tan(\tan5x)}{3x}=\lim_{x\to0}\left\{\frac{\tan(\tan5x)}{\tan5x}\times\frac{\tan5x}{3x}\right\}$

$\qquad\qquad\qquad\qquad=\displaystyle\lim_{x\to0}\frac{\tan5x}{3x}=\lim_{x\to0}\left(\frac{\tan5x}{5x}\times\frac{5}{3}\right)$

$\qquad\qquad\qquad\qquad=1\times\dfrac{5}{3}=\dfrac{5}{3}$

(4) $\displaystyle\lim_{x\to0}\frac{x+\tan x}{\sin x}=\lim_{x\to0}\left(\frac{x}{\sin x}+\frac{\tan x}{\sin x}\right)$

$\qquad\qquad\qquad\qquad=\displaystyle\lim_{x\to0}\left(\frac{x}{\sin x}+\frac{\tan x}{x}\times\frac{x}{\sin x}\right)$

$\qquad\qquad\qquad\qquad=1+1\times1=2$

(5) $\displaystyle\lim_{x\to0}\frac{\sin(2x^2+x)}{x(x+1)}=\lim_{x\to0}\left\{\frac{\sin(2x^2+x)}{2x^2+x}\times\frac{2x^2+x}{x(x+1)}\right\}$

$\qquad\qquad\qquad\qquad\quad=\displaystyle\lim_{x\to0}\frac{x(2x+1)}{x(x+1)}=1$

49 답 (1) 0　(2) $\dfrac{1}{4}$　(3) 2　(4) 1　(5) $\dfrac{1}{2}$

풀이 (1) $\displaystyle\lim_{x\to0}\frac{1-\cos x}{x}=\lim_{x\to0}\frac{(1-\cos x)(1+\cos x)}{x(1+\cos x)}$

$\qquad\qquad\qquad\qquad=\displaystyle\lim_{x\to0}\frac{1-\cos^2x}{x(1+\cos x)}$

$\qquad\qquad\qquad\qquad=\displaystyle\lim_{x\to0}\frac{\sin^2x}{x(1+\cos x)}$

$\qquad\qquad\qquad\qquad=\displaystyle\lim_{x\to0}\left\{\left(\frac{\sin x}{x}\right)^2\times\frac{x}{1+\cos x}\right\}$

$\qquad\qquad\qquad\qquad=1^2\times\dfrac{0}{1+1}=\underline{0}$

(2) $\displaystyle\lim_{x\to0}\frac{1-\cos x}{2x^2}=\lim_{x\to0}\frac{(1-\cos x)(1+\cos x)}{2x^2(1+\cos x)}$

$\qquad\qquad\qquad\qquad=\displaystyle\lim_{x\to0}\frac{1-\cos^2x}{2x^2(1+\cos x)}$

$\qquad\qquad\qquad\qquad=\displaystyle\lim_{x\to0}\frac{\sin^2x}{2x^2(1+\cos x)}$

$\qquad\qquad\qquad\qquad=\displaystyle\lim_{x\to0}\left\{\left(\frac{\sin x}{x}\right)^2\times\frac{1}{2(1+\cos x)}\right\}$

$\qquad\qquad\qquad\qquad=1^2\times\dfrac{1}{2\times2}=\dfrac{1}{4}$

(3) $\displaystyle\lim_{x\to0}\frac{1-\cos2x}{x^2}=\lim_{x\to0}\frac{(1-\cos2x)(1+\cos2x)}{x^2(1+\cos2x)}$

$\qquad\qquad\qquad\qquad=\displaystyle\lim_{x\to0}\frac{1-\cos^2 2x}{x^2(1+\cos2x)}$

$\qquad\qquad\qquad\qquad=\displaystyle\lim_{x\to0}\frac{\sin^2 2x}{x^2(1+\cos2x)}$

$\qquad\qquad\qquad\qquad=\displaystyle\lim_{x\to0}\left\{\left(\frac{\sin2x}{2x}\right)^2\times\frac{4}{1+\cos2x}\right\}$

$\qquad\qquad\qquad\qquad=1^2\times\dfrac{4}{1+1}=2$

(4) $\displaystyle\lim_{x\to0}\frac{x^2}{2(1-\cos x)}=\lim_{x\to0}\frac{x^2(1+\cos x)}{2(1-\cos x)(1+\cos x)}$

$\qquad\qquad\qquad\qquad=\displaystyle\lim_{x\to0}\frac{x^2(1+\cos x)}{2(1-\cos^2x)}$

$\qquad\qquad\qquad\qquad=\displaystyle\lim_{x\to0}\frac{x^2(1+\cos x)}{2\sin^2x}$

$\qquad\qquad\qquad\qquad=\dfrac{1}{2}\displaystyle\lim_{x\to0}\left\{\left(\frac{x}{\sin x}\right)^2\times(1+\cos x)\right\}$

$\qquad\qquad\qquad\qquad=\dfrac{1}{2}\times1^2\times(1+1)=1$

(5) $\displaystyle\lim_{x\to0}\frac{1-\cos x}{x\sin x}=\lim_{x\to0}\frac{(1-\cos x)(1+\cos x)}{x\sin x(1+\cos x)}$

$\qquad\qquad\qquad\qquad=\displaystyle\lim_{x\to0}\frac{1-\cos^2x}{x\sin x(1+\cos x)}$

$\qquad\qquad\qquad\qquad=\displaystyle\lim_{x\to0}\frac{\sin^2x}{x\sin x(1+\cos x)}$

$\qquad\qquad\qquad\qquad=\displaystyle\lim_{x\to0}\left(\frac{\sin x}{x}\times\frac{1}{1+\cos x}\right)$

$\qquad\qquad\qquad\qquad=1\times\dfrac{1}{2}=\dfrac{1}{2}$

50 답 (1) -1　(2) -1　(3) -2　(4) $-\dfrac{\pi}{2}$

풀이 (1) $x-\dfrac{\pi}{2}=t$로 치환하면 $x\to\dfrac{\pi}{2}$일 때 $t\to0$이고,

$x=\dfrac{\pi}{2}+t$이므로

$\displaystyle\lim_{x\to\frac{\pi}{2}}\frac{\cos x}{x-\frac{\pi}{2}}=\lim_{t\to0}\frac{\cos\left(\frac{\pi}{2}+t\right)}{t}=\lim_{t\to0}\frac{-\sin t}{t}=\underline{-1}$

(2) $x-\pi=t$로 치환하면 $x\to\pi$일 때 $t\to0$이고, $x=\pi+t$
이므로

$\displaystyle\lim_{x\to\pi}\frac{\sin x}{x-\pi}=\lim_{t\to0}\frac{\sin(\pi+t)}{t}=\lim_{t\to0}\frac{-\sin t}{t}=-1$

(3) $x-\pi=t$로 치환하면 $x\to\pi$일 때 $t\to0$이고, $x=\pi+t$
이므로

$\displaystyle\lim_{x\to\pi}\frac{\tan2x}{\pi-x}=\lim_{t\to0}\frac{\tan2(\pi+t)}{-t}$

$\qquad\qquad\qquad=\displaystyle\lim_{t\to0}\frac{\tan(2\pi+2t)}{-t}=\lim_{t\to0}\frac{\tan2t}{-t}$

$\qquad\qquad\qquad=\displaystyle\lim_{t\to0}\left\{\frac{\tan2t}{2t}\times(-2)\right\}$

$$=1\times(-2)=-2$$

(4) $x-1=t$로 치환하면 $x \to 1$일 때 $t \to 0$이고, $x=1+t$
이므로

$$\lim_{x \to 1}\frac{\cos \dfrac{\pi}{2}x}{x-1}=\lim_{t \to 0}\frac{\cos \dfrac{\pi}{2}(1+t)}{t}$$

$$=\lim_{t \to 0}\frac{\cos\left(\dfrac{\pi}{2}+\dfrac{\pi}{2}t\right)}{t}$$

$$=\lim_{t \to 0}\frac{-\sin \dfrac{\pi}{2}t}{t}$$

$$=\lim_{t \to 0}\left\{\frac{\sin \dfrac{\pi}{2}t}{\dfrac{\pi}{2}t}\times\left(-\dfrac{\pi}{2}\right)\right\}$$

$$=1\times\left(-\dfrac{\pi}{2}\right)=-\dfrac{\pi}{2}$$

51 답 **(1)** $a=-1$, $b=1$　　**(2)** $a=1$, $b=1$

(3) $a=-2$, $b=2\pi$　　**(4)** $a=2$, $b=1$

(5) $a=-1$, $b=1$　　**(6)** $a=2$, $b=0$

(7) $a=1$, $b=4$　　**(8)** $a=2$, $b=0$

(9) $a=1$, $b=-\dfrac{\pi}{2}$

풀이 **(1)** 극한값이 존재하고 $\lim\limits_{x \to 0}\sin x=0$이므로

$$\lim_{x \to 0}(e^x+a)=1+a=0 \qquad \therefore\ a=\underline{-1}$$

$$\therefore\ b=\lim_{x \to 0}\frac{e^x+a}{\sin x}=\lim_{x \to 0}\frac{e^x-1}{\sin x}$$

$$=\lim_{x \to 0}\left(\frac{e^x-1}{x}\times\frac{x}{\sin x}\right)$$

$$=1\times1=\underline{1}$$

(2) 극한값이 존재하고 $\lim\limits_{x \to 0}\sin x=0$이므로

$$\lim_{x \to 0}\ln(x+a)=\ln a=0 \qquad \therefore\ a=1$$

$$\therefore\ b=\lim_{x \to 0}\frac{\ln(x+a)}{\sin x}=\lim_{x \to 0}\frac{\ln(x+1)}{\sin x}$$

$$=\lim_{x \to 0}\left\{\frac{\ln(x+1)}{x}\times\frac{x}{\sin x}\right\}$$

$$=1\times1=1$$

(3) 극한값이 존재하고 $\lim\limits_{x \to \pi}\sin x=0$이므로

$$\lim_{x \to \pi}(ax+b)=a\pi+b=0$$

$$\therefore\ b=-a\pi \qquad\qquad \cdots\cdots\ \text{㉠}$$

$x-\pi=t$로 치환하면 $x \to \pi$일 때 $t \to 0$이고, $x=\pi+t$
이므로 ㉠을 주어진 등식의 좌변에 대입하면

$$\lim_{x \to \pi}\frac{ax+b}{\sin x}=\lim_{t \to 0}\frac{a(\pi+t)-a\pi}{\sin(\pi+t)}$$

$$=\lim_{t \to 0}\frac{at}{-\sin t}=-a$$

따라서 $-a=2$이므로 $a=-2$

$a=-2$를 ㉠에 대입하면 $b=2\pi$

(4) 0이 아닌 극한값이 존재하고 $\lim\limits_{x \to 0}\sin x=0$이므로

$$\lim_{x \to 0}(\sqrt{ax+b}-1)=0$$

$$\sqrt{b}=1 \qquad \therefore\ b=1$$

$b=1$을 주어진 등식의 좌변에 대입하면

$$\lim_{x \to 0}\frac{\sin x}{\sqrt{ax+1}-1}=\lim_{x \to 0}\frac{\sin x(\sqrt{ax+1}+1)}{(\sqrt{ax+1}-1)(\sqrt{ax+1}+1)}$$

$$=\lim_{x \to 0}\frac{\sin x(\sqrt{ax+1}+1)}{ax}$$

$$=\lim_{x \to 0}\left(\frac{\sin x}{x}\times\frac{\sqrt{ax+1}+1}{a}\right)$$

$$=1\times\frac{2}{a}=\frac{2}{a}$$

즉, $\dfrac{2}{a}=1$이므로 $a=2$

(5) 극한값이 존재하고 $\lim\limits_{x \to 0}\tan 2x=0$이므로

$$\lim_{x \to 0}(e^{2x}+a)=1+a=0 \qquad \therefore\ a=-1$$

$$\therefore\ b=\lim_{x \to 0}\frac{e^{2x}+a}{\tan 2x}=\lim_{x \to 0}\frac{e^{2x}-1}{\tan 2x}$$

$$=\lim_{x \to 0}\left(\frac{e^{2x}-1}{2x}\times\frac{2x}{\tan 2x}\right)$$

$$=1\times1=1$$

(6) 극한값이 존재하고 $\lim\limits_{x \to \pi}(x-\pi)=0$이므로

$$\lim_{x \to \pi}(a\tan x+b)=a\tan\pi+b=0$$

$$\therefore\ b=0$$

$x-\pi=t$로 치환하면 $x \to \pi$일 때 $t \to 0$이고, $x=\pi+t$
이므로

$$\lim_{x \to \pi}\frac{a\tan x+b}{x-\pi}=\lim_{t \to 0}\frac{a\tan(\pi+t)}{t}$$

$$=\lim_{t \to 0}\frac{a\tan t}{t}=a$$

$$\therefore\ a=2$$

(7) 0이 아닌 극한값이 존재하고 $\lim\limits_{x \to 0}\sin bx=0$이므로

$$\lim_{x \to 0}\ln(x+a)=0$$

$$\ln a=0 \qquad \therefore\ a=1$$

$a=1$을 주어진 등식의 좌변에 대입하면

$$\lim_{x \to 0}\frac{\sin bx}{\ln(x+1)}=\lim_{x \to 0}\left\{\frac{\sin bx}{bx}\times\frac{x}{\ln(x+1)}\times b\right\}$$

$$=1\times1\times b=b$$

$$\therefore\ b=4$$

(8) 0이 아닌 극한값이 존재하고 $\lim\limits_{x \to 0}(1-\cos x)=0$이므로

$$\lim_{x \to 0}(ax\sin x+b)=0 \qquad \therefore\ b=0$$

$b=0$을 주어진 등식의 좌변에 대입하면

$$\lim_{x \to 0}\frac{1-\cos x}{ax\sin x}=\lim_{x \to 0}\frac{(1-\cos x)(1+\cos x)}{ax\sin x(1+\cos x)}$$

$$=\lim_{x \to 0}\frac{\sin^2 x}{ax\sin x(1+\cos x)}$$

$$=\lim_{x \to 0}\left(\frac{1}{a}\times\frac{\sin x}{x}\times\frac{1}{1+\cos x}\right)$$

$$=\frac{1}{a}\times1\times\frac{1}{2}=\frac{1}{2a}$$

즉, $\dfrac{1}{2a}=\dfrac{1}{4}$이므로 $a=2$

(9) 0이 아닌 극한값이 존재하고 $\lim\limits_{x \to \frac{\pi}{2}}\cos x=0$이므로

$$\lim_{x \to \frac{\pi}{2}}(ax+b)=\frac{a}{2}\pi+b=0$$

$$\therefore b = -\frac{a}{2}\pi \qquad \cdots\cdots \text{㉠}$$

$x-\dfrac{\pi}{2}=t$로 치환하면 $x \to \dfrac{\pi}{2}$일 때 $t \to 0$이고,

$x=\dfrac{\pi}{2}+t$이므로 ㉠을 주어진 등식의 좌변에 대입하면

$$\lim_{x \to \frac{\pi}{2}} \frac{\cos x}{ax+b} = \lim_{t \to 0} \frac{\cos\left(\dfrac{\pi}{2}+t\right)}{a\left(\dfrac{\pi}{2}+t\right)-\dfrac{a}{2}\pi} = \lim_{t \to 0} \frac{-\sin t}{at}$$

$$= -\frac{1}{a}$$

즉, $-\dfrac{1}{a} = -1$이므로 $a=1$

$a=1$을 ㉠에 대입하면 $b=-\dfrac{\pi}{2}$

52 답 2

풀이 $\triangle ABC$에서
$$\overline{AB} = \overline{BC}\cos\theta = \underline{2\cos\theta}$$
$$\overline{AC} = \overline{BC}\sin\theta = \underline{2\sin\theta}$$
따라서 $\triangle ABC$의 넓이는
$$\frac{1}{2} \times \overline{AB} \times \overline{AC} = \frac{1}{2} \times \overline{BC} \times \overline{AH}$$에서
$$\frac{1}{2} \times 2\cos\theta \times 2\sin\theta = \frac{1}{2} \times 2 \times \overline{AH}$$
$$\therefore \overline{AH} = 2\sin\theta\cos\theta$$
$$\therefore \lim_{\theta \to 0} \frac{\overline{AH}}{\theta} = \lim_{\theta \to 0} \frac{2\sin\theta\cos\theta}{\theta}$$
$$= 2\lim_{\theta \to 0}\left(\frac{\sin\theta}{\theta} \times \cos\theta\right)$$
$$= 2 \times 1 \times 1 = \underline{2}$$

53 답 2

풀이 $\triangle ABC$에서 $\overline{AB}=\dfrac{1}{\sin\theta}$, $\overline{BC}=\dfrac{1}{\tan\theta}$

$$\therefore \lim_{\theta \to 0+} \frac{\theta}{\overline{AB}-\overline{BC}} = \lim_{\theta \to 0+} \frac{\theta}{\dfrac{1}{\sin\theta}-\dfrac{1}{\tan\theta}}$$
$$= \lim_{\theta \to 0+} \frac{\theta}{\dfrac{1}{\sin\theta}-\dfrac{\cos\theta}{\sin\theta}}$$
$$= \lim_{\theta \to 0+} \frac{\theta\sin\theta}{1-\cos\theta}$$
$$= \lim_{\theta \to 0+} \frac{\theta\sin\theta(1+\cos\theta)}{(1-\cos\theta)(1+\cos\theta)}$$
$$= \lim_{\theta \to 0+} \frac{\theta\sin\theta(1+\cos\theta)}{\sin^2\theta}$$
$$= \lim_{\theta \to 0+} \left\{\frac{\theta}{\sin\theta} \times (1+\cos\theta)\right\}$$
$$= 1 \times 2 = 2$$

54 답 (1) $y'=\cos x - \sin x$ (2) $y'=2\cos x$

(3) $y'=2\sin x$ (4) $y'=2+\cos x$

(5) $y'=2x+4\sin x$

(6) $y'=2\cos x-3\sin x$

(7) $y'=\cos x-x\sin x$

(8) $y'=2\sin x\cos x$

(9) $y'=e^x(\cos x-\sin x)$

풀이 (1) $y'=(\sin x)'+(\cos x)'=\underline{\cos x-\sin x}$

(2) $y'=(2\sin x)'=2\cos x$

(3) $y'=(-2\cos x)'=-2\times(-\sin x)=2\sin x$

(4) $y'=(2x)'+(\sin x)'=2+\cos x$

(5) $y'=(x^2)'-(4\cos x)'=2x-(-4\sin x)$
$$=2x+4\sin x$$

(6) $y'=(2\sin x)'+(3\cos x)'=2\cos x-3\sin x$

(7) $y'=1\times\cos x+x\times(-\sin x)=\cos x-x\sin x$

(8) $y=\sin^2 x=\sin x\times\sin x$이므로
$$y'=\cos x\times\sin x+\sin x\times\cos x=2\sin x\cos x$$

(9) $y'=e^x\times\cos x+e^x\times(-\sin x)=e^x(\cos x-\sin x)$

55 답 (1) $-\pi$ (2) $\dfrac{\pi}{2}+\sqrt{2}$ (3) $\dfrac{5}{2}\sqrt{3}$ (4) -1

(5) 1   (6) 0   (7) $-2\sqrt{3}$ (8) 2

풀이 (1) $\displaystyle\lim_{h \to 0} \frac{f(\pi+h)-f(\pi)}{h} = f'(\pi)$

이때 $f'(x)=\underline{\sin x+x\cos x}$이므로
$$f'(\pi)=\sin\pi+\pi\cos\pi=\underline{-\pi}$$

(2) $\displaystyle\lim_{h \to 0} \frac{f\left(\dfrac{\pi}{4}+h\right)-f\left(\dfrac{\pi}{4}\right)}{h} = f'\left(\frac{\pi}{4}\right)$

이때 $f'(x)=2x+2\sin x$이므로
$$f'\left(\frac{\pi}{4}\right)=2\times\frac{\pi}{4}+2\sin\frac{\pi}{4}=\frac{\pi}{2}+2\times\frac{\sqrt{2}}{2}=\frac{\pi}{2}+\sqrt{2}$$

(3) $\displaystyle\lim_{h \to 0} \frac{f\left(\dfrac{\pi}{3}+h\right)-f\left(\dfrac{\pi}{3}\right)}{h} = f'\left(\frac{\pi}{3}\right)$

이때 $f'(x)=2\sqrt{3}\cos x+3\sin x$이므로
$$f'\left(\frac{\pi}{3}\right)=2\sqrt{3}\cos\frac{\pi}{3}+3\sin\frac{\pi}{3}$$
$$=2\sqrt{3}\times\frac{1}{2}+3\times\frac{\sqrt{3}}{2}$$
$$=\frac{5}{2}\sqrt{3}$$

(4) $\displaystyle\lim_{h \to 0} \frac{f\left(\dfrac{\pi}{2}+h\right)-f\left(\dfrac{\pi}{2}\right)}{h} = f'\left(\frac{\pi}{2}\right)$

이때 $f'(x)=\cos x\cos x+\sin x\times(-\sin x)$
$$=\cos^2 x-\sin^2 x$$
이므로
$$f'\left(\frac{\pi}{2}\right)=\cos^2\frac{\pi}{2}-\sin^2\frac{\pi}{2}=-1$$

(5) $f(0)=e^0\sin 0=0$이므로
$$\lim_{h \to 0} \frac{f(h)}{h}=\lim_{h \to 0} \frac{f(h)-f(0)}{h}=f'(0)$$
이때 $f'(x)=e^x\sin x+e^x\cos x$이므로
$$f'(0)=e^0\sin 0+e^0\cos 0=1$$

(6) $\displaystyle\lim_{h\to 0}\dfrac{f\left(\dfrac{\pi}{2}+h\right)-f\left(\dfrac{\pi}{2}-h\right)}{h}$

$=\displaystyle\lim_{h\to 0}\left\{\dfrac{f\left(\dfrac{\pi}{2}+h\right)-f\left(\dfrac{\pi}{2}\right)}{h}+\dfrac{f\left(\dfrac{\pi}{2}-h\right)-f\left(\dfrac{\pi}{2}\right)}{-h}\right\}$

$=f'\left(\dfrac{\pi}{2}\right)+f'\left(\dfrac{\pi}{2}\right)=2f'\left(\dfrac{\pi}{2}\right)$

이때 $f'(x)=\cos x$이므로

$2f'\left(\dfrac{\pi}{2}\right)=2\cos\dfrac{\pi}{2}=0$

(7) $\displaystyle\lim_{h\to 0}\dfrac{f\left(\dfrac{\pi}{3}+h\right)-f\left(\dfrac{\pi}{3}-h\right)}{h}$

$=\displaystyle\lim_{h\to 0}\left\{\dfrac{f\left(\dfrac{\pi}{3}+h\right)-f\left(\dfrac{\pi}{3}\right)}{h}+\dfrac{f\left(\dfrac{\pi}{3}-h\right)-f\left(\dfrac{\pi}{3}\right)}{-h}\right\}$

$=f'\left(\dfrac{\pi}{3}\right)+f'\left(\dfrac{\pi}{3}\right)$

$=2f'\left(\dfrac{\pi}{3}\right)$

이때 $f'(x)=-2\sin x$이므로

$2f'\left(\dfrac{\pi}{3}\right)=2\times\left(-2\sin\dfrac{\pi}{3}\right)=-2\sqrt{3}$

(8) $\displaystyle\lim_{h\to 0}\dfrac{f(\pi+h)-f(\pi-h)}{h}$

$=\displaystyle\lim_{h\to 0}\left\{\dfrac{f(\pi+h)-f(\pi)}{h}+\dfrac{f(\pi-h)-f(\pi)}{-h}\right\}$

$=f'(\pi)+f'(\pi)$

$=2f'(\pi)$

이때 $f'(x)=-\sin x-\cos x$이므로

$2f'(\pi)=2\times(-\sin\pi-\cos\pi)=2$

56 답 (1) $a=1$, $b=1$ (2) $a=1$, $b=0$ (3) $a=1$, $b=1$
(4) $a=1$, $b=1$ (5) $a=0$, $b=0$ (6) $a=2$, $b=0$
(7) $a=2$, $b=0$

풀이 (1) 함수 $f(x)$가 $x=0$에서 미분가능하므로 $x=0$에서
연속이고, $x=0$에서의 미분계수 $f'(0)$이 존재한다.

(i) $x=0$에서 연속이어야 하므로

$\displaystyle\lim_{x\to 0+}e^x=\lim_{x\to 0-}(a\sin x+b)=f(0)$

$\therefore b=\underline{1}$

(ii) $f'(0)$이 존재하므로

$f'(x)=\begin{cases} e^x & (x>0) \\ a\cos x & (x<0) \end{cases}$에서

$e^0=a\cos 0$ $\therefore a=\underline{1}$

(2) 함수 $f(x)$가 $x=0$에서 미분가능하므로 $x=0$에서 연속
이고, $x=0$에서의 미분계수 $f'(0)$이 존재한다.

(i) $x=0$에서 연속이어야 하므로

$\displaystyle\lim_{x\to 0+}\sin x=\lim_{x\to 0-}(ax+b)=f(0)$

$\therefore b=0$

(ii) $f'(0)$이 존재하므로

$f'(x)=\begin{cases} \cos x & (x>0) \\ a & (x<0) \end{cases}$에서

$\cos 0=a$ $\therefore a=1$

(3) 함수 $f(x)$가 $x=0$에서 미분가능하므로 $x=0$에서 연속
이고, $x=0$에서의 미분계수 $f'(0)$이 존재한다.

(i) $x=0$에서 연속이어야 하므로

$\displaystyle\lim_{x\to 0+}(\sin x+a)=\lim_{x\to 0-}(bx+1)=f(0)$

$\therefore a=1$

(ii) $f'(0)$이 존재하므로

$f'(x)=\begin{cases} \cos x & (x>0) \\ b & (x<0) \end{cases}$에서

$\cos 0=b$ $\therefore b=1$

(4) 함수 $f(x)$가 $x=0$에서 미분가능하므로 $x=0$에서 연속
이고, $x=0$에서의 미분계수 $f'(0)$이 존재한다.

(i) $x=0$에서 연속이어야 하므로

$\displaystyle\lim_{x\to 0+}(x^2+ax+b)=\lim_{x\to 0-}e^x\cos x=f(0)$

$\therefore b=1$

(ii) $f'(0)$이 존재하므로

$f'(x)=\begin{cases} 2x+a & (x>0) \\ e^x(\cos x-\sin x) & (x<0) \end{cases}$에서

$a=1$

(5) 함수 $f(x)$가 $x=0$에서 미분가능하므로 $x=0$에서 연속
이고, $x=0$에서의 미분계수 $f'(0)$이 존재한다.

(i) $x=0$에서 연속이어야 하므로

$\displaystyle\lim_{x\to 0+}a\cos x=\lim_{x\to 0-}(x^2+bx)=f(0)$

$\therefore a=0$

(ii) $f'(0)$이 존재하므로

$f'(x)=\begin{cases} -a\sin x & (x>0) \\ 2x+b & (x<0) \end{cases}$

$=\begin{cases} 0 & (x>0) \\ 2x+b & (x<0) \end{cases}$에서 $b=0$

(6) 함수 $f(x)$가 $x=0$에서 미분가능하므로 $x=0$에서 연속
이고, $x=0$에서의 미분계수 $f'(0)$이 존재한다.

(i) $x=0$에서 연속이어야 하므로

$\displaystyle\lim_{x\to 0+}2x=\lim_{x\to 0-}(a\sin x+b\cos x)=f(0)$

$\therefore b=0$

(ii) $f'(0)$이 존재하므로

$f'(x)=\begin{cases} 2 & (x>0) \\ a\cos x-b\sin x & (x<0) \end{cases}$

$=\begin{cases} 2 & (x>0) \\ a\cos x & (x<0) \end{cases}$에서

$a=2$

(7) 함수 $f(x)$가 $x=0$에서 미분가능하므로 $x=0$에서 연속
이고, $x=0$에서의 미분계수 $f'(0)$이 존재한다.

(i) $x=0$에서 연속이어야 하므로

$\displaystyle\lim_{x\to 0+}a\sin x\cos x=\lim_{x\to 0-}(2x+b)=f(0)$

$\therefore b=0$

(ii) $f'(0)$이 존재하므로

$f'(x)=\begin{cases} a\cos^2 x-a\sin^2 x & (x>0) \\ 2 & (x<0) \end{cases}$에서 $a=2$

01 답 0

풀이 $\lim\limits_{x\to\infty}\dfrac{2^x+1}{2^x}=\lim\limits_{x\to\infty}\left\{1+\left(\dfrac{1}{2}\right)^x\right\}=1$

한편, $-x=t$로 놓으면 $x\to-\infty$일 때 $t\to\infty$이므로

$\lim\limits_{x\to-\infty}\dfrac{3^x+3^{-x}}{3^x-3^{-x}}=\lim\limits_{t\to\infty}\dfrac{3^{-t}+3^t}{3^{-t}-3^t}=\lim\limits_{t\to\infty}\dfrac{\left(\dfrac{1}{3}\right)^t+3^t}{\left(\dfrac{1}{3}\right)^t-3^t}$

$\qquad\qquad\qquad\qquad=\lim\limits_{t\to\infty}\dfrac{\left(\dfrac{1}{9}\right)^t+1}{\left(\dfrac{1}{9}\right)^t-1}=-1$

$\therefore\lim\limits_{x\to\infty}\dfrac{2^x+1}{2^x}+\lim\limits_{x\to-\infty}\dfrac{3^x+3^{-x}}{3^x-3^{-x}}=1+(-1)=0$

02 답 4

풀이 $\lim\limits_{x\to\infty}\left\{\log_2(ax-1)-\log_2(2x+3)\right\}$

$\qquad=\lim\limits_{x\to\infty}\left(\log_2\dfrac{ax-1}{2x+3}\right)$

$\qquad=\lim\limits_{x\to\infty}\left(\log_2\dfrac{a-\dfrac{1}{x}}{2+\dfrac{3}{x}}\right)=\log_2\dfrac{a}{2}$

따라서 $\log_2\dfrac{a}{2}=1$이므로 $\dfrac{a}{2}=2$ $\therefore a=4$

03 답 e

풀이 $\lim\limits_{x\to0}(1+x)^{\frac{2}{x}}=\lim\limits_{x\to0}\left\{(1+x)^{\frac{1}{x}}\right\}^2=e^2$

$\lim\limits_{x\to\infty}\left(1+\dfrac{3}{x}\right)^x=\lim\limits_{x\to\infty}\left\{\left(1+\dfrac{3}{x}\right)^{\frac{x}{3}}\right\}^3=e^3$

따라서 $a=e^2$, $b=e^3$이므로 $\dfrac{b}{a}=e$

04 답 e

풀이 $\lim\limits_{x\to\infty}\left\{\dfrac{1}{2}\left(1+\dfrac{1}{x}\right)\left(1+\dfrac{1}{x+1}\right)\left(1+\dfrac{1}{x+2}\right)\right.$

$\qquad\qquad\qquad\qquad\qquad\left.\cdots\left(1+\dfrac{1}{2x}\right)\right\}^{2x}$

$\qquad=\lim\limits_{x\to\infty}\left(\dfrac{1}{2}\times\dfrac{x+1}{x}\times\dfrac{x+2}{x+1}\times\dfrac{x+3}{x+2}\times\cdots\times\dfrac{2x+1}{2x}\right)^{2x}$

$\qquad=\lim\limits_{x\to\infty}\left(\dfrac{2x+1}{2x}\right)^{2x}=\lim\limits_{x\to\infty}\left(1+\dfrac{1}{2x}\right)^{2x}=e$

05 답 1

풀이 $\lim\limits_{x\to\infty}x\{\ln(x+1)-\ln x\}=\lim\limits_{x\to\infty}x\ln\dfrac{x+1}{x}$

$\qquad\qquad\qquad\qquad=\lim\limits_{x\to\infty}x\ln\left(1+\dfrac{1}{x}\right)$

$\qquad\qquad\qquad\qquad=\lim\limits_{x\to\infty}\ln\left(1+\dfrac{1}{x}\right)^x$

$\qquad\qquad\qquad\qquad=\ln e=1$

06 답 $\dfrac{1}{2}$

풀이 $y=e^{2x}-1$로 놓으면 $e^{2x}=y+1$

로그의 정의에 의하여 $2x=\ln(y+1)$

$\therefore x=\dfrac{1}{2}\ln(y+1)$

x와 y를 서로 바꾸면 $y=\dfrac{1}{2}\ln(x+1)$

따라서 $g(x)=\dfrac{1}{2}\ln(x+1)$이므로

$\lim\limits_{x\to0}\dfrac{g(x)}{x}=\lim\limits_{x\to0}\dfrac{\ln(x+1)}{2x}=\dfrac{1}{2}\lim\limits_{x\to0}\dfrac{\ln(x+1)}{x}$

$\qquad\qquad=\dfrac{1}{2}\times1=\dfrac{1}{2}$

07 답 $\dfrac{3}{4}$

풀이 $\lim\limits_{x\to0}\dfrac{\ln(ax+1)}{x^3+2x}=2$에서 좌변을 변형하면

$\lim\limits_{x\to0}\left\{\dfrac{\ln(1+ax)}{ax}\times\dfrac{a}{x^2+2}\right\}=2$

$1\times\dfrac{a}{2}=2$ $\therefore a=4$

$\therefore\lim\limits_{x\to0}\dfrac{\ln(3x+1)}{ax}=\lim\limits_{x\to0}\dfrac{\ln(3x+1)}{4x}$

$\qquad\qquad\qquad=\lim\limits_{x\to0}\left\{\dfrac{\ln(1+3x)}{3x}\times\dfrac{3}{4}\right\}$

$\qquad\qquad\qquad=1\times\dfrac{3}{4}=\dfrac{3}{4}$

08 답 4

풀이 극한값이 존재하고 $\lim\limits_{x\to0}(e^{2x}-1)=0$이므로

$\lim\limits_{x\to0}(ax+b)=0$ $\therefore b=0$

$\therefore\lim\limits_{x\to0}\dfrac{ax}{e^{2x}-1}=\lim\limits_{x\to0}\left(\dfrac{2x}{e^{2x}-1}\times\dfrac{a}{2}\right)$

$\qquad\qquad\qquad=1\times\dfrac{a}{2}=\dfrac{a}{2}$

따라서 $\dfrac{a}{2}=2$이므로 $a=4$

$\therefore a+b=4$

09 답 $\dfrac{\sqrt{2}}{2}$

풀이 $\overline{AP}=\sqrt{t^2+(e^t-1)^2}$

점 Q의 좌표는 $(t, 1)$이므로 $\overline{PQ}=|e^t-1|$

$\therefore\lim\limits_{t\to0}\dfrac{\overline{PQ}}{\overline{AP}}=\lim\limits_{t\to0}\dfrac{|e^t-1|}{\sqrt{t^2+(e^t-1)^2}}$

$\qquad\qquad=\lim\limits_{t\to0}\sqrt{\dfrac{(e^t-1)^2}{t^2+(e^t-1)^2}}$

$\qquad\qquad=\lim\limits_{t\to0}\sqrt{\dfrac{\left(\dfrac{e^t-1}{t}\right)^2}{1+\left(\dfrac{e^t-1}{t}\right)^2}}=\sqrt{\dfrac{1^2}{1+1^2}}=\dfrac{\sqrt{2}}{2}$

10 답 $\ln(e-1)$

풀이 $f(x)=e^x$에서 $f'(x)=e^x$

x의 값이 0에서 1까지 변할 때의 평균변화율은

$$\frac{f(1)-f(0)}{1-0}=e-1$$

또한, $x=a$에서의 미분계수는 $f'(a)$이므로

$$f'(a)=e^a$$

따라서 $e^a=e-1$이므로 $a=\ln(e-1)$

11 답 e^{e-1}

풀이 $f(x)=e^x \ln x$에서

$$f'(x)=(e^x)' \ln x+e^x(\ln x)'=e^x \ln x+\frac{e^x}{x}$$

$$\therefore f'(e)-f(e)=e^e+\frac{e^e}{e}-e^e=\frac{e^e}{e}=e^{e-1}$$

12 답 $a=\dfrac{1}{2\ln 10}+2, \ b=\dfrac{1}{2\ln 10}$

풀이 함수 $f(x)$가 정의역의 모든 실수 x에서 미분가능하므로 $x=1$에서 연속이고 미분가능하다.

(i) $x=1$에서 연속이어야 하므로

$$\lim_{x \to 1+}(bx^2+2)=\lim_{x \to 1-}(\log x+a)=f(1)$$

$$\therefore a=b+2 \qquad \cdots\cdots \text{㉠}$$

(ii) $x=1$에서 미분가능하므로

$$f'(x)=\begin{cases} \dfrac{1}{x \ln 10} & (0<x<1) \\ 2bx & (x>1) \end{cases} \text{에서}$$

$$2b=\frac{1}{\ln 10} \qquad \therefore b=\frac{1}{2\ln 10}$$

$b=\dfrac{1}{2\ln 10}$을 ㉠에 대입하면

$$a=\frac{1}{2\ln 10}+2$$

13 답 -3

풀이 $\overline{\text{OP}}=\sqrt{4^2+(-3)^2}=5$이므로

$$\csc \theta=\frac{5}{-3}=-\frac{5}{3}, \ \cot \theta=\frac{4}{-3}=-\frac{4}{3}$$

$$\therefore \csc \theta+\cot \theta=-\frac{5}{3}-\frac{4}{3}=-3$$

14 답 $\dfrac{1}{4}$

풀이 $\dfrac{1}{1+\sin \theta}+\dfrac{1}{1-\sin \theta}=\dfrac{1-\sin \theta+1+\sin \theta}{(1+\sin \theta)(1-\sin \theta)}$

$$=\frac{2}{1-\sin^2 \theta}=\frac{2}{\cos^2 \theta}$$

$$=2\sec^2 \theta$$

즉, $2\sec^2 \theta=\dfrac{5}{2}$이므로 $\sec^2 \theta=\dfrac{5}{4}$

$\sec^2 \theta=\tan^2 \theta+1$에서 $\dfrac{5}{4}=\tan^2 \theta+1$

$$\therefore \tan^2 \theta=\frac{1}{4}$$

15 답 $2\sin \theta$

풀이 $\dfrac{\cos \theta}{\sec \theta-\tan \theta}-\dfrac{\cos \theta}{\sec \theta+\tan \theta}$

$$=\frac{\cos \theta(\sec \theta+\tan \theta)-\cos \theta(\sec \theta-\tan \theta)}{(\sec \theta-\tan \theta)(\sec \theta+\tan \theta)}$$

$$=\frac{2\cos \theta \tan \theta}{\sec^2 \theta-\tan^2 \theta}$$

$$=\frac{2\sin \theta}{\tan^2 \theta+1-\tan^2 \theta}$$

$$=2\sin \theta$$

16 답 $\dfrac{1}{4}$

풀이 $\sin \alpha+\cos \beta=\dfrac{3}{2}$의 양변을 제곱하면

$$\sin^2 \alpha+2\sin \alpha \cos \beta+\cos^2 \beta=\frac{9}{4} \qquad \cdots\cdots \text{㉠}$$

$\cos \alpha+\sin \beta=\dfrac{1}{2}$의 양변을 제곱하면

$$\cos^2 \alpha+2\cos \alpha \sin \beta+\sin^2 \beta=\frac{1}{4} \qquad \cdots\cdots \text{㉡}$$

㉠$+$㉡에서

$$(\sin^2 \alpha+\cos^2 \alpha)+(\sin^2 \beta+\cos^2 \beta)$$
$$+2(\sin \alpha \cos \beta+\cos \alpha \sin \beta)=\frac{5}{2}$$

$$2+2\sin(\alpha+\beta)=\frac{5}{2}$$

$$\therefore \sin(\alpha+\beta)=\frac{1}{4}$$

17 답 $-\dfrac{1}{2}$

풀이 두 점 P, Q 사이의 거리는

$$\overline{\text{PQ}}=\sqrt{(\sin \alpha-\sin \beta)^2+(\cos \alpha-\cos \beta)^2}$$

$$=\sqrt{\sin^2 \alpha-2\sin \alpha \sin \beta+\sin^2 \beta+\cos^2 \alpha-2\cos \alpha \cos \beta+\cos^2 \beta}$$

$$=\sqrt{(\sin^2 \alpha+\cos^2 \alpha)+(\sin^2 \beta+\cos^2 \beta)-2(\cos \alpha \cos \beta+\sin \alpha \sin \beta)}$$

$$=\sqrt{2-2\cos(\alpha-\beta)}$$

이때 $\overline{\text{PQ}}=\sqrt{3}$이므로

$$\sqrt{2-2\cos(\alpha-\beta)}=\sqrt{3}$$

$$2-2\cos(\alpha-\beta)=3$$

$$\therefore \cos(\alpha-\beta)=-\frac{1}{2}$$

18 답 $\dfrac{119}{169}$

풀이 오른쪽 그림에서

$\overline{AC}=\overline{AF}=\sqrt{5^2+12^2}=13$

$\angle CAB=\alpha$, $\angle FAE=\beta$라 하면

$\triangle ABC$, $\triangle AEF$에서

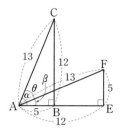

$\sin\alpha=\dfrac{12}{13}$, $\cos\alpha=\dfrac{5}{13}$

$\sin\beta=\dfrac{5}{13}$, $\cos\beta=\dfrac{12}{13}$

이때 $\theta=\alpha-\beta$이므로

$\sin\theta=\sin(\alpha-\beta)=\sin\alpha\cos\beta-\cos\alpha\sin\beta$

$\qquad =\dfrac{12}{13}\times\dfrac{12}{13}-\dfrac{5}{13}\times\dfrac{5}{13}=\dfrac{119}{169}$

19 답 $\dfrac{3}{2}$

풀이 $\sin\left(\dfrac{\pi}{3}+\theta\right)=\sin\dfrac{\pi}{3}\cos\theta+\cos\dfrac{\pi}{3}\sin\theta$

$\qquad\qquad\qquad =\dfrac{\sqrt{3}}{2}\cos\theta+\dfrac{1}{2}\sin\theta$ ······ ㉠

$\sin\left(\dfrac{\pi}{3}-\theta\right)=\sin\dfrac{\pi}{3}\cos\theta-\cos\dfrac{\pi}{3}\sin\theta$

$\qquad\qquad\qquad =\dfrac{\sqrt{3}}{2}\cos\theta-\dfrac{1}{2}\sin\theta$ ······ ㉡

㉠, ㉡을 주어진 식에 대입하면

$\sin^2\theta+\sin^2\left(\dfrac{\pi}{3}+\theta\right)+\sin^2\left(\dfrac{\pi}{3}-\theta\right)$

$=\sin^2\theta+\left(\dfrac{\sqrt{3}}{2}\cos\theta+\dfrac{1}{2}\sin\theta\right)^2+\left(\dfrac{\sqrt{3}}{2}\cos\theta-\dfrac{1}{2}\sin\theta\right)^2$

$=\sin^2\theta+\dfrac{3}{2}\cos^2\theta+\dfrac{1}{2}\sin^2\theta$

$=\dfrac{3}{2}\sin^2\theta+\dfrac{3}{2}\cos^2\theta=\dfrac{3}{2}(\sin^2\theta+\cos^2\theta)=\dfrac{3}{2}$

20 답 $\dfrac{3}{2}$

풀이 이차방정식 $x^2-3x-1=0$의 두 근이 $\tan\alpha$, $\tan\beta$이므로 이차방정식의 근과 계수의 관계에 의하여

$\tan\alpha+\tan\beta=3$, $\tan\alpha\tan\beta=-1$

$\therefore \tan(\alpha+\beta)=\dfrac{\tan\alpha+\tan\beta}{1-\tan\alpha\tan\beta}$

$\qquad\qquad\quad =\dfrac{3}{1-(-1)}=\dfrac{3}{2}$

21 답 -1

풀이 두 직선 $2x-y+1=0$, $ax+y-4=0$이 x축의 양의 방향과 이루는 각의 크기를 각각 α, β라 하면

$\tan\alpha=2$, $\tan\beta=-a$

이때 두 직선이 이루는 예각의 크기가 $\dfrac{\pi}{4}$이므로

$\tan\dfrac{\pi}{4}=|\tan(\beta-\alpha)|=\left|\dfrac{\tan\beta-\tan\alpha}{1+\tan\beta\tan\alpha}\right|$

$\qquad\quad =\left|\dfrac{-a-2}{1+(-a)\times2}\right|=\left|\dfrac{-a-2}{-2a+1}\right|$

즉, $\left|\dfrac{-a-2}{-2a+1}\right|=1$이므로

$\dfrac{-a-2}{-2a+1}=-1$ 또는 $\dfrac{-a-2}{-2a+1}=1$

(ⅰ) $\dfrac{-a-2}{-2a+1}=-1$일 때,

$\quad -a-2=2a-1$, $3a=-1$

$\quad \therefore a=-\dfrac{1}{3}$

(ⅱ) $\dfrac{-a-2}{-2a+1}=1$일 때,

$\quad -a-2=-2a+1$ $\quad \therefore a=3$

(ⅰ), (ⅱ)에서 모든 상수 a의 값의 곱은

$-\dfrac{1}{3}\times3=-1$

22 답 $\dfrac{1-4\sqrt{5}}{9}$

풀이 $\dfrac{\pi}{2}<\theta<\pi$에서 $\cos\theta<0$이므로

$\cos\theta=-\sqrt{1-\sin^2\theta}=-\sqrt{1-\left(\dfrac{2}{3}\right)^2}=-\dfrac{\sqrt{5}}{3}$

$\therefore \sin2\theta+\cos2\theta=2\sin\theta\cos\theta+(1-2\sin^2\theta)$

$\qquad\qquad\qquad\quad =2\times\dfrac{2}{3}\times\left(-\dfrac{\sqrt{5}}{3}\right)+\left\{1-2\times\left(\dfrac{2}{3}\right)^2\right\}$

$\qquad\qquad\qquad\quad =\dfrac{1-4\sqrt{5}}{9}$

23 답 $\dfrac{\sqrt{3}}{3}$

풀이 $\sec^2\theta=1+\tan^2\theta=1+(2\sqrt{2})^2=9$이므로

$\cos^2\theta=\dfrac{1}{9}$ $\quad \therefore \cos\theta=\dfrac{1}{3}$ ($\because \theta$는 예각)

$\therefore \sin^2\dfrac{\theta}{2}=\dfrac{1-\cos\theta}{2}=\dfrac{1-\dfrac{1}{3}}{2}=\dfrac{1}{3}$

$0<\theta<\dfrac{\pi}{2}$에서 $0<\dfrac{\theta}{2}<\dfrac{\pi}{4}$이므로 $\sin\dfrac{\theta}{2}>0$

$\therefore \sin\dfrac{\theta}{2}=\dfrac{1}{\sqrt{3}}=\dfrac{\sqrt{3}}{3}$

24 답 8

풀이 $r=\sqrt{(\sqrt{3})^2+(-1)^2}=2$이므로

$y=\sqrt{3}\sin x-\cos x$

$\quad =2\left(\dfrac{\sqrt{3}}{2}\sin x-\dfrac{1}{2}\cos x\right)$

$\quad =2\left(\cos\dfrac{\pi}{6}\sin x-\sin\dfrac{\pi}{6}\cos x\right)$

$\quad =2\sin\left(x-\dfrac{\pi}{6}\right)$

이때 $-1\le\sin\left(x-\dfrac{\pi}{6}\right)\le1$이므로

$-2\le2\sin\left(x-\dfrac{\pi}{6}\right)\le2$

따라서 최댓값은 2, 주기는 2π이므로

$a=2$, $b=2$

$\therefore a^2+b^2=4+4=8$

25 답 2

풀이 $\sqrt{(3a)^2+(4a)^2}=5a$이므로

$y=3a\sin x+4a\cos x$

$\quad=5a\left(\dfrac{3}{5}\sin x+\dfrac{4}{5}\cos x\right)$

$\quad=5a\sin(x+\alpha)\left(단,\ \sin\alpha=\dfrac{4}{5},\ \cos\alpha=\dfrac{3}{5}\right)$

이때 $-1\le\sin(x+\alpha)\le1$이므로

$-5a\le5a\sin(x+\alpha)\le5a\ (\because\ a>0)$

따라서 $-5a=-10$이므로

$a=2$

26 답 50

풀이 $\triangle ABP$에서

$\angle P=\dfrac{\pi}{2}$이므로

$\angle A=\theta$라 하면

$\overline{AP}=10\cos\theta,\ \overline{BP}=10\sin\theta$

$\therefore\ 3\overline{AP}+4\overline{BP}$

$\quad=30\cos\theta+40\sin\theta$

$\quad=50\left(\dfrac{4}{5}\sin\theta+\dfrac{3}{5}\cos\theta\right)$

$\quad=50\sin(\theta+\alpha)\left(단,\ \sin\alpha=\dfrac{3}{5},\ \cos\alpha=\dfrac{4}{5}\right)$

$0<\theta<\dfrac{\pi}{2}$이므로 $\sin(\theta+\alpha)=1$일 때 최댓값을 가지며 최

댓값은 50이다.

27 답 1

풀이 $\displaystyle\lim_{x\to0}\dfrac{\sin x+\sin 3x+\sin 5x}{9x}$

$=\displaystyle\lim_{x\to0}\left(\dfrac{\sin x}{9x}+\dfrac{\sin 3x}{9x}+\dfrac{\sin 5x}{9x}\right)$

$=\displaystyle\lim_{x\to0}\left(\dfrac{\sin x}{x}\times\dfrac{1}{9}+\dfrac{\sin 3x}{3x}\times\dfrac{1}{3}+\dfrac{\sin 5x}{5x}\times\dfrac{5}{9}\right)$

$=1\times\dfrac{1}{9}+1\times\dfrac{1}{3}+1\times\dfrac{5}{9}=1$

28 답 1

풀이 $x\ne0$일 때, $-1\le\sin\dfrac{1}{x}\le1$이므로

$-|x|\le x\sin\dfrac{1}{x}\le|x|$

이때 $\displaystyle\lim_{x\to0}|x|=\lim_{x\to0}(-|x|)=0$이므로

$\displaystyle\lim_{x\to0}x\sin\dfrac{1}{x}=0$

한편, $\dfrac{1}{x}=t$로 놓으면 $x\to\infty$일 때 $t\to0$이므로

$\displaystyle\lim_{x\to\infty}x\sin\dfrac{1}{x}=\lim_{t\to0}\dfrac{\sin t}{t}=1$

따라서 $a=0,\ b=1$이므로 $a+b=1$

29 답 9

풀이 $\displaystyle\lim_{x\to-1}\dfrac{a\tan(x+1)}{x^3+1}=\lim_{x\to-1}\dfrac{a\tan(x+1)}{(x+1)(x^2-x+1)}$

$=\displaystyle\lim_{x\to-1}\left\{\dfrac{\tan(x+1)}{x+1}\times\dfrac{a}{x^2-x+1}\right\}$

$=\dfrac{a}{3}\displaystyle\lim_{x\to-1}\dfrac{\tan(x+1)}{x+1}$

이때 $x+1=t$로 놓으면 $x\to-1$일 때 $t\to0$이므로

(주어진 식)$=\dfrac{a}{3}\displaystyle\lim_{t\to0}\dfrac{\tan t}{t}=\dfrac{a}{3}\times1=\dfrac{a}{3}$

따라서 $\dfrac{a}{3}=3$이므로 $a=9$

30 답 2

풀이 함수 $f(x)$가 $x=1$에서 연속이므로

$\displaystyle\lim_{x\to1}f(x)=f(1)$

$\therefore\ \displaystyle\lim_{x\to1}f(x)=\lim_{x\to1}\dfrac{\sin 2(x-1)}{x-1}$

$=\displaystyle\lim_{x\to1}\left(\dfrac{\sin 2(x-1)}{2(x-1)}\times2\right)$

$=2$

$\therefore\ a=2$

다른풀이 $x-1=t$로 놓으면

$x\to1$일 때 $t\to0$이므로

$\displaystyle\lim_{x\to1}\dfrac{\sin 2(x-1)}{x-1}=\lim_{t\to0}\dfrac{\sin 2t}{t}$

$=\displaystyle\lim_{t\to0}\left(\dfrac{\sin 2t}{2t}\times2\right)=2$

$\therefore\ a=2$

31 답 $\dfrac{5}{12}\pi$

풀이 $f(x)=\sqrt{3}\sin x-\cos x-x$에서

$f'(x)=\sqrt{3}\cos x+\sin x-1$

$=2\left(\dfrac{\sqrt{3}}{2}\cos x+\dfrac{1}{2}\sin x\right)-1$

$=2\left(\sin\dfrac{\pi}{3}\cos x+\cos\dfrac{\pi}{3}\sin x\right)-1$

$=2\sin\left(x+\dfrac{\pi}{3}\right)-1$

$f'(\alpha)=\sqrt{2}-1$에서 $2\sin\left(\alpha+\dfrac{\pi}{3}\right)-1=\sqrt{2}-1$

$\therefore\ \sin\left(\alpha+\dfrac{\pi}{3}\right)=\dfrac{\sqrt{2}}{2}$

$0<\alpha<\dfrac{\pi}{2}$에서 $\dfrac{\pi}{3}<\alpha+\dfrac{\pi}{3}<\dfrac{5}{6}\pi$이므로

$\alpha+\dfrac{\pi}{3}=\dfrac{3}{4}\pi\quad\therefore\ \alpha=\dfrac{5}{12}\pi$

32 답 -3π

풀이 $\displaystyle\lim_{h\to0}\dfrac{f(\pi+2h)-f(\pi-h)}{h}$

$=\displaystyle\lim_{h\to0}\left\{\dfrac{f(\pi+2h)-f(\pi)}{2h}\times2+\dfrac{f(\pi-h)-f(\pi)}{-h}\right\}$

$=2f'(\pi)+f'(\pi)=3f'(\pi)$

이때 $f'(x)=1\times\sin x+x\cos x=\sin x+x\cos x$이므로

$3f'(\pi)=3(\sin\pi+\pi\cos\pi)=-3\pi$

01 답 (1) $y'=-\dfrac{5}{(2x-1)^2}$　　(2) $y'=\dfrac{7}{(x+2)^2}$

(3) $y'=\dfrac{-x^2+1}{(x^2+1)^2}$　　(4) $y'=\dfrac{2x^2+4x-3}{(x+1)^2}$

(5) $y'=-\dfrac{1}{(x+3)^2}$　　(6) $y'=-\dfrac{x}{e^x}$

(7) $y'=\dfrac{\sin x-x\cos x-1}{x^2}$　　(8) $y'=\dfrac{\ln x-1}{(\ln x)^2}$

풀이 (1) $y'=\dfrac{(x+2)'(2x-1)-(x+2)(2x-1)'}{(2x-1)^2}$

$=\dfrac{1\times(2x-1)-(x+2)\times 2}{(2x-1)^2}$

$=\dfrac{2x-1-2(x+2)}{(2x-1)^2}=-\dfrac{5}{(2x-1)^2}$

(2) $y'=\dfrac{(3x-1)'(x+2)-(3x-1)(x+2)'}{(x+2)^2}$

$=\dfrac{3\times(x+2)-(3x-1)\times 1}{(x+2)^2}$

$=\dfrac{3x+6-3x+1}{(x+2)^2}=\dfrac{7}{(x+2)^2}$

(3) $y'=\dfrac{(x)'(x^2+1)-x(x^2+1)'}{(x^2+1)^2}$

$=\dfrac{1\times(x^2+1)-x\times 2x}{(x^2+1)^2}$

$=\dfrac{x^2+1-2x^2}{(x^2+1)^2}=\dfrac{-x^2+1}{(x^2+1)^2}$

(4) $y'=\dfrac{(2x^2+3)'(x+1)-(2x^2+3)(x+1)'}{(x+1)^2}$

$=\dfrac{4x\times(x+1)-(2x^2+3)\times 1}{(x+1)^2}$

$=\dfrac{4x^2+4x-2x^2-3}{(x+1)^2}=\dfrac{2x^2+4x-3}{(x+1)^2}$

(5) $y'=-\dfrac{(x+3)'}{(x+3)^2}=-\dfrac{1}{(x+3)^2}$

(6) $y'=\dfrac{(x+1)'e^x-(x+1)(e^x)'}{(e^x)^2}=\dfrac{e^x-(x+1)\times e^x}{e^{2x}}$

$=\dfrac{-xe^x}{e^{2x}}=-\dfrac{x}{e^x}$

(7) $y'=\dfrac{(1-\sin x)'x-(1-\sin x)(x)'}{x^2}$

$=\dfrac{-\cos x\times x-(1-\sin x)\times 1}{x^2}$

$=\dfrac{\sin x-x\cos x-1}{x^2}$

(8) $y'=\dfrac{(x)'\ln x-x(\ln x)'}{(\ln x)^2}=\dfrac{1\times\ln x-x\times\dfrac{1}{x}}{(\ln x)^2}$

$=\dfrac{\ln x-1}{(\ln x)^2}$

02 답 (1) $y'=-\dfrac{6}{x^4}$　(2) $y'=-\dfrac{15}{x^6}$　(3) $y'=\dfrac{10}{x^3}$

(4) $y'=\dfrac{4}{x^5}$　　(5) $y'=-\dfrac{3}{2x^7}$

풀이 (1) $y'=(2x^{-3})'=-6x^{-3-1}=-6x^{-4}=-\dfrac{6}{x^4}$

(2) $y'=(3x^{-5})'=-15x^{-5-1}=-15x^{-6}=-\dfrac{15}{x^6}$

(3) $y'=(-5x^{-2})'=10x^{-2-1}=10x^{-3}=\dfrac{10}{x^3}$

(4) $y'=(-x^{-4})'=4x^{-4-1}=4x^{-5}=\dfrac{4}{x^5}$

(5) $y'=\left(\dfrac{1}{4}x^{-6}\right)'=-\dfrac{3}{2}x^{-6-1}=-\dfrac{3}{2}x^{-7}=-\dfrac{3}{2x^7}$

03 답 (1) $y'=-\dfrac{2}{x^3}+1$　(2) $y'=-\dfrac{1}{x^2}+\dfrac{2}{x^3}$

(3) $y'=-\dfrac{4}{x^5}-\dfrac{3}{x^4}$　(4) $y'=-\dfrac{2}{x^2}+\dfrac{3}{x^4}$

(5) $y'=1+\dfrac{1}{x^2}-\dfrac{2}{x^3}$

풀이 (1) $y=\dfrac{x+x^4}{x^3}=\dfrac{1}{x^2}+x=x^{-2}+x$이므로

$y'=(x^{-2}+x)'=-2x^{-3}+1=-\dfrac{2}{x^3}+1$

(2) $y=\dfrac{1}{x}-\dfrac{1}{x^2}=x^{-1}-x^{-2}$이므로

$y'=(x^{-1}-x^{-2})'=-x^{-2}-(-2x^{-3})=-x^{-2}+2x^{-3}$

$=-\dfrac{1}{x^2}+\dfrac{2}{x^3}$

(3) $y=\dfrac{x+x^2}{x^5}=\dfrac{1}{x^4}+\dfrac{1}{x^3}=x^{-4}+x^{-3}$이므로

$y'=(x^{-4}+x^{-3})'=-4x^{-5}-3x^{-4}=-\dfrac{4}{x^5}-\dfrac{3}{x^4}$

(4) $y=\dfrac{2x^3-x}{x^4}=\dfrac{2}{x}-\dfrac{1}{x^3}=2x^{-1}-x^{-3}$이므로

$y'=(2x^{-1}-x^{-3})'$

$=-2x^{-2}-(-3x^{-4})$

$=-2x^{-2}+3x^{-4}$

$=-\dfrac{2}{x^2}+\dfrac{3}{x^4}$

(5) $y=\dfrac{x^3-x+1}{x^2}=x-\dfrac{1}{x}+\dfrac{1}{x^2}=x-x^{-1}+x^{-2}$이므로

$y'=(x-x^{-1}+x^{-2})'$

$=1-(-x^{-2})-2x^{-3}$

$=1+x^{-2}-2x^{-3}$

$=1+\dfrac{1}{x^2}-\dfrac{2}{x^3}$

04 답 (1) $y'=-3\sec^2 x$　　(2) $y'=\dfrac{1}{2}\cos x$

(3) $y'=4\sin x$　　(4) $y'=-5\csc x\cot x$

(5) $y'=-\sec x\tan x$　(6) $y'=\dfrac{1}{3}\csc^2 x$

풀이 (1) $y'=(-3\tan x)'=-3\times\sec^2 x=-3\sec^2 x$

(2) $y'=\left(\dfrac{1}{2}\sin x\right)'=\dfrac{1}{2}\cos x$

(3) $y'=(-4\cos x)'=-4\times(-\sin x)=4\sin x$

(4) $y'=(5\csc x)'=5\times(-\csc x\cot x)$
$$=-5\csc x\cot x$$

(5) $y'=(-\sec x)'=-\sec x\tan x$

(6) $y'=\left(-\dfrac{1}{3}\cot x\right)'=-\dfrac{1}{3}\times(-\csc^2 x)=\dfrac{1}{3}\csc^2 x$

05 답 **(1)** $y'=\sec x(2\sec x-\tan x)$

(2) $y'=-3\csc x\cot x+1$

(3) $y'=-\sec^2 x+e^x$

(4) $y'=-2\csc^2 x+3^x\ln 3$

(5) $y'=3\sec x\tan x-\dfrac{2}{x}$

(6) $y=\dfrac{1}{x\ln 10}-2\csc x\cot x$

(7) $y'=\sec^2 x+4\sin x$

(8) $y'=\sec x\tan x-\csc^2 x$

(9) $y'=\sec x\tan x+2\csc x\cot x$

(10) $y'=\sec x(-4\sec x+3\tan x)$

풀이 **(1)** $y'=(2\tan x-\sec x)'$
$$=2\times\sec^2 x-\sec x\tan x$$
$$=\underline{\sec x(2\sec x-\tan x)}$$

(2) $y'=(3\csc x+x)'=-3\csc x\cot x+1$

(3) $y'=(-\tan x+e^x+5)'=-\sec^2 x+e^x$

(4) $y'=(2\cot x+3^x-\ln 2)'=-2\csc^2 x+3^x\ln 3$

(5) $y'=(3\sec x-2\ln x)'=3\sec x\tan x-2\times\dfrac{1}{x}$
$$=3\sec x\tan x-\dfrac{2}{x}$$

(6) $y'=(\log x+2\csc x)'=\dfrac{1}{x\ln 10}-2\csc x\cot x$

(7) $y'=(\tan x-4\cos x)'=\sec^2 x-4\times(-\sin x)$
$$=\sec^2 x+4\sin x$$

(8) $y'=(\sec x+\cot x)'=\sec x\tan x-\csc^2 x$

(9) $y'=(\sec x-2\csc x)'$
$$=\sec x\tan x-2\times(-\csc x\cot x)$$
$$=\sec x\tan x+2\csc x\cot x$$

(10) $y'=(-4\tan x+3\sec x)'$
$$=-4\sec^2 x+3\sec x\tan x$$
$$=\sec x(-4\sec x+3\tan x)$$

06 답 **(1)** $y'=-\csc x(\cot^2 x+\csc^2 x)$

(2) $y'=\sec x(1+x\tan x)$

(3) $y'=x\sec x(x\tan x+2)$

(4) $y'=e^x(\tan x+\sec^2 x)$

(5) $y'=\dfrac{\cot x}{x}-\ln x\times\csc^2 x$

(6) $y'=\sin x+\tan x\sec x$

(7) $y'=-\sin x\cot x-\cos x\csc^2 x$

(8) $y'=-2\sec^2 x$

(9) $y'=3\csc x\tan^2 x$

(10) $y'=5(-\csc^2 x+\sec^2 x)$

풀이 **(1)** $y'=(\csc x\cot x)'$
$$=(\csc x)'\cot x+\csc x(\cot x)'$$
$$=\underline{-\csc x\cot x\times\cot x+\csc x\times(-\csc^2 x)}$$
$$=\underline{-\csc x(\cot^2 x+\csc^2 x)}$$

(2) $y'=(x\sec x)'=(x)'\sec x+x(\sec x)'$
$$=1\times\sec x+x\sec x\tan x$$
$$=\sec x(1+x\tan x)$$

(3) $y'=(x^2\sec x)'$
$$=(x^2)'\sec x+x^2(\sec x)'$$
$$=2x\sec x+x^2\sec x\tan x$$
$$=x\sec x(x\tan x+2)$$

(4) $y'=(e^x\tan x)'$
$$=(e^x)'\tan x+e^x(\tan x)'$$
$$=e^x\tan x+e^x\sec^2 x$$
$$=e^x(\tan x+\sec^2 x)$$

(5) $y'=(\ln x\times\cot x)'$
$$=(\ln x)'\cot x+\ln x\times(\cot x)'$$
$$=\dfrac{\cot x}{x}-\ln x\times\csc^2 x$$

(6) $y'=(\sin x\tan x)'$
$$=(\sin x)'\tan x+\sin x(\tan x)'$$
$$=\cos x\tan x+\sin x\sec^2 x$$
$$=\cos x\times\dfrac{\sin x}{\cos x}+\sin x\times\dfrac{1}{\cos^2 x}$$
$$=\sin x+\dfrac{\sin x}{\cos x}\times\dfrac{1}{\cos x}$$
$$=\sin x+\tan x\sec x$$

(7) $y'=(\cos x\cot x)'$
$$=(\cos x)'\cot x+\cos x(\cot x)'$$
$$=-\sin x\cot x-\cos x\csc^2 x$$

(8) $y'=(-2\sin x\sec x)'$
$$=-2\{(\sin x)'\sec x+\sin x(\sec x)'\}$$
$$=-2(\cos x\sec x+\sin x\sec x\tan x)$$
$$=-2\left(\cos x\times\dfrac{1}{\cos x}+\sin x\times\dfrac{1}{\cos x}\times\dfrac{\sin x}{\cos x}\right)$$
$$=-2(1+\tan^2 x)$$
$$=-2\sec^2 x\ (\because 1+\tan^2 x=\sec^2 x)$$

(9) $y'=(3\tan x\csc x)'$
$$=3\{(\tan x)'\csc x+\tan x(\csc x)'\}$$
$$=3(\sec^2 x\csc x-\tan x\csc x\cot x)$$
$$=3(\sec^2 x\csc x-\csc x)$$
$$=3\csc x(\sec^2 x-1)=3\csc x\tan^2 x$$
$$(\because 1+\tan^2 x=\sec^2 x)$$

(10) $y'=(5\csc x\sec x)'$
$$=5\{(\csc x)'\sec x+\csc x(\sec x)'\}$$
$$=5(-\csc x\cot x\sec x+\csc x\sec x\tan x)$$
$$=5\left(-\csc x\times\dfrac{\cos x}{\sin x}\times\dfrac{1}{\cos x}+\dfrac{1}{\sin x}\times\sec x\right.$$
$$\left.\times\dfrac{\sin x}{\cos x}\right)$$

$$= 5(-\csc^2 x + \sec^2 x)$$

07 답 (1) $y' = \dfrac{\tan x - x\sec^2 x - 1}{x^2}$

(2) $y' = \dfrac{\sec x(x\tan x - 1)}{x^2}$

(3) $y' = \dfrac{x\sec^2 x - 2\tan x}{x^3}$

(4) $y' = \dfrac{\cos x - \ln 2(1 + \sin x)}{2^x}$

(5) $y' = \dfrac{\sec^2 x - \tan x}{e^x}$

(6) $y' = \dfrac{1}{1 + \cos x}$

(7) $y' = -\dfrac{\sin x \tan x + \sin x + \sec x}{(\tan x + 1)^2}$

(8) $y' = \dfrac{2\sec^2 x}{(1 - \tan x)^2}$

(9) $y' = \dfrac{2\sin x}{(1 + \cos x)^2}$

(10) $y' = \sec^2 x$

풀이 (1) $y' = \dfrac{(1 - \tan x)'x - (1 - \tan x)(x)'}{x^2}$

$= \dfrac{-\sec^2 x \times x - (1 - \tan x) \times 1}{x^2}$

$= \dfrac{\tan x - x\sec^2 x - 1}{x^2}$

(2) $y' = \dfrac{(\sec x)'x - \sec x(x)'}{x^2}$

$= \dfrac{\sec x \tan x \times x - \sec x \times 1}{x^2}$

$= \dfrac{\sec x(x\tan x - 1)}{x^2}$

(3) $y' = \dfrac{(\tan x)'x^2 - \tan x(x^2)'}{(x^2)^2}$

$= \dfrac{\sec^2 x \times x^2 - \tan x \times 2x}{x^4}$

$= \dfrac{x\sec^2 x - 2\tan x}{x^3}$

(4) $y' = \dfrac{(1 + \sin x)' \times 2^x - (1 + \sin x) \times (2^x)'}{(2^x)^2}$

$= \dfrac{2^x \cos x - 2^x \ln 2(1 + \sin x)}{2^{2x}}$

$= \dfrac{\cos x - \ln 2(1 + \sin x)}{2^x}$

(5) $y' = \dfrac{(\tan x)'e^x - \tan x(e^x)'}{(e^x)^2} = \dfrac{e^x \sec^2 x - e^x \tan x}{e^{2x}}$

$= \dfrac{\sec^2 x - \tan x}{e^x}$

(6) $y' = \dfrac{(\sin x)'(1 + \cos x) - \sin x(1 + \cos x)'}{(1 + \cos x)^2}$

$= \dfrac{\cos x(1 + \cos x) - \sin x \times (-\sin x)}{(1 + \cos x)^2}$

$= \dfrac{\cos x + \cos^2 x + \sin^2 x}{(1 + \cos x)^2} = \dfrac{1 + \cos x}{(1 + \cos x)^2}$

$= \dfrac{1}{1 + \cos x}$

(7) $y' = \dfrac{(\cos x)'(\tan x + 1) - \cos x(\tan x + 1)'}{(\tan x + 1)^2}$

$= \dfrac{-\sin x(\tan x + 1) - \cos x \sec^2 x}{(\tan x + 1)^2}$

$= -\dfrac{\sin x \tan x + \sin x + \sec x}{(\tan x + 1)^2}$

(8) $y' = \dfrac{(1 + \tan x)'(1 - \tan x) - (1 + \tan x)(1 - \tan x)'}{(1 - \tan x)^2}$

$= \dfrac{\sec^2 x(1 - \tan x) - (1 + \tan x)(-\sec^2 x)}{(1 - \tan x)^2}$

$= \dfrac{2\sec^2 x}{(1 - \tan x)^2}$

(9) $y' = \dfrac{(1 - \cos x)'(1 + \cos x) - (1 - \cos x)(1 + \cos x)'}{(1 + \cos x)^2}$

$= \dfrac{\sin x(1 + \cos x) - (1 - \cos x)(-\sin x)}{(1 + \cos x)^2}$

$= \dfrac{2\sin x}{(1 + \cos x)^2}$

(10) $y' = \dfrac{(\sin x + \cos x)'\cos x - (\sin x + \cos x)(\cos x)'}{(\cos x)^2}$

$= \dfrac{(\cos x - \sin x)\cos x - (\sin x + \cos x)(-\sin x)}{\cos^2 x}$

$= \dfrac{\sin^2 x + \cos^2 x}{\cos^2 x}$

$= \dfrac{1}{\cos^2 x} = \sec^2 x$

08 답 (1) $y' = 8(2x + 1)^3$

(2) $y' = 3(x^2 + x - 1)^2(2x + 1)$

(3) $y' = -\dfrac{9}{(3x - 2)^4}$

(4) $y' = \dfrac{-4(6x + 5)}{(3x^2 + 5x + 2)^5}$

(5) $y' = (x + 2)^4(7x^2 + 10x + 2)$

(6) $y' = 42x(2x - 1)^2(3x + 2)^3$

(7) $y' = 3\left(x - \dfrac{1}{x}\right)^2\left(1 + \dfrac{1}{x^2}\right)$

(8) $y' = 4\left(x + \dfrac{2}{x}\right)^3\left(1 - \dfrac{2}{x^2}\right)$

풀이 (1) $y' = 4 \times (2x + 1)^{4-1}(2x + 1)' = 8(2x + 1)^3$

(2) $y' = 3 \times (x^2 + x - 1)^{3-1}(x^2 + x - 1)'$

$= 3(x^2 + x - 1)^2(2x + 1)$

(3) $y = \dfrac{1}{(3x - 2)^3} = (3x - 2)^{-3}$이므로

$y' = -3 \times (3x - 2)^{-3-1}(3x - 2)'$

$= -9(3x - 2)^{-4} = -\dfrac{9}{(3x - 2)^4}$

(4) $y = \dfrac{1}{(3x^2 + 5x + 2)^4} = (3x^2 + 5x + 2)^{-4}$이므로

$$y'=-4\times(3x^2+5x+2)^{-4-1}(3x^2+5x+2)'$$
$$=-4(3x^2+5x+2)^{-5}(6x+5)=\frac{-4(6x+5)}{(3x^2+5x+2)^5}$$

(5) $y'=(x^2+x)'(x+2)^5+(x^2+x)\{(x+2)^5\}'$
$$=(2x+1)(x+2)^5+(x^2+x)\times5(x+2)^4(x+2)'$$
$$=(2x+1)(x+2)^5+5(x^2+x)(x+2)^4$$
$$=(x+2)^4\{(2x+1)(x+2)+5(x^2+x)\}$$
$$=(x+2)^4(7x^2+10x+2)$$

(6) $y'=\{(2x-1)^3\}'(3x+2)^4+(2x-1)^3\{(3x+2)^4\}'$
$$=3(2x-1)^2(2x-1)'\times(3x+2)^4+$$
$$(2x-1)^3\times4(3x+2)^3(3x+2)'$$
$$=6(2x-1)^2(3x+2)^4+12(2x-1)^3(3x+2)^3$$
$$=6(2x-1)^2(3x+2)^3\{3x+2+2(2x-1)\}$$
$$=6(2x-1)^2(3x+2)^3\times7x$$
$$=42x(2x-1)^2(3x+2)^3$$

(7) $y=\left(x-\dfrac{1}{x}\right)^3=(x-x^{-1})^3$이므로
$$y'=3(x-x^{-1})^2(x-x^{-1})'$$
$$=3(x-x^{-1})^2(1+x^{-2})$$
$$=3\left(x-\dfrac{1}{x}\right)^2\left(1+\dfrac{1}{x^2}\right)$$

(8) $y=\left(x+\dfrac{2}{x}\right)^4=(x+2x^{-1})^4$이므로
$$y'=4(x+2x^{-1})^3(x+2x^{-1})'$$
$$=4(x+2x^{-1})^3(1-2x^{-2})$$
$$=4\left(x+\dfrac{2}{x}\right)^3\left(1-\dfrac{2}{x^2}\right)$$

09 답 (1) $y'=-\cos x\sin(\sin x)$
　　(2) $y'=2\cos(2x+1)$
　　(3) $y'=(2x+2)\sec(x^2+2x)\tan(x^2+2x)$
　　(4) $y'=-3x^2\csc^2 x^3$
　　(5) $y'=\sec^2 x\cos(\tan x)$
　　(6) $y'=6\sin 3x\cos 3x$
　　(7) $y'=-4\cos(2x+3)\sin(2x+3)$
　　(8) $y'=3\tan^2 x\sec^2 x$

풀이 **(1)** $y'=-\sin(\sin x)\times(\sin x)'$
$$=\underline{-\cos x\sin(\sin x)}$$
(2) $y'=\cos(2x+1)\times(2x+1)'=2\cos(2x+1)$
(3) $y'=\sec(x^2+2x)\tan(x^2+2x)\times(x^2+2x)'$
$$=(2x+2)\sec(x^2+2x)\tan(x^2+2x)$$
(4) $y'=-\csc^2 x^3\times(x^3)'=-3x^2\csc^2 x^3$
(5) $y'=\cos(\tan x)\times(\tan x)'=\sec^2 x\cos(\tan x)$
(6) $y=\sin^2 3x=(\sin 3x)^2$이므로
$$y'=\{(\sin 3x)^2\}'=2\sin 3x\times(\sin 3x)'$$
$$=2\sin 3x\times\cos 3x\times(3x)'$$
$$=6\sin 3x\cos 3x$$
(7) $y=\cos^2(2x+3)=\{\cos(2x+3)\}^2$이므로
$$y'=[\{\cos(2x+3)\}^2]'$$
$$=2\cos(2x+3)\times\{\cos(2x+3)\}'$$

$$=2\cos(2x+3)\times\{-\sin(2x+3)\}\times(2x+3)'$$
$$=-4\cos(2x+3)\sin(2x+3)$$
(8) $y=\tan^3 x=(\tan x)^3$이므로
$$y'=\{(\tan x)^3\}'=3(\tan x)^2\times(\tan x)'$$
$$=3\tan^2 x\sec^2 x$$

10 답 (1) $-\dfrac{7}{8}$　　(2) $-\dfrac{4}{49}$　　(3) 0　　(4) $-\dfrac{1}{2}$

풀이 **(1)** $h(x)=f(g(x))=\dfrac{2}{x^3+4x-1}$이므로
$$h'(x)=\frac{-2(x^3+4x-1)'}{(x^3+4x-1)^2}$$
$$=-\frac{2(3x^2+4)}{(x^3+4x-1)^2}$$
$$\therefore h'(1)=-\frac{2(3+4)}{(1+4-1)^2}=-\frac{14}{16}=-\frac{7}{8}$$

(2) $h(x)=f(g(x))=\dfrac{1}{4x+3}$이므로
$$h'(x)=-\frac{(4x+3)'}{(4x+3)^2}$$
$$=-\frac{4}{(4x+3)^2}$$
$$\therefore h'(1)=-\frac{4}{(4+3)^2}=-\frac{4}{49}$$

(3) $h(x)=f(g(x))=\dfrac{5}{x^2-2x}$이므로
$$h'(x)=\frac{-5(x^2-2x)'}{(x^2-2x)^2}=\frac{-5\times2(x-1)}{(x^2-2x)^2}$$
$$=-\frac{10(x-1)}{(x^2-2x)^2}$$
$$\therefore h'(1)=-\frac{10\times0}{(1-2)^2}=0$$

(4) $h(x)=f(g(x))=\dfrac{1}{(x^2+1)^2}$이므로
$$h'(x)=\frac{-\{(x^2+1)^2\}'}{\{(x^2+1)^2\}^2}=\frac{-2(x^2+1)\times2x}{(x^2+1)^4}$$
$$=-\frac{4x}{(x^2+1)^3}$$
$$\therefore h'(1)=-\frac{4\times1}{(1+1)^3}=-\frac{1}{2}$$

11 답 (1) 1　　(2) 0　　(3) 1　　(4) 0
풀이 **(1)** $h(x)=f(g(x))=\sin(\tan x)$이므로
$$h'(x)=\cos(\tan x)\times(\tan x)'$$
$$=\underline{\sec^2 x\cos(\tan x)}$$
$$\therefore h'(0)=\sec^2 0\cos(\tan 0)=1\times1=\underline{1}$$
(2) $h(x)=f(g(x))=\cos(\tan x)$이므로
$$h'(x)=-\sin(\tan x)\times(\tan x)'$$
$$=-\sec^2 x\sin(\tan x)$$
$$\therefore h'(0)=-\sec^2 0\sin(\tan 0)=1\times0=0$$
(3) $h(x)=f(g(x))=\sin(\sin x)$이므로
$$h'(x)=\cos(\sin x)\times(\sin x)'=\cos x\cos(\sin x)$$
$$\therefore h'(0)=\cos 0\cos(\sin 0)=1\times1=1$$

(4) $h(x)=f(g(x))=\csc(\sec x)$이므로

$\quad h'(x)=-\csc(\sec x)\cot(\sec x)\times(\sec x)'$

$\qquad\ =-\sec x\tan x\csc(\sec x)\cot(\sec x)$

$\quad \therefore h'(0)=-\sec 0\tan 0\csc(\sec 0)\cot(\sec 0)$

$\qquad\qquad\ =-1\times 0\times\csc 1\times\cot 1=0$

12 답 (1) $y'=(6x+1)e^{3x^2+x}$　(2) $y'=5e^{5x-2}$

(3) $y'=12e^{4x+1}$　　(4) $y'=-2e^{\sin x}\cos x$

(5) $y'=7\times 2^{7x+5}\ln 2$　(6) $y'=4\times 5^{4x-1}\ln 5$

(7) $y'=(-2x+1)\times 2^{-x^2+x+3}\ln 2$

(8) $y'=-\sin x\times 3^{\cos x}\ln 3$

풀이 (1) $y'=e^{3x^2+x}\times(3x^2+x)'=\underline{(6x+1)e^{3x^2+x}}$

(2) $y'=e^{5x-2}\times(5x-2)'=5e^{5x-2}$

(3) $y'=3e^{4x+1}\times(4x+1)'=12e^{4x+1}$

(4) $y'=-2e^{\sin x}\times(\sin x)'=-2e^{\sin x}\cos x$

(5) $y'=2^{7x+5}\ln 2\times(7x+5)'=7\times 2^{7x+5}\ln 2$

(6) $y'=5^{4x-1}\ln 5\times(4x-1)'=4\times 5^{4x-1}\ln 5$

(7) $y'=2^{-x^2+x+3}\ln 2\times(-x^2+x+3)'$

$\qquad =(-2x+1)\times 2^{-x^2+x+3}\ln 2$

(8) $y'=3^{\cos x}\ln 3\times(\cos x)'=-\sin x\times 3^{\cos x}\ln 3$

13 답 (1) $y'=\dfrac{2x+1}{x^2+x+1}$　(2) $y'=\dfrac{2}{2x+1}$

(3) $y'=\dfrac{2x-3}{x^2-3x}$　(4) $y'=\dfrac{\cos x}{\sin x}$

(5) $y'=\dfrac{e^x}{e^x+3}$　(6) $y'=\dfrac{2^x\ln 2}{2^x+1}$

(7) $y'=\dfrac{1}{x\ln 2}$　(8) $y'=\dfrac{3x^2}{(x^3-1)\ln 10}$

(9) $y'=-\dfrac{\tan x}{\ln 5}$　(10) $y'=\dfrac{e^x}{(e^x+1)\ln 3}$

(11) $y'=\dfrac{3^x\ln 3}{(3^x+4)\ln 2}$

풀이 (1) $y'=\dfrac{(x^2+x+1)'}{x^2+x+1}=\underline{\dfrac{2x+1}{x^2+x+1}}$

(2) $y'=\dfrac{(2x+1)'}{2x+1}=\dfrac{2}{2x+1}$

(3) $y'=\dfrac{(x^2-3x)'}{x^2-3x}=\dfrac{2x-3}{x^2-3x}$

(4) $y'=\dfrac{(\sin x)'}{\sin x}=\dfrac{\cos x}{\sin x}$

(5) $y'=\dfrac{(e^x+3)'}{e^x+3}=\dfrac{e^x}{e^x+3}$

(6) $y'=\dfrac{(2^x+1)'}{2^x+1}=\dfrac{2^x\ln 2}{2^x+1}$

(7) $y'=\dfrac{(7x)'}{7x\ln 2}=\dfrac{7}{7x\ln 2}=\dfrac{1}{x\ln 2}$

(8) $y'=\dfrac{(x^3-1)'}{(x^3-1)\ln 10}=\dfrac{3x^2}{(x^3-1)\ln 10}$

(9) $y'=\dfrac{(\cos x)'}{\cos x\times\ln 5}=-\dfrac{\sin x}{\cos x\ln 5}=-\dfrac{\tan x}{\ln 5}$

(10) $y'=\dfrac{(e^x+1)'}{(e^x+1)\ln 3}=\dfrac{e^x}{(e^x+1)\ln 3}$

(11) $y'=\dfrac{(3^x+4)'}{(3^x+4)\ln 2}=\dfrac{3^x\ln 3}{(3^x+4)\ln 2}$

14 답 (1) $y'=x^x(\ln x+1)$

(2) $y'=4x^{4x}(\ln x+1)$

(3) $y'=2x^{\ln x-1}\ln x$

(4) $y'=x^{\sin x}\left(\cos x\ln x+\dfrac{\sin x}{x}\right)$

풀이 (1) 양변에 자연로그를 취하면 $\ln y=\ln x^x$

$\quad \therefore \ln y=x\ln x$

$\quad$ 양변을 x에 대하여 미분하면

$\qquad \dfrac{y'}{y}=(x)'\ln x+x(\ln x)'=\ln x+1$

$\quad \therefore y'=y(\ln x+1)=\underline{x^x(\ln x+1)}$

(2) 양변에 자연로그를 취하면 $\ln y=\ln x^{4x}$

$\quad \therefore \ln y=4x\ln x$

$\quad$ 양변을 x에 대하여 미분하면

$\qquad \dfrac{y'}{y}=(4x)'\ln x+4x(\ln x)'=4\ln x+4$

$\quad \therefore y'=y(4\ln x+4)=x^{4x}(4\ln x+4)$

$\qquad\quad =4x^{4x}(\ln x+1)$

(3) 양변에 자연로그를 취하면 $\ln y=\ln x^{\ln x}$

$\quad \therefore \ln y=\ln x\times\ln x=(\ln x)^2$

$\quad$ 양변을 x에 대하여 미분하면

$\qquad \dfrac{y'}{y}=2\ln x(\ln x)'=2\ln x\times\dfrac{1}{x}$

$\quad \therefore y'=y\times 2\ln x\times\dfrac{1}{x}$

$\qquad\quad =x^{\ln x}\times 2\ln x\times x^{-1}$

$\qquad\quad =2x^{\ln x-1}\ln x$

(4) 양변에 자연로그를 취하면 $\ln y=\ln x^{\sin x}$

$\quad \therefore \ln y=\sin x\ln x$

$\quad$ 양변을 x에 대하여 미분하면

$\qquad \dfrac{y'}{y}=(\sin x)'\ln x+\sin x(\ln x)'$

$\qquad\quad =\cos x\ln x+\sin x\times\dfrac{1}{x}$

$\quad \therefore y'=y\left(\cos x\ln x+\dfrac{\sin x}{x}\right)$

$\qquad\quad =x^{\sin x}\left(\cos x\ln x+\dfrac{\sin x}{x}\right)$

15 답 (1) $y'=\dfrac{2(x+1)(x^2-3x-1)}{(x-2)^2}$

(2) $y'=\dfrac{2(x+5)}{(x+2)^3}$

(3) $y'=\dfrac{(x-1)^2(3x^2+4x+2)}{x^2}$

(4) $y'=\dfrac{(x-1)(-x^2+3x+2)}{x^3(x+1)^2}$

풀이 (1) 양변의 절댓값에 자연로그를 취하면

$\quad \ln|y|=\ln\left|\dfrac{x(x+1)^2}{x-2}\right|$

$$=\ln|x|+2\ln|x+1|-\ln|x-2|$$

양변을 x에 대하여 미분하면

$$\frac{y'}{y}=\frac{1}{x}+\frac{2}{x+1}-\frac{1}{x-2}=\frac{2(x^2-3x-1)}{x(x+1)(x-2)}$$

$$\therefore\ y'=y\times\frac{2(x^2-3x-1)}{x(x+1)(x-2)}$$

$$=\frac{x(x+1)^2}{x-2}\times\frac{2(x^2-3x-1)}{x(x+1)(x-2)}$$

$$=\frac{2(x+1)(x^2-3x-1)}{(x-2)^2}$$

(2) 양변의 절댓값에 자연로그를 취하면

$$\ln|y|=\ln\left|\frac{(x-1)(x+3)}{(x+2)^2}\right|$$

$$=\ln|x-1|+\ln|x+3|-2\ln|x+2|$$

양변을 x에 대하여 미분하면

$$\frac{y'}{y}=\frac{1}{x-1}+\frac{1}{x+3}-\frac{2}{x+2}=\frac{2(x+5)}{(x-1)(x+2)(x+3)}$$

$$\therefore\ y'=y\times\frac{2(x+5)}{(x-1)(x+2)(x+3)}$$

$$=\frac{(x-1)(x+3)}{(x+2)^2}\times\frac{2(x+5)}{(x-1)(x+2)(x+3)}$$

$$=\frac{2(x+5)}{(x+2)^3}$$

(3) 양변의 절댓값에 자연로그를 취하면

$$\ln|y|=\ln\left|\frac{(x+2)(x-1)^3}{x}\right|$$

$$=\ln|x+2|+3\ln|x-1|-\ln|x|$$

양변을 x에 대하여 미분하면

$$\frac{y'}{y}=\frac{1}{x+2}+\frac{3}{x-1}-\frac{1}{x}=\frac{3x^2+4x+2}{x(x-1)(x+2)}$$

$$\therefore\ y'=y\times\frac{3x^2+4x+2}{x(x-1)(x+2)}$$

$$=\frac{(x+2)(x-1)^3}{x}\times\frac{3x^2+4x+2}{x(x-1)(x+2)}$$

$$=\frac{(x-1)^2(3x^2+4x+2)}{x^2}$$

(4) 양변의 절댓값에 자연로그를 취하면

$$\ln|y|=\ln\left|\frac{(x-1)^2}{x^2(x+1)}\right|$$

$$=2\ln|x-1|-2\ln|x|-\ln|x+1|$$

양변을 x에 대하여 미분하면

$$\frac{y'}{y}=\frac{2}{x-1}-\frac{2}{x}-\frac{1}{x+1}=\frac{-x^2+3x+2}{x(x-1)(x+1)}$$

$$\therefore\ y'=y\times\frac{-x^2+3x+2}{x(x-1)(x+1)}$$

$$=\frac{(x-1)^2}{x^2(x+1)}\times\frac{-x^2+3x+2}{x(x-1)(x+1)}$$

$$=\frac{(x-1)(-x^2+3x+2)}{x^3(x+1)^2}$$

16 답 (1) $y'=\dfrac{2}{\sqrt{4x+3}}$　(2) $y'=\dfrac{2}{5\sqrt[5]{x^3}}$　(3) $y'=-\dfrac{3}{4x\sqrt[4]{x^3}}$

(4) $y'=-\dfrac{3}{2x^2\sqrt{x}}$　(5) $y'=\dfrac{3}{2}\sqrt{2x}$　(6) $y'=\dfrac{7}{3}x^3\sqrt{x}$

(7) $y'=\dfrac{1}{2\sqrt{x+1}}$　(8) $y'=\dfrac{2}{3\sqrt[3]{(2x-5)^2}}$

(9) $y'=\sqrt{2}x^{\sqrt{2}-1}$　(10) $y'=-\pi x^{-\pi-1}$

풀이 (1) $y=\sqrt{4x+3}=(4x+3)^{\frac{1}{2}}$이므로

$$y'=\frac{1}{2}(4x+3)^{\frac{1}{2}-1}(4x+3)'$$

$$=2(4x+3)^{-\frac{1}{2}}=\frac{2}{\sqrt{4x+3}}$$

(2) $y=\sqrt[5]{x^2}=x^{\frac{2}{5}}$이므로

$$y'=\frac{2}{5}x^{\frac{2}{5}-1}=\frac{2}{5}x^{-\frac{3}{5}}=\frac{2}{5\sqrt[5]{x^3}}$$

(3) $y=\dfrac{1}{\sqrt[4]{x^3}}=x^{-\frac{3}{4}}$이므로

$$y'=-\frac{3}{4}x^{-\frac{3}{4}-1}=-\frac{3}{4}x^{-\frac{7}{4}}=-\frac{3}{4x\sqrt[4]{x^3}}$$

(4) $y=\dfrac{1}{x\sqrt{x}}=x^{-\frac{3}{2}}$이므로

$$y'=-\frac{3}{2}x^{-\frac{3}{2}-1}=-\frac{3}{2}x^{-\frac{5}{2}}=-\frac{3}{2x^2\sqrt{x}}$$

(5) $y=x\sqrt{2x}=\sqrt{2}x^{\frac{3}{2}}$이므로

$$y'=\frac{3}{2}\sqrt{2}x^{\frac{3}{2}-1}=\frac{3}{2}\sqrt{2}x^{\frac{1}{2}}=\frac{3}{2}\sqrt{2x}$$

(6) $y=x^2\times\sqrt[3]{x}=x^{2+\frac{1}{3}}=x^{\frac{7}{3}}$이므로

$$y'=\frac{7}{3}x^{\frac{7}{3}-1}=\frac{7}{3}x^{\frac{4}{3}}=\frac{7}{3}x^3\sqrt{x}$$

(7) $y=\sqrt{x+1}=(x+1)^{\frac{1}{2}}$이므로

$$y'=\frac{1}{2}(x+1)^{\frac{1}{2}-1}(x+1)'=\frac{1}{2}(x+1)^{-\frac{1}{2}}$$

$$=\frac{1}{2\sqrt{x+1}}$$

(8) $y=\sqrt[3]{2x-5}=(2x-5)^{\frac{1}{3}}$이므로

$$y'=\frac{1}{3}(2x-5)^{\frac{1}{3}-1}(2x-5)'=\frac{2}{3\sqrt[3]{(2x-5)^2}}$$

(9) $y'=\sqrt{2}x^{\sqrt{2}-1}$

(10) $y'=-\pi x^{-\pi-1}$

17 답 (1) $\dfrac{dy}{dx}=\dfrac{3t^2+2}{-2t+1}$ $\left(단,\ t\neq\dfrac{1}{2}\right)$　(2) $\dfrac{dy}{dx}=-8(t-1)^3$

(3) $\dfrac{dy}{dx}=\dfrac{t^2+1}{t^2-1}$ $(단,\ t\neq\pm1)$　(4) $\dfrac{dy}{dx}=-\tan t$

(5) $\dfrac{dy}{dx}=e^t$　(6) $\dfrac{dy}{dx}=2t^2$

풀이 (1) $\dfrac{dx}{dt}=(-t^2+t)'=-2t+1$,

$$\frac{dy}{dt}=(t^3+2t)'=3t^2+2$$

$$\therefore\ \frac{dy}{dx}=\frac{\dfrac{dy}{dt}}{\dfrac{dx}{dt}}=\frac{3t^2+2}{-2t+1}\left(단,\ t\neq\frac{1}{2}\right)$$

(2) $\dfrac{dx}{dt}=\left(\dfrac{1}{t-1}\right)'=-\dfrac{1}{(t-1)^2}$,

$$\frac{dy}{dt}=\{4(t-1)^2\}'=8(t-1)$$

$$\therefore \frac{dy}{dx}=\frac{\dfrac{dy}{dt}}{\dfrac{dx}{dt}}=-8(t-1)^3$$

(3) $\dfrac{dx}{dt}=\left(t+\dfrac{1}{t}\right)'=1-\dfrac{1}{t^2}$, $\dfrac{dy}{dt}=\left(t-\dfrac{1}{t}\right)'=1+\dfrac{1}{t^2}$

$$\therefore \frac{dy}{dx}=\frac{\dfrac{dy}{dt}}{\dfrac{dx}{dt}}=\frac{1+\dfrac{1}{t^2}}{1-\dfrac{1}{t^2}}=\frac{t^2+1}{t^2-1} \ (\text{단},\ t\neq\pm1)$$

(4) $\dfrac{dx}{dt}=(\sin t)'=\cos t$, $\dfrac{dy}{dt}=(\cos t)'=-\sin t$

$$\therefore \frac{dy}{dx}=\frac{\dfrac{dy}{dt}}{\dfrac{dx}{dt}}=-\frac{\sin t}{\cos t}=-\tan t$$

(5) $\dfrac{dx}{dt}=(t-2)'=1$, $\dfrac{dy}{dt}=(e^t)'=e^t$

$$\therefore \frac{dy}{dx}=\frac{\dfrac{dy}{dt}}{\dfrac{dx}{dt}}=e^t$$

(6) $\dfrac{dx}{dt}=(\ln t)'=\dfrac{1}{t}$, $\dfrac{dy}{dt}=(t^2)'=2t$

$$\therefore \frac{dy}{dx}=\frac{\dfrac{dy}{dt}}{\dfrac{dx}{dt}}=2t^2$$

18 답 (1) $2xy-x+y=0\ \left(\text{단},\ x\neq-\dfrac{1}{2}\right)$

(2) $3x-y+4=0$

(3) $xy+y-2=0\ (\text{단},\ x\neq-1)$

(4) $xy+x+3y-1=0\ (\text{단},\ x\neq-3)$

(5) $x-y^2=0\ (\text{단},\ y\geq0)$

(6) $y^2+3x-1=0\ (\text{단},\ y\geq0)$

(7) $x^2+y^2-1=0\ (\text{단},\ y\geq0)$

(8) $x^3y^2-1=0\ (\text{단},\ x\neq0)$

풀이 (1) $y=\dfrac{x}{2x+1}$ 에서 $(2x+1)y=x$

$\therefore \underline{2xy-x+y=0}$

(2) $y=3x+4$ 에서 $3x-y+4=0$

(3) $y=\dfrac{2}{x+1}$ 에서 $(x+1)y=2$

$\therefore xy+y-2=0\ (\text{단},\ x\neq-1)$

(4) $y=\dfrac{-x+1}{x+3}$ 에서 $(x+3)y=-x+1$

$\therefore xy+x+3y-1=0\ (\text{단},\ x\neq-3)$

(5) $y=\sqrt{x}$ 의 양변을 제곱하면 $y^2=x$

$\therefore x-y^2=0\ (\text{단},\ y\geq0)$

(6) $y=\sqrt{1-3x}$ 의 양변을 제곱하면 $y^2=1-3x$

$\therefore y^2+3x-1=0\ (\text{단},\ y\geq0)$

(7) $y=\sqrt{1-x^2}$ 의 양변을 제곱하면 $y^2=1-x^2$

$\therefore x^2+y^2-1=0\ (\text{단},\ y\geq0)$

(8) $y=\dfrac{1}{x\sqrt{x}}$ 의 양변을 제곱하면 $y^2=\dfrac{1}{x^3}$

$\therefore x^3y^2-1=0\ (\text{단},\ x\neq0)$

19 답 (1) $\dfrac{dy}{dx}=-\dfrac{x}{y}\ (\text{단},\ y\neq0)$

(2) $\dfrac{dy}{dx}=-\dfrac{y}{x}\ (\text{단},\ x\neq0)$

(3) $\dfrac{dy}{dx}=-\dfrac{y}{2x}\ (\text{단},\ x\neq0)$

(4) $\dfrac{dy}{dx}=\dfrac{2}{y}\ (\text{단},\ y\neq0)$

(5) $\dfrac{dy}{dx}=\dfrac{x}{y}\ (\text{단},\ y\neq0)$

(6) $\dfrac{dy}{dx}=\dfrac{2x-y}{x-1}\ (\text{단},\ x\neq1)$

(7) $\dfrac{dy}{dx}=\dfrac{2x-y}{x-2y}\ (\text{단},\ x-2y\neq0)$

(8) $\dfrac{dy}{dx}=-\dfrac{\sqrt{y}}{\sqrt{x}}\ (\text{단},\ x\neq0)$

(9) $\dfrac{dy}{dx}=-\dfrac{9x}{4y}\ (\text{단},\ y\neq0)$

(10) $\dfrac{dy}{dx}=-\dfrac{2x+5y}{5x+2y}\ (\text{단},\ 5x+2y\neq0)$

풀이 (1) 양변을 x에 대하여 미분하면

$$\frac{d}{dx}(x^2)+\frac{d}{dx}(y^2)=\frac{d}{dx}(2)$$

$2x+2y\dfrac{dy}{dx}=0 \quad \therefore \dfrac{dy}{dx}=-\dfrac{x}{y}\ (\text{단},\ y\neq0)$

(2) 양변을 x에 대하여 미분하면

$$\frac{d}{dx}(x)\times y+x\times\frac{d}{dx}(y)=\frac{d}{dx}(4)$$

$y+x\dfrac{dy}{dx}=0 \quad \therefore \dfrac{dy}{dx}=-\dfrac{y}{x}\ (\text{단},\ x\neq0)$

(3) 양변을 x에 대하여 미분하면

$$\frac{d}{dx}(x)\times y^2+x\times\frac{d}{dx}(y^2)=\frac{d}{dx}(10)$$

$y^2+2xy\dfrac{dy}{dx}=0 \quad \therefore \dfrac{dy}{dx}=-\dfrac{y}{2x}\ (\text{단},\ x\neq0)$

(4) 양변을 x에 대하여 미분하면

$$\frac{d}{dx}(y^2)-\frac{d}{dx}(4x)=\frac{d}{dx}(0)$$

$2y\dfrac{dy}{dx}-4=0 \quad \therefore \dfrac{dy}{dx}=\dfrac{2}{y}\ (\text{단},\ y\neq0)$

(5) 양변을 x에 대하여 미분하면

$$\frac{d}{dx}(x^2)-\frac{d}{dx}(y^2)=\frac{d}{dx}(1)$$

$2x-2y\dfrac{dy}{dx}=0 \quad \therefore \dfrac{dy}{dx}=\dfrac{x}{y}\ (\text{단},\ y\neq0)$

(6) 양변을 x에 대하여 미분하면

$$\frac{d}{dx}(x^2)+\frac{d}{dx}(y)=\frac{d}{dx}(x)\times y+x\times\frac{d}{dx}(y)$$

$2x+\dfrac{dy}{dx}=y+x\dfrac{dy}{dx}$, $(x-1)\dfrac{dy}{dx}=2x-y$

$$\therefore \frac{dy}{dx}=\frac{2x-y}{x-1}\ (\text{단},\ x\neq1)$$

(7) 양변을 x에 대하여 미분하면

$$\frac{d}{dx}(x^2) - \frac{d}{dx}(x) \times y - x \times \frac{d}{dx}(y) + \frac{d}{dx}(y^2) = \frac{d}{dx}(3)$$

$$2x - y - x\frac{dy}{dx} + 2y\frac{dy}{dx} = 0, \ (x - 2y)\frac{dy}{dx} = 2x - y$$

$$\therefore \ \frac{dy}{dx} = \frac{2x-y}{x-2y} \ (단, \ x - 2y \neq 0)$$

(8) 양변을 x에 대하여 미분하면

$$\frac{d}{dx}(\sqrt{x}) + \frac{d}{dx}(\sqrt{y}) = \frac{d}{dx}(0)$$

$$\frac{1}{2\sqrt{x}} + \frac{1}{2\sqrt{y}}\frac{dy}{dx} = 0 \qquad \therefore \ \frac{dy}{dx} = -\frac{\sqrt{y}}{\sqrt{x}} \ (단, \ x \neq 0)$$

(9) 양변을 x에 대하여 미분하면

$$\frac{d}{dx}\left(\frac{x^2}{4}\right) + \frac{d}{dx}\left(\frac{y^2}{9}\right) = \frac{d}{dx}(1)$$

$$\frac{x}{2} + \frac{2}{9}y\frac{dy}{dx} = 0 \qquad \therefore \ \frac{dy}{dx} = -\frac{9x}{4y} \ (단, \ y \neq 0)$$

(10) 양변에 xy를 곱하면 $x^2 + y^2 = -5xy$

양변을 x에 대하여 미분하면

$$\frac{d}{dx}(x^2) + \frac{d}{dx}(y^2) = \frac{d}{dx}(-5xy)$$

$$2x + 2y\frac{dy}{dx} = -5y - 5x\frac{dy}{dx}$$

$$(5x + 2y)\frac{dy}{dx} = -(2x + 5y)$$

$$\therefore \ \frac{dy}{dx} = -\frac{2x+5y}{5x+2y} \ (단, \ 5x + 2y \neq 0)$$

20 답 **(1)** $\dfrac{dy}{dx} = \dfrac{1}{2\sqrt{x-1}} \ (단, \ x \geq 1)$

(2) $\dfrac{dy}{dx} = \dfrac{1}{3\sqrt[3]{x^2}} \ (단, \ x \neq 0)$

(3) $\dfrac{dy}{dx} = \dfrac{1}{2\sqrt[4]{(2x+3)^3}} \ \left(단, \ x \neq -\dfrac{3}{2}\right)$

(4) $\dfrac{dy}{dx} = -\dfrac{1}{6y} \ (단, \ y \neq 0)$

(5) $\dfrac{dy}{dx} = \dfrac{1}{3y^2-1} \ (단, \ 3y^2 - 1 \neq 0)$

(6) $\dfrac{dy}{dx} = -\dfrac{3}{x^2} \ (단, \ x \neq 0)$

(7) $\dfrac{dy}{dx} = \dfrac{\sqrt{2y}}{3y} \ (단, \ y \neq 0)$

풀이 **(1)** 주어진 식의 양변을 제곱하면

$$y^2 = x - 1 \qquad \therefore \ x = y^2 + 1$$

양변을 y에 대하여 미분하면 $\dfrac{dx}{dy} = 2y$

$$\therefore \ \frac{dy}{dx} = \frac{1}{\frac{dx}{dy}} = \frac{1}{2y} = \frac{1}{2\sqrt{x-1}} \ (단, \ x \geq 1)$$

(2) 주어진 식의 양변을 세제곱하면 $x = y^3$

양변을 y에 대하여 미분하면 $\dfrac{dx}{dy} = 3y^2$

$$\therefore \ \frac{dy}{dx} = \frac{1}{\frac{dx}{dy}} = \frac{1}{3y^2} = \frac{1}{3\sqrt[3]{x^2}} \ (단, \ x \neq 0)$$

(3) 주어진 식의 양변을 네제곱하면 $2x + 3 = y^4$

$$\therefore \ x = \frac{1}{2}y^4 - \frac{3}{2}$$

양변을 y에 대하여 미분하면 $\dfrac{dx}{dy} = 2y^3$

$$\therefore \ \frac{dy}{dx} = \frac{1}{\frac{dx}{dy}} = \frac{1}{2y^3} = \frac{1}{2\sqrt[4]{(2x+3)^3}} \ \left(단, \ x \neq -\frac{3}{2}\right)$$

(4) $x = -3y^2$의 양변을 y에 대하여 미분하면 $\dfrac{dx}{dy} = -6y$

$$\therefore \ \frac{dy}{dx} = \frac{1}{\frac{dx}{dy}} = -\frac{1}{6y} \ (단, \ y \neq 0)$$

(5) $x = y^3 - y + 4$의 양변을 y에 대하여 미분하면

$$\frac{dx}{dy} = 3y^2 - 1$$

$$\therefore \ \frac{dy}{dx} = \frac{1}{\frac{dx}{dy}} = \frac{1}{3y^2 - 1} \ (단, \ 3y^2 - 1 \neq 0)$$

(6) $x = \dfrac{3}{y+1}$의 양변을 y에 대하여 미분하면

$$\frac{dx}{dy} = -\frac{3 \times 1}{(y+1)^2} = -\frac{3}{(y+1)^2}$$

$$\therefore \ \frac{dy}{dx} = \frac{1}{\frac{dx}{dy}} = \frac{1}{-\dfrac{3}{(y+1)^2}} = -\frac{1}{3}(y+1)^2$$

$$= -\frac{1}{3}\left(\frac{3}{x}\right)^2 = -\frac{3}{x^2} \ (단, \ x \neq 0)$$

(7) $x = y\sqrt{2y}$의 양변을 y에 대하여 미분하면

$$\frac{dx}{dy} = \sqrt{2y} + y \times \frac{2}{2\sqrt{2y}} = \frac{3y}{\sqrt{2y}}$$

$$\therefore \ \frac{dy}{dx} = \frac{1}{\frac{dx}{dy}} = \frac{1}{\dfrac{3y}{\sqrt{2y}}} = \frac{\sqrt{2y}}{3y} \ (단, \ y \neq 0)$$

21 답 **(1)** $\dfrac{1}{12}$ **(2)** $\dfrac{1}{2}$ **(3)** $\dfrac{1}{8}$ **(4)** $\dfrac{1}{3}$ **(5)** 1

(6) $\sqrt{2}$ **(7)** $-\dfrac{2}{3}\sqrt{3}$ **(8)** $\dfrac{1}{2}$

풀이 **(1)** $f^{-1}(8) = k$라 하면 $f(k) = 8$에서 $k^3 = 8$

$$\therefore \ k = 2$$

따라서 $f^{-1}(8) = 2$이고 $f'(x) = 3x^2$이므로

$$(f^{-1})'(8) = \frac{1}{f'(f^{-1}(8))} = \frac{1}{f'(2)} = \frac{1}{3 \times 2^2} = \underline{\frac{1}{12}}$$

(2) $f^{-1}(1) = k$라 하면 $f(k) = 1$에서 $2k - 5 = 1$

$$\therefore \ k = 3$$

따라서 $f^{-1}(1) = 3$이고 $f'(x) = 2$이므로

$$(f^{-1})'(1) = \frac{1}{f'(f^{-1}(1))} = \frac{1}{f'(3)} = \frac{1}{2}$$

(3) $f^{-1}(9) = k$라 하면 $f(k) = 9$에서 $k^2 + 4k - 3 = 9$

$$k^2 + 4k - 12 = 0, \ (k-2)(k+6) = 0$$

$$\therefore \ k = 2 \ (\because \ k \geq -2)$$

따라서 $f^{-1}(9) = 2$이고 $f'(x) = 2x + 4$이므로

$$(f^{-1})'(9) = \frac{1}{f'(f^{-1}(9))} = \frac{1}{f'(2)} = \frac{1}{2 \times 2 + 4} = \frac{1}{8}$$

(4) $f^{-1}(0) = k$라 하면 $f(k) = 0$에서 $k^3 - 1 = 0$

$$k^3 = 1 \qquad \therefore \ k = 1$$

따라서 $f^{-1}(0) = 1$이고 $f'(x) = 3x^2$이므로

$$(f^{-1})'(0)=\frac{1}{f'(f^{-1}(0))}=\frac{1}{f'(1)}=\frac{1}{3\times 1^2}=\frac{1}{3}$$

(5) $f^{-1}(0)=k$라 하면 $f(k)=0$에서 $\dfrac{e^k-e^{-k}}{2}=0$

$e^k=e^{-k}$ $\therefore k=0$

따라서 $f^{-1}(0)=0$이고 $f'(x)=\dfrac{e^x+e^{-x}}{2}$이므로

$$(f^{-1})'(0)=\frac{1}{f'(f^{-1}(0))}=\frac{1}{f'(0)}=\frac{1}{\frac{e^0+e^0}{2}}=1$$

(6) $f^{-1}\left(\dfrac{\sqrt{2}}{2}\right)=k$라 하면 $f(k)=\dfrac{\sqrt{2}}{2}$에서

$$\sin k=\frac{\sqrt{2}}{2}$$

$$\therefore k=\frac{\pi}{4}\left(\because -\frac{\pi}{2}<k<\frac{\pi}{2}\right)$$

따라서 $f^{-1}\left(\dfrac{\sqrt{2}}{2}\right)=\dfrac{\pi}{4}$이고 $f'(x)=\cos x$이므로

$$(f^{-1})'\left(\frac{\sqrt{2}}{2}\right)=\frac{1}{f'\left(f^{-1}\left(\frac{\sqrt{2}}{2}\right)\right)}=\frac{1}{f'\left(\frac{\pi}{4}\right)}=\frac{1}{\cos\frac{\pi}{4}}=\sqrt{2}$$

(7) $f^{-1}\left(\dfrac{1}{2}\right)=k$라 하면 $f(k)=\dfrac{1}{2}$에서 $\cos k=\dfrac{1}{2}$

$$\therefore k=\frac{\pi}{3}\ (\because 0<k<\pi)$$

따라서 $f^{-1}\left(\dfrac{1}{2}\right)=\dfrac{\pi}{3}$이고 $f'(x)=-\sin x$이므로

$$(f^{-1})'\left(\frac{1}{2}\right)=\frac{1}{f'\left(f^{-1}\left(\frac{1}{2}\right)\right)}=\frac{1}{f'\left(\frac{\pi}{3}\right)}=\frac{1}{-\sin\frac{\pi}{3}}$$
$$=-\frac{2}{3}\sqrt{3}$$

(8) $f^{-1}(1)=k$라 하면 $f(k)=1$에서 $\tan k=1$

$$\therefore k=\frac{\pi}{4}\left(\because -\frac{\pi}{2}<k<\frac{\pi}{2}\right)$$

따라서 $f^{-1}(1)=\dfrac{\pi}{4}$이고 $f'(x)=\sec^2 x$이므로

$$(f^{-1})'(1)=\frac{1}{f'(f^{-1}(1))}=\frac{1}{f'\left(\frac{\pi}{4}\right)}=\frac{1}{\sec^2\frac{\pi}{4}}=\frac{1}{2}$$

22 답 (1) $y''=108(3x-1)^2$ (2) $y''=12x^2+6$

(3) $y''=\dfrac{8}{(2x+1)^3}$ (4) $y''=-\dfrac{1}{4\sqrt{(x-1)^3}}$

(5) $y''=9e^{-3x}$ (6) $y''=(x^2+4x+2)e^x$

(7) $y''=-\dfrac{1}{x^2}$ (8) $y''=-\dfrac{1}{x}-\dfrac{1}{x^2}$

(9) $y''=-\cos x$

풀이 (1) $y'=4(3x-1)^3\times(3x-1)'$
$$=4(3x-1)^3\times 3$$
$$=12(3x-1)^3$$

이므로
$$y''=12\times 3(3x-1)^2\times(3x-1)'$$
$$=36(3x-1)^2\times 3$$
$$=\underline{108(3x-1)^2}$$

(2) $y'=4x^3+6x$이므로 $y''=12x^2+6$

(3) $y'=-\dfrac{(2x+1)'}{(2x+1)^2}=-\dfrac{2}{(2x+1)^2}$이므로

$$y''=\frac{2\{(2x+1)^2\}'}{\{(2x+1)^2\}^2}=\frac{2\times 2(2x+1)(2x+1)'}{(2x+1)^4}$$
$$=\frac{8}{(2x+1)^3}$$

(4) $y=(x-1)^{\frac{1}{2}}$에서 $y'=\dfrac{1}{2}(x-1)^{-\frac{1}{2}}$이므로

$$y''=\frac{1}{2}\times\left(-\frac{1}{2}\right)(x-1)^{-\frac{3}{2}}=-\frac{1}{4\sqrt{(x-1)^3}}$$

(5) $y'=e^{-3x}\times(-3x)'=-3e^{-3x}$이므로
$$y''=-3e^{-3x}\times(-3x)'=9e^{-3x}$$

(6) $y'=2xe^x+x^2e^x$이므로
$$y''=2e^x+2xe^x+2xe^x+x^2e^x=(x^2+4x+2)e^x$$

(7) $y'=\dfrac{1}{x}$이므로 $y''=-\dfrac{1}{x^2}$

(8) $y'=-\ln x+(1-x)\times\dfrac{1}{x}=-\ln x-1+\dfrac{1}{x}$이므로
$$y''=-\frac{1}{x}-\frac{1}{x^2}$$

(9) $y'=-\sin x$이므로 $y''=-\cos x$

23 답 (1) -24 (2) 74 (3) $\dfrac{2}{27}$ (4) $e+\dfrac{1}{e}$ (5) -9

풀이 (1) $y'=-4\times 3x^2=-12x^2$이므로
$$y''=-12\times 2x=-24x$$
따라서 $x=1$에서의 이계도함수의 값은
$$-24\times 1=\underline{-24}$$

(2) $y'=28x^3-10x-2$이므로
$$y''=84x^2-10$$
따라서 $x=1$에서의 이계도함수의 값은
$$84-10=74$$

(3) $y'=\dfrac{-(x^2+2)'}{(x^2+2)^2}=\dfrac{-2x}{(x^2+2)^2}$이므로

$$y''=\frac{(-2x)'(x^2+2)^2-(-2x)\{(x^2+2)^2\}'}{(x^2+2)^4}$$
$$=\frac{-2(x^2+2)^2+2x\times 2(x^2+2)\times 2x}{(x^2+2)^4}$$
$$=\frac{-2(x^2+2)(x^2+2-4x^2)}{(x^2+2)^4}=\frac{2(3x^2-2)}{(x^2+2)^3}$$

따라서 $x=1$에서의 이계도함수의 값은
$$\frac{2\times 1}{(1+2)^3}=\frac{2}{27}$$

(4) $y'=e^x-e^{-x}$이므로 $y''=e^x+e^{-x}$
따라서 $x=1$에서의 이계도함수의 값은
$$e+e^{-1}=e+\frac{1}{e}$$

(5) $y'=\dfrac{(3x-2)'}{3x-2}=\dfrac{3}{3x-2}$이므로

$$y''=-\frac{3(3x-2)'}{(3x-2)^2}=-\frac{9}{(3x-2)^2}$$

따라서 $x=1$에서의 이계도함수의 값은
$$-\frac{9}{(3-2)^2}=-9$$

24 답 (1) 0 (2) −1 (3) 2 (4) 0

풀이 (1) $y'=(x^2)'\times\sin x+x^2\times(\sin x)'$
$\qquad =2x\sin x+x^2\cos x$

이므로

$y''=(2x)'\times\sin x+2x\times(\sin x)'$
$\qquad\qquad\qquad +(x^2)'\times\cos x+x^2\times(\cos x)'$
$\quad =2\sin x+2x\cos x+2x\cos x-x^2\sin x$
$\quad =(2-x^2)\sin x+4x\cos x$

따라서 $x=0$에서의 이계도함수의 값은

$2\sin 0+4\times 0\times\cos 0=\underline{0}$

(2) $y'=\cos x-\sin x$이므로 $y''=-\sin x-\cos x$

따라서 $x=0$에서의 이계도함수의 값은

$-\sin 0-\cos 0=-1$

(3) $y'=2\sin x(\sin x)'=2\sin x\cos x=\sin 2x$이므로

$y''=\cos 2x\times(2x)'=2\cos 2x$

따라서 $x=0$에서의 이계도함수의 값은

$2\cos 0=2$

(4) $y'=e^x\cos x+e^x\times(-\sin x)=e^x(\cos x-\sin x)$이므로

$y''=e^x(\cos x-\sin x)+e^x(-\sin x-\cos x)$
$\quad =-2e^x\sin x$

따라서 $x=0$에서의 이계도함수의 값은

$-2e^0\sin 0=0$

01 답 $a=-2,\ b=1$

풀이 $f'(x)=\dfrac{a(x^2+x+1)-(ax+b)(2x+1)}{(x^2+x+1)^2}$이므로

$f'(0)=-3$에서

$a-b=-3$ $\qquad\qquad\qquad\cdots\cdots$ ㉠

$f'(-1)=1$에서

$a+(-a+b)=b=1$

$b=1$을 ㉠에 대입하면

$a=-2$

02 답 −3

풀이 $\displaystyle\lim_{h\to 0}\dfrac{f(2h)-f(-h)}{h}$

$=\displaystyle\lim_{h\to 0}\dfrac{f(2h)-f(0)-f(-h)+f(0)}{h}$

$=\displaystyle\lim_{h\to 0}\dfrac{f(2h)-f(0)}{2h}\times 2+\lim_{h\to 0}\dfrac{f(-h)-f(0)}{-h}$

$=2f'(0)+f'(0)=3f'(0)$

이때 $f'(x)=-\dfrac{1}{(x+1)^2}$이므로

$3f'(0)=3\times(-1)=-3$

03 답 2

풀이 $f(x)=\cot x+\csc x$이므로

$f'(x)=-\csc^2 x-\csc x\cot x$

따라서 $x=\dfrac{\pi}{4}$에서의 접선의 기울기는

$f'\left(\dfrac{\pi}{4}\right)=-\csc^2\dfrac{\pi}{4}-\csc\dfrac{\pi}{4}\cot\dfrac{\pi}{4}$

$\qquad =-\dfrac{1}{\sin^2\dfrac{\pi}{4}}-\dfrac{1}{\sin\dfrac{\pi}{4}}\times\dfrac{1}{\tan\dfrac{\pi}{4}}$

$\qquad =-2-\dfrac{2}{\sqrt 2}\times 1$

$\qquad =-2-\sqrt 2$

따라서 $a=-2,\ b=-1$이므로 $ab=2$

04 답 $\dfrac{1}{2}$

풀이 $f'(x)=\dfrac{\sec^2 x(1+\sec x)-\tan x\times\sec x\tan x}{(1+\sec x)^2}$

$\qquad =\dfrac{\sec x(\sec x+\sec^2 x-\tan^2 x)}{(1+\sec x)^2}$

$\qquad =\dfrac{\sec x(\sec x+1)}{(1+\sec x)^2}\ (\because\ 1+\tan^2 x=\sec^2 x)$

$\qquad =\dfrac{\sec x}{1+\sec x}$

$\therefore\ f'(0)=\dfrac{1}{1+1}=\dfrac{1}{2}$

05 답 $-3\sqrt{3}$

풀이 $f'(x) = -3\sin 2x \times (2x)'$
$\qquad = -6\sin 2x$

$\therefore f'\left(\dfrac{\pi}{3}\right) = -6\sin\dfrac{2}{3}\pi$
$\qquad = -6 \times \dfrac{\sqrt{3}}{2}$
$\qquad = -3\sqrt{3}$

06 답 $-\dfrac{3}{2}$

풀이 $h(x) = (g \circ f)(x) = g(f(x))$에서
$h'(x) = g'(f(x))f'(x)$이므로
$h'(1) = g'(f(1))f'(1)$
$f(x) = x^2 - x + 2$에서 $f'(x) = 2x - 1$이므로
$f(1) = 1 - 1 + 2 = 2$, $f'(1) = 2 - 1 = 1$
$g(x) = \dfrac{x}{x^2 - 2}$에서
$g'(x) = \dfrac{(x)'(x^2-2) - x(x^2-2)'}{(x^2-2)^2}$
$\qquad = \dfrac{x^2 - 2 - x \times 2x}{(x^2-2)^2}$
$\qquad = \dfrac{-x^2 - 2}{(x^2-2)^2}$

이므로
$g'(f(1)) = g'(2)$
$\qquad = \dfrac{-4-2}{2^2} = -\dfrac{3}{2}$

$\therefore h'(1) = g'(f(1))f'(1)$
$\qquad = -\dfrac{3}{2} \times 1 = -\dfrac{3}{2}$

07 답 -2

풀이 $f'(x) = \dfrac{2x \times e^{2x} - (x^2+1) \times 2e^{2x}}{(e^{2x})^2}$
$\qquad = \dfrac{2e^{2x}(x - x^2 - 1)}{e^{4x}}$
$\qquad = \dfrac{2(x - x^2 - 1)}{e^{2x}}$

$\therefore f(1) - f'(1) = \dfrac{2}{e^2} - \dfrac{-2}{e^2}$
$\qquad = \dfrac{4}{e^2}$

따라서 $a = 2$, $b = 4$이므로
$a - b = -2$

08 답 1

풀이 $f(x) = \ln|ax + 4|$에서 $f'(x) = \dfrac{a}{ax+4}$

점 $(2, f(2))$에서의 접선의 기울기가 $\dfrac{1}{6}$이므로

$f'(2) = \dfrac{1}{6}$에서

$\dfrac{a}{2a+4} = \dfrac{1}{6}$, $6a = 2a + 4$

$4a = 4$ $\quad \therefore a = 1$

09 답 2

풀이 주어진 식의 양변에 자연로그를 취하면
$\ln y = \ln x^{\ln x} = (\ln x)^2$
위의 식의 양변을 x에 대하여 미분하면
$\dfrac{y'}{y} = 2\ln x \times \dfrac{1}{x} = \dfrac{2\ln x}{x}$

$\therefore y' = y \times \dfrac{2\ln x}{x} = x^{\ln x} \times \dfrac{2\ln x}{x}$

따라서 $x = e$에서의 미분계수는

$e \times \dfrac{2}{e} = 2$

10 답 $\dfrac{4}{3}$

풀이 $\dfrac{dx}{dt} = \dfrac{2 \times (1+t^2) - 2t \times 2t}{(1+t^2)^2} = \dfrac{-2t^2 + 2}{(1+t^2)^2}$

$\dfrac{dy}{dt} = \dfrac{-2t \times (1+t^2) - (1-t^2) \times 2t}{(1+t^2)^2} = \dfrac{-4t}{(1+t^2)^2}$

$\therefore \dfrac{dy}{dx} = \dfrac{\dfrac{-4t}{(1+t^2)^2}}{\dfrac{-2t^2+2}{(1+t^2)^2}} = \dfrac{-4t}{-2t^2+2} = \dfrac{2t}{t^2-1}$

따라서 $t = 2$에서의 $\dfrac{dy}{dx}$의 값은

$\dfrac{2 \times 2}{2^2 - 1} = \dfrac{4}{3}$

11 답 37

풀이 $x^3 - y^3 + axy + b = 0$의 양변을 x에 대하여 미분하면
$3x^2 - 3y^2 \dfrac{dy}{dx} + ay + ax\dfrac{dy}{dx} = 0$

$(3y^2 - ax)\dfrac{dy}{dx} = 3x^2 + ay$

$\therefore \dfrac{dy}{dx} = \dfrac{3x^2 + ay}{3y^2 - ax}$ (단, $3y^2 - ax \neq 0$)

$x = 0$, $y = 1$에서의 $\dfrac{dy}{dx}$의 값이 2이므로

$\dfrac{a}{3} = 2$ $\quad \therefore a = 6$

또, 주어진 곡선이 점 $(0, 1)$을 지나므로
$-1 + b = 0$ $\quad \therefore b = 1$

$\therefore a^2 + b^2 = 36 + 1 = 37$

12 답 $-\dfrac{1}{2}$

풀이 $x=\dfrac{2y}{y^2-1}$의 양변을 y에 대하여 미분하면

$$\dfrac{dx}{dy}=\dfrac{2(y^2-1)-2y\times 2y}{(y^2-1)^2}=-\dfrac{2(y^2+1)}{(y^2-1)^2}$$

$$\therefore \dfrac{dy}{dx}=\dfrac{1}{\dfrac{dx}{dy}}=-\dfrac{(y^2-1)^2}{2(y^2+1)}$$

따라서 $y=0$일 때의 접선의 기울기는

$$-\dfrac{1}{2\times 1}=-\dfrac{1}{2}$$

13 답 2

풀이 $f^{-1}\!\left(\dfrac{\sqrt{3}}{2}\right)=k$라 하면 $f(k)=\dfrac{\sqrt{3}}{2}$에서

$$\sin k=\dfrac{\sqrt{3}}{2}$$

$$\therefore k=\dfrac{\pi}{3}\ \left(\because -\dfrac{\pi}{2}<k<\dfrac{\pi}{2}\right)$$

따라서 $f^{-1}\!\left(\dfrac{\sqrt{3}}{2}\right)=\dfrac{\pi}{3}$이고, $f'(x)=\cos x$이므로

$$(f^{-1})'\!\left(\dfrac{\sqrt{3}}{2}\right)=\dfrac{1}{f'\!\left(f^{-1}\!\left(\dfrac{\sqrt{3}}{2}\right)\right)}=\dfrac{1}{f'\!\left(\dfrac{\pi}{3}\right)}$$

$$=\dfrac{1}{\cos\dfrac{\pi}{3}}=2$$

14 답 -2

풀이 $\displaystyle\lim_{x\to 1}\dfrac{f(x)-2}{x-1}=-\dfrac{1}{2}$에서 극한값이 존재하고

$x\to 1$일 때
(분모) $\to 0$이므로 (분자) $\to 0$이어야 한다.
즉, $\displaystyle\lim_{x\to 1}\{f(x)-2\}=0$이므로 $f(1)=2$

$$\therefore f^{-1}(2)=1$$

한편, $\displaystyle\lim_{x\to 1}\dfrac{f(x)-2}{x-1}=\lim_{x\to 1}\dfrac{f(x)-f(1)}{x-1}=-\dfrac{1}{2}$이므로

$$f'(1)=-\dfrac{1}{2}$$

$$\therefore (f^{-1})'(2)=\dfrac{1}{f'(f^{-1}(2))}=\dfrac{1}{f'(1)}=-2$$

15 답 0

풀이 $f(x)=(x+a)e^{bx}$에서

$$f'(x)=(x+a)'e^{bx}+(x+a)(e^{bx})'$$
$$=e^{bx}+(x+a)\times be^{bx}$$
$$=e^{bx}(bx+ab+1)$$
$$f''(x)=(e^{bx})'(bx+ab+1)+e^{bx}(bx+ab+1)'$$
$$=be^{bx}(bx+ab+1)+be^{bx}$$
$$=be^{bx}(bx+ab+2)$$

$f'(0)=-3$이므로

$$ab+1=-3$$

$$\therefore ab=-4 \qquad\qquad \cdots\cdots\ \text{㉠}$$

$f''(0)=-4$이므로

$$b(ab+2)=-4 \qquad\qquad \cdots\cdots\ \text{㉡}$$

㉠을 ㉡에 대입하면

$$b(-4+2)=-4 \qquad \therefore b=2$$

$b=2$를 ㉠에 대입하면 $a=-2$

$$\therefore a+b=0$$

16 답 2

풀이 $y=e^x\sin x$에서

$$y'=e^x\sin x+e^x\cos x=e^x(\sin x+\cos x)$$
$$y''=e^x(\sin x+\cos x)+e^x(\cos x-\sin x)$$
$$=2e^x\cos x$$

$y''-2y'+ay=0$에 $y,\ y',\ y''$을 대입하면

$$2e^x\cos x-2e^x(\sin x+\cos x)+ae^x\sin x=0$$

$$\therefore (a-2)e^x\sin x=0$$

이 등식이 모든 실수 x에 대하여 성립하므로

$$a-2=0$$

$$\therefore a=2$$

01 답 (1) $y=-\pi x+\pi^2$ (2) $y=\dfrac{1}{2}x+\dfrac{1}{2}$

     (3) $y=x+1$ (4) $y=x-1$

     (5) $y=1$ (6) $y=-x+3$

풀이 (1) $f(x)=x\sin x$로 놓으면

$$f'(x)=\sin x+x\cos x$$

이 곡선 위의 점 $(\pi,\,0)$에서의 접선의 기울기는

$$f'(\pi)=\sin \pi+\pi\cos \pi=-\pi$$

따라서 점 $(\pi,\,0)$을 지나고 기울기가 $-\pi$인 접선의 방정식은

$$y-0=-\pi(x-\pi) \quad \therefore \underline{y=-\pi x+\pi^2}$$

(2) $f(x)=\sqrt{x}$로 놓으면

$$f'(x)=\dfrac{1}{2\sqrt{x}}$$

이 곡선 위의 점 $(1,\,1)$에서의 접선의 기울기는

$$f'(1)=\dfrac{1}{2}$$

따라서 점 $(1,\,1)$을 지나고 기울기가 $\dfrac{1}{2}$인 접선의 방정식은

$$y-1=\dfrac{1}{2}(x-1) \quad \therefore y=\dfrac{1}{2}x+\dfrac{1}{2}$$

(3) $f(x)=e^x$으로 놓으면 $f'(x)=e^x$

이 곡선 위의 점 $(0,\,1)$에서의 접선의 기울기는

$$f'(0)=e^0=1$$

따라서 점 $(0,\,1)$을 지나고 기울기가 1인 접선의 방정식은

$$y-1=x \quad \therefore y=x+1$$

(4) $f(x)=\ln x$로 놓으면

$$f'(x)=\dfrac{1}{x}$$

이 곡선 위의 점 $(1,\,0)$에서의 접선의 기울기는

$$f'(1)=1$$

따라서 점 $(1,\,0)$을 지나고 기울기가 1인 접선의 방정식은

$$y-0=x-1 \quad \therefore y=x-1$$

(5) $f(x)=\cos x$로 놓으면

$$f'(x)=-\sin x$$

이 곡선 위의 점 $(0,\,1)$에서의 접선의 기울기는

$$f'(0)=0$$

따라서 점 $(0,\,1)$을 지나고 기울기가 0인 접선의 방정식은

$$y-1=0\times(x-0) \quad \therefore y=1$$

(6) $f(x)=\dfrac{1}{x-1}$로 놓으면

$$f'(x)=-\dfrac{1}{(x-1)^2}$$

이 곡선 위의 점 $(2,\,1)$에서의 접선의 기울기는

$$f'(2)=-1$$

따라서 점 $(2,\,1)$을 지나고 기울기가 -1인 접선의 방정식은

$$y-1=-(x-2) \quad \therefore y=-x+3$$

02 답 (1) $y=\dfrac{1}{2}x$ (2) $y=3x-1$ (3) $y=-2x+\pi$

     (4) $y=x-1$ (5) $y=2x-e$ (6) $y=\dfrac{1}{4}x+1$

풀이 (1) $f(x)=\sqrt{x-1}$로 놓으면

$$f'(x)=\dfrac{1}{2\sqrt{x-1}}$$

접점의 좌표를 $(a,\,\sqrt{a-1})$로 놓으면 접선의 기울기가 $\dfrac{1}{2}$이므로

$$f'(a)=\dfrac{1}{2\sqrt{a-1}}=\dfrac{1}{2}$$

$$\sqrt{a-1}=1,\ a-1=1 \quad \therefore a=\underline{2}$$

따라서 기울기가 $\dfrac{1}{2}$이고 점 $\underline{(2,\,1)}$을 지나는 접선의 방정식은

$$y-1=\dfrac{1}{2}(x-2) \quad \therefore y=\dfrac{1}{2}x$$

(2) $f(x)=\ln 3x=\ln x+\ln 3$으로 놓으면

$$f'(x)=\dfrac{1}{x}$$

접점의 좌표를 $(a,\,\ln 3a)$로 놓으면 접선의 기울기가 3이므로

$$f'(a)=\dfrac{1}{a}=3 \quad \therefore a=\dfrac{1}{3}$$

따라서 기울기가 3이고 점 $\left(\dfrac{1}{3},\,0\right)$을 지나는 접선의 방정식은

$$y-0=3\left(x-\dfrac{1}{3}\right) \quad \therefore y=3x-1$$

(3) $f(x)=\sin 2x$로 놓으면

$$f'(x)=2\cos 2x$$

접점의 좌표를 $(a,\,\sin 2a)$로 놓으면 접선의 기울기가 -2이므로

$$f'(a)=2\cos 2a=-2$$

$$\cos 2a=-1,\ 2a=\pi\ (\because 0\leq 2a\leq\pi)$$

$$\therefore a=\dfrac{\pi}{2}$$

따라서 기울기가 -2이고 점 $\left(\dfrac{\pi}{2},\,0\right)$을 지나는 접선의 방정식은

$$y-0=-2\left(x-\dfrac{\pi}{2}\right) \quad \therefore y=-2x+\pi$$

(4) $f(x)=e^{x-1}-1$로 놓으면

$$f'(x)=e^{x-1}$$

구하는 접선이 직선 $y=x-2$에 평행하므로 접선의 기울기는 1이다.

접점의 좌표를 $(a,\,e^{a-1}-1)$로 놓으면 접선의 기울기가 1이므로

$$f'(a)=e^{a-1}=1,\ a-1=0 \quad \therefore a=1$$

따라서 기울기가 1이고 점 $(1,\,0)$을 지나는 접선의 방정식은

$$y-0=x-1 \quad \therefore y=x-1$$

(5) $f(x)=x\ln x$로 놓으면

    $f'(x)=\ln x+1$

구하는 접선이 직선 $y=2x$에 평행하므로 접선의 기울기는 2이다.

접점의 좌표를 $(a,\ a\ln a)$로 놓으면 접선의 기울기가 2이므로

    $f'(a)=\ln a+1=2,\ \ln a=1$ $\therefore\ a=e$

따라서 기울기가 2이고 점 $(e,\ e)$를 지나는 접선의 방정식은

    $y-e=2(x-e)$ $\therefore\ y=2x-e$

(6) $f(x)=\sqrt{x}$로 놓으면

    $f'(x)=\dfrac{1}{2\sqrt{x}}$

구하는 접선이 직선 $y=-4x+3$에 수직이므로 접선의 기울기는 $\dfrac{1}{4}$이다.

접점의 좌표를 $(a,\ \sqrt{a})$로 놓으면 접선의 기울기가 $\dfrac{1}{4}$이므로

    $f'(a)=\dfrac{1}{2\sqrt{a}}=\dfrac{1}{4},\ \sqrt{a}=2$ $\therefore\ a=4$

따라서 기울기가 $\dfrac{1}{4}$이고 점 $(4,\ 2)$를 지나는 접선의 방정식은

    $y-2=\dfrac{1}{4}(x-4)$ $\therefore\ y=\dfrac{1}{4}x+1$

03 답 (1) $y=x-1$ (2) $y=-x+2$ (3) $y=\dfrac{1}{2}x+\dfrac{1}{2}$

    (4) $y=-ex$ (5) $y=\dfrac{1}{e^2}x+1$

풀이 (1) $f(x)=x\ln x$로 놓으면 $f'(x)=\ln x+1$

접점의 좌표를 $(a,\ a\ln a)$라 하면 이 점에서의 접선의 기울기는 $f'(a)=\ln a+1$이므로 접선의 방정식은

    $y-a\ln a=(\ln a+1)(x-a)$ ······ ㉠

직선 ㉠이 점 $(0,\ -1)$을 지나므로

    $-1-a\ln a=-a(\ln a+1)$

    $\therefore\ a=\underline{1}$

$a=1$을 ㉠에 대입하면 구하는 접선의 방정식은

    $y-0=1\times(x-1)$ $\therefore\ y=\underline{x-1}$

(2) $f(x)=\dfrac{1}{x}$로 놓으면 $f'(x)=-\dfrac{1}{x^2}$

접점의 좌표를 $\left(a,\ \dfrac{1}{a}\right)$이라 하면 이 점에서의 접선의 기울기는 $f'(a)=-\dfrac{1}{a^2}$이므로 접선의 방정식은

    $y-\dfrac{1}{a}=-\dfrac{1}{a^2}(x-a)$ ······ ㉠

직선 ㉠이 점 $(2,\ 0)$을 지나므로

    $-\dfrac{1}{a}=-\dfrac{1}{a^2}(2-a)$

    $-a=-2+a,\ 2a=2$

    $\therefore\ a=1$

$a=1$을 ㉠에 대입하면 구하는 접선의 방정식은

    $y-1=-(x-1)$ $\therefore\ y=-x+2$

(3) $f(x)=\sqrt{x}$로 놓으면 $f'(x)=\dfrac{1}{2\sqrt{x}}$

접점의 좌표를 $(a,\ \sqrt{a})$라 하면 이 점에서의 접선의 기울기는 $f'(a)=\dfrac{1}{2\sqrt{a}}$이므로 접선의 방정식은

    $y-\sqrt{a}=\dfrac{1}{2\sqrt{a}}(x-a)$ ······ ㉠

직선 ㉠이 점 $(-1,\ 0)$을 지나므로

    $0-\sqrt{a}=\dfrac{1}{2\sqrt{a}}(-1-a)$

    $-2a=-1-a$

    $\therefore\ a=1$

$a=1$을 ㉠에 대입하면 구하는 접선의 방정식은

    $y-1=\dfrac{1}{2}(x-1)$ $\therefore\ y=\dfrac{1}{2}x+\dfrac{1}{2}$

(4) $f(x)=e^{-x}$으로 놓으면 $f'(x)=-e^{-x}$

접점의 좌표를 $(a,\ e^{-a})$이라 하면 이 점에서의 접선의 기울기는 $f'(a)=-e^{-a}$이므로 접선의 방정식은

    $y-e^{-a}=-e^{-a}(x-a)$ ······ ㉠

직선 ㉠이 점 $(0,\ 0)$을 지나므로

    $-e^{-a}=ae^{-a}$ $\therefore\ a=-1\ (\because\ e^{-a}>0)$

$a=-1$을 ㉠에 대입하면 구하는 접선의 방정식은

    $y-e=-e(x+1)$ $\therefore\ y=-ex$

(5) $f(x)=\ln x$로 놓으면 $f'(x)=\dfrac{1}{x}$

접점의 좌표를 $(a,\ \ln a)$라 하면 이 점에서의 접선의 기울기는 $f'(a)=\dfrac{1}{a}$이므로 접선의 방정식은

    $y-\ln a=\dfrac{1}{a}(x-a)$ ······ ㉠

직선 ㉠이 점 $(0,\ 1)$을 지나므로

    $1-\ln a=-1,\ \ln a=2$

    $\therefore\ a=e^2$

$a=e^2$을 ㉠에 대입하면 구하는 접선의 방정식은

    $y-2=\dfrac{1}{e^2}(x-e^2)$ $\therefore\ y=\dfrac{1}{e^2}x+1$

04 답 (1) $\dfrac{5}{4}$ (2) $\dfrac{1}{2e}$ (3) $-\dfrac{1}{e}$ (4) -1 (5) 2

풀이 (1) $f(x)=a-\cos^2 x,\ g(x)=\sin x$로 놓으면

    $f'(x)=2\sin x\cos x,\ g'(x)=\cos x$

두 곡선의 접점의 x좌표를 t라 하면

    $f(t)=g(t)$에서 $a-\cos^2 t=\sin t$ ······ ㉠

    $f'(t)=g'(t)$에서 $2\sin t\cos t=\cos t$

    $\cos t(2\sin t-1)=0$

    $\therefore\ \sin t=\dfrac{1}{2}\left(\because\ 0<x<\dfrac{\pi}{2}\right)$ ······ ㉡

㉠에서 $a-(\underline{1-\sin^2 t})=\sin t$이므로

㉡을 대입하면 $a-\left\{1-\left(\dfrac{1}{2}\right)^2\right\}=\dfrac{1}{2}$

    $\therefore\ a=\dfrac{5}{4}$

(2) $f(x)=ax^2$, $g(x)=\ln x$로 놓으면

$$f'(x)=2ax,\ g'(x)=\frac{1}{x}$$

두 곡선의 접점의 x좌표를 t라 하면

$f(t)=g(t)$에서 $at^2=\ln t$ ...... ㉠

$f'(t)=g'(t)$에서 $2at=\frac{1}{t}$

$$\therefore at^2=\frac{1}{2} \quad\cdots\cdots ㉡$$

㉡을 ㉠에 대입하면 $\ln t=\frac{1}{2}$ $\therefore t=\sqrt{e}$

$t=\sqrt{e}$를 ㉠에 대입하면 $ae=\frac{1}{2}$ $\therefore a=\frac{1}{2e}$

(3) $f(x)=\dfrac{a}{x}$, $g(x)=\ln x$로 놓으면

$$f'(x)=-\frac{a}{x^2},\ g'(x)=\frac{1}{x}$$

두 곡선의 접점의 x좌표를 $t\,(t>0)$라 하면

$f(t)=g(t)$에서 $\dfrac{a}{t}=\ln t$ ...... ㉠

$f'(t)=g'(t)$에서 $-\dfrac{a}{t^2}=\dfrac{1}{t}$

$$\therefore \frac{a}{t}=-1\ (\because t>0) \quad\cdots\cdots ㉡$$

㉡을 ㉠에 대입하면 $\ln t=-1$

$$\therefore t=\frac{1}{e}$$

㉠에서 $a=t\ln t$이므로 $t=\dfrac{1}{e}$을 대입하면

$$a=\frac{1}{e}\ln\frac{1}{e}=-\frac{1}{e}$$

(4) $f(x)=e^{x+a}$, $g(x)=\sqrt{2x-1}$로 놓으면

$$f'(x)=e^{x+a},\ g'(x)=\frac{1}{\sqrt{2x-1}}$$

두 곡선의 접점의 x좌표를 t라 하면

$f(t)=g(t)$에서 $e^{t+a}=\sqrt{2t-1}$ ...... ㉠

$f'(t)=g'(t)$에서 $e^{t+a}=\dfrac{1}{\sqrt{2t-1}}$ ...... ㉡

㉡을 ㉠에 대입하면 $\dfrac{1}{\sqrt{2t-1}}=\sqrt{2t-1}$

$2t-1=1$ $\therefore t=1$

$t=1$을 ㉠에 대입하면

$e^{1+a}=1$, $1+a=0$ $\therefore a=-1$

(5) $f(x)=\sin^2 x$, $g(x)=a-\sin x$로 놓으면

$$f'(x)=2\sin x\cos x,\ g'(x)=-\cos x$$

두 곡선의 접점의 x좌표를 t라 하면

$f(t)=g(t)$에서 $\sin^2 t=a-\sin t$ ...... ㉠

$f'(t)=g'(t)$에서 $2\sin t\cos t=-\cos t$

$\cos t(2\sin t+1)=0$, $\cos t=0\ (\because 0<x<\pi)$

$$\therefore t=\frac{\pi}{2}$$

$\dfrac{\pi}{2}$를 ㉠에 대입하면 $a-1=1$

$$\therefore a=2$$

---

05 **답** (1) $x<-1$에서 감소, $x>-1$에서 증가

(2) $0<x<\dfrac{2}{3}\pi$ 또는 $\dfrac{4}{3}\pi<x<2\pi$에서 증가,

$\dfrac{2}{3}\pi<x<\dfrac{4}{3}\pi$에서 감소

풀이 **(1)** $f'(x)=e^x+xe^x=(1+x)e^x$

$f'(x)=0$에서 $x=-1$

함수 $f(x)$의 증가와 감소를 표로 나타내면 다음과 같다.

x	$\cdots$	-1	$\cdots$
$f'(x)$	$-$	0	$+$
$f(x)$	$\searrow$	$-\dfrac{1}{e}$	$\nearrow$

따라서 함수 $f(x)$는 $x<-1$에서 감소하고, $x>-1$에서 증가한다.

(2) $f(x)=x+2\sin x$에서 $f'(x)=1+2\cos x$

$f'(x)=0$에서 $2\cos x=-1$, $\cos x=-\dfrac{1}{2}$

$$\therefore x=\frac{2}{3}\pi\ 또는\ x=\frac{4}{3}\pi\ (\because 0<x<2\pi)$$

함수 $f(x)$의 증가와 감소를 표로 나타내면 다음과 같다.

x	(0)	$\cdots$	$\dfrac{2}{3}\pi$	$\cdots$	$\dfrac{4}{3}\pi$	$\cdots$	(2π)
$f'(x)$		$+$	0	$-$	0	$+$	
$f(x)$		$\nearrow$	$\dfrac{2}{3}\pi+\sqrt{3}$	$\searrow$	$\dfrac{4}{3}\pi-\sqrt{3}$	$\nearrow$	

따라서 함수 $f(x)$는 $0<x<\dfrac{2}{3}\pi$ 또는 $\dfrac{4}{3}\pi<x<2\pi$에서 증가하고, $\dfrac{2}{3}\pi<x<\dfrac{4}{3}\pi$에서 감소한다.

---

06 **답** (1) $-2\sqrt{2}\le a\le 2\sqrt{2}$ (2) $-\sqrt{2}\le a\le\sqrt{2}$ (3) $a\ge 1$

풀이 **(1)** $f'(x)=(2x+a)e^x+(x^2+ax+3)e^x$
$$=e^x\{x^2+(a+2)x+a+3\}$$

함수 $f(x)$가 모든 실수 x에서 증가하려면 $f'(x)\ge 0$이어야 하므로

$x^2+(a+2)x+a+3\ge 0\ (\because e^x>0)$

위의 이차부등식이 모든 실수 x에 대하여 성립해야 하므로 이차방정식 $x^2+(a+2)x+a+3=0$의 판별식을 D라 하면

$D=(a+2)^2-4(a+3)\le 0$

$a^2-8\le 0$, $(a+2\sqrt{2})(a-2\sqrt{2})\le 0$

$$\therefore -2\sqrt{2}\le a\le 2\sqrt{2}$$

(2) $f(x)=(x+a)e^{x^2}$에서

$f'(x)=e^{x^2}+2x(x+a)e^{x^2}=(2x^2+2ax+1)e^{x^2}$

함수 $f(x)$가 모든 실수 x에서 증가하려면 $f'(x)\ge 0$이어야 하므로

$2x^2+2ax+1\ge 0\ (\because e^{x^2}>0)$

위의 이차부등식이 모든 실수 x에 대하여 성립해야 하므로 이차방정식 $2x^2+2ax+1=0$의 판별식을 D라 하면

$\dfrac{D}{4}=a^2-2\le 0$, $(a+\sqrt{2})(a-\sqrt{2})\le 0$

$$\therefore -\sqrt{2}\le a\le\sqrt{2}$$

(3) $f(x)=x-\ln(x^2+a)$에서

$$f'(x)=1-\dfrac{2x}{x^2+a}=\dfrac{x^2-2x+a}{x^2+a}$$

함수 $f(x)$가 모든 실수 x에서 증가하려면 $f'(x)\geq0$이어야 하므로

$x^2-2x+a\geq0$ $(\because x^2+a>0)$

위의 이차부등식이 모든 실수 x에 대하여 성립해야 하므로 이차방정식 $x^2-2x+a=0$의 판별식을 D라 하면

$\dfrac{D}{4}=1-a\leq0$ $\therefore a\geq1$

07 답 (1) $a\geq\dfrac{1}{4}$ (2) $-2\leq a\leq2$ (3) $a\leq-\dfrac{\sqrt{3}}{3}$

풀이 (1) $f'(x)=\dfrac{2x}{x^2+a}-2=\dfrac{2x-2(x^2+a)}{x^2+a}$

$\qquad\quad=\dfrac{-2(x^2-x+a)}{x^2+a}$

함수 $f(x)$가 모든 실수 x에서 감소하려면 $f'(x)\leq0$이어야 하므로

$-2(x^2-x+a)\leq0$ $(\because x^2+a>0)$

$\therefore x^2-x+a\geq0$

위의 이차부등식이 모든 실수 x에 대하여 성립해야 하므로 이차방정식 $x^2-x+a=0$의 판별식을 D라 하면

$D=1-4a\leq0$

$\therefore a\geq\dfrac{1}{4}$

(2) $f(x)=(x^2+ax+2)e^{-x}$에서

$f'(x)=(2x+a)e^{-x}-(x^2+ax+2)e^{-x}$

$\qquad\quad=e^{-x}\{-x^2+(2-a)x+a-2\}$

함수 $f(x)$가 모든 실수 x에서 감소하려면 $f'(x)\leq0$이어야 하므로

$-x^2+(2-a)x+a-2\leq0$ $(\because e^{-x}>0)$

위의 이차부등식이 모든 실수 x에 대하여 성립해야 하므로 이차방정식 $-x^2+(2-a)x+a-2=0$의 판별식을 D라 하면

$D=(2-a)^2+4(a-2)\leq0$

$a^2-4\leq0$, $(a+2)(a-2)\leq0$

$\therefore -2\leq a\leq2$

(3) $f(x)=ax+\ln(x^2+3)$에서

$f'(x)=a+\dfrac{2x}{x^2+3}=\dfrac{ax^2+2x+3a}{x^2+3}$

함수 $f(x)$가 모든 실수 x에서 감소하려면 $f'(x)\leq0$이어야 하므로

$ax^2+2x+3a\leq0$ $(\because x^2+3>0)$

(i) $a=0$일 때,

$\quad ax^2+2x+3a\leq0$에서 $2x\leq0$

$\quad$부등식 $2x\leq0$은 $x>0$일 때는 성립하지 않는다.

(ii) $a\neq0$일 때,

$\quad$이차부등식 $ax^2+2x+3a\leq0$이 모든 실수 x에 대하여 성립해야 하므로

$\quad a<0$ $\qquad\qquad\qquad\qquad\cdots\cdots\ ㉠$

이차방정식 $ax^2+2x+3a=0$의 판별식을 D라 하면

$\dfrac{D}{4}=1-3a^2\leq0$, $3a^2\geq1$

$\therefore a\leq-\dfrac{\sqrt{3}}{3}$ 또는 $a\geq\dfrac{\sqrt{3}}{3}$ $\qquad\cdots\cdots\ ㉡$

㉠, ㉡의 공통 범위를 구하면 $a\leq-\dfrac{\sqrt{3}}{3}$

(i), (ii)에 의하여 $a\leq-\dfrac{\sqrt{3}}{3}$

08 답 (1) 극댓값: -2, 극솟값: 2

(2) 극댓값: $\dfrac{1}{2}$, 극솟값: $-\dfrac{1}{2}$

(3) 극댓값: 없다., 극솟값: 1

(4) 극댓값: -1, 극솟값: 없다.

(5) 극댓값: 없다., 극솟값: $-\dfrac{1}{e}$

(6) 극댓값: 없다., 극솟값: 0

풀이 (1) $x\neq0$일 때

$f'(x)=1-\dfrac{1}{x^2}=\dfrac{x^2-1}{x^2}=\dfrac{(x+1)(x-1)}{x^2}$

$f'(x)=0$에서 $x=-1$ 또는 $x=1$

함수 $f(x)$의 증가와 감소를 표로 나타내면 다음과 같다.

x	$\cdots$	-1	$\cdots$	(0)	$\cdots$	1	$\cdots$
$f'(x)$	$+$	0	$-$		$-$	0	$+$
$f(x)$	↗	극대	↘		↘	극소	↗

따라서 함수 $f(x)$는 $x=-1$에서 극대이고 극댓값 $f(-1)=-2$, $x=1$에서 극소이고 극솟값은 $f(1)=2$이다.

(2) $f(x)=\dfrac{x}{x^2+1}$에서

$f'(x)=\dfrac{1\times(x^2+1)-x\times2x}{(x^2+1)^2}=\dfrac{-x^2+1}{(x^2+1)^2}$

$\qquad\quad=\dfrac{-(x+1)(x-1)}{(x^2+1)^2}$

$f'(x)=0$에서 $x=-1$ 또는 $x=1$

함수 $f(x)$의 증가와 감소를 표로 나타내면 다음과 같다.

x	$\cdots$	-1	$\cdots$	1	$\cdots$
$f'(x)$	$-$	0	$+$	0	$-$
$f(x)$	↘	극소	↗	극대	↘

따라서 함수 $f(x)$는

$x=1$에서 극대이고 극댓값 $f(1)=\dfrac{1}{2}$,

$x=-1$에서 극소이고 극솟값은 $f(-1)=-\dfrac{1}{2}$이다.

(3) $f(x)=\sqrt{x^2+2x+2}$에서

$f'(x)=\dfrac{2x+2}{2\sqrt{x^2+2x+2}}=\dfrac{x+1}{\sqrt{x^2+2x+2}}$

$f'(x)=0$에서 $x=-1$

함수 $f(x)$의 증가와 감소를 표로 나타내면 다음과 같다.

x	$\cdots$	-1	$\cdots$
$f'(x)$	$-$	0	$+$
$f(x)$	↘	극소	↗

따라서 함수 $f(x)$는 $x=-1$에서 극소이고 극솟값은
$f(-1)=1$, 극댓값은 없다.

(4) $f(x)=x-e^x$에서 $f'(x)=1-e^x$

$f'(x)=0$에서 $e^x=1$　∴ $x=0$

함수 $f(x)$의 증가와 감소를 표로 나타내면 다음과 같다.

x	$\cdots$	0	$\cdots$
$f'(x)$	$+$	0	$-$
$f(x)$	↗	극대	↘

따라서 함수 $f(x)$는 $x=0$에서 극대이고 극댓값은
$f(0)=-1$, 극솟값은 없다.

(5) $f(x)=x\ln x$에서

$f'(x)=\ln x+x\times\dfrac{1}{x}=\ln x+1$

$f'(x)=0$에서 $\ln x=-1$　∴ $x=\dfrac{1}{e}$

$x>0$에서 함수 $f(x)$의 증가와 감소를 표로 나타내면 다음과 같다.

x	(0)	$\cdots$	$\dfrac{1}{e}$	$\cdots$
$f'(x)$		$-$	0	$+$
$f(x)$		↘	극소	↗

따라서 함수 $f(x)$는 $x=\dfrac{1}{e}$에서 극소이고 극솟값은

$f\left(\dfrac{1}{e}\right)=-\dfrac{1}{e}$, 극댓값은 없다.

(6) $f(x)=1-\cos x$에서 $f'(x)=\sin x$

$f'(x)=0$에서 $x=0\ (\because\ -\pi<x<\pi)$

함수 $f(x)$의 증가와 감소를 표로 나타내면 다음과 같다.

x	$(-\pi)$	$\cdots$	0	$\cdots$	(π)
$f'(x)$		$-$	0	$+$	
$f(x)$		↘	극소	↗	

따라서 함수 $f(x)$는 $x=0$에서 극소이고 극솟값은
$f(0)=0$, 극댓값은 없다.

09 답 (1) 극댓값: $(2+2\sqrt{2})e^{-\sqrt{2}}$, 극솟값: $(2-2\sqrt{2})e^{\sqrt{2}}$

(2) 극댓값: 없다., 극솟값: -1

(3) 극댓값: 없다., 극솟값: $\dfrac{1}{2}(1+\ln 2)$

(4) 극댓값: 2, 극솟값: -2

풀이 (1) $f'(x)=(2x+2)e^{-x}-(x^2+2x)e^{-x}=(2-x^2)e^{-x}$

$f'(x)=0$에서 $x=-\sqrt{2}$ 또는 $x=\sqrt{2}$

$f''(x)=-2xe^{-x}-(2-x^2)e^{-x}=(x^2-2x-2)e^{-x}$

이므로

$f''(-\sqrt{2})=(2+2\sqrt{2}-2)e^{\sqrt{2}}=2\sqrt{2}e^{\sqrt{2}}>0$,

$f''(\sqrt{2})=(2-2\sqrt{2}-2)e^{-\sqrt{2}}=-2\sqrt{2}e^{-\sqrt{2}}<0$

따라서 함수 $f(x)$는 $x=\sqrt{2}$에서 극대이고 극댓값은

$f(\sqrt{2})=(2+2\sqrt{2})e^{-\sqrt{2}}$,

$x=-\sqrt{2}$에서 극소이고 극솟값은

$f(-\sqrt{2})=(2-2\sqrt{2})e^{\sqrt{2}}$이다.

(2) $f(x)=xe^{x+1}$에서

$f'(x)=e^{x+1}+xe^{x+1}=(x+1)e^{x+1}$

$f'(x)=0$에서 $x=-1\ (\because\ e^{x+1}>0)$

$f''(x)=e^{x+1}+(x+1)e^{x+1}=(x+2)e^{x+1}$이므로

$f''(-1)=1\times e^0=1>0$

따라서 함수 $f(x)$는 $x=-1$에서 극소이고 극솟값은
$f(-1)=-e^0=-1$, 극댓값은 없다.

(3) $f(x)=x^2-\ln x$에서

$f'(x)=2x-\dfrac{1}{x}=\dfrac{2x^2-1}{x}$

$f'(x)=0$에서 $2x^2-1=0$, $x^2=\dfrac{1}{2}$

∴ $x=\dfrac{\sqrt{2}}{2}\ (\because\ x>0)$

$f''(x)=\dfrac{4x\times x-(2x^2-1)}{x^2}=\dfrac{2x^2+1}{x^2}$이므로

$f''\left(\dfrac{\sqrt{2}}{2}\right)=\dfrac{2}{\frac{1}{2}}=4>0$

따라서 함수 $f(x)$는 $x=\dfrac{\sqrt{2}}{2}$에서 극소이고 극솟값은

$f\left(\dfrac{\sqrt{2}}{2}\right)=\left(\dfrac{\sqrt{2}}{2}\right)^2-\ln\dfrac{\sqrt{2}}{2}=\dfrac{1}{2}+\dfrac{1}{2}\ln 2=\dfrac{1}{2}(1+\ln 2)$,

극댓값은 없다.

(4) $f(x)=\sin x-\sqrt{3}\cos x$에서 $f'(x)=\cos x+\sqrt{3}\sin x$

$f'(x)=0$에서 $\cos x=-\sqrt{3}\sin x$

$\tan x=-\dfrac{1}{\sqrt{3}}$

∴ $x=\dfrac{5}{6}\pi$ 또는 $x=\dfrac{11}{6}\pi\ (\because\ 0<x<2\pi)$

$f''(x)=-\sin x+\sqrt{3}\cos x$이므로

$f''\left(\dfrac{5}{6}\pi\right)=-\sin\dfrac{5}{6}\pi+\sqrt{3}\cos\dfrac{5}{6}\pi=-2<0$,

$f''\left(\dfrac{11}{6}\pi\right)=-\sin\dfrac{11}{6}\pi+\sqrt{3}\cos\dfrac{11}{6}\pi=2>0$

따라서 함수 $f(x)$는 $x=\dfrac{5}{6}\pi$에서 극대이고 극댓값은

$f\left(\dfrac{5}{6}\pi\right)=\sin\dfrac{5}{6}\pi-\sqrt{3}\cos\dfrac{5}{6}\pi=2$,

$x=\dfrac{11}{6}\pi$에서 극소이고 극솟값은

$f\left(\dfrac{11}{6}\pi\right)=\sin\dfrac{11}{6}\pi-\sqrt{3}\cos\dfrac{11}{6}\pi=-2$

10 답 (1) $a<2$　(2) $a<0$　(3) $0<a<\dfrac{1}{4}$　(4) $a<\dfrac{5}{4}$

풀이 (1) $f'(x)=(2x+2)e^x+(x^2+2x+a)e^x$

$\qquad\quad =(x^2+4x+a+2)e^x$

$f'(x)=0$에서 $x^2+4x+a+2=0\ (\because\ e^x>0)$ …… ㉠

함수 $f(x)$가 극댓값과 극솟값을 모두 가지려면 이차방
정식 ㉠이 서로 다른 두 실근을 가져야 하므로 ㉠의 판별
식을 D라 하면

$\dfrac{D}{4}=2^2-(a+2)>0$　∴ $\underline{a<2}$

(2) $f(x)=\dfrac{a}{x}-x$에서 $f'(x)=-\dfrac{a}{x^2}-1=-\dfrac{x^2+a}{x^2}$

$f'(x)=0$에서 $x^2+a=0$ $(\because\ x\neq0)$ ...... ㉠

함수 $f(x)$가 극댓값과 극솟값을 모두 가지려면 이차방정식 ㉠이 서로 다른 두 실근을 가져야 하므로 ㉠의 판별식을 D라 하면

$\dfrac{D}{4}=0^2-a>0$ $\therefore\ a<0$

(3) $f(x)=\ln x+\dfrac{a}{2x}-2x$에서

$f'(x)=\dfrac{1}{x}-\dfrac{a}{2x^2}-2=-\dfrac{4x^2-2x+a}{2x^2}$

$f'(x)=0$에서 $4x^2-2x+a=0$ $(\because\ x>0)$ ...... ㉠

함수 $f(x)$가 극댓값과 극솟값을 모두 가지려면 이차방정식 ㉠이 서로 다른 두 실근을 가져야 한다. 이때 로그의 진수 조건에 의하여 $x>0$이므로 ㉠의 서로 다른 두 근 α, β가 모두 양수이어야 한다.

(ⅰ) ㉠의 판별식을 D라 하면

$\dfrac{D}{4}=1^2-4a>0$에서 $a<\dfrac{1}{4}$

(ⅱ) $\alpha+\beta=\dfrac{1}{2}>0$

(ⅲ) $\alpha\beta=\dfrac{a}{4}>0$에서 $a>0$

(ⅰ), (ⅱ), (ⅲ)의 공통 범위를 구하면

$0<a<\dfrac{1}{4}$

(4) $f(x)=\dfrac{x^2-x+a}{e^x}$에서

$f'(x)=\dfrac{(2x-1)e^x-(x^2-x+a)e^x}{e^{2x}}$

$\qquad=-\dfrac{x^2-3x+a+1}{e^x}$

$f'(x)=0$에서 $x^2-3x+a+1=0$ $(\because\ e^x>0)$ ...... ㉠

함수 $f(x)$가 극댓값과 극솟값을 모두 가지려면 이차방정식 ㉠이 서로 다른 두 실근을 가져야 하므로 ㉠의 판별식을 D라 하면

$D=(-3)^2-4(a+1)>0$, $-4a+5>0$

$\therefore\ a<\dfrac{5}{4}$

11 답 (1) $-2\leq a\leq2$ (2) $a\geq\dfrac{5}{4}$

(3) $a\leq-2$ 또는 $a\geq2$

풀이 (1) $f'(x)=1+\dfrac{a}{x}+\dfrac{1}{x^2}=\dfrac{x^2+ax+1}{x^2}$

함수 $f(x)$가 극값을 갖지 않으려면 모든 실수 x에 대하여 $f'(x)\leq0$ 또는 $f'(x)\geq0$이어야 하므로

$x^2+ax+1\leq0$ 또는 $x^2+ax+1\geq0$

그런데 모든 실수 x에 대하여 $x^2+ax+1\leq0$이 성립할 수 없으므로

$x^2+ax+1\geq0$

이차방정식 $x^2+ax+1=0$의 판별식을 D라 하면

$D=a^2-4\leq0$, $(a+2)(a-2)\leq0$

$\therefore\ \underline{-2\leq a\leq2}$

(2) $f'(x)=(2x+1)e^x+(x^2+x+a)e^x$

$\qquad=(x^2+3x+a+1)e^x$

$f'(x)=0$에서 $x^2+3x+a+1=0$ $(\because\ e^x>0)$ ...... ㉠

함수 $f(x)$가 극값을 갖지 않으려면 모든 실수 x에 대하여 $f'(x)\leq0$ 또는 $f'(x)\geq0$이어야 하므로

$x^2+3x+a+1\leq0$ 또는 $x^2+3x+a+1\geq0$

그런데 모든 실수 x에 대하여 $x^2+3x+a+1\leq0$이 성립할 수 없으므로

$x^2+3x+a+1\geq0$

이차방정식 $x^2+3x+a+1=0$의 판별식을 D라 하면

$D=3^2-4(a+1)\leq0$, $5-4a\leq0$

$\therefore\ a\geq\dfrac{5}{4}$

(3) $f(x)=ax+2\sin x$에서 $f'(x)=a+2\cos x$

함수 $f(x)$가 극값을 갖지 않으려면 모든 실수 x에 대하여 $f'(x)\leq0$ 또는 $f'(x)\geq0$이어야 한다.

이때 $-1\leq\cos x\leq1$이므로 $-2\leq2\cos x\leq2$

$a-2\leq a+2\cos x\leq a+2$

따라서 $a+2\leq0$ 또는 $a-2\geq0$이어야 하므로

$a\leq-2$ 또는 $a\geq2$

12 답 (1) $\left(-1,\dfrac{1}{2}\right)$, $\left(1,\dfrac{1}{2}\right)$ (2) $(-1,9)$

(3) $(0,4)$, $(1,5)$ (4) $(-1,0)$

(5) $\left(-1,\dfrac{1}{4}\right)$, $\left(1,\dfrac{1}{4}\right)$

(6) $\left(-\dfrac{\sqrt{2}}{2},\dfrac{1}{\sqrt{e}}\right)$, $\left(\dfrac{\sqrt{2}}{2},\dfrac{1}{\sqrt{e}}\right)$ (7) $\left(-2,-\dfrac{2}{e^2}\right)$

(8) $(-\sqrt{3},\ln 6)$, $(\sqrt{3},\ln 6)$

(9) (π,π) (10) $\left(\dfrac{\pi}{4},0\right)$, $\left(\dfrac{3}{4}\pi,0\right)$

풀이 (1) $f(x)=\dfrac{2}{x^2+3}$로 놓으면

$f'(x)=-\dfrac{4x}{(x^2+3)^2}$,

$f''(x)=-\dfrac{4(x^2+3)^2-4x\times2(x^2+3)\times2x}{(x^2+3)^4}$

$\qquad=-\dfrac{4(x^2+3)(x^2+3-4x^2)}{(x^2+3)^4}$

$\qquad=\dfrac{12(x+1)(x-1)}{(x^2+3)^3}$

$f'(x)=0$에서 $x=0$

$f''(x)=0$에서 $x=-1$ 또는 $x=1$

함수 $f(x)$의 증가와 감소를 표로 나타내면 다음과 같다.

x	$\cdots$	-1	$\cdots$	0	$\cdots$	1	$\cdots$
$f'(x)$	$+$	$+$	$+$	0	$-$	$-$	$-$
$f''(x)$	$+$	0	$-$	$-$	$-$	0	$+$
$f(x)$	↗	$\dfrac{1}{2}$	↗	$\dfrac{2}{3}$	↘	$\dfrac{1}{2}$	↘

따라서 곡선 $y=f(x)$는

$x<-1$ 또는 $x>1$일 때 $f''(x)>0$이므로 아래로 볼록하고, $-1<x<1$일 때 $f''(x)<0$이므로 위로 볼록하다.

이때 $x=-1$, $x=1$의 좌우에서 각각 $f''(x)$의 부호가 바뀌므로 변곡점의 좌표는 $\left(-1,\dfrac{1}{2}\right)$, $\left(1,\dfrac{1}{2}\right)$이다.

(2) $f(x)=x^3+3x^2-9x-2$로 놓으면

$f'(x)=3x^2+6x-9=3(x+3)(x-1)$,

$f''(x)=6x+6=6(x+1)$

$f'(x)=0$에서 $x=-3$ 또는 $x=1$

$f''(x)=0$에서 $x=-1$

함수 $f(x)$의 증가와 감소를 표로 나타내면 다음과 같다.

x	$\cdots$	-3	$\cdots$	-1	$\cdots$	1	$\cdots$
$f'(x)$	$+$	0	$-$	$-$	$-$	0	$+$
$f''(x)$	$-$	$-$	$-$	0	$+$	$+$	$+$
$f(x)$	$\nearrow$	25	$\searrow$	9	$\searrow$	-7	$\nearrow$

따라서 곡선 $y=f(x)$는

$x<-1$일 때 $f''(x)<0$이므로 위로 볼록하고,

$x>-1$일 때 $f''(x)>0$이므로 아래로 볼록하다.

이때 $x=-1$의 좌우에서 $f''(x)$의 부호가 바뀌므로 변곡점의 좌표는 $(-1,9)$이다.

(3) $f(x)=-x^4+2x^3+4$로 놓으면

$f'(x)=-4x^3+6x^2=-2x^2(2x-3)$,

$f''(x)=-12x^2+12x=-12x(x-1)$

$f'(x)=0$에서 $x=0$ 또는 $x=\dfrac{3}{2}$

$f''(x)=0$에서 $x=0$ 또는 $x=1$

함수 $f(x)$의 증가와 감소를 표로 나타내면 다음과 같다.

x	$\cdots$	0	$\cdots$	1	$\cdots$	$\dfrac{3}{2}$	$\cdots$
$f'(x)$	$+$	0	$+$	$+$	$+$	0	$-$
$f''(x)$	$-$	0	$+$	0	$-$	$-$	$-$
$f(x)$	$\nearrow$	4	$\nearrow$	5	$\nearrow$	$\dfrac{91}{16}$	$\searrow$

따라서 곡선 $y=f(x)$는

$x<0$ 또는 $x>1$이면 $f''(x)<0$이므로 위로 볼록하고,

$0<x<1$이면 $f''(x)>0$이므로 아래로 볼록하다.

이때 $x=0$, $x=1$의 좌우에서 $f''(x)$의 부호가 바뀌므로 변곡점의 좌표는 $(0,4)$, $(1,5)$이다.

(4) $f(x)=x^2+\dfrac{1}{x}$로 놓으면 $x\neq 0$이고

$f'(x)=2x-\dfrac{1}{x^2}$,

$f''(x)=2+\dfrac{2}{x^3}=\dfrac{2x^3+2}{x^3}=\dfrac{2(x+1)(x^2-x+1)}{x^3}$

$f'(x)=0$에서 $2x-\dfrac{1}{x^2}=0$, $2x^3=1$, $x=\dfrac{1}{\sqrt[3]{2}}$

$f''(x)=0$에서 $x=-1$ $(\because x^2-x+1>0)$

함수 $f(x)$의 증가와 감소를 표로 나타내면 다음과 같다.

x	$\cdots$	-1	$\cdots$	(0)	$\cdots$	$\dfrac{1}{\sqrt[3]{2}}$	$\cdots$
$f'(x)$	$-$	$-$	$-$		$-$	0	$+$
$f''(x)$	$+$	0	$-$		$+$	$+$	$+$
$f(x)$	$\searrow$	0	$\searrow$		$\searrow$	$\dfrac{1}{\sqrt[3]{4}}+\sqrt[3]{2}$	$\nearrow$

따라서 곡선 $y=f(x)$는

$-1<x<0$일 때 $f''(x)<0$이므로 위로 볼록하고,

$x<-1$ 또는 $x>0$일 때 $f''(x)>0$이므로 아래로 볼록하다.

이때 $x=-1$의 좌우에서 $f''(x)$의 부호가 바뀌므로 변곡점의 좌표는 $(-1,0)$이다.

(5) $f(x)=\dfrac{1}{x^2+3}$로 놓으면

$f'(x)=-\dfrac{2x}{(x^2+3)^2}$,

$f''(x)=-\dfrac{2(x^2+3)^2-2x\times 2(x^2+3)\times 2x}{(x^2+3)^4}$

$\quad\ =-\dfrac{2(x^2+3)(x^2+3-4x^2)}{(x^2+3)^4}$

$\quad\ =\dfrac{6(x^2-1)}{(x^2+3)^3}=\dfrac{6(x+1)(x-1)}{(x^2+3)^3}$

$f'(x)=0$에서 $x=0$

$f''(x)=0$에서 $x=-1$ 또는 $x=1$

함수 $f(x)$의 증가와 감소를 표로 나타내면 다음과 같다.

x	$\cdots$	-1	$\cdots$	0	$\cdots$	1	$\cdots$
$f'(x)$	$+$	$+$	$+$	0	$-$	$-$	$-$
$f''(x)$	$+$	0	$-$	$-$	$-$	0	$+$
$f(x)$	$\nearrow$	$\dfrac{1}{4}$	$\nearrow$	$\dfrac{1}{3}$	$\searrow$	$\dfrac{1}{4}$	$\searrow$

따라서 곡선 $y=f(x)$는

$-1<x<1$일 때 $f''(x)<0$이므로 위로 볼록하고,

$x<-1$ 또는 $x>1$일 때 $f''(x)>0$이므로 아래로 볼록하다.

이때 $x=-1$, $x=1$의 좌우에서 각각 $f''(x)$의 부호가 바뀌므로 변곡점의 좌표는 $\left(-1,\dfrac{1}{4}\right)$, $\left(1,\dfrac{1}{4}\right)$이다.

(6) $f(x)=e^{-x^2}$으로 놓으면

$f'(x)=-2xe^{-x^2}$

$f''(x)=-2e^{-x^2}-2xe^{-x^2}\times(-2x)$

$\quad\ =(4x^2-2)e^{-x^2}$

$f'(x)=0$에서 $x=0$ $(\because e^{-x^2}>0)$

$f''(x)=0$에서 $4x^2-2=0$, $x^2=\dfrac{1}{2}$

$\therefore x=-\dfrac{\sqrt{2}}{2}$ 또는 $x=\dfrac{\sqrt{2}}{2}$

함수 $f(x)$의 증가와 감소를 표로 나타내면 다음과 같다.

x	$\cdots$	$-\dfrac{\sqrt{2}}{2}$	$\cdots$	0	$\cdots$	$\dfrac{\sqrt{2}}{2}$	$\cdots$
$f'(x)$	$+$	$+$	$+$	0	$-$		$-$
$f''(x)$	$+$	0	$-$	$-$	$-$	0	$+$
$f(x)$	$\nearrow$	$\dfrac{1}{\sqrt{e}}$	$\nearrow$	1	$\searrow$	$\dfrac{1}{\sqrt{e}}$	$\searrow$

따라서 곡선 $y=f(x)$는

$-\dfrac{\sqrt{2}}{2}<x<\dfrac{\sqrt{2}}{2}$일 때 $f''(x)<0$이므로 위로 볼록하고,

$x<-\dfrac{\sqrt{2}}{2}$ 또는 $x>\dfrac{\sqrt{2}}{2}$일 때 $f''(x)>0$이므로 아래로

볼록하다.

이때 $x=-\dfrac{\sqrt{2}}{2}$, $x=\dfrac{\sqrt{2}}{2}$의 좌우에서 각각 $f''(x)$의 부

호가 바뀌므로 변곡점의 좌표는 $\left(-\dfrac{\sqrt{2}}{2},\ \dfrac{1}{\sqrt{e}}\right)$,

$\left(\dfrac{\sqrt{2}}{2},\ \dfrac{1}{\sqrt{e}}\right)$이다.

(7) $f(x)=xe^x$으로 놓으면

$f'(x)=e^x+xe^x=(x+1)e^x$,

$f''(x)=e^x+(x+1)e^x=(x+2)e^x$

$f'(x)=0$에서 $x=-1$ $(\because e^x>0)$

$f''(x)=0$에서 $x=-2$ $(\because e^x>0)$

함수 $f(x)$의 증가와 감소를 표로 나타내면 다음과 같다.

x	$\cdots$	-2	$\cdots$	-1	$\cdots$
$f'(x)$	$-$	$-$	$-$	0	$+$
$f''(x)$	$-$	0	$+$	$+$	$+$
$f(x)$	$\searrow$	$-\dfrac{2}{e^2}$	$\searrow$	$-\dfrac{1}{e}$	$\nearrow$

따라서 곡선 $y=f(x)$는

$x<-2$일 때 $f''(x)<0$이므로 위로 볼록하고,

$x>-2$일 때 $f''(x)>0$이므로 아래로 볼록하다.

이때 $x=-2$의 좌우에서 $f''(x)$의 부호가 바뀌므로 변

곡점의 좌표는 $\left(-2,\ -\dfrac{2}{e^2}\right)$이다.

(8) $f(x)=\ln(x^2+3)$으로 놓으면

$f'(x)=\dfrac{2x}{x^2+3}$,

$f''(x)=\dfrac{2(x^2+3)-2x\times2x}{(x^2+3)^2}=\dfrac{-2(x+\sqrt{3})(x-\sqrt{3})}{(x^2+3)^2}$

$f'(x)=0$에서 $x=0$

$f''(x)=0$에서 $x=-\sqrt{3}$ 또는 $x=\sqrt{3}$

함수 $f(x)$의 증가와 감소를 표로 나타내면 다음과 같다.

x	$\cdots$	$-\sqrt{3}$	$\cdots$	0	$\cdots$	$\sqrt{3}$	$\cdots$
$f'(x)$	$-$	$-$	$-$	0	$+$	$+$	$+$
$f''(x)$	$-$	0	$+$	$+$	$+$	0	$-$
$f(x)$	$\searrow$	$\ln 6$	$\searrow$	$\ln 3$	$\nearrow$	$\ln 6$	$\nearrow$

따라서 곡선 $y=f(x)$는

$x<-\sqrt{3}$ 또는 $x>\sqrt{3}$일 때 $f''(x)<0$이므로 위로 볼록

하고, $-\sqrt{3}<x<\sqrt{3}$일 때 $f''(x)>0$이므로 아래로 볼록

하다.

이때 $x=-\sqrt{3}$, $x=\sqrt{3}$의 좌우에서 각각 $f''(x)$의 부호

가 바뀌므로 변곡점의 좌표는 $(-\sqrt{3},\ \ln 6)$, $(\sqrt{3},\ \ln 6)$

이다.

(9) $f(x)=x+\sin x$로 놓으면

$f'(x)=1+\cos x$, $f''(x)=-\sin x$

$f'(x)=0$에서 $x=\pi$ $(\because 0<x<2\pi)$

$f''(x)=0$에서 $x=\pi$ $(\because 0<x<2\pi)$

함수 $f(x)$의 증가와 감소를 표로 나타내면 다음과 같다.

x	(0)	$\cdots$	π	$\cdots$	(2π)
$f'(x)$		$+$	0	$+$	
$f''(x)$		$-$	0	$+$	
$f(x)$		$\nearrow$	π	$\nearrow$	

따라서 곡선 $y=f(x)$는

$x<\pi$이면 $f''(x)<0$이므로 위로 볼록하고,

$x>\pi$이면 $f''(x)>0$이므로 아래로 볼록하다.

이때 $x=\pi$의 좌우에서 $f''(x)$의 부호가 바뀌므로 변곡

점의 좌표는 $(\pi,\ \pi)$이다.

(10) $f(x)=\cos 2x$로 놓으면

$f'(x)=-2\sin 2x$, $f''(x)=-4\cos 2x$

$f'(x)=0$에서 $x=\dfrac{\pi}{2}$ $(\because 0<x<\pi)$

$f''(x)=0$에서 $x=\dfrac{\pi}{4}$ 또는 $x=\dfrac{3}{4}\pi$ $(\because 0<x<\pi)$

함수 $f(x)$의 증가와 감소를 표로 나타내면 다음과 같다.

x	(0)	$\cdots$	$\dfrac{\pi}{4}$	$\cdots$	$\dfrac{\pi}{2}$	$\cdots$	$\dfrac{3}{4}\pi$	$\cdots$	(π)
$f'(x)$		$-$	$-$	$-$	0	$+$	$+$	$+$	
$f''(x)$		$-$	0	$+$	$+$	$+$	0	$-$	
$f(x)$		$\searrow$	0	$\searrow$	-1	$\nearrow$	0	$\nearrow$	

따라서 곡선 $y=f(x)$는

$0<x<\dfrac{\pi}{4}$ 또는 $\dfrac{3}{4}\pi<x<\pi$일 때 $f''(x)<0$이므로 위

로 볼록하고,

$\dfrac{\pi}{4}<x<\dfrac{3}{4}\pi$일 때 $f''(x)>0$이므로 아래로 볼록하다.

이때 $x=\dfrac{\pi}{4}$, $x=\dfrac{3}{4}\pi$의 좌우에서 각각 $f''(x)$의 부호가

바뀌므로 변곡점의 좌표는 $\left(\dfrac{\pi}{4},\ 0\right)$, $\left(\dfrac{3}{4}\pi,\ 0\right)$이다.

13 답 (1) $a=-2$, $b=5$

(2) $a=3$, $b=-2$

(3) $a=-1$, $b=3$, $c=-2$

(4) $a=\dfrac{1}{3}$, $b=-2$, $c=\dfrac{14}{3}$

풀이 (1) $f'(x)=2ax+b-\dfrac{1}{x}$, $f''(x)=2a+\dfrac{1}{x^2}$

$x=1$에서 극대이므로 $f'(1)=0$에서

$2a+b-1=0$ $\qquad\qquad\cdots\cdots$ ㉠

변곡점의 x좌표가 $\dfrac{1}{2}$이므로 $f''\left(\dfrac{1}{2}\right)=0$에서

$2a+4=0$ $\quad\therefore a=-2$

$a=-2$를 ㉠에 대입하면

$-4+b-1=0$ $\quad\therefore b=5$

(2) $f(x)=\dfrac{a}{x}+\dfrac{b}{x^2}$로 놓으면

$f'(x)=-\dfrac{a}{x^2}-\dfrac{2b}{x^3}$, $f''(x)=\dfrac{2a}{x^3}+\dfrac{6b}{x^4}$

곡선 $y=f(x)$의 변곡점의 좌표가 $(2, 1)$이므로

$f(2)=1$에서 $\dfrac{a}{2}+\dfrac{b}{4}=1$

$\therefore 2a+b=4$ ...... ㉠

$f''(2)=0$에서 $\dfrac{a}{4}+\dfrac{3b}{8}=0$

$\therefore 2a+3b=0$ ...... ㉡

㉠, ㉡을 연립하여 풀면 $a=3,\ b=-2$

(3) $f(x)=ax^3+bx^2+c$에서

$f'(x)=3ax^2+2bx,\ f''(x)=6ax+2b$

$x=-1$인 점에서의 접선의 기울기가 -9이므로

$f'(-1)=-9$에서 $3a-2b=-9$ ...... ㉠

곡선 $y=f(x)$의 변곡점의 좌표가 $(1, 0)$이므로

$f(1)=0$에서 $a+b+c=0$ ...... ㉡

$f''(1)=0$에서 $6a+2b=0$

$\therefore 3a+b=0$ ...... ㉢

㉠, ㉢을 연립하여 풀면 $a=-1,\ b=3$

이것을 ㉡에 대입하면 $c=-2$

(4) $f(x)=ax^4+bx^3+cx$에서

$f'(x)=4ax^3+3bx^2+c,\ f''(x)=12ax^2+6bx$

$f(x)$가 $x=1$에서 극대이므로 $f'(1)=0$에서

$4a+3b+c=0$ ...... ㉠

점 $(3, -13)$이 곡선 $y=f(x)$의 변곡점이므로

$f(3)=-13$에서 $81a+27b+3c=-13$ ...... ㉡

$f''(3)=0$에서 $108a+18b=0$

$\therefore 6a+b=0$ ...... ㉢

㉠, ㉡, ㉢을 연립하여 풀면

$a=\dfrac{1}{3},\ b=-2,\ c=\dfrac{14}{3}$

14 답 풀이 참조

풀이 (1) $f(x)=x^4-2x^2+3$에서

$f'(x)=4x^3-4x=4x(x+1)(x-1)$

$f''(x)=12x^2-4=4(\sqrt{3}x+1)(\sqrt{3}x-1)$

$f'(x)=0$에서 $x=-1$ 또는 $x=0$ 또는 $x=1$

$f''(x)=0$에서 $x=-\dfrac{\sqrt{3}}{3}$ 또는 $x=\dfrac{\sqrt{3}}{3}$

함수 $f(x)$의 증가와 감소를 표로 나타내면 다음과 같다.

x	...	-1	...	$-\dfrac{\sqrt{3}}{3}$	...	0	...	$\dfrac{\sqrt{3}}{3}$	...	1	...
$f'(x)$	$-$	0	$+$	$+$	$+$	0	$-$	$-$	$-$	0	$+$
$f''(x)$	$+$	$+$	$+$	0	$-$	$-$	$-$	0	$+$	$+$	$+$
$f(x)$	↘	2	↗	$\dfrac{22}{9}$	↗	3	↘	$\dfrac{22}{9}$	↘	2	↗

따라서 함수 $y=f(x)$의 그래프는 오른쪽 그림과 같다.

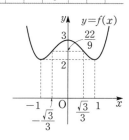

(2) $f(x)=x^3-3x^2-1$에서

$f'(x)=3x^2-6x=3x(x-2),$

$f''(x)=6x-6=6(x-1)$

$f'(x)=0$에서 $x=0$ 또는 $x=2$

$f''(x)=0$에서 $x=1$

함수 $f(x)$의 증가와 감소를 표로 나타내면 다음과 같다.

x	...	0	...	1	...	2	...
$f'(x)$	$+$	0	$-$	$-$	$-$	0	$+$
$f''(x)$	$-$	$-$	$-$	0	$+$	$+$	$+$
$f(x)$	↗	-1	↘	-3	↘	-5	↗

따라서 함수 $y=f(x)$의 그래프는 오른쪽 그림과 같다.

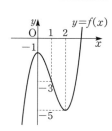

(3) $f(x)=x-\cos x$에서

$f'(x)=1+\sin x,$

$f''(x)=\cos x$

$f'(x)=0$에서 $x=\dfrac{3}{2}\pi\ (\because\ 0\le x\le 2\pi)$

$f''(x)=0$에서 $x=\dfrac{\pi}{2}$ 또는 $x=\dfrac{3}{2}\pi$

$0\le x\le 2\pi$에서 함수 $f(x)$의 증가와 감소를 표로 나타내면 다음과 같다.

x	0	...	$\dfrac{\pi}{2}$	...	$\dfrac{3}{2}\pi$	...	2π
$f'(x)$		$+$	$+$	$+$	0	$+$	
$f''(x)$		$+$	0	$-$	0	$+$	
$f(x)$	-1	↗	$\dfrac{\pi}{2}$	↗	$\dfrac{3}{2}\pi$	↗	$2\pi-1$

따라서 함수 $y=f(x)$의 그래프는 오른쪽 그림과 같다.

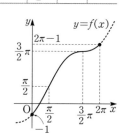

(4) $f(x)=\sin x+\cos x$에서

$f'(x)=\cos x-\sin x,$

$f''(x)=-\sin x-\cos x$

$f'(x)=0$에서 $x=\dfrac{\pi}{4}\ (\because\ 0\le x\le \pi)$

$f''(x)=0$에서 $x=\dfrac{3}{4}\pi\ (\because\ 0\le x\le \pi)$

$0\le x\le \pi$에서 함수 $f(x)$의 증가와 감소를 표로 나타내면 다음과 같다.

x	0	...	$\dfrac{\pi}{4}$	...	$\dfrac{3}{4}\pi$	...	π
$f'(x)$		+	0	−	−	−	
$f''(x)$		−	−	−	0	+	
$f(x)$	1	↗	$\sqrt{2}$	↘	0	↘	−1

따라서 함수 $y=f(x)$의 그래프는 오른쪽 그림과 같다.

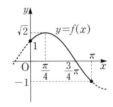

15 답 풀이 참조

풀이 (1) $f(x)=x-\sqrt{x}$에서

① 정의역은 $x\ge 0$인 실수 전체의 집합이다.

② $f(x)=0$에서 $x-\sqrt{x}=0$

$x=\sqrt{x}$, $x^2=x$, $x(x-1)=0$

$\therefore$ $x=0$ 또는 $x=1$

즉, 두 점 $(0,\,0)$, $(1,\,0)$을 지난다.

③ $f'(x)=1-\dfrac{1}{2\sqrt{x}}$이므로 $f'(x)=0$에서 $x=\dfrac{1}{4}$

$f''(x)=\dfrac{1}{4x\sqrt{x}}$에서 $f''(x)=0$을 만족시키는 x의 값이 존재하지 않으므로 변곡점이 없다.

$x\ge 0$에서 함수 $f(x)$의 증가와 감소를 표로 나타내면 다음과 같다.

x	0	...	$\dfrac{1}{4}$	...
$f'(x)$		−	0	+
$f''(x)$		+	+	+
$f(x)$	0	↘	$-\dfrac{1}{4}$	↗

따라서 함수 $y=f(x)$의 그래프는 오른쪽 그림과 같다.

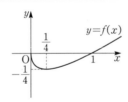

(2) $f(x)=x+\dfrac{1}{x}$에서

① $x\ne 0$이므로 정의역은 $x\ne 0$인 실수 전체의 집합이다.

② 임의의 실수 x에 대하여 $f(-x)=-f(x)$이므로 함수 $y=f(x)$의 그래프는 원점에 대하여 대칭이다.

③ $f'(x)=1-\dfrac{1}{x^2}=\dfrac{x^2-1}{x^2}=\dfrac{(x+1)(x-1)}{x^2}$이므로

$f'(x)=0$에서 $x=-1$ 또는 $x=1$

$f''(x)=\dfrac{2x\times x^2-(x^2-1)\times 2x}{x^4}=\dfrac{2}{x^3}$이므로

$f''(x)=0$을 만족시키는 x의 값이 존재하지 않으므로 변곡점이 없다.

$x\ne 0$에서 함수 $f(x)$의 증가와 감소를 표로 나타내면 다음과 같다.

x	...	−1	...	(0)	...	1	...
$f'(x)$	+	0	−		−	0	+
$f''(x)$	−	−	−		+	+	+
$f(x)$	↗	−2	↘		↘	2	↗

④ 점근선의 방정식은 $x=0$, $y=x$이다.

따라서 함수 $y=f(x)$의 그래프는 오른쪽 그림과 같다.

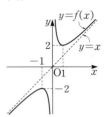

(3) $f(x)=\dfrac{x}{x^2+1}$에서

① $x^2+1\ne 0$이므로 정의역은 실수 전체의 집합이다.

② 임의의 실수 x에 대하여 $f(-x)=-f(x)$이므로 함수 $y=f(x)$의 그래프는 원점에 대하여 대칭이다.

③ $f(0)=0$이므로 점 $(0,\,0)$을 지난다.

④ $f'(x)=\dfrac{1\times(x^2+1)-x\times 2x}{(x^2+1)^2}=\dfrac{-(x+1)(x-1)}{(x^2+1)^2}$

이므로 $f'(x)=0$에서 $x=-1$ 또는 $x=1$

$f''(x)=\dfrac{-2x(x^2+1)^2-(-x^2+1)\times 2(x^2+1)\times 2x}{(x^2+1)^4}$

$\qquad =\dfrac{2x(x^2+1)(-x^2-1+2x^2-2)}{(x^2+1)^4}$

$\qquad =\dfrac{2x(x^2-3)}{(x^2+1)^3}$

$\qquad =\dfrac{2x(x+\sqrt{3})(x-\sqrt{3})}{(x^2+1)^3}$

이므로 $f''(x)=0$에서

$x=-\sqrt{3}$ 또는 $x=0$ 또는 $x=\sqrt{3}$

함수 $f(x)$의 증가와 감소를 표로 나타내면 다음과 같다.

x	...	$-\sqrt{3}$	...	−1	...	0	...	1	...	$\sqrt{3}$	...
$f'(x)$	−	−	−	0	+	+	+	0	−	−	−
$f''(x)$	−	0	+	+	+	0	−	−	−	0	+
$f(x)$	↘	$-\dfrac{\sqrt{3}}{4}$	↘	$-\dfrac{1}{2}$	↗	0	↗	$\dfrac{1}{2}$	↘	$\dfrac{\sqrt{3}}{4}$	↘

⑤ $\lim\limits_{x\to\infty}f(x)=0$, $\lim\limits_{x\to-\infty}f(x)=0$이므로 점근선은 x축이다.

따라서 함수 $y=f(x)$의 그래프는 다음 그림과 같다.

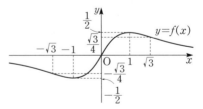

(4) $f(x)=x\sqrt{x+3}$에서

① 정의역은 $x\ge -3$인 실수 전체의 집합이다.

② $f(x)=0$에서 $x\sqrt{x+3}=0$, $x^2(x+3)=0$

$\therefore$ $x=-3$ 또는 $x=0$

즉, 두 점 $(-3,\,0)$, $(0,\,0)$을 지난다.

③ $f'(x)=\sqrt{x+3}+x\times\dfrac{1}{2\sqrt{x+3}}$

$\qquad =\dfrac{2(x+3)+x}{2\sqrt{x+3}}=\dfrac{3(x+2)}{2\sqrt{x+3}}$

이므로 $f'(x)=0$에서 $x=-2$

$f''(x)=\dfrac{6\sqrt{x+3}-3(x+2)\times\dfrac{1}{\sqrt{x+3}}}{4(x+3)}$

$\qquad =\dfrac{3(x+4)}{4(x+3)\sqrt{x+3}}$

이때 정의역이 $x\geq-3$이므로 $f''(x)=0$을 만족시키는 x의 값은 존재하지 않는다. 즉, 변곡점이 없다.

$x\geq-3$에서 함수 $f(x)$의 증가와 감소를 표로 나타내면 다음과 같다.

x	-3	$\cdots$	-2	$\cdots$
$f'(x)$		$-$	0	$+$
$f''(x)$		$+$	$+$	$+$
$f(x)$	0	$\searrow$	-2	$\nearrow$

따라서 함수 $y=f(x)$의 그래프는 오른쪽 그림과 같다.

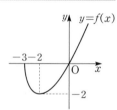

16 답 풀이 참조

풀이 (1) $f(x)=e^{-x^2}$에서

① 정의역은 실수 전체의 집합이다.

② 임의의 실수 x에 대하여 $f(-x)=f(x)$이므로 함수 $y=f(x)$의 그래프는 y축에 대하여 대칭이다.

③ $f(0)=1$이므로 점 $(0,\,1)$을 지난다.

④ $f'(x)=-2xe^{-x^2}$이므로

$f'(x)=0$에서 $x=0$

$f'(x)=-2e^{-x^2}+4x^2e^{-x^2}=2(2x^2-1)e^{-x^2}$이므로

$f''(x)=0$에서 $x=-\dfrac{\sqrt{2}}{2}$ 또는 $x=\dfrac{\sqrt{2}}{2}$

함수 $f(x)$의 증가와 감소를 표로 나타내면 다음과 같다.

x	$\cdots$	$-\dfrac{\sqrt{2}}{2}$	$\cdots$	0	$\cdots$	$\dfrac{\sqrt{2}}{2}$	$\cdots$
$f'(x)$	$+$	$+$	$+$	0	$-$	$-$	$-$
$f''(x)$	$+$	0	$-$	$-$	$-$	0	$+$
$f(x)$	$\nearrow$	$\dfrac{1}{\sqrt{e}}$	$\nearrow$	1	$\searrow$	$\dfrac{1}{\sqrt{e}}$	$\searrow$

⑤ $\lim\limits_{x\to\infty}f(x)=0$, $\lim\limits_{x\to-\infty}f(x)=0$이므로 점근선은 x축이다.

따라서 함수 $y=f(x)$의 그래프는 오른쪽 그림과 같다.

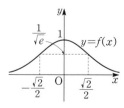

(2) $f(x)=xe^x$에서

① 정의역은 실수 전체의 집합이다.

② $f(0)=0$이므로 점 $(0,\,0)$을 지난다.

③ $f'(x)=e^x+xe^x=(1+x)e^x$이므로

$f'(x)=0$에서 $x=-1$

$f''(x)=e^x+(1+x)e^x=(2+x)e^x$이므로

$f''(x)=0$에서 $x=-2$

함수 $f(x)$의 증가와 감소를 표로 나타내면 다음과 같다.

x	$\cdots$	-2	$\cdots$	-1	$\cdots$
$f'(x)$	$-$	$-$	$-$	0	$+$
$f''(x)$	$-$	0	$+$	$+$	$+$
$f(x)$	$\searrow$	$-\dfrac{2}{e^2}$	$\searrow$	$-\dfrac{1}{e}$	$\nearrow$

④ $\lim\limits_{x\to-\infty}f(x)=0$이므로 점근선은 x축이다.

따라서 함수 $y=f(x)$의 그래프는 오른쪽 그림과 같다.

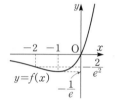

(3) $f(x)=e^x-e^{-x}$에서

① 정의역은 실수 전체의 집합이다.

② 임의의 실수 x에 대하여 $f(-x)=-f(x)$이므로 함수 $y=f(x)$의 그래프는 원점에 대하여 대칭이다.

③ $f(0)=0$이므로 점 $(0,\,0)$을 지난다.

④ $f'(x)=e^x-(-e^{-x})=e^x+e^{-x}>0$

$f''(x)=e^x-e^{-x}$이므로 $f''(x)=0$에서 $x=0$

함수 $f(x)$의 증가와 감소를 표로 나타내면 다음과 같다.

x	$\cdots$	0	$\cdots$
$f'(x)$	$+$	$+$	$+$
$f''(x)$	$-$	0	$+$
$f(x)$	$\nearrow$	0	$\nearrow$

따라서 함수 $y=f(x)$의 그래프는 오른쪽 그림과 같다.

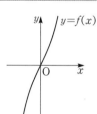

(4) $f(x)=x\ln x$에서

① 정의역은 $x>0$인 실수 전체의 집합이다.

② $f(1)=0$이므로 점 $(1,\,0)$을 지난다.

③ $f'(x)=\ln x+1$이므로 $f'(x)=0$에서

$\ln x=-1$ $\qquad \therefore x=\dfrac{1}{e}$

$f''(x)=\dfrac{1}{x}$에서 $f''(x)=0$을 만족시키는 실수 x의 값은 존재하지 않으므로 변곡점이 없다.

$x>0$에서 함수 $f(x)$의 증가와 감소를 표로 나타내면 다음과 같다.

x	(0)	$\cdots$	$\dfrac{1}{e}$	$\cdots$
$f'(x)$		$-$	0	$+$
$f''(x)$		$+$	$+$	$+$
$f(x)$		$\searrow$	$-\dfrac{1}{e}$	$\nearrow$

④ $\displaystyle\lim_{x\to 0+}f(x)=0,\ \lim_{x\to\infty}f(x)=\infty$

따라서 함수 $y=f(x)$의 그래프는 오른쪽 그림과 같다.

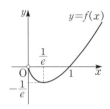

(5) $f(x)=\dfrac{\ln x}{x}$에서

① 정의역은 $x>0$인 실수 전체의 집합이다.

② $f(1)=0$이므로 점 $(1,\,0)$을 지난다.

③ $f'(x)=\dfrac{\dfrac{1}{x}\times x-\ln x}{x^2}=\dfrac{1-\ln x}{x^2}$이므로

$f'(x)=0$에서 $\ln x=1$ $\therefore x=e$

$f''(x)=\dfrac{-\dfrac{1}{x}\times x^2-(1-\ln x)\times 2x}{x^4}=\dfrac{2\ln x-3}{x^3}$

이므로 $f''(x)=0$에서 $\ln x=\dfrac{3}{2}$

$\therefore x=e^{\frac{3}{2}}=e\sqrt{e}$

$x>0$에서 함수 $f(x)$의 증가와 감소를 표로 나타내면 다음과 같다.

x	(0)	$\cdots$	e	$\cdots$	$e\sqrt{e}$	$\cdots$
$f'(x)$		$+$	0	$-$	$-$	$-$
$f''(x)$		$-$	$-$	$-$	0	$+$
$f(x)$		$\nearrow$	$\dfrac{1}{e}$	$\searrow$	$\dfrac{3}{2e\sqrt{e}}$	$\searrow$

④ $\displaystyle\lim_{x\to 0+}f(x)=-\infty,\ \lim_{x\to\infty}f(x)=0$이므로 점근선은 y축, x축이다.

따라서 함수 $y=f(x)$의 그래프는 오른쪽 그림과 같다.

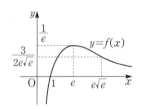

17 답 **(1)** 최댓값: 1, 최솟값: -1

(2) 최댓값: $\dfrac{9}{2}$, 최솟값: $2\sqrt{2}$

(3) 최댓값: 2, 최솟값: 0

(4) 최댓값: $\dfrac{1}{2}$, 최솟값: $-\dfrac{1}{2}$

풀이 **(1)** $f'(x)=\dfrac{2(x^2+1)-2x\times 2x}{(x^2+1)^2}=-\dfrac{2(x+1)(x-1)}{(x^2+1)^2}$

$f'(x)=0$에서 $x=-1$ 또는 $x=1$

구간 $[-3,\,2]$에서 함수 $f(x)$의 증가와 감소를 표로 나타내면 다음과 같다.

x	-3	$\cdots$	-1	$\cdots$	1	$\cdots$	2
$f'(x)$		$-$	0	$+$	0	$-$	
$f(x)$	$-\dfrac{3}{5}$	$\searrow$	$\underline{-1}$	$\nearrow$	1	$\searrow$	$\dfrac{4}{5}$

따라서 구간 $[-3,\,2]$에서 함수 $f(x)$의 최댓값은 $f(1)=\underline{1}$, 최솟값은 $f(-1)=\underline{-1}$이다.

(2) $f(x)=x+\dfrac{2}{x}$에서

$f'(x)=1-\dfrac{2}{x^2}=\dfrac{x^2-2}{x^2}=\dfrac{(x+\sqrt{2})(x-\sqrt{2})}{x^2}$

$f'(x)=0$에서 $x=-\sqrt{2}$ 또는 $x=\sqrt{2}$

구간 $[1,\,4]$에서 함수 $f(x)$의 증가와 감소를 표로 나타내면 다음과 같다.

x	1	$\cdots$	$\sqrt{2}$	$\cdots$	4
$f'(x)$		$-$	0	$+$	
$f(x)$	3	$\searrow$	$2\sqrt{2}$	$\nearrow$	$\dfrac{9}{2}$

따라서 구간 $[1,\,4]$에서 함수 $f(x)$의 최댓값은 $f(4)=\dfrac{9}{2}$, 최솟값은 $f(\sqrt{2})=2\sqrt{2}$이다.

(3) $f(x)=\sqrt{4-x^2}$에서

$f'(x)=\dfrac{-2x}{2\sqrt{4-x^2}}=-\dfrac{x}{\sqrt{4-x^2}}$

$f'(x)=0$에서 $x=0$

구간 $[-2,\,2]$에서 함수 $f(x)$의 증가와 감소를 표로 나타내면 다음과 같다.

x	-2	$\cdots$	0	$\cdots$	2
$f'(x)$		$+$	0	$-$	
$f(x)$	0	$\nearrow$	2	$\searrow$	0

따라서 구간 $[-2,\,2]$에서 함수 $f(x)$의 최댓값은 $f(0)=2$, 최솟값은 $f(-2)=f(2)=0$이다.

(4) $f(x)=x\sqrt{1-x^2}$에서

$f'(x)=\sqrt{1-x^2}-\dfrac{2x^2}{2\sqrt{1-x^2}}=\dfrac{1-2x^2}{\sqrt{1-x^2}}$이므로

$f'(x)=0$에서 $x=-\dfrac{\sqrt{2}}{2}$ 또는 $x=\dfrac{\sqrt{2}}{2}$

구간 $[-1,\,1]$에서 함수 $f(x)$의 증가와 감소를 표로 나타내면 다음과 같다.

x	-1	$\cdots$	$-\dfrac{\sqrt{2}}{2}$	$\cdots$	$\dfrac{\sqrt{2}}{2}$	$\cdots$	1
$f'(x)$		$-$	0	$+$	0	$-$	
$f(x)$	0	$\searrow$	$-\dfrac{1}{2}$	$\nearrow$	$\dfrac{1}{2}$	$\searrow$	0

따라서 구간 $[-1,\,1]$에서 함수 $f(x)$의 최댓값은 $f\!\left(\dfrac{\sqrt{2}}{2}\right)=\dfrac{1}{2}$, 최솟값은 $f\!\left(-\dfrac{\sqrt{2}}{2}\right)=-\dfrac{1}{2}$이다.

18 답 (1) 최댓값: $e-1$, 최솟값: 1

(2) 최댓값: $\dfrac{1}{e}$, 최솟값: 0

(3) 최댓값: $\dfrac{e^3}{5}$, 최솟값: $\dfrac{e\sqrt{e}}{2}$

(4) 최댓값: 1, 최솟값: $-e^2$

(5) 최댓값: $\ln 10$, 최솟값: 0

(6) 최댓값: $\dfrac{5}{\ln 5}$, 최솟값: e

풀이 (1) $f(x)=x+e^{-x}$에서 $f'(x)=1-e^{-x}$

$f'(x)=0$에서 $e^{-x}=1$, $-x=0$ $\quad\therefore x=0$

구간 $[-1, 1]$에서 함수 $f(x)$의 증가와 감소를 표로 나타내면 다음과 같다.

x	-1	$\cdots$	0	$\cdots$	1
$f'(x)$		$-$	0	$+$	
$f(x)$	$e-1$	$\searrow$	1	$\nearrow$	$1+\dfrac{1}{e}$

따라서 구간 $[-1, 1]$에서 함수 $f(x)$의
최댓값은 $f(-1)=e-1$, 최솟값은 $f(0)=1$이다.

(2) $f(x)=xe^{-x}$에서

$f'(x)=e^{-x}-xe^{-x}=(1-x)e^{-x}$

$f'(x)=0$에서 $x=1$

구간 $[0, 2]$에서 함수 $f(x)$의 증가와 감소를 표로 나타내면 다음과 같다.

x	0	$\cdots$	1	$\cdots$	2
$f'(x)$		$+$	0	$-$	
$f(x)$	0	$\nearrow$	$\dfrac{1}{e}$	$\searrow$	$\dfrac{2}{e^2}$

따라서 구간 $[0, 2]$에서 함수 $f(x)$의
최댓값은 $f(1)=\dfrac{1}{e}$, 최솟값은 $f(0)=0$이다.

(3) $f(x)=\dfrac{e^x}{2x-1}$에서

$f'(x)=\dfrac{e^x(2x-1)-2e^x}{(2x-1)^2}=\dfrac{(2x-3)e^x}{(2x-1)^2}$

$f'(x)=0$에서 $x=\dfrac{3}{2}$

구간 $[1, 3]$에서 함수 $f(x)$의 증가와 감소를 표로 나타내면 다음과 같다.

x	1	$\cdots$	$\dfrac{3}{2}$	$\cdots$	3
$f'(x)$		$-$	0	$+$	
$f(x)$	e	$\searrow$	$\dfrac{e\sqrt{e}}{2}$	$\nearrow$	$\dfrac{e^3}{5}$

따라서 구간 $[1, 3]$에서 함수 $f(x)$의
최댓값은 $f(3)=\dfrac{e^3}{5}$, 최솟값은 $f\left(\dfrac{3}{2}\right)=\dfrac{e\sqrt{e}}{2}$이다.

(4) $f(x)=x-x\ln x$에서

$f'(x)=1-(\ln x+1)=-\ln x$

$f'(x)=0$에서 $x=1$

구간 $[1, e^2]$에서 함수 $f(x)$의 증가와 감소를 표로 나타내면 다음과 같다.

x	1	$\cdots$	e^2
$f'(x)$	0	$-$	
$f(x)$	1	$\searrow$	$-e^2$

따라서 구간 $[1, e^2]$에서 함수 $f(x)$의
최댓값은 $f(1)=1$, 최솟값은 $f(e^2)=-e^2$이다.

(5) $f(x)=\ln(x^2+1)$에서 $f'(x)=\dfrac{2x}{x^2+1}$

$f'(x)=0$에서 $x=0$

구간 $[-3, 3]$에서 함수 $f(x)$의 증가와 감소를 표로 나타내면 다음과 같다.

x	-3	$\cdots$	0	$\cdots$	3
$f'(x)$		$-$	0	$+$	
$f(x)$	$\ln 10$	$\searrow$	0	$\nearrow$	$\ln 10$

따라서 구간 $[-3, 3]$에서 함수 $f(x)$의
최댓값은 $f(-3)=f(3)=\ln 10$, 최솟값은 $f(0)=0$이다.

(6) $f(x)=\dfrac{x}{\ln x}$에서

$f'(x)=\dfrac{\ln x-x\times\dfrac{1}{x}}{(\ln x)^2}=\dfrac{\ln x-1}{(\ln x)^2}$

$f'(x)=0$에서 $\ln x=1$ $\quad\therefore x=e$

구간 $[2, 5]$에서 함수 $f(x)$의 증가와 감소를 표로 나타내면 다음과 같다.

x	2	$\cdots$	e	$\cdots$	5
$f'(x)$		$-$	0	$+$	
$f(x)$	$\dfrac{2}{\ln 2}$	$\searrow$	e	$\nearrow$	$\dfrac{5}{\ln 5}$

따라서 구간 $[2, 5]$에서 함수 $f(x)$의
최댓값은 $f(5)=\dfrac{5}{\ln 5}$, 최솟값은 $f(e)=e$이다.

19 답 (1) 최댓값: $\dfrac{\pi}{2}$, 최솟값: $-\dfrac{3}{2}\pi$

(2) 최댓값: $\sqrt{3}-\dfrac{\pi}{3}$, 최솟값: $-\pi$

(3) 최댓값: π, 최솟값: -2π

(4) 최댓값: 1, 최솟값: 0

(5) 최댓값: $\dfrac{3\sqrt{3}}{4}$, 최솟값: $-\dfrac{3\sqrt{3}}{4}$

(6) 최댓값: $\dfrac{\sqrt{2}e^{\frac{\pi}{4}}}{2}$, 최솟값: 0

풀이 (1) $f(x)=x\sin x+\cos x$에서

$f'(x)=\sin x+x\cos x-\sin x=x\cos x$

$f'(x)=0$에서 $x=0$ 또는 $\cos x=0$

$\therefore x=0$ 또는 $x=\dfrac{\pi}{2}$ 또는 $x=\dfrac{3}{2}\pi\ (\because 0\leq x\leq 2\pi)$

구간 $[0, 2\pi]$에서 함수 $f(x)$의 증가와 감소를 표로 나타내면 다음과 같다.

x	0	$\cdots$	$\dfrac{\pi}{2}$	$\cdots$	$\dfrac{3}{2}\pi$	$\cdots$	2π
$f'(x)$	0	$+$	0	$-$	0	$+$	
$f(x)$	1	↗	$\dfrac{\pi}{2}$	↘	$-\dfrac{3}{2}\pi$	↗	1

따라서 구간 $[0, 2\pi]$에서 함수 $f(x)$의

최댓값은 $f\left(\dfrac{\pi}{2}\right)=\dfrac{\pi}{2}$, 최솟값은 $f\left(\dfrac{3}{2}\pi\right)=-\dfrac{3}{2}\pi$이다.

(2) $f(x)=2\sin x-x$에서 $f'(x)=2\cos x-1$

$f'(x)=0$에서 $\cos x=\dfrac{1}{2}$ $\quad\therefore x=\dfrac{\pi}{3}$ $(\because 0\le x\le\pi)$

구간 $[0, \pi]$에서 함수 $f(x)$의 증가와 감소를 표로 나타내면 다음과 같다.

x	0	$\cdots$	$\dfrac{\pi}{3}$	$\cdots$	π
$f'(x)$		$+$	0	$-$	
$f(x)$	0	↗	$\sqrt{3}-\dfrac{\pi}{3}$	↘	$-\pi$

따라서 구간 $[0, \pi]$에서 함수 $f(x)$의

최댓값은 $f\left(\dfrac{\pi}{3}\right)=\sqrt{3}-\dfrac{\pi}{3}$, 최솟값은 $f(\pi)=-\pi$이다.

(3) $f(x)=\sin x-x\cos x$에서

$f'(x)=\cos x-(\cos x-x\sin x)=x\sin x$

$f'(x)=0$에서 $x=0$ 또는 $\sin x=0$

$\therefore x=0$ 또는 $x=\pi$ 또는 $x=2\pi$ $(\because 0\le x\le2\pi)$

구간 $[0, 2\pi]$에서 함수 $f(x)$의 증가와 감소를 표로 나타내면 다음과 같다.

x	0	$\cdots$	π	$\cdots$	2π
$f'(x)$	0	$+$	0	$-$	0
$f(x)$	0	↗	π	↘	-2π

따라서 구간 $[0, 2\pi]$에서 함수 $f(x)$의

최댓값은 $f(\pi)=\pi$, 최솟값은 $f(2\pi)=-2\pi$이다.

(4) $f(x)=\sin^2 x$에서 $f'(x)=2\sin x\cos x$

$f'(x)=0$에서 $\sin x=0$ 또는 $\cos x=0$

$\therefore x=-\dfrac{\pi}{2}$ 또는 $x=0$ 또는 $x=\dfrac{\pi}{2}$

$$\left(\because -\dfrac{\pi}{2}\le x\le\dfrac{\pi}{2}\right)$$

구간 $\left[-\dfrac{\pi}{2}, \dfrac{\pi}{2}\right]$에서 함수 $f(x)$의 증가와 감소를 표로 나타내면 다음과 같다.

x	$-\dfrac{\pi}{2}$	$\cdots$	0	$\cdots$	$\dfrac{\pi}{2}$
$f'(x)$	0	$-$	0	$+$	0
$f(x)$	1	↘	0	↗	1

따라서 구간 $\left[-\dfrac{\pi}{2}, \dfrac{\pi}{2}\right]$에서 함수 $f(x)$의

최댓값은 $f\left(-\dfrac{\pi}{2}\right)=f\left(\dfrac{\pi}{2}\right)=1$, 최솟값은 $f(0)=0$이다.

(5) $f(x)=(1+\cos x)\sin x$에서

$f'(x)=-\sin^2 x+(1+\cos x)\cos x$

$=2\cos^2 x+\cos x-1$ $(\because \sin^2 x+\cos^2 x=1)$

$=(2\cos x-1)(\cos x+1)$

$f'(x)=0$에서 $\cos x=\dfrac{1}{2}$ 또는 $\cos x=-1$

$\therefore x=-\dfrac{\pi}{3}$ 또는 $x=\dfrac{\pi}{3}$ 또는 $x=\pi$ $\left(\because -\dfrac{\pi}{3}\le x\le\pi\right)$

구간 $\left[-\dfrac{\pi}{3}, \pi\right]$에서 함수 $f(x)$의 증가와 감소를 표로 나타내면 다음과 같다.

x	$-\dfrac{\pi}{3}$	$\cdots$	$\dfrac{\pi}{3}$	$\cdots$	π
$f'(x)$	0	$+$	0	$-$	0
$f(x)$	$-\dfrac{3\sqrt{3}}{4}$	↗	$\dfrac{3\sqrt{3}}{4}$	↘	0

따라서 구간 $\left[-\dfrac{\pi}{3}, \pi\right]$에서 함수 $f(x)$의

최댓값은 $f\left(\dfrac{\pi}{3}\right)=\dfrac{3\sqrt{3}}{4}$, 최솟값은 $f\left(-\dfrac{\pi}{3}\right)=-\dfrac{3\sqrt{3}}{4}$이다.

(6) $f(x)=e^x\cos x$에서

$f'(x)=e^x\cos x-e^x\sin x=e^x(\cos x-\sin x)$

$f'(x)=0$에서 $\cos x-\sin x=0$

$\therefore x=\dfrac{\pi}{4}$ $\left(\because 0\le x\le\dfrac{\pi}{2}\right)$

구간 $\left[0, \dfrac{\pi}{2}\right]$에서 함수 $f(x)$의 증가와 감소를 표로 나타내면 다음과 같다.

x	0	$\cdots$	$\dfrac{\pi}{4}$	$\cdots$	$\dfrac{\pi}{2}$
$f'(x)$		$+$	0	$-$	
$f(x)$	1	↗	$\dfrac{\sqrt{2}e^{\frac{\pi}{4}}}{2}$	↘	0

따라서 구간 $\left[0, \dfrac{\pi}{2}\right]$에서 함수 $f(x)$의

최댓값은 $f\left(\dfrac{\pi}{4}\right)=\dfrac{\sqrt{2}e^{\frac{\pi}{4}}}{2}$, 최솟값은 $f\left(\dfrac{\pi}{2}\right)=0$이다.

20 **답** (1) 2 (2) 2 (3) 0 (4) 0 (5) 1

풀이 **(1)** $x-\sqrt{x+1}+1=0$에서 $\sqrt{x+1}=x+1$

이때 두 함수 $y=\sqrt{x+1}$과 $y=x+1$의 그래프를 그리면 다음 그림과 같다.

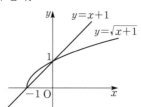

따라서 두 함수의 그래프가 두 점에서 만나므로 주어진 방정식의 실근의 개수는 2이다.

(2) $\dfrac{4x}{x^2+2x}-1=0$에서 $4x=x^2+2x$

이때 두 함수 $y=4x$와 $y=x^2+2x$의 그래프를 그리면 오른쪽 그림과 같다.
따라서 두 함수의 그래프가 두 점에서 만나므로 주어진 방정식의 실근의 개수는 2이다.

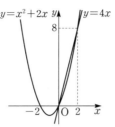

(3) $e^x-x=0$에서 $e^x=x$

이때 두 함수 $y=e^x$과 $y=x$의 그래프를 그리면 오른쪽 그림과 같다.
따라서 두 함수의 그래프가 만나지 않으므로 주어진 방정식의 실근은 없다.

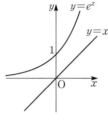

(4) 두 함수 $y=\ln x$와 $y=x+2$의 그래프를 그리면 오른쪽 그림과 같다.
따라서 두 함수의 그래프가 만나지 않으므로 주어진 방정식의 실근은 없다.

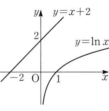

(5) $\sin x-2x=0$에서 $\sin x=2x$

구간 $[-\pi,\ \pi]$에서 두 함수 $y=\sin x$와 $y=2x$의 그래프를 그리면 다음 그림과 같다.

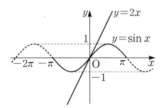

따라서 두 함수의 그래프가 한 점에서 만나므로 주어진 방정식의 실근의 개수는 1이다.

21 답 (1) $a>e$　　(2) $0<a<1$　　(3) $a>1$

　　(4) $a<-1$　　(5) $0<a<\dfrac{1}{2e}$

풀이 (1) $x\neq0$이므로 방정식 $e^x=ax$가 서로 다른 두 실근을 가지려면 곡선 $y=\dfrac{e^x}{x}$과 직선 $y=a$가 서로 다른 두 점에서 만나야 한다.

$f(x)=\dfrac{e^x}{x}$으로 놓으면

$f'(x)=\dfrac{e^x\times x-e^x\times1}{x^2}=\dfrac{(x-1)e^x}{x^2}$

$f'(x)=0$에서 $x=1$

함수 $f(x)$의 증가와 감소를 표로 나타내면 다음과 같다.

x	$\cdots$	(0)	$\cdots$	1	$\cdots$
$f'(x)$	$-$		$-$	0	$+$
$f(x)$	$\searrow$		$\searrow$	e	$\nearrow$

한편, $\displaystyle\lim_{x\to0-}f(x)=-\infty$,

$\displaystyle\lim_{x\to-\infty}f(x)=0$,

$\displaystyle\lim_{x\to0+}f(x)=\infty$,

$\displaystyle\lim_{x\to\infty}f(x)=\infty$이므로 함수 $f(x)$의 그래프는 오른쪽 그림과 같다.

따라서 방정식 $e^x=ax$가 서로 다른 두 실근을 갖는 a의 값의 범위는 $a>e$

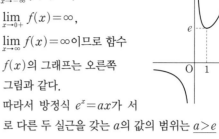

(2) 방정식 $\dfrac{2}{x^2-2x+3}=a$가 서로 다른 두 실근을 가지려면 곡선 $y=\dfrac{2}{x^2-2x+3}$와 직선 $y=a$가 서로 다른 두 점에서 만나야 한다.

$f(x)=\dfrac{2}{x^2-2x+3}$로 놓으면

① $x^2-2x+3=(x-1)^2+2>0$이므로 정의역은 실수 전체의 집합이다.

② $f(0)=\dfrac{2}{3}$이므로 점 $\left(0,\ \dfrac{2}{3}\right)$를 지난다.

③ $f'(x)=\dfrac{-2(2x-2)}{(x^2-2x+3)^2}=\dfrac{-4(x-1)}{(x^2-2x+3)^2}$

$f'(x)=0$에서 $x=1$

함수 $f(x)$의 증가와 감소를 표로 나타내면 다음과 같다.

x	$\cdots$	1	$\cdots$
$f'(x)$	$+$	0	$-$
$f(x)$	$\nearrow$	1	$\searrow$

④ $\displaystyle\lim_{x\to-\infty}f(x)=0$, $\displaystyle\lim_{x\to\infty}f(x)=0$이므로 점근선은 x축이다.

즉, 함수 $y=f(x)$의 그래프는 다음 그림과 같다.

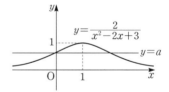

따라서 방정식 $\dfrac{2}{x^2-2x+3}=a$가 서로 다른 두 실근을 갖는 a의 값의 범위는

$0<a<1$

(3) $\dfrac{a}{e^x-x}=1$에서 $e^x-x=a$　$\therefore e^x=x+a$

따라서 방정식 $\dfrac{a}{e^x-x}=1$이 서로 다른 두 실근을 가지려면 오른쪽 그림과 같이 곡선 $y=e^x$과 직선 $y=x+a$가 서로 다른 두 점에서 만나야 한다.

$f(x)=e^x$, $g(x)=x+a$로 놓으면

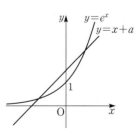

$f'(x)=e^x$, $g'(x)=1$

곡선 $y=f(x)$와 직선 $g(x)$가 접할 때, 접점의 x좌표를 t라 하면

$f(t)=g(t)$에서 $e^t=t+a$ ······ ㉠

$f'(t)=g'(t)$에서 $e^t=1$ ∴ $t=0$

$t=0$을 ㉠에 대입하면 $a=1$

따라서 방정식 $\dfrac{a}{e^x-x}=1$이 서로 다른 두 실근을 갖는

a의 값의 범위는 $a>1$

(4) $\ln x-x=a$에서 $\ln x=x+a$

따라서 방정식 $\ln x-x=a$ 가 서로 다른 두 실근을 가지려면 오른쪽 그림과 같이 곡선 $y=\ln x$와 직선 $y=x+a$ 가 서로 다른 두 점에서 만나야 한다.

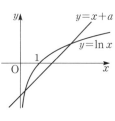

$f(x)=\ln x$, $g(x)=x+a$로 놓으면

$f'(x)=\dfrac{1}{x}$, $g'(x)=1$

곡선 $y=f(x)$와 직선 $g(x)$가 접할 때, 접점의 x좌표를 t라 하면

$f(t)=g(t)$에서 $\ln t=t+a$ ······ ㉠

$f'(t)=g'(t)$에서 $\dfrac{1}{t}=1$ ∴ $t=1$

$t=1$을 ㉠에 대입하면 $a=-1$

따라서 방정식 $\ln x-x=a$가 서로 다른 두 실근을 갖는

a의 값의 범위는 $a<-1$

(5) $\dfrac{\ln x}{x^2}=a$에서 $\ln x=ax^2$

따라서 방정식 $\ln x=ax^2$ 이 서로 다른 두 실근을 가지려면 오른쪽 그림과 같이 두 곡선 $y=\ln x$, $y=ax^2$이 서로 다른 두 점에서 만나야 하므로 $a>0$

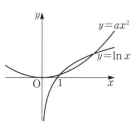

$f(x)=\ln x$, $g(x)=ax^2$으로 놓으면

$f'(x)=\dfrac{1}{x}$, $g'(x)=2ax$

두 곡선 $y=f(x)$, $y=g(x)$가 접할 때, 접점의 x좌표를 t라 하면

$f(t)=g(t)$에서 $\ln t=at^2$ ······ ㉠

$f'(t)=g'(t)$에서 $\dfrac{1}{t}=2at$ ∴ $a=\dfrac{1}{2t^2}$

$a=\dfrac{1}{2t^2}$을 ㉠에 대입하면 $\ln t=\dfrac{1}{2}$ ∴ $t=\sqrt{e}$

∴ $a=\dfrac{1}{2e}$

따라서 방정식 $\dfrac{\ln x}{x^2}=a$가 서로 다른 두 실근을 갖는 a의

값의 범위는

$0<a<\dfrac{1}{2e}$

22 답 풀이 참조

풀이 (1) $x+1>\ln x$에서 $x-\ln x+1>0$이 성립함을 보인다.

$f(x)=x-\ln x+1$로 놓으면

$f'(x)=1-\dfrac{1}{x}=\dfrac{x-1}{x}$

$f'(x)=0$에서 $x=1$

$x>0$에서 함수 $f(x)$의 증가와 감소를 표로 나타내면 다음과 같다.

x	(0)	$\cdots$	1	$\cdots$
$f'(x)$		$-$	0	$+$
$f(x)$		$\searrow$	2	$\nearrow$

즉, 함수 $f(x)$는 $x=1$에서 극소이면서 최소이므로 $f(x)$의 최솟값은 $f(1)=2$이다.

따라서 $x>0$일 때 부등식 $f(x)>0$, 즉 $x-\ln x+1>0$이 성립한다.

∴ $x+1>\ln x$

(2) $e^x>x-1$에서 $e^x-x+1>0$이 성립함을 보인다.

$f(x)=e^x-x+1$로 놓으면 $f'(x)=e^x-1$

$x>0$일 때, $e^x>1$이므로 $f'(x)>0$이다.

따라서 함수 $f(x)$는 $x>0$에서 증가한다.

그런데 $f(0)=2$이므로 $x>0$일 때 부등식 $f(x)>0$, 즉 $e^x-x+1>0$이 성립한다.

∴ $e^x>x-1$

(3) $e^x-1>\sin x$에서 $e^x-\sin x-1>0$이 성립함을 보인다.

$f(x)=e^x-\sin x-1$로 놓으면

$f'(x)=e^x-\cos x$

$x>0$일 때, $e^x>1$이고 $-1\le\cos x\le1$이므로 $f'(x)>0$이다.

따라서 함수 $f(x)$는 $x>0$에서 증가한다.

그런데 $f(0)=0$이므로 $x>0$일 때 부등식 $f(x)>0$, 즉 $e^x-\sin x-1>0$이 성립한다.

∴ $e^x-1>\sin x$

(4) $\ln x\ge1-\dfrac{1}{x}$에서 $\ln x+\dfrac{1}{x}-1\ge0$이 성립함을 보인다.

$f(x)=\ln x+\dfrac{1}{x}-1$로 놓으면

$f'(x)=\dfrac{1}{x}-\dfrac{1}{x^2}=\dfrac{x-1}{x^2}$

$f'(x)=0$에서 $x=1$

$x>0$에서 함수 $f(x)$의 증가와 감소를 표로 나타내면 다음과 같다.

x	(0)	$\cdots$	1	$\cdots$
$f'(x)$		$-$	0	$+$
$f(x)$		$\searrow$	0	$\nearrow$

즉, 함수 $f(x)$는 $x=1$에서 극소이면서 최소이므로
$f(x)$의 최솟값은 $f(1)=0$이다.

따라서 부등식 $f(x) \geq 0$, 즉 $\ln x + \dfrac{1}{x} - 1 \geq 0$이 성립한다.

$\therefore \ln x \geq 1 - \dfrac{1}{x}$

23 답 (1) $a \leq 2$ (2) $a \leq 1$ (3) $a > -e$
(4) $a < -1$ (5) $0 < a < e$ (6) $a \geq 0$

풀이 (1) $2e^x > x^2 + a$에서 $2e^x - x^2 - a > 0$
$f(x) = 2e^x - x^2 - a$로 놓으면
$f'(x) = 2e^x - 2x$, $f''(x) = 2e^x - 2 = 2(e^x - 1)$
$x > 0$일 때, $e^x > 1$이므로 $f''(x) > 0$
즉, 함수 $f'(x)$는 $x > 0$에서 증가한다.
그런데 $f'(0) = 2$이므로 $x > 0$일 때 $f'(x) > 0$이다.
따라서 함수 $f(x)$는 $x > 0$에서 증가한다.
그런데 $x > 0$에서 $f(x) > 0$이 성립하려면 $f(0) \geq 0$이어야 하므로
$2 - a \geq 0$ $\therefore a \leq 2$

(2) $e^x > x + a$에서 $e^x - x - a > 0$
$f(x) = e^x - x - a$로 놓으면 $f'(x) = e^x - 1$
$x > 0$일 때, $e^x > 1$이므로 $f'(x) > 0$
즉, 함수 $f(x)$는 $x > 0$에서 증가한다.
그런데 $x > 0$에서 $f(x) > 0$이 성립하려면 $f(0) \geq 0$이어야 하므로
$1 - a \geq 0$ $\therefore a \leq 1$

(3) $f(x) = e^x - e \ln x + a$로 놓으면
$f'(x) = e^x - \dfrac{e}{x} = \dfrac{xe^x - e}{x}$
$f'(x) = 0$에서 $xe^x - e = 0$ $\therefore x = 1$
$x > 0$에서 함수 $f(x)$의 증가와 감소를 표로 나타내면 다음과 같다.

x	(0)	$\cdots$	1	$\cdots$
$f'(x)$		$-$	0	$+$
$f(x)$		$\searrow$	$e+a$	$\nearrow$

즉, 함수 $f(x)$는 $x=1$에서 극소이면서 최소이므로
$f(x)$의 최솟값은
$f(1) = e + a$
따라서 $x > 0$일 때 $f(x) > 0$이려면 $f(1) > 0$이어야 하므로
$e + a > 0$ $\therefore a > -e$

(4) $x \ln x > x + a$에서 $x \ln x - x - a > 0$
$f(x) = x \ln x - x - a$로 놓으면
$f'(x) = \ln x + x \times \dfrac{1}{x} - 1 = \ln x$
$f'(x) = 0$에서 $x = 1$
$x > 0$에서 함수 $f(x)$의 증가와 감소를 표로 나타내면 다음과 같다.

x	(0)	$\cdots$	1	$\cdots$
$f'(x)$		$-$	0	$+$
$f(x)$		$\searrow$	$-1-a$	$\nearrow$

즉, 함수 $f(x)$는 $x=1$에서 극소이면서 최소이므로
$f(x)$의 최솟값은
$f(1) = -1 - a$
따라서 $x > 0$일 때 $f(x) > 0$이려면 $f(1) > 0$이어야 하므로
$-1 - a > 0$ $\therefore a < -1$

(5) 로그의 진수는 0보다 크므로
$ax > 0$ $\therefore a > 0$ ($\because x > 0$) ...... ㉠
$f(x) = \ln ax - x$로 놓으면
$f'(x) = \dfrac{1}{x} - 1 = \dfrac{1-x}{x}$
$f'(x) = 0$에서 $x = 1$
$x > 0$에서 함수 $f(x)$의 증가와 감소를 표로 나타내면 다음과 같다.

x	(0)	$\cdots$	1	$\cdots$
$f'(x)$		$+$	0	$-$
$f(x)$		$\nearrow$	$\ln a - 1$	$\searrow$

즉, 함수 $f(x)$는 $x=1$에서 극대이면서 최대이므로
$f(x)$의 최댓값은
$f(1) = \ln a - 1$
따라서 $x > 0$일 때 $f(x) < 0$이려면 $f(1) < 0$이어야 하므로
$\ln a - 1 < 0$ $\therefore a < e$ ...... ㉡
㉠, ㉡의 공통 범위를 구하면
$0 < a < e$

(6) $f(x) = x^2 + \sin x + a$로 놓으면
$f'(x) = 2x + \cos x$, $f''(x) = 2 - \sin x$
$-1 \leq \sin x \leq 1$이므로 $1 \leq 2 - \sin x \leq 3$
$\therefore f''(x) > 0$
즉, 함수 $f'(x)$는 $x > 0$에서 증가한다.
그런데 $f'(0) = 1$이므로 $x > 0$에서 $f'(x) > 0$
따라서 함수 $f(x)$는 $x > 0$에서 증가한다.
그런데 $x > 0$에서 $f(x) > 0$이 성립하려면 $f(0) \geq 0$이어야 하므로
$a \geq 0$

24 답 (1) 속도: $2\ln 2 + \dfrac{5}{2}$, 가속도: $2\ln 2 + \dfrac{7}{4}$

(2) 속도: $e+1$, 가속도: e

풀이 (1) 점 P의 속도를 v라 하면
$v = \dfrac{dx}{dt} = 2t \ln(t+1) + t^2 \times \dfrac{1}{t+1} + 2$

$\quad = 2t \ln(t+1) + \dfrac{t^2}{t+1} + 2$

따라서 시각 $t=1$에서의 점 P의 속도는
$2\ln 2 + \dfrac{1}{2} + 2 = 2\ln 2 + \dfrac{5}{2}$
한편, 점 P의 가속도를 a라 하면
$a = \dfrac{dv}{dt} = 2\ln(t+1) + 2t \times \dfrac{1}{t+1} + \dfrac{2t(t+1) - t^2}{(t+1)^2}$

$\quad = 2\ln(t+1) + \dfrac{3t^2 + 4t}{(t+1)^2}$

따라서 시각 $t=1$에서의 점 P의 가속도는

$$2\ln 2+\frac{7}{2^2}=2\ln 2+\frac{7}{4}$$

(2) 점 P의 속도를 v라 하면

$$v=\frac{dx}{dt}=e^t+1$$

따라서 시각 $t=1$에서의 점 P의 속도는 $e+1$이다.

한편, 점 P의 가속도를 a라 하면

$$a=\frac{dv}{dt}=e^t$$

이므로 시각 $t=1$에서의 점 P의 가속도는 e이다.

25 답 (1) $\frac{3}{4}\pi$ (2) $0, 2$

풀이 (1) 점 P가 운동 방향을 바꾸는 경우는 속도가 0일 때이다.

점 P의 속도를 v라 하면

$$v=\frac{dx}{dt}=\cos t+\sin t$$

이므로 $v=0$에서 $\cos t+\sin t=0$

$$1+\frac{\sin t}{\cos t}=0$$

$$\therefore \tan t=-1$$

이때 $0\le t\le\pi$이므로 $t=\frac{3}{4}\pi$

(2) 점 P가 운동 방향을 바꾸는 경우는 속도가 0일 때이다.

점 P의 속도를 v라 하면

$$v=\frac{dx}{dt}=2te^{-t}-t^2e^{-t}=-t(t-2)e^{-t}$$

이므로 $v=0$에서

$$t=0 \text{ 또는 } t=2$$

26 답 (1) 속도: $(4t-1, 2t+3)$, 속력: $\sqrt{20t^2+4t+10}$

(2) 속도: $(3, 4)$, 속력: 5

(3) 속도: $(2t+1, t)$, 속력: $\sqrt{5t^2+4t+1}$

(4) 속도: $(\cos t, -\sin t)$, 속력: 1

풀이 (1) $\frac{dx}{dt}=4t-1$, $\frac{dy}{dt}=2t+3$이므로

속도는 $(4t-1, 2t+3)$이고, 속력은

$$\sqrt{\left(\frac{dx}{dt}\right)^2+\left(\frac{dy}{dt}\right)^2}=\sqrt{(4t-1)^2+(2t+3)^2}$$
$$=\sqrt{20t^2+4t+10}$$

(2) $\frac{dx}{dt}=3$, $\frac{dy}{dt}=4$이므로 속도는 $(3, 4)$이고,

속력은

$$\sqrt{\left(\frac{dx}{dt}\right)^2+\left(\frac{dy}{dt}\right)^2}=\sqrt{3^2+4^2}=5$$

(3) $\frac{dx}{dt}=2t+1$, $\frac{dy}{dt}=t$이므로

속도는 $(2t+1, t)$이고, 속력은

$$\sqrt{\left(\frac{dx}{dt}\right)^2+\left(\frac{dy}{dt}\right)^2}=\sqrt{(2t+1)^2+t^2}$$
$$=\sqrt{5t^2+4t+1}$$

(4) $\frac{dx}{dt}=\cos t$, $\frac{dy}{dt}=-\sin t$이므로

속도는 $(\cos t, -\sin t)$이고, 속력은

$$\sqrt{\left(\frac{dx}{dt}\right)^2+\left(\frac{dy}{dt}\right)^2}=\sqrt{\cos^2 t+(-\sin t)^2}=1$$

27 답 (1) 가속도: $(-2, 6)$, 가속도의 크기: $2\sqrt{10}$

(2) 가속도: $(e^t, -e^t)$, 가속도의 크기: $\sqrt{2}e^t$

(3) 가속도: $(-\sin t, \cos t)$, 가속도의 크기: 1

풀이 (1) $\frac{dx}{dt}=-2t$, $\frac{dy}{dt}=6t-2$,

$$\frac{d^2x}{dt^2}=-2, \frac{d^2y}{dt^2}=6$$

따라서 가속도는 $(-2, 6)$이고,

가속도의 크기는

$$\sqrt{\left(\frac{d^2x}{dt^2}\right)^2+\left(\frac{d^2y}{dt^2}\right)^2}=\sqrt{(-2)^2+6^2}=\sqrt{40}=2\sqrt{10}$$

(2) $\frac{dx}{dt}=1+e^t$, $\frac{dy}{dt}=2-e^t$,

$$\frac{d^2x}{dt^2}=e^t, \frac{d^2y}{dt^2}=-e^t$$

따라서 가속도는 $(e^t, -e^t)$이고,

가속도의 크기는

$$\sqrt{\left(\frac{d^2x}{dt^2}\right)^2+\left(\frac{d^2y}{dt^2}\right)^2}=\sqrt{(e^t)^2+(-e^t)^2}=\sqrt{2}e^t$$

(3) $\frac{dx}{dt}=2+\cos t$, $\frac{dy}{dt}=\sin t$,

$$\frac{d^2x}{dt^2}=-\sin t, \frac{d^2y}{dt^2}=\cos t$$

따라서 가속도는 $(-\sin t, \cos t)$이고,

가속도의 크기는

$$\sqrt{\left(\frac{d^2x}{dt^2}\right)^2+\left(\frac{d^2y}{dt^2}\right)^2}=\sqrt{(-\sin t)^2+\cos^2 t}=1$$

28 답 (1) 속도: $(12, 26)$, 가속도: $(4, 18)$

(2) 속도: $(4, 7)$, 가속도: $(0, 2)$

(3) 속도: $\left(\frac{1}{4}, 3\right)$, 가속도: $\left(-\frac{1}{32}, \frac{3}{8}\right)$

(4) 속도: $(1, -4)$, 가속도: $(0, 16)$

(5) 속도: $(e+1, 2e^2-2)$, 가속도: $(e, 4e^2)$

(6) 속도: $(\ln 2+1, 2)$, 가속도: $\left(\frac{1}{2}, 2\right)$

(7) 속도: $(2, 0)$, 가속도: $(0, -4)$

(8) 속도: $\left(0, -\frac{3}{2}\pi\right)$, 가속도: $\left(\frac{3}{4}\pi^2, 0\right)$

풀이 (1) $\dfrac{dx}{dt}=4t$, $\dfrac{dy}{dt}=3t^2-1$이므로 속도는

$(4t,\ 3t^2-1)$

$\dfrac{d^2x}{dt^2}=4$, $\dfrac{d^2y}{dt^2}=6t$이므로 가속도는

$(4,\ 6t)$

따라서 $t=3$에서의 점 P의 속도는 $\underline{(12,\ 26)}$, 가속도는 $\underline{(4,\ 18)}$이다.

(2) $\dfrac{dx}{dt}=4$, $\dfrac{dy}{dt}=2t+5$이므로 속도는

$(4,\ 2t+5)$

$\dfrac{d^2x}{dt^2}=0$, $\dfrac{d^2y}{dt^2}=2$이므로 가속도는

$(0,\ 2)$

따라서 $t=1$에서의 점 P의 속도는 $(4,\ 7)$, 가속도는 $(0,\ 2)$이다.

(3) $\dfrac{dx}{dt}=\dfrac{1}{2\sqrt{t}}$, $\dfrac{dy}{dt}=\dfrac{3}{2}\sqrt{t}$이므로 속도는

$\left(\dfrac{1}{2\sqrt{t}},\ \dfrac{3}{2}\sqrt{t}\right)$

$\dfrac{d^2x}{dt^2}=-\dfrac{1}{4t\sqrt{t}}$, $\dfrac{d^2y}{dt^2}=\dfrac{3}{4\sqrt{t}}$이므로 가속도는

$\left(-\dfrac{1}{4t\sqrt{t}},\ \dfrac{3}{4\sqrt{t}}\right)$

따라서 $t=4$에서의 점 P의 속도는 $\left(\dfrac{1}{4},\ 3\right)$, 가속도는

$\left(-\dfrac{1}{32},\ \dfrac{3}{8}\right)$이다.

(4) $\dfrac{dx}{dt}=1$, $\dfrac{dy}{dt}=-\dfrac{1}{t^2}$이므로 속도는

$\left(1,\ -\dfrac{1}{t^2}\right)$

$\dfrac{d^2x}{dt^2}=0$, $\dfrac{d^2y}{dt^2}=\dfrac{2}{t^3}$이므로 가속도는

$\left(0,\ \dfrac{2}{t^3}\right)$

따라서 $t=\dfrac{1}{2}$에서의 점 P의 속도는 $(1,\ -4)$, 가속도는

$(0,\ 16)$이다.

(5) $\dfrac{dx}{dt}=e^t+1$, $\dfrac{dy}{dt}=2e^{2t}-2$이므로 속도는

$(e^t+1,\ 2e^{2t}-2)$

$\dfrac{d^2x}{dt^2}=e^t$, $\dfrac{d^2y}{dt^2}=4e^{2t}$이므로 가속도는

$(e^t,\ 4e^{2t})$

따라서 $t=1$에서의 점 P의 속도는 $(e+1,\ 2e^2-2)$, 가속도는 $(e,\ 4e^2)$이다.

(6) $\dfrac{dx}{dt}=\ln(t+1)+1$, $\dfrac{dy}{dt}=t^2+1$이므로 속도는

$(\ln(t+1)+1,\ t^2+1)$

$\dfrac{d^2x}{dt^2}=\dfrac{1}{t+1}$, $\dfrac{d^2y}{dt^2}=2t$이므로 가속도는

$\left(\dfrac{1}{t+1},\ 2t\right)$

따라서 $t=1$에서의 점 P의 속도는 $(\ln 2+1,\ 2)$,

가속도는 $\left(\dfrac{1}{2},\ 2\right)$이다.

(7) $\dfrac{dx}{dt}=2\cos 2t$, $\dfrac{dy}{dt}=-2\sin 2t$이므로 속도는

$(2\cos 2t,\ -2\sin 2t)$

$\dfrac{d^2x}{dt^2}=-4\sin 2t$, $\dfrac{d^2y}{dt^2}=-4\cos 2t$이므로 가속도는

$(-4\sin 2t,\ -4\cos 2t)$

따라서 $t=\pi$에서의 점 P의 속도는 $(2,\ 0)$, 가속도는

$(0,\ -4)$이다.

(8) $\dfrac{dx}{dt}=-\dfrac{3\pi}{2}\sin\dfrac{\pi}{2}t$, $\dfrac{dy}{dt}=\dfrac{3\pi}{2}\cos\dfrac{\pi}{2}t$이므로 속도는

$\left(-\dfrac{3\pi}{2}\sin\dfrac{\pi}{2}t,\ \dfrac{3\pi}{2}\cos\dfrac{\pi}{2}t\right)$

$\dfrac{d^2x}{dt^2}=-\dfrac{3\pi^2}{4}\cos\dfrac{\pi}{2}t$, $\dfrac{d^2y}{dt^2}=-\dfrac{3\pi^2}{4}\sin\dfrac{\pi}{2}t$이므로

가속도는

$\left(-\dfrac{3\pi^2}{4}\cos\dfrac{\pi}{2}t,\ -\dfrac{3\pi^2}{4}\sin\dfrac{\pi}{2}t\right)$

따라서 $t=2$에서의 점 P의 속도는 $\left(0,\ -\dfrac{3}{2}\pi\right)$,

가속도는 $\left(\dfrac{3}{4}\pi^2,\ 0\right)$이다.

01 답 $\dfrac{2}{3}e$

풀이 $f(x)=e^{x^3}$으로 놓으면 $f'(x)=3x^2e^{x^3}$

이 곡선 위의 점 $(1, e)$에서의 접선의 기울기는

$f'(1)=3e$

따라서 곡선 위의 점 $(1, e)$에서의 접선의 방정식은

$y-e=3e(x-1)$ $\quad\therefore y=3ex-2e$

이때 접선의 x절편과 y절편이 각각 $\dfrac{2}{3}$, $-2e$이므로 구하는

도형의 넓이는

$\dfrac{1}{2}\times\dfrac{2}{3}\times 2e=\dfrac{2}{3}e$

02 답 -1

풀이 $y'=\dfrac{1}{x}$이므로 접점 P의 좌표

를 $(a, \ln a)$로 놓으면 점 P에서의

접선의 기울기는 $\dfrac{1}{a}$이다.

그런데 기울기가 1이므로

$\dfrac{1}{a}=1$ $\quad\therefore a=1$

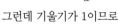

따라서 접점의 좌표는 $(1, 0)$이고, 접선의 방정식은

$y=x-1$

이므로 접선의 y절편은 -1이다.

03 답 $\ln 3$

풀이 $f(x)=a-3\ln x$, $g(x)=\ln(x+2)$로 놓고, 두 곡

선의 교점의 x좌표를 t라 하면

$f(t)=g(t)$에서 $a-3\ln t=\ln(t+2)$ $\quad\cdots\cdots\text{㉠}$

$f'(x)=-\dfrac{3}{x}$, $g'(x)=\dfrac{1}{x+2}$이므로 두 곡선의 $x=t$에서의

접선의 기울기는 각각 $-\dfrac{3}{t}$, $\dfrac{1}{t+2}$이고, 두 접선이 서로

수직이므로

$\left(-\dfrac{3}{t}\right)\times\dfrac{1}{t+2}=-1$

$t^2+2t-3=0$, $(t+3)(t-1)=0$

$\therefore t=-3$ 또는 $t=1$

이때 로그의 진수 조건에 의하여 $t>0$이므로 $t=1$

이것을 ㉠에 대입하면

$a=\ln 3$

04 답 e

풀이 $f(x)=xe^x$으로 놓으면

$f'(x)=e^x+xe^x=e^x(1+x)$

접점의 좌표를 (t, te^t)이라 하면 이 점에서의 접선의 기울

기는

$f'(t)=e^t(1+t)$ $\quad\cdots\cdots\text{㉠}$

이므로 접선의 방정식은

$y-te^t=e^t(1+t)(x-t)$

$\therefore y=e^t(1+t)x-t^2e^t$

이 직선이 점 $(1, 0)$을 지나므로

$0=e^t(1+t)-t^2e^t$

$(t^2-t-1)e^t=0$

$\therefore t^2-t-1=0$ ($\because e^t>0$)

이때 이차방정식 $t^2-t-1=0$의 두 근을 α, β라 하면 근과

계수의 관계에 의하여

$\alpha+\beta=1$, $\alpha\beta=-1$ $\quad\cdots\cdots\text{㉡}$

$x=\alpha$, $x=\beta$에서의 접선의 기울기를 각각 m_1, m_2라 하면

$m_1=f'(\alpha)=e^\alpha(1+\alpha)$, $m_2=f'(\beta)=e^\beta(1+\beta)$ ($\because$ ㉠)

이므로

$m_1m_2=e^\alpha(1+\alpha)\times e^\beta(1+\beta)$

$\qquad=e^{\alpha+\beta}(1+\alpha+\beta+\alpha\beta)$

$\qquad=e^1(1+1-1)$ ($\because$ ㉡)

$\qquad=e$

05 답 6

풀이 $f'(x)=\dfrac{x^2+5-(x-2)\times 2x}{(x^2+5)^2}=\dfrac{-x^2+4x+5}{(x^2+5)^2}$

$\qquad\quad=\dfrac{-(x+1)(x-5)}{(x^2+5)^2}$

$f'(x)=0$에서 $-(x+1)(x-5)=0$ ($\because x^2+5>0$)

$\therefore x=-1$ 또는 $x=5$

함수 $f(x)$의 증가와 감소를 표로 나타내면 다음과 같다.

x	$\cdots$	-1	$\cdots$	5	$\cdots$
$f'(x)$	$-$	0	$+$	0	$-$
$f(x)$	$\searrow$	$-\dfrac{1}{2}$	$\nearrow$	$\dfrac{1}{10}$	$\searrow$

따라서 함수 $f(x)$는 $-1\leq x\leq 5$에서 증가하므로

$\alpha=-1$, $\beta=5$

$\therefore \beta-\alpha=6$

06 답 4

풀이 $f(x)=ax^2-bx+\ln x$에서

$f'(x)=2ax-b+\dfrac{1}{x}$

함수 $f(x)$가 $x=1$에서 극솟값 -2를 가지므로

$f'(1)=0$, $f(1)=-2$

$\therefore 2a-b+1=0$, $a-b=-2$

위의 두 식을 연립하여 풀면 $a=1$, $b=3$

$\therefore a+b=4$

07 답 -1

풀이 $f(x)=2\ln x-\dfrac{a}{x}-x$에서

$f'(x)=\dfrac{2}{x}+\dfrac{a}{x^2}-1=\dfrac{-(x^2-2x-a)}{x^2}$

$f'(x)=0$에서 $x^2-2x-a=0$ ($\because x>0$)

그런데 함수 $f(x)$가 극값을 갖지 않으려면 모든 실수 x에

대하여 $x^2-2x-a\geq 0$이어야 하므로 이차방정식

$x^2-2x-a=0$의 판별식 D라 하면

$\dfrac{D}{4}=(-1)^2+a\leq 0$ $\quad\therefore a\leq -1$

따라서 상수 a의 최댓값은 -1이다.

08 답 π

풀이 $y=x+2\sin x$에서

$y'=1+2\cos x$, $y''=-2\sin x$

곡선 $y=x+2\sin x$가 아래로 볼록하려면 $y''>0$이어야 하므로

$-2\sin x>0$, $\sin x<0$

$\therefore \pi<x<2\pi$ $(\because 0<x<2\pi)$

따라서 주어진 곡선이 아래로 볼록한 구간은 $(\pi, 2\pi)$이므로

$\alpha=\pi$, $\beta=2\pi$

$\therefore \beta-\alpha=\pi$

09 답 $2e$

풀이 $f(x)=(\ln ax)^2$으로 놓으면

$f'(x)=2(\ln ax)\times\dfrac{a}{ax}=\dfrac{2\ln ax}{x}$

$f'(x)=0$에서 $\ln ax=0$, $ax=1$ $\quad\therefore x=\dfrac{1}{a}$

$f''(x)=\dfrac{\dfrac{2}{x}\times x-2\ln ax}{x^2}=\dfrac{2(1-\ln ax)}{x^2}$

$f''(x)=0$에서 $1-\ln ax=0$ $\quad\therefore x=\dfrac{e}{a}$

$0<x<\dfrac{e}{a}$일 때 $f''(x)>0$,

$x>\dfrac{e}{a}$일 때 $f''(x)<0$이므로

$x=\dfrac{e}{a}$의 좌우에서 $f''(x)$의 부호가 바뀐다.

따라서 변곡점의 좌표는 $\left(\dfrac{e}{a},\ 1\right)$이고, 이 점이 $y=2x$ 위에 있으므로

$1=2\times\dfrac{e}{a}$ $\quad\therefore a=2e$

10 답 $\dfrac{e^2}{4}$

풀이 $f(x)=\dfrac{x}{\ln x}$로 놓으면

$f'(x)=\dfrac{\ln x-x\times\dfrac{1}{x}}{(\ln x)^2}=\dfrac{\ln x-1}{(\ln x)^2}$

$f''(x)=\dfrac{\dfrac{1}{x}\times(\ln x)^2-(\ln x-1)\times 2\ln x\times\dfrac{1}{x}}{(\ln x)^4}$

$=\dfrac{2-\ln x}{x(\ln x)^3}$

$f''(x)=0$에서 $2-\ln x=0$ $\quad\therefore x=e^2$

$0<x<e^2$일 때 $f''(x)>0$이고, $x>e^2$일 때 $f''(x)<0$이므로

$x=e^2$의 좌우에서 $f''(x)$의 부호가 바뀐다.

따라서 변곡점의 좌표는 $\left(e^2,\ \dfrac{e^2}{2}\right)$이고, $x=e^2$인 점에서의

접선의 기울기는

$f'(e^2)=\dfrac{\ln e^2-1}{(\ln e^2)^2}=\dfrac{2-1}{2^2}=\dfrac{1}{4}$

이므로 점 $\left(e^2,\ \dfrac{e^2}{2}\right)$에서의 접선의 방정식은

$y-\dfrac{e^2}{2}=\dfrac{1}{4}(x-e^2)$ $\quad\therefore y=\dfrac{1}{4}x+\dfrac{e^2}{4}$

따라서 구하는 접선의 y절편은 $\dfrac{e^2}{4}$이다.

11 답 ㄱ, ㄷ

풀이 ㄱ. $f(-x)=f(x)$이므로 함수 $y=f(x)$의 그래프는 y축에 대하여 대칭이다. (참)

ㄴ. $f'(x)=\dfrac{-3\times 2x}{(x^2+3)^2}=\dfrac{-6x}{(x^2+3)^2}$

$f''(x)=\dfrac{-6(x^2+3)^2+6x\times 2(x^2+3)\times 2x}{(x^2+3)^4}$

$=\dfrac{18x^2-18}{(x^2+3)^3}=\dfrac{18(x+1)(x-1)}{(x^2+3)^3}$

$f'(x)=0$에서 $x=0$

$f''(x)=0$에서 $x=-1$ 또는 $x=1$

함수 $f(x)$의 증가와 감소를 표로 나타내면 다음과 같다.

x	$\cdots$	-1	$\cdots$	0	$\cdots$	1	$\cdots$
$f'(x)$	$+$	$+$	$+$	0	$-$	$-$	$-$
$f''(x)$	$+$	0	$-$	$-$	$-$	0	$+$
$f(x)$	↗	$\dfrac{3}{4}$	↗	1	↘	$\dfrac{3}{4}$	↘

$\lim\limits_{x\to\infty}f(x)=0$, $\lim\limits_{x\to-\infty}f(x)=0$이므로 점근선은 x축이다.

따라서 함수 $f(x)$의 최댓값은 $f(0)=1$, 최솟값은 없다.

(거짓)

ㄷ. $-1<x<1$에서 $f''(x)<0$이므로 함수 $y=f(x)$의 그래프는 위로 볼록하다. (참)

따라서 옳은 것은 ㄱ, ㄷ이다.

12 답 $1-\dfrac{1}{e^\pi}$

풀이 $f(x)=e^{-x}(\sin x+\cos x)$에서

$f'(x)=-e^{-x}(\sin x+\cos x)+e^{-x}(\cos x-\sin x)$

$=-2e^{-x}\sin x$

$f'(x)=0$에서 $\sin x=0$ $(\because e^{-x}>0)$

$\therefore x=0$ 또는 $x=\pi$ 또는 $x=2\pi$ $(\because 0\leq x\leq 2\pi)$

$0\leq x\leq 2\pi$에서 함수 $f(x)$의 증가와 감소를 표로 나타내면 다음과 같다.

x	0	$\cdots$	π	$\cdots$	2π
$f'(x)$	0	$-$	0	$+$	0
$f(x)$	1	↘	$-\dfrac{1}{e^\pi}$	↗	$\dfrac{1}{e^{2\pi}}$

따라서 구간 $[0, 2\pi]$에서 함수 $f(x)$의 최댓값은 $f(0)=1$,

최솟값은 $f(\pi)=-\dfrac{1}{e^\pi}$이므로 최댓값과 최솟값의 합은

$1-\dfrac{1}{e^\pi}$이다.

13 답 $\dfrac{2}{e}$

풀이 점 C의 x좌표를 a라 하면 $C(a, e^{-a})(a>0)$

이때 두 곡선 $y=e^x$, $y=e^{-x}$은 y축에 대하여 대칭이므로 점 D의 좌표는

$D(-a, e^{-a})$

직사각형 ABCD의 넓이를 $S(a)$라 하면

$S(a)=2ae^{-a}$

$S'(a)=2(e^{-a}-ae^{-a})=2e^{-a}(1-a)$

$S'(a)=0$에서 $a=1$ $(\because e^{-a}>0)$

$a>0$에서 함수 $S(a)$의 증가와 감소를 표로 나타내면 다음과 같다.

a	(0)	$\cdots$	1	$\cdots$
$S'(a)$		$+$	0	$-$
$S(a)$		$\nearrow$	$\dfrac{2}{e}$	$\searrow$

따라서 넓이 $S(a)$는 $a=1$일 때 극대이면서 최대이므로 최댓값은

$S(1)=\dfrac{2}{e}$

14 답 $0<a<\dfrac{e^2}{4}$

풀이 $ax^2e^{-x}=1$에서 $x^2e^{-x}=\dfrac{1}{a}$

방정식 $ax^2e^{-x}=1$의 실근의 개수는 곡선 $y=x^2e^{-x}$과 직선 $y=\dfrac{1}{a}$의 교점의 개수와 같다.

$f(x)=x^2e^{-x}$으로 놓으면

$f'(x)=2xe^{-x}-x^2e^{-x}=x(2-x)e^{-x}$

$f'(x)=0$에서 $x=0$ 또는 $x=2$

함수 $f(x)$의 증가와 감소를 표로 나타내면 다음과 같다.

x	$\cdots$	0	$\cdots$	2	$\cdots$
$f'(x)$	$-$	0	$+$	0	$-$
$f(x)$	$\searrow$	0	$\nearrow$	$\dfrac{4}{e^2}$	$\searrow$

이때 $\lim\limits_{x\to-\infty}f(x)=\infty$, $\lim\limits_{x\to\infty}f(x)=0$이므로 점근선은 x축이다.

따라서 함수 $y=f(x)$의 그래프는 오른쪽 그림과 같으므로 주어진 방정식이 오직 하나의 실근을 가지려면

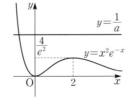

$\dfrac{1}{a}>\dfrac{4}{e^2}$

$\therefore 0<a<\dfrac{e^2}{4}$

15 답 2

풀이 $f(x)=\tan 2x$로 놓으면 $f'(x)=2\sec^2 2x$

$y=ax$는 원점을 지나는 직선이므로 $x=0$에서의 접선의 기울기는

$f'(0)=2\sec^2 0=\dfrac{2}{\cos^2 0}=2$

$0<x<\dfrac{\pi}{4}$에서 곡선 $y=\tan 2x$가 직선 $y=ax$보다 항상 위쪽에 있기 위한 실수 a의 값의 범위는

$a\leq 2$

이므로 실수 a의 최댓값은 2이다.

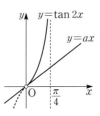

16 답 $\sqrt{5}$

풀이 $\dfrac{dx}{dt}=2at-a\cos t$, $\dfrac{dy}{dt}=1+a\sin t$,

$\dfrac{d^2x}{dt^2}=2a+a\sin t$, $\dfrac{d^2y}{dt^2}=a\cos t$

이므로 점 P의 시각 t에서의 가속도는

$(2a+a\sin t, a\cos t)$

따라서 시각 $t=\pi$에서의 점 P의 가속도는 $(2a, -a)$이므로 가속도의 크기는

$\sqrt{4a^2+(-a)^2}=\sqrt{5a^2}$

이때 가속도의 크기가 5이므로 $\sqrt{5a^2}=5$

$5a^2=25$, $a^2=5$

$\therefore a=\sqrt{5}$ $(\because a>0)$

Ⅲ
적분법

01 답 (1) $-\dfrac{1}{2x^2}+C$ (2) $-\dfrac{1}{4x^4}+C$

(3) $(\sqrt{2}-1)x^{\sqrt{2}+1}+C$ (4) $-\dfrac{1}{3x^3}+C$

(5) $2\ln|x|+C$ (6) $\dfrac{2}{3}x\sqrt{x}+C$

(7) $\dfrac{5}{7}x\sqrt[5]{x^2}+C$ (8) $\dfrac{2}{5}x^2\sqrt{x}+C$

(9) $\dfrac{3}{2}\sqrt[3]{x^2}+C$ (10) $-\dfrac{2}{x\sqrt{x}}+C$

풀이 (1) $\displaystyle\int x^{-3}\,dx=\dfrac{1}{-3+1}x^{-3+1}+C=-\dfrac{1}{2}x^{-2}+C$

$\qquad =-\dfrac{1}{2x^2}+C$

(2) $\displaystyle\int x^{-5}\,dx=\dfrac{1}{-5+1}x^{-5+1}+C=-\dfrac{1}{4}x^{-4}+C$

$\qquad =-\dfrac{1}{4x^4}+C$

(3) $\displaystyle\int x^{\sqrt{2}}\,dx=\dfrac{1}{\sqrt{2}+1}x^{\sqrt{2}+1}+C=(\sqrt{2}-1)x^{\sqrt{2}+1}+C$

(4) $\displaystyle\int \dfrac{1}{x^4}\,dx=\int x^{-4}\,dx=\dfrac{1}{-4+1}x^{-4+1}+C$

$\qquad =-\dfrac{1}{3}x^{-3}+C=-\dfrac{1}{3x^3}+C$

(5) $\displaystyle\int \dfrac{2}{x}\,dx=2\int \dfrac{1}{x}\,dx=2\ln|x|+C$

(6) $\displaystyle\int \sqrt{x}\,dx=\int x^{\frac{1}{2}}\,dx=\dfrac{1}{\frac{1}{2}+1}x^{\frac{1}{2}+1}+C=\dfrac{2}{3}x^{\frac{3}{2}}+C$

$\qquad =\dfrac{2}{3}x\sqrt{x}+C$

(7) $\displaystyle\int \sqrt[5]{x^2}\,dx=\int x^{\frac{2}{5}}\,dx=\dfrac{1}{\frac{2}{5}+1}x^{\frac{2}{5}+1}+C=\dfrac{5}{7}x^{\frac{7}{5}}+C$

$\qquad =\dfrac{5}{7}x\sqrt[5]{x^2}+C$

(8) $\displaystyle\int x\sqrt{x}\,dx=\int x^{\frac{3}{2}}\,dx=\dfrac{1}{\frac{3}{2}+1}x^{\frac{3}{2}+1}+C$

$\qquad =\dfrac{2}{5}x^{\frac{5}{2}}+C=\dfrac{2}{5}x^2\sqrt{x}+C$

(9) $\displaystyle\int \dfrac{1}{\sqrt[3]{x}}\,dx=\int x^{-\frac{1}{3}}\,dx=\dfrac{1}{-\frac{1}{3}+1}x^{-\frac{1}{3}+1}+C$

$\qquad =\dfrac{3}{2}x^{\frac{2}{3}}+C=\dfrac{3}{2}\sqrt[3]{x^2}+C$

(10) $\displaystyle\int \dfrac{3}{x^2\sqrt{x}}\,dx=3\int x^{-\frac{5}{2}}\,dx=3\times\dfrac{1}{-\frac{5}{2}+1}x^{-\frac{5}{2}+1}+C$

$\qquad =-2x^{-\frac{3}{2}}+C=-\dfrac{2}{x\sqrt{x}}+C$

02 답 (1) $\dfrac{1}{2}x^2+\ln|x|+C$ (2) $\dfrac{1}{2}x^2+\dfrac{2}{3}x\sqrt{x}+C$

(3) $x^2-2\sqrt{x}+C$ (4) $\dfrac{3}{2}x^2+\dfrac{1}{x}+C$

(5) $\dfrac{1}{2}x^2+2x-\ln|x|+C$ (6) $x-2\ln|x|+C$

(7) $\dfrac{2}{3}x\sqrt{x}+x+C$ (8) $x-\dfrac{1}{x}+2\ln|x|+C$

(9) $\dfrac{1}{3}x^3-\dfrac{1}{x}-2x+C$ (10) $\dfrac{1}{2}x^2+2x+\ln|x|+C$

(11) $x-4\sqrt{x}+\ln|x|+C$

풀이 (1) $\displaystyle\int \dfrac{x^2+1}{x}\,dx=\int \left(x+\dfrac{1}{x}\right)dx=\int x\,dx+\int \dfrac{1}{x}\,dx$

$\qquad =\dfrac{1}{2}x^2+\ln|x|+C$

(2) $\displaystyle\int (x+\sqrt{x})\,dx=\int x\,dx+\int \sqrt{x}\,dx=\int x\,dx+\int x^{\frac{1}{2}}\,dx$

$\qquad =\dfrac{1}{2}x^2+\dfrac{2}{3}x^{\frac{3}{2}}+C$

$\qquad =\dfrac{1}{2}x^2+\dfrac{2}{3}x\sqrt{x}+C$

(3) $\displaystyle\int \left(2x-\dfrac{1}{\sqrt{x}}\right)dx=\int 2x\,dx-\int \dfrac{1}{\sqrt{x}}\,dx$

$\qquad =2\int x\,dx-\int x^{-\frac{1}{2}}\,dx$

$\qquad =2\times\dfrac{1}{2}x^2-2x^{\frac{1}{2}}+C$

$\qquad =x^2-2\sqrt{x}+C$

(4) $\displaystyle\int \dfrac{3x^3-1}{x^2}\,dx=\int \left(3x-\dfrac{1}{x^2}\right)dx=3\int x\,dx-\int x^{-2}\,dx$

$\qquad =3\times\dfrac{1}{2}x^2-(-x^{-1})+C$

$\qquad =\dfrac{3}{2}x^2+\dfrac{1}{x}+C$

(5) $\displaystyle\int \dfrac{x^2+2x-1}{x}\,dx=\int \left(x+2-\dfrac{1}{x}\right)dx$

$\qquad =\int x\,dx+\int 2\,dx-\int \dfrac{1}{x}\,dx$

$\qquad =\dfrac{1}{2}x^2+2x-\ln|x|+C$

(6) $\displaystyle\int \dfrac{x^2-x-2}{x(x+1)}\,dx=\int \dfrac{(x-2)(x+1)}{x(x+1)}\,dx=\int \dfrac{x-2}{x}\,dx$

$\qquad =\int \left(1-\dfrac{2}{x}\right)dx=x-2\ln|x|+C$

(7) $\displaystyle\int \dfrac{x-1}{\sqrt{x}-1}\,dx=\int \dfrac{(x-1)(\sqrt{x}+1)}{(\sqrt{x}-1)(\sqrt{x}+1)}\,dx$

$\qquad =\int \dfrac{(x-1)(\sqrt{x}+1)}{x-1}\,dx=\int (\sqrt{x}+1)\,dx$

$\qquad =\dfrac{2}{3}x^{\frac{3}{2}}+x+C=\dfrac{2}{3}x\sqrt{x}+x+C$

(8) $\displaystyle\int \dfrac{(x+1)^2}{x^2}\,dx=\int \left(\dfrac{x+1}{x}\right)^2dx=\int \left(1+\dfrac{1}{x}\right)^2dx$

$\qquad =\int \left(1+\dfrac{2}{x}+\dfrac{1}{x^2}\right)dx$

$$=x+2\ln|x|-x^{-1}+C$$

$$=x-\frac{1}{x}+2\ln|x|+C$$

(9) $\displaystyle\int\left(x-\frac{1}{x}\right)^2 dx=\int\left(x^2+\frac{1}{x^2}-2\right)dx$

$$=\frac{1}{3}x^3-\frac{1}{x}-2x+C$$

(10) $\displaystyle\int\left(\sqrt{x}+\frac{1}{\sqrt{x}}\right)^2 dx=\int\left(x+2+\frac{1}{x}\right)dx$

$$=\frac{1}{2}x^2+2x+\ln|x|+C$$

(11) $\displaystyle\int\frac{(\sqrt{x}-1)^2}{x}dx=\int\frac{x-2\sqrt{x}+1}{x}dx$

$$=\int\left(1-\frac{2}{\sqrt{x}}+\frac{1}{x}\right)dx$$

$$=x-4\sqrt{x}+\ln|x|+C$$

03 답 (1) $e^{x-1}+C$ (2) $e^{x+2}+C$ (3) $2e^x+C$ (4) $3e^{x-3}+C$

(5) $\dfrac{e^{2x}}{2}+C$ (6) $\dfrac{2^x}{\ln 2}+C$ (7) $-\dfrac{1}{3^x\ln 3}+C$

(8) $-\dfrac{1}{25^x\ln 25}+C$ (9) $\dfrac{2\times 4^x}{\ln 2}+C$ (10) 7^x+C

풀이 (1) $\displaystyle\int e^{x-1}dx=\int\frac{e^x}{e}dx=\frac{1}{e}\int e^x dx=\underline{e^{x-1}+C}$

(2) $\displaystyle\int e^{x+2}dx=e^2\int e^x dx=e^{x+2}+C$

(3) $\displaystyle\int 2e^x dx=2\int e^x dx=2e^x+C$

(4) $\displaystyle\int 3e^{x-3}dx=\frac{3}{e^3}\int e^x dx=3e^{x-3}+C$

(5) $\displaystyle\int e^{2x}dx=\int (e^2)^x dx=\frac{e^{2x}}{\ln e^2}+C=\frac{e^{2x}}{2}+C$

(6) $\displaystyle\int 2^x dx=\frac{2^x}{\ln 2}+C$

(7) $\displaystyle\int\left(\frac{1}{3}\right)^x dx=\frac{\left(\frac{1}{3}\right)^x}{\ln\frac{1}{3}}+C=-\frac{1}{3^x\ln 3}+C$

(8) $\displaystyle\int 5^{-2x}dx=\int\left(\frac{1}{25}\right)^x dx=\frac{\left(\frac{1}{25}\right)^x}{\ln\frac{1}{25}}+C$

$$=-\frac{1}{25^x\ln 25}+C$$

(9) $\displaystyle\int 4^{x+1}dx=4\int 4^x dx=\frac{4\times 4^x}{\ln 4}+C=\frac{4\times 4^x}{2\ln 2}+C$

$$=\frac{2\times 4^x}{\ln 2}+C$$

(10) $\displaystyle\int 7^x\ln 7\,dx=\ln 7\int 7^x dx=\ln 7\times\frac{7^x}{\ln 7}+C=7^x+C$

04 답 (1) $e^x-\dfrac{1}{2^x\ln 2}+C$ (2) $2e^x-\dfrac{3^x}{\ln 3}+C$

(3) $e^{x+1}-\dfrac{4^x}{\ln 4}+C$ (4) $e^{x+3}+\ln|x|+C$

(5) $\dfrac{3^x}{\ln 3}+C$ (6) $\dfrac{4^x}{\ln 4}+\dfrac{2^{x+1}}{\ln 2}+x+C$

(7) $\dfrac{25^{2x}-1}{25^x\ln 25}-2x+C$ (8) $\dfrac{e^{2x}}{2}-x+C$

(9) e^x+x+C (10) $\dfrac{3^x}{\ln 3}+x+C$

(11) $e^x+3x+\ln|x|+C$

풀이 (1) $\displaystyle\int (e^x+2^{-x})dx=\int\left\{e^x+\left(\frac{1}{2}\right)^x\right\}dx$

$$=\int e^x dx+\int\left(\frac{1}{2}\right)^x dx$$

$$=e^x+\frac{\left(\frac{1}{2}\right)^x}{\ln\frac{1}{2}}+C$$

$$=e^x-\frac{1}{2^x\ln 2}+C$$

(2) $\displaystyle\int (2e^x-3^x)dx=2e^x-\frac{3^x}{\ln 3}+C$

(3) $\displaystyle\int (e^{x+1}-2^{2x})dx=\int (e^{x+1}-4^x)dx=e^{x+1}-\frac{4^x}{\ln 4}+C$

(4) $\displaystyle\int\left(e^{x+3}+\frac{1}{x}\right)dx=e^{x+3}+\ln|x|+C$

(5) $\displaystyle\int\frac{6^x}{2^x}dx=\int\frac{2^x\times 3^x}{2^x}dx=\int 3^x dx=\frac{3^x}{\ln 3}+C$

(6) $\displaystyle\int (2^x+1)^2 dx=\int (4^x+2^{x+1}+1)dx$

$$=\frac{4^x}{\ln 4}+\frac{2^{x+1}}{\ln 2}+x+C$$

(7) $\displaystyle\int (5^x-5^{-x})^2 dx=\int\left(25^x+\frac{1}{25^x}-2\right)dx$

$$=\frac{25^x}{\ln 25}-\frac{1}{25^x\ln 25}-2x+C$$

$$=\frac{25^{2x}-1}{25^x\ln 25}-2x+C$$

(8) $\displaystyle\int (e^x+1)(e^x-1)dx=\int (e^{2x}-1)dx=\frac{e^{2x}}{\ln e^2}-x+C$

$$=\frac{e^{2x}}{2}-x+C$$

(9) $\displaystyle\int\frac{(e^x)^2-1}{e^x-1}dx=\int\frac{(e^x-1)(e^x+1)}{e^x-1}dx$

$$=\int (e^x+1)dx$$

$$=e^x+x+C$$

(10) $\displaystyle\int\frac{9^x-1}{3^x-1}dx=\int\frac{(3^x-1)(3^x+1)}{3^x-1}dx=\int (3^x+1)dx$

$$=\frac{3^x}{\ln 3}+x+C$$

(11) $\displaystyle\int\frac{xe^x+3x+1}{x}dx=\int\left(e^x+3+\frac{1}{x}\right)dx$

$$=e^x+3x+\ln|x|+C$$

05 답 (1) $-\cot x+C$ (2) $\tan x+C$

(3) $-\csc x+C$ (4) $3\sin x-2\cos x+C$

(5) $\sin x+\cot x+C$ (6) $\tan x+\sec x+C$

(7) $-\csc x+\cot x+C$　　(8) $\tan x+x+C$

(9) $x-\cot x+C$

풀이 (1) $\dfrac{1}{\sin^2 x}=\csc^2 x$이므로

$$\int \frac{1}{\sin^2 x}dx=\int \csc^2 x\,dx=\underline{-\cot x+C}$$

(2) $\dfrac{1}{\cos^2 x}=\sec^2 x$이므로

$$\int \frac{1}{\cos^2 x}dx=\int \sec^2 x\,dx=\tan x+C$$

(3) $\displaystyle\int \frac{1}{\sin x\tan x}dx=\int \csc x\cot x\,dx=-\csc x+C$

(4) $\displaystyle\int (2\sin x+3\cos x)dx$

$$=2\int \sin x\,dx+3\int \cos x\,dx$$

$$=-2\cos x+3\sin x+C$$

(5) $\displaystyle\int (\cos x-\csc^2 x)dx=\sin x-(-\cot x)+C$

$$=\sin x+\cot x+C$$

(6) $\displaystyle\int (\sec x+\tan x)\sec x\,dx$

$$=\int \sec^2 x\,dx+\int \sec x\tan x\,dx$$

$$=\tan x+\sec x+C$$

(7) $\displaystyle\int \csc x(\cot x-\csc x)dx$

$$=\int \csc x\cot x\,dx-\int \csc^2 x\,dx$$

$$=-\csc x-(-\cot x)+C$$

$$=-\csc x+\cot x+C$$

(8) $\displaystyle\int \frac{1+\cos^2 x}{\cos^2 x}dx=\int \left(\frac{1}{\cos^2 x}+1\right)dx$

$$=\int (\sec^2 x+1)dx=\tan x+x+C$$

(9) $\csc x=\dfrac{1}{\sin x}$이므로 $\sin x\csc x=1$

$$\int (\sin x+\csc x)\csc x\,dx$$

$$=\int \sin x\csc x\,dx+\int \csc^2 x\,dx$$

$$=\int dx+\int \csc^2 x\,dx$$

$$=x-\cot x+C$$

06 답 (1) $x+\sin x+C$　　(2) $\tan x+C$　(3) $\sin x+C$

(4) $-\cos x-2\sin x+C$　　　(5) $-\cot x+C$

(6) $\tan x-x+C$　　(7) $-\cot x-x+C$

(8) $-\cot x+x+C$　(9) $\tan x-\cot x+C$

(10) $\tan x-\sec x+C$

풀이 (1) $\sin^2 x=1-\cos^2 x$이므로

$$\int \frac{\sin^2 x}{1-\cos x}dx=\int \frac{1-\cos^2 x}{1-\cos x}dx$$

$$=\int \frac{(1-\cos x)(1+\cos x)}{1-\cos x}dx$$

$$=\int (1+\cos x)dx$$

$$=x+\sin x+C$$

(2) $1-\sin^2 x=\cos^2 x$이므로

$$\int \frac{1}{1-\sin^2 x}dx=\int \frac{1}{\cos^2 x}dx$$

$$=\int \sec^2 x\,dx=\tan x+C$$

(3) $\cot x=\dfrac{\cos x}{\sin x}$이므로

$$\int \sin x\cot x\,dx=\int \cos x\,dx=\sin x+C$$

(4) $\tan x=\dfrac{\sin x}{\cos x}$이므로

$$\int (\tan x-2)\cos x\,dx$$

$$=\int \tan x\cos x\,dx-\int 2\cos x\,dx$$

$$=\int \sin x\,dx-2\int \cos x\,dx$$

$$=-\cos x-2\sin x+C$$

(5) $\displaystyle\int \cot x\csc x\sec x\,dx$

$$=\int \left(\frac{\cos x}{\sin x}\times \frac{1}{\sin x}\times \frac{1}{\cos x}\right)dx$$

$$=\int \frac{1}{\sin^2 x}dx=\int \csc^2 x\,dx$$

$$=-\cot x+C$$

(6) $1+\tan^2 x=\sec^2 x$에서 $\tan^2 x=\sec^2 x-1$

$$\therefore \int \tan^2 x\,dx=\int (\sec^2 x-1)dx$$

$$=\tan x-x+C$$

(7) $1+\cot^2 x=\csc^2 x$에서 $\cot^2 x=\csc^2 x-1$

$$\therefore \int \cot^2 x\,dx=\int (\csc^2 x-1)dx$$

$$=-\cot x-x+C$$

(8) $1-\cos^2 x=\sin^2 x$이므로

$$\int \frac{1+\sin^2 x}{1-\cos^2 x}dx=\int \frac{1+\sin^2 x}{\sin^2 x}dx$$

$$=\int (\csc^2 x+1)dx$$

$$=-\cot x+x+C$$

(9) $\sin^2 x+\cos^2 x=1$이므로

$$\int \frac{1}{\sin^2 x\cos^2 x}dx=\int \frac{\sin^2 x+\cos^2 x}{\sin^2 x\cos^2 x}dx$$

$$=\int \left(\frac{1}{\cos^2 x}+\frac{1}{\sin^2 x}\right)dx$$

$$=\int \sec^2 x\,dx+\int \csc^2 x\,dx$$

$$=\tan x-\cot x+C$$

(10) 분모, 분자에 각각 $1-\sin x$를 곱하면

$$\int \frac{1}{1+\sin x}dx=\int \frac{1-\sin x}{(1+\sin x)(1-\sin x)}dx$$

$$=\int \frac{1-\sin x}{1-\sin^2 x}dx=\int \frac{1-\sin x}{\cos^2 x}dx$$

$$=\int\left(\frac{1}{\cos^2 x}-\frac{1}{\cos x}\times\frac{\sin x}{\cos x}\right)dx$$

$$=\int(\sec^2 x-\sec x\tan x)dx$$

$$=\tan x-\sec x+C$$

07 답 (1) $\frac{1}{3}(2x-1)^3+C$ (2) $\frac{1}{4}(x+1)^4+C$

(3) $\frac{1}{2}(x^2-2)^2+C$ (4) $\left(\frac{1}{5}x+2\right)^5+C$

(5) $\frac{1}{3}(x^4-1)^3+C$ (6) $\frac{1}{4}(x^2+3x)^4+C$

(7) $\frac{1}{6}(x^3-2x+3)^6+C$ (8) $\frac{1}{4}(x^2-2x-1)^2+C$

풀이 (1) $2x-1=t$로 놓으면 $2\frac{dx}{dt}=1$

$$\therefore \int 2(2x-1)^2 dx=\int 2\times t^2\times\frac{1}{2}dt=\int t^2 dt$$

$$=\frac{1}{3}t^3+C$$

$$=\frac{1}{3}(2x-1)^3+C$$

(2) $x+1=t$로 놓으면 $\frac{dx}{dt}=1$

$$\therefore \int(x+1)^3 dx=\int t^3 dt=\frac{1}{4}t^4+C$$

$$=\frac{1}{4}(x+1)^4+C$$

(3) $x^2-2=t$로 놓으면 $2x\frac{dx}{dt}=1$

$$\therefore \int 2x(x^2-2)dx=\int t dt=\frac{1}{2}t^2+C$$

$$=\frac{1}{2}(x^2-2)^2+C$$

(4) $\frac{1}{5}x+2=t$로 놓으면 $\frac{1}{5}\times\frac{dx}{dt}=1$

$$\therefore \int\left(\frac{1}{5}x+2\right)^4 dx=\int t^4\times 5\,dt=\int 5t^4 dt$$

$$=t^5+C=\left(\frac{1}{5}x+2\right)^5+C$$

(5) $x^4-1=t$로 놓으면 $4x^3\frac{dx}{dt}=1$

$$\therefore \int 4x^3(x^4-1)^2 dx=\int t^2 dt=\frac{1}{3}t^3+C$$

$$=\frac{1}{3}(x^4-1)^3+C$$

(6) $x^2+3x=t$로 놓으면 $(2x+3)\frac{dx}{dt}=1$

$$\therefore \int(2x+3)(x^2+3x)^3 dx=\int t^3\,dt=\frac{1}{4}t^4+C$$

$$=\frac{1}{4}(x^2+3x)^4+C$$

(7) $x^3-2x+3=t$로 놓으면 $(3x^2-2)\frac{dx}{dt}=1$

$$\therefore \int(3x^2-2)(x^3-2x+3)^5\,dx$$

$$=\int(3x^2-2)\times t^5\times\frac{1}{3x^2-2}dt$$

$$=\int t^5\,dt=\frac{1}{6}t^6+C$$

$$=\frac{1}{6}(x^3-2x+3)^6+C$$

(8) $x^2-2x-1=t$로 놓으면 $(2x-2)\frac{dx}{dt}=1$

$$\therefore \int(x-1)(x^2-2x-1)dx$$

$$=\int(x-1)\times t\times\frac{1}{2(x-1)}dt$$

$$=\int\frac{t}{2}dt=\frac{1}{4}t^2+C$$

$$=\frac{1}{4}(x^2-2x-1)^2+C$$

08 답 (1) $2\sqrt{x^2+1}+C$ (2) $\frac{2}{9}(3x+4)\sqrt{3x+4}+C$

(3) $-\frac{2}{3}(5-x)\sqrt{5-x}+C$

(4) $\frac{2}{5}(x-1)^2\sqrt{x-1}+\frac{2}{3}(x-1)\sqrt{x-1}+C$

(5) $2\sqrt{x+1}+C$ (6) $\frac{1}{3}(x^2+5)\sqrt{x^2+5}+C$

(7) $\frac{2}{3}(x^2+5x)\sqrt{x^2+5x}+C$ (8) $2\sqrt{x^3+x+2}+C$

(9) $\frac{2}{3}(1-x)\sqrt{1-x}-4\sqrt{1-x}+C$

풀이 (1) $\sqrt{x^2+1}=t$로 놓고 양변을 제곱하면 $x^2+1=t^2$이고

$2x\frac{dx}{dt}=2t$

$$\therefore \int\frac{2x}{\sqrt{x^2+1}}dx=\int\frac{1}{t}\times 2t\,dt=\int 2\,dt$$

$$=2t+C$$

$$=2\sqrt{x^2+1}+C$$

(2) $\sqrt{3x+4}=t$로 놓고 양변을 제곱하면 $3x+4=t^2$이고

$3\frac{dx}{dt}=2t$

$$\therefore \int\sqrt{3x+4}\,dx=\int t\times\frac{2t}{3}dt=\int\frac{2}{3}t^2\,dt$$

$$=\frac{2}{9}t^3+C$$

$$=\frac{2}{9}(3x+4)\sqrt{3x+4}+C$$

(3) $\sqrt{5-x}=t$로 놓고 양변을 제곱하면 $5-x=t^2$이고

$(-1)\frac{dx}{dt}=2t$

$$\therefore \int\sqrt{5-x}\,dx=\int t\times(-2t)dt=\int(-2t^2)dt$$

$$=-\frac{2}{3}t^3+C$$

$$=-\frac{2}{3}(5-x)\sqrt{5-x}+C$$

(4) $\sqrt{x-1}=t$로 놓고 양변을 제곱하면 $x-1=t^2$이고

$x=t^2+1$ $\therefore \frac{dx}{dt}=2t$

$$\therefore \int x\sqrt{x-1}\,dx$$

$$=\int(t^2+1)t\times 2t\,dt$$

$$=\int(2t^4+2t^2)dt$$

$$=\frac{2}{5}t^5+\frac{2}{3}t^3+C$$

$$=\frac{2}{5}(x-1)^2\sqrt{x-1}+\frac{2}{3}(x-1)\sqrt{x-1}+C$$

(5) $\sqrt{x+1}=t$로 놓고 양변을 제곱하면 $x+1=t^2$이고

$$\frac{dx}{dt}=2t$$

$$\therefore \int\frac{1}{\sqrt{x+1}}dx=\int\frac{1}{t}\times2t\,dt=\int 2dt$$

$$=2t+C$$

$$=2\sqrt{x+1}+C$$

(6) $\sqrt{x^2+5}=t$로 놓고 양변을 제곱하면 $x^2+5=t^2$이고

$$2x\frac{dx}{dt}=2t$$

$$\therefore \int x\sqrt{x^2+5}\,dx=\int t^2\,dt=\frac{1}{3}t^3+C$$

$$=\frac{1}{3}(x^2+5)\sqrt{x^2+5}+C$$

(7) $\sqrt{x^2+5x}=t$로 놓고 양변을 제곱하면 $x^2+5x=t^2$이고

$$(2x+5)\frac{dx}{dt}=2t$$

$$\therefore \int(2x+5)\sqrt{x^2+5x}\,dx=\int t\times 2t\,dt$$

$$=\int 2t^2\,dt=\frac{2}{3}t^3+C$$

$$=\frac{2}{3}(x^2+5x)\sqrt{x^2+5x}+C$$

(8) $\sqrt{x^3+x+2}=t$로 놓고 양변을 제곱하면 $x^3+x+2=t^2$

이고 $(3x^2+1)\dfrac{dx}{dt}=2t$

$$\therefore \int\frac{3x^2+1}{\sqrt{x^3+x+2}}dx=\int\frac{1}{t}\times 2t\,dt=\int 2\,dt$$

$$=2t+C=2\sqrt{x^3+x+2}+C$$

(9) $\sqrt{1-x}=t$로 놓고 양변을 제곱하면 $1-x=t^2$이고

$$x=1-t^2 \quad \therefore \frac{dx}{dt}=-2t$$

$$\therefore \int\frac{1+x}{\sqrt{1-x}}dx=\int\frac{1+(1-t^2)}{t}\times(-2t)dt$$

$$=\int(2t^2-4)dt=\frac{2}{3}t^3-4t+C$$

$$=\frac{2}{3}(1-x)\sqrt{1-x}-4\sqrt{1-x}+C$$

09 답 (1) $2e^{x^2}+C$ (2) $-e^{-x}+C$

     (3) $\frac{1}{3}(e^x-1)^3+C$ (4) $\frac{2}{3}(e^x+2)\sqrt{e^x+2}+C$

풀이 (1) $x^2=t$로 놓으면 $2x\dfrac{dx}{dt}=1$

$$\therefore \int 4xe^{x^2}dx=\int 2e^t\,dt=2e^t+C$$

$$=2e^{x^2}+C$$

(2) $-x=t$로 놓으면 $-\dfrac{dx}{dt}=1$

$$\therefore \int e^{-x}dx=\int e^t\times(-1)dt=-\int e^t\,dt$$

$$=-e^t+C$$

$$=-e^{-x}+C$$

(3) $e^x-1=t$로 놓으면 $e^x=t+1$이고 $e^x\dfrac{dx}{dt}=1$

$$\therefore \int(e^x-1)^2e^x\,dx=\int t^2\,dt=\frac{1}{3}t^3+C$$

$$=\frac{1}{3}(e^x-1)^3+C$$

(4) $\sqrt{e^x+2}=t$로 놓고 양변을 제곱하면 $e^x+2=t^2$이고

$$e^x\frac{dx}{dt}=2t$$

$$\therefore \int e^x\sqrt{e^x+2}\,dx=\int t\times 2t\,dt=\int 2t^2\,dt$$

$$=\frac{2}{3}t^3+C$$

$$=\frac{2}{3}(e^x+2)\sqrt{e^x+2}+C$$

10 답 (1) $\frac{1}{2}(\ln x)^2+C$ (2) $\frac{1}{3}(\ln x)^3+C$

     (3) $\frac{1}{2}\{\ln(x+1)\}^2+C$

     (4) $\frac{2}{3}(\ln 2+2)\sqrt{\ln x+2}+C$

풀이 (1) $\ln x=t$로 놓으면 $\dfrac{1}{x}\times\dfrac{dx}{dt}=1$

$$\therefore \int\frac{\ln x}{x}dx=\int\ln x\times\frac{1}{x}dx=\int t\,dt$$

$$=\frac{1}{2}t^2+C$$

$$=\frac{1}{2}(\ln x)^2+C$$

(2) $\ln x=t$로 놓으면 $\dfrac{1}{x}\times\dfrac{dx}{dt}=1$

$$\therefore \int\frac{(\ln x)^2}{x}dx=\int(\ln x)^2\times\frac{1}{x}dx=\int t^2\,dt$$

$$=\frac{1}{3}t^3+C$$

$$=\frac{1}{3}(\ln x)^3+C$$

(3) $\ln(x+1)=t$로 놓으면 $\dfrac{1}{x+1}\times\dfrac{dx}{dt}=1$

$$\therefore \int\frac{\ln(x+1)}{x+1}dx=\int\ln(x+1)\times\frac{1}{x+1}dx=\int t\,dt$$

$$=\frac{1}{2}t^2+C$$

$$=\frac{1}{2}\{\ln(x+1)\}^2+C$$

(4) $\sqrt{\ln x+2}=t$로 놓고 양변을 제곱하면 $\ln x+2=t^2$이고

$$\frac{1}{x}\times\frac{dx}{dt}=2t$$

$$\therefore \int\frac{\sqrt{\ln x+2}}{x}dx=\int\sqrt{\ln x+2}\times\frac{1}{x}dx=\int t\times 2t\,dt$$

$$=\int 2t^2\,dt=\frac{2}{3}t^3+C$$

$$=\frac{2}{3}(\ln x+2)\sqrt{\ln x+2}+C$$

11 답 (1) $-\frac{1}{3}\cos 3x+C$ (2) $-\frac{1}{5}\cos(5x-2)+C$

     (3) $\frac{1}{2}\sin(2x+1)+C$ (4) $\frac{1}{3}\sin^3 x+C$

     (5) $-\frac{1}{4}\cos^4 x+C$ (6) $\frac{1}{2}\tan^2 x+C$

(7) $\dfrac{1}{3}(1-\cos x)^3+C$　　(8) $-\dfrac{1}{3}\sin^3 x+\sin x+C$

(9) $e^{\sin x}+C$　　　　　(10) $-\cos(\ln x)+C$

풀이 (1) $3x=t$로 놓으면 $3\dfrac{dx}{dt}=1$

$$\therefore \int \sin 3x\,dx=\int \sin t\times\dfrac{1}{3}\,dt=-\dfrac{1}{3}\cos t+C$$

$$=-\dfrac{1}{3}\cos 3x+C$$

(2) $5x-2=t$로 놓으면 $5\dfrac{dx}{dt}=1$

$$\therefore \int \sin(5x-2)dx=\int \sin t\times\dfrac{1}{5}\,dt=-\dfrac{1}{5}\cos t+C$$

$$=-\dfrac{1}{5}\cos(5x-2)+C$$

(3) $2x+1=t$로 놓으면 $2\dfrac{dx}{dt}=1$

$$\therefore \int \cos(2x+1)dx=\int \cos t\times\dfrac{1}{2}\,dt=\dfrac{1}{2}\sin t+C$$

$$=\dfrac{1}{2}\sin(2x+1)+C$$

(4) $\sin x=t$로 놓으면 $\cos x\dfrac{dx}{dt}=1$

$$\therefore \int \sin^2 x\cos x\,dx=\int t^2\,dt=\dfrac{1}{3}t^3+C$$

$$=\dfrac{1}{3}\sin^3 x+C$$

(5) $\cos x=t$로 놓으면 $-\sin x\dfrac{dx}{dt}=1$

$$\therefore \int \sin x\cos^3 x\,dx=\int (-t^3)dt=-\dfrac{1}{4}t^4+C$$

$$=-\dfrac{1}{4}\cos^4 x+C$$

(6) $\tan x=t$로 놓으면 $\sec^2 x\dfrac{dx}{dt}=1$

$$\therefore \int \tan x\sec^2 x\,dx=\int t\,dt=\dfrac{1}{2}t^2+C$$

$$=\dfrac{1}{2}\tan^2 x+C$$

(7) $1-\cos x=t$로 놓으면 $\sin x\dfrac{dx}{dt}=1$

$$\therefore \int (1-\cos x)^2\sin x\,dx=\int t^2\,dt=\dfrac{1}{3}t^3+C$$

$$=\dfrac{1}{3}(1-\cos x)^3+C$$

(8) $\cos^3 x=\cos^2 x\times\cos x=(1-\sin^2 x)\cos x$

$\sin x=t$로 놓으면 $\cos x\dfrac{dx}{dt}=1$

$$\therefore \int \cos^3 x\,dx=\int (1-\sin^2 x)\cos x\,dx$$

$$=\int (1-t^2)dt=-\dfrac{1}{3}t^3+t+C$$

$$=-\dfrac{1}{3}\sin^3 x+\sin x+C$$

(9) $\sin x=t$로 놓으면 $\cos x\dfrac{dx}{dt}=1$

$$\therefore \int e^{\sin x}\cos x\,dx=\int e^t\,dt=e^t+C=e^{\sin x}+C$$

(10) $\ln x=t$로 놓으면 $\dfrac{1}{x}\times\dfrac{dx}{dt}=1$

$$\therefore \int \dfrac{\sin(\ln x)}{x}dx=\int \sin(\ln x)\times\dfrac{1}{x}dx$$

$$=\int \sin t\,dt=-\cos t+C$$

$$=-\cos(\ln x)+C$$

12 답 (1) $\ln(x^2+x+1)+C$　　(2) $\ln|x^2-1|+C$

(3) $-\dfrac{1}{2}\ln(x^2-2x+3)+C$　　(4) $\ln|x^3-1|+C$

풀이 (1) $x^2+x+1=t$로 놓으면 $(2x+1)\dfrac{dx}{dt}=1$

$$\therefore \int \dfrac{2x+1}{x^2+x+1}dx=\int \dfrac{1}{t}dt$$

$$=\ln|t|+C$$

$$=\ln(x^2+x+1)+C$$

$$(\because x^2+x+1>0)$$

(2) $x^2-1=t$로 놓으면 $2x\dfrac{dx}{dt}=1$

$$\therefore \int \dfrac{2x}{x^2-1}dx=\int \dfrac{1}{t}dt=\ln|t|+C$$

$$=\ln|x^2-1|+C$$

(3) $x^2-2x+3=t$로 놓으면 $(2x-2)\dfrac{dx}{dt}=1$

$$\therefore \int \dfrac{1-x}{x^2-2x+3}dx=\int \left(-\dfrac{1}{2t}\right)dt$$

$$=-\dfrac{1}{2}\ln|t|+C$$

$$=-\dfrac{1}{2}\ln(x^2-2x+3)+C$$

$$(\because x^2-2x+3>0)$$

(4) $(x-1)(x^2+x+1)=x^3-1=t$로 놓으면

$3x^2\dfrac{dx}{dt}=1$

$$\therefore \int \dfrac{3x^2}{(x-1)(x^2+x+1)}dx=\int \dfrac{3x^2}{x^3-1}dx$$

$$=\int \dfrac{1}{t}dt$$

$$=\ln|t|+C$$

$$=\ln|x^3-1|+C$$

13 답 (1) $-\ln|\cos x|+C$　　(2) $\ln(1+e^x)+C$

(3) $\ln(e^x+e^{-x})+C$　　(4) $\dfrac{\ln(2^x+1)}{\ln 2}+C$

(5) $\ln|\ln x|+C$　　(6) $2\ln|\ln 2x|+C$

(7) $\ln(2+\sin x)+C$　　(8) $\dfrac{1}{2}\ln|2\cos x-1|+C$

(9) $\ln|\sin x|+C$

풀이 (1) $\tan x=\dfrac{\sin x}{\cos x}$ 이므로

$\cos x=t$로 놓으면 $-\sin x\dfrac{dx}{dt}=1$

$$\therefore \int \tan x\,dx=\int \dfrac{\sin x}{\cos x}dx$$

$$=\int \left(-\dfrac{1}{t}\right)dt$$

$$=-\ln|t|+C=-\ln|\cos x|+C$$

(2) $e^x+1=t$로 놓으면 $e^x\dfrac{dx}{dt}=1$

$\therefore \displaystyle\int \dfrac{e^x}{e^x+1}dx=\int \dfrac{1}{t}dt=\ln|t|+C$

$\qquad\qquad\qquad =\ln(e^x+1)+C\ (\because\ e^x+1>0)$

(3) $e^x+e^{-x}=t$로 놓으면 $(e^x-e^{-x})\dfrac{dx}{dt}=1$

$\therefore \displaystyle\int \dfrac{e^x-e^{-x}}{e^x+e^{-x}}dx=\int \dfrac{1}{t}dt=\ln|t|+C$

$\qquad\qquad\qquad =\ln(e^x+e^{-x})+C\ (\because\ e^x+e^{-x}>0)$

(4) $2^x+1=t$로 놓으면 $2^x\ln2\dfrac{dx}{dt}=1$

$\therefore \displaystyle\int \dfrac{2^x}{2^x+1}dx=\int \dfrac{1}{t}\times\dfrac{1}{\ln2}dt=\int \dfrac{1}{t\ln2}dt$

$\qquad\qquad =\dfrac{\ln|t|}{\ln2}+C$

$\qquad\qquad =\dfrac{\ln(2^x+1)}{\ln2}+C\ (\because\ 2^x+1>0)$

(5) $\ln x=t$로 놓으면 $\dfrac{1}{x}\times\dfrac{dx}{dt}=1$

$\therefore \displaystyle\int \dfrac{1}{x\ln x}dx=\int \dfrac{1}{t}dt=\ln|t|+C$

$\qquad\qquad\quad =\ln|\ln x|+C$

(6) $\ln 2x=\ln x+\ln 2=t$로 놓으면 $\dfrac{1}{x}\times\dfrac{dx}{dt}=1$

$\therefore \displaystyle\int \dfrac{2}{x\ln 2x}dx=\int \dfrac{2}{t}dt=2\ln|t|+C$

$\qquad\qquad\quad =2\ln|\ln 2x|+C$

(7) $2+\sin x=t$로 놓으면 $\cos x\dfrac{dx}{dt}=1$

$\therefore \displaystyle\int \dfrac{\cos x}{2+\sin x}dx=\int \dfrac{1}{t}dt=\ln|t|+C$

$\qquad\qquad\quad =\ln(2+\sin x)+C$

$\qquad\qquad\qquad\qquad\qquad (\because\ 2+\sin x>0)$

(8) $2\cos x-1=t$로 놓으면 $-2\sin x\dfrac{dx}{dt}=1$

$\therefore \displaystyle\int \dfrac{-\sin x}{2\cos x-1}dx=\int \dfrac{1}{t}\times\dfrac{1}{2}dt$

$\qquad\qquad =\int \dfrac{1}{2t}dt=\dfrac{1}{2}\ln|t|+C$

$\qquad\qquad =\dfrac{1}{2}\ln|2\cos x-1|+C$

(9) $\cot x=\dfrac{\cos x}{\sin x}$이므로 $\sin x=t$로 놓으면

$\cos x\dfrac{dx}{dt}=1$

$\therefore \displaystyle\int \cot x\,dx=\int \dfrac{\cos x}{\sin x}dx$

$\qquad\qquad =\int \dfrac{1}{t}dt=\ln|t|+C$

$\qquad\qquad =\ln|\sin x|+C$

14 답 (1) $\dfrac{1}{2}x^2-x+\ln|x+1|+C$ (2) $\dfrac{1}{2}x^2+3x+C$

(3) $\dfrac{1}{3}x^3-\dfrac{1}{2}x^2+x+C$

(4) $\dfrac{1}{2}x^2+\ln|x+2|+C$

(5) $\dfrac{1}{2}x^2+x+4\ln|x-1|+C$

(6) $\dfrac{1}{2}x^2+x+\dfrac{3}{2}\ln|2x+1|+C$

풀이 (1) $\displaystyle\int \dfrac{x^2}{x+1}dx=\int \dfrac{x^2-1+1}{x+1}dx$

$\qquad\qquad =\int \dfrac{(x+1)(x-1)+1}{x+1}dx$

$\qquad\qquad =\int \left(x-1+\dfrac{1}{x+1}\right)dx$

$\qquad\qquad =\dfrac{1}{2}x^2-x+\ln|x+1|+C$

(2) $\displaystyle\int \dfrac{x^2+x-6}{x-2}dx=\int \dfrac{(x+3)(x-2)}{x-2}dx$

$\qquad\qquad =\int (x+3)dx$

$\qquad\qquad =\dfrac{1}{2}x^2+3x+C$

(3) $\displaystyle\int \dfrac{x^3+1}{x+1}dx=\int \dfrac{(x+1)(x^2-x+1)}{x+1}dx$

$\qquad\qquad =\int (x^2-x+1)dx$

$\qquad\qquad =\dfrac{1}{3}x^3-\dfrac{1}{2}x^2+x+C$

(4) $\displaystyle\int \dfrac{x^2+2x+1}{x+2}dx=\int \dfrac{x(x+2)+1}{x+2}dx$

$\qquad\qquad =\int \left(x+\dfrac{1}{x+2}\right)dx$

$\qquad\qquad =\dfrac{1}{2}x^2+\ln|x+2|+C$

(5) $\displaystyle\int \dfrac{x^2+3}{x-1}dx=\int \dfrac{x^2-1+4}{x-1}dx$

$\qquad\qquad =\int \dfrac{(x+1)(x-1)+4}{x-1}dx$

$\qquad\qquad =\int \left(x+1+\dfrac{4}{x-1}\right)dx$

$\qquad\qquad =\dfrac{1}{2}x^2+x+4\ln|x-1|+C$

(6) $\displaystyle\int \dfrac{2x^2+3x+4}{2x+1}dx=\int \dfrac{(x+1)(2x+1)+3}{2x+1}dx$

$\qquad\qquad =\int \left(x+1+\dfrac{3}{2x+1}\right)dx$

$\qquad\qquad =\dfrac{1}{2}x^2+x+\dfrac{3}{2}\ln|2x+1|+C$

15 답 (1) $\ln\left|\dfrac{x}{x+1}\right|+C$ (2) $\ln\left|\dfrac{x+1}{x+2}\right|+C$

(3) $\dfrac{1}{4}\ln\left|\dfrac{x-1}{x+3}\right|+C$ (4) $\ln\left|\dfrac{x-1}{x+1}\right|+C$

(5) $2\ln|x-3|-\ln|x+2|+C$

(6) $\dfrac{1}{2}\ln|2x+1|+2\ln|x-2|+C$

(7) $2\ln|x+2|-\ln|x+1|+C$

(8) $\dfrac{3}{2}\ln|x-4|-\dfrac{1}{2}\ln|x-2|+C$

(9) $\ln|x-1|+\dfrac{2}{3}\ln|3x+1|+C$

풀이 (1) $\displaystyle\int \frac{1}{x^2+x}dx=\int \frac{1}{x(x+1)}dx=\int\left(\frac{1}{x}-\frac{1}{x+1}\right)dx$

$$=\ln|x|-\ln|x+1|+C$$

$$=\ln\left|\frac{x}{x+1}\right|+C$$

(2) $\displaystyle\int \frac{1}{(x+1)(x+2)}dx=\int\left(\frac{1}{x+1}-\frac{1}{x+2}\right)dx$

$$=\ln|x+1|-\ln|x+2|+C$$

$$=\ln\left|\frac{x+1}{x+2}\right|+C$$

(3) $\displaystyle\int \frac{1}{(x-1)(x+3)}dx=\frac{1}{4}\int\left(\frac{1}{x-1}-\frac{1}{x+3}\right)dx$

$$=\frac{1}{4}(\ln|x-1|-\ln|x+3|)+C$$

$$=\frac{1}{4}\ln\left|\frac{x-1}{x+3}\right|+C$$

(4) $\displaystyle\int \frac{2}{x^2-1}dx=\int \frac{2}{(x-1)(x+1)}dx$

$$=\int\left(\frac{1}{x-1}-\frac{1}{x+1}\right)dx$$

$$=\ln|x-1|-\ln|x+1|+C$$

$$=\ln\left|\frac{x-1}{x+1}\right|+C$$

(5) $\dfrac{x+7}{(x-3)(x+2)}=\dfrac{A}{x-3}+\dfrac{B}{x+2}$ 로 놓으면

$$\frac{x+7}{(x-3)(x+2)}=\frac{A(x+2)+B(x-3)}{(x-3)(x+2)}$$

$$=\frac{(A+B)x+2A-3B}{(x-3)(x+2)}$$

이 식은 x에 대한 항등식이므로

$A+B=1,\ 2A-3B=7$

두 식을 연립하여 풀면 $A=2,\ B=-1$

$\therefore \displaystyle\int \frac{x+7}{(x-3)(x+2)}dx=\int\left(\frac{2}{x-3}-\frac{1}{x+2}\right)dx$

$$=2\ln|x-3|-\ln|x+2|+C$$

(6) $\dfrac{5x}{(2x+1)(x-2)}=\dfrac{A}{2x+1}+\dfrac{B}{x-2}$ 로 놓으면

$$\frac{5x}{(2x+1)(x-2)}=\frac{A(x-2)+B(2x+1)}{(2x+1)(x-2)}$$

$$=\frac{(A+2B)x-2A+B}{(2x+1)(x-2)}$$

이 식은 x에 대한 항등식이므로

$A+2B=5,\ 2A-B=0$

두 식을 연립하여 풀면 $A=1,\ B=2$

$\therefore \displaystyle\int \frac{5x}{(2x+1)(x-2)}dx$

$$=\int\left(\frac{1}{2x+1}+\frac{2}{x-2}\right)dx$$

$$=\frac{1}{2}\ln|2x+1|+2\ln|x-2|+C$$

(7) $\dfrac{x}{x^2+3x+2}=\dfrac{x}{(x+1)(x+2)}=\dfrac{A}{x+1}+\dfrac{B}{x+2}$
로 놓으면

$$\frac{x}{x^2+3x+2}=\frac{A(x+2)+B(x+1)}{(x+1)(x+2)}$$

$$=\frac{(A+B)x+2A+B}{(x+1)(x+2)}$$

이 식은 x에 대한 항등식이므로

$A+B=1,\ 2A+B=0$

두 식을 연립하여 풀면 $A=-1,\ B=2$

$\therefore \displaystyle\int \frac{x}{x^2+3x+2}dx=\int\left(-\frac{1}{x+1}+\frac{2}{x+2}\right)dx$

$$=2\ln|x+2|-\ln|x+1|+C$$

(8) $\dfrac{x-1}{x^2-6x+8}=\dfrac{x-1}{(x-2)(x-4)}=\dfrac{A}{x-2}+\dfrac{B}{x-4}$

로 놓으면

$$\frac{x-1}{x^2-6x+8}=\frac{A(x-4)+B(x-2)}{(x-2)(x-4)}$$

$$=\frac{(A+B)x-(4A+2B)}{(x-2)(x-4)}$$

이 식은 x에 대한 항등식이므로

$A+B=1,\ 4A+2B=1$

두 식을 연립하여 풀면 $A=-\dfrac{1}{2},\ B=\dfrac{3}{2}$

$\therefore \displaystyle\int \frac{x-1}{x^2-6x+8}dx$

$$=\int\left\{-\frac{1}{2(x-2)}+\frac{3}{2(x-4)}\right\}dx$$

$$=\frac{3}{2}\ln|x-4|-\frac{1}{2}\ln|x-2|+C$$

(9) $\dfrac{5x-1}{3x^2-2x-1}=\dfrac{5x-1}{(x-1)(3x+1)}=\dfrac{A}{x-1}+\dfrac{B}{3x+1}$

로 놓으면

$$\frac{5x-1}{3x^2-2x-1}=\frac{A(3x+1)+B(x-1)}{(x-1)(3x+1)}$$

$$=\frac{(3A+B)x+A-B}{(x-1)(3x+1)}$$

이 식은 x에 대한 항등식이므로

$3A+B=5,\ A-B=-1$

두 식을 연립하여 풀면 $A=1,\ B=2$

$\therefore \displaystyle\int \frac{5x-1}{3x^2-2x-1}dx=\int\left(\frac{1}{x-1}+\frac{2}{3x+1}\right)dx$

$$=\ln|x-1|+\frac{2}{3}\ln|3x+1|+C$$

16 답 (1) $(x-1)e^x+C$

(2) $(x+2)e^x+C$

(3) $(-x-1)e^{-x}+C$

(4) $\left(\dfrac{1}{2}x^2-x\right)\ln x-\dfrac{1}{4}x^2+x+C$

(5) $\dfrac{1}{3}x^3\ln x-\dfrac{1}{9}x^3+C$

(6) $x\ln x-x+C$

(7) $x\sin x+\cos x+C$

(8) $-(2x+1)\cos x+2\sin x+C$

(9) $-\dfrac{1}{2}(x-3)\cos 2x+\dfrac{1}{4}\sin 2x+C$

풀이 (1) $f(x)=x$, $g'(x)=e^x$으로 놓으면

$\quad f'(x)=1$, $g(x)=e^x$

$\quad \therefore \displaystyle\int xe^x\,dx=x\times e^x-\int 1\times e^x\,dx$

$\qquad\qquad\qquad =xe^x-e^x+C$

$\qquad\qquad\qquad =\underline{(x-1)e^x+C}$

(2) $f(x)=x+3$, $g'(x)=e^x$으로 놓으면

$\quad f'(x)=1$, $g(x)=e^x$

$\quad \therefore \displaystyle\int (x+3)e^x\,dx=(x+3)\times e^x-\int 1\times e^x\,dx$

$\qquad\qquad\qquad\qquad =(x+3)e^x-e^x+C$

$\qquad\qquad\qquad\qquad =(x+2)e^x+C$

(3) $f(x)=x$, $g'(x)=e^{-x}$으로 놓으면

$\quad f'(x)=1$, $g(x)=-e^{-x}$

$\quad \therefore \displaystyle\int xe^{-x}\,dx=x\times(-e^{-x})-\int 1\times(-e^{-x})\,dx$

$\qquad\qquad\qquad =-xe^{-x}-e^{-x}+C$

$\qquad\qquad\qquad =(-x-1)e^{-x}+C$

(4) $f(x)=\ln x$, $g'(x)=x-1$로 놓으면

$\quad f'(x)=\dfrac{1}{x}$, $g(x)=\dfrac{1}{2}x^2-x$

$\quad \therefore \displaystyle\int (x-1)\ln x\,dx$

$\qquad =\ln x\times\left(\dfrac{1}{2}x^2-x\right)-\int \dfrac{1}{x}\left(\dfrac{1}{2}x^2-x\right)dx$

$\qquad =\left(\dfrac{1}{2}x^2-x\right)\ln x-\int\left(\dfrac{1}{2}x-1\right)dx$

$\qquad =\left(\dfrac{1}{2}x^2-x\right)\ln x-\dfrac{1}{4}x^2+x+C$

(5) $f(x)=\ln x$, $g'(x)=x^2$으로 놓으면

$\quad f'(x)=\dfrac{1}{x}$, $g(x)=\dfrac{1}{3}x^3$

$\quad \therefore \displaystyle\int x^2\ln x\,dx=\ln x\times\dfrac{1}{3}x^3-\int \dfrac{1}{x}\times\dfrac{1}{3}x^3\,dx$

$\qquad\qquad\qquad =\dfrac{1}{3}x^3\ln x-\int \dfrac{1}{3}x^2\,dx$

$\qquad\qquad\qquad =\dfrac{1}{3}x^3\ln x-\dfrac{1}{9}x^3+C$

(6) $f(x)=\ln x$, $g'(x)=1$로 놓으면

$\quad f'(x)=\dfrac{1}{x}$, $g(x)=x$

$\quad \therefore \displaystyle\int \ln x\,dx=\ln x\times x-\int \dfrac{1}{x}\times x\,dx$

$\qquad\qquad\quad =x\ln x-\int dx=x\ln x-x+C$

(7) $f(x)=x$, $g'(x)=\cos x$로 놓으면

$\quad f'(x)=1$, $g(x)=\sin x$

$\quad \therefore \displaystyle\int x\cos x\,dx=x\sin x-\int 1\times\sin x\,dx$

$\qquad\qquad\qquad =x\sin x+\cos x+C$

(8) $f(x)=2x+1$, $g'(x)=\sin x$로 놓으면

$\quad f'(x)=2$, $g(x)=-\cos x$

$\quad \therefore \displaystyle\int (2x+1)\sin x\,dx$

$\qquad =(2x+1)\times(-\cos x)-\int 2\times(-\cos x)\,dx$

$\qquad =-(2x+1)\cos x+2\sin x+C$

(9) $f(x)=x-3$, $g'(x)=\sin 2x$로 놓으면

$\quad f'(x)=1$, $g(x)=-\dfrac{1}{2}\cos 2x$

$\quad \therefore \displaystyle\int (x-3)\sin 2x\,dx$

$\qquad =(x-3)\times\left(-\dfrac{1}{2}\cos 2x\right)-\int 1\times\left(-\dfrac{1}{2}\cos 2x\right)dx$

$\qquad =-\dfrac{1}{2}(x-3)\cos 2x+\dfrac{1}{4}\sin 2x+C$

17 답 (1) $2x\sin x-(x^2-2)\cos x+C$

(2) $(x^2-2)\sin x+2x\cos x+C$

(3) $(x^2-2x+2)e^x+C$

(4) $(x^2-2x+3)e^x+C$

(5) $\dfrac{1}{2}x^2(\ln x)^2-\dfrac{1}{2}x^2\ln x+\dfrac{1}{4}x^2+C$

(6) $x(\ln x)^2-2x\ln x+2x+C$

(7) $\dfrac{1}{2}e^x(\sin x-\cos x)+C$

(8) $\dfrac{1}{5}e^{2x}(2\sin x-\cos x)+C$

풀이 (1) $f(x)=x^2$, $g'(x)=\sin x$로 놓으면

$\quad f'(x)=2x$, $g(x)=-\cos x$이므로

$\quad \displaystyle\int x^2\sin x\,dx=x^2\times(-\cos x)+\int 2x\cos x\,dx$

$\qquad\qquad\qquad =-x^2\cos x+2\int x\cos x\,dx$ $\cdots\cdots$ ㉠

한편, $\displaystyle\int x\cos x\,dx$에서

$\quad u(x)=x$, $v'(x)=\cos x$로 놓으면

$\quad u'(x)=1$, $v(x)=\sin x$이므로

$\quad \displaystyle\int x\cos x\,dx=x\sin x-\int \sin x\,dx$

$\qquad\qquad\qquad =x\sin x+\cos x+C_1$ $\cdots\cdots$ ㉡

㉡을 ㉠에 대입하면

$\quad \displaystyle\int x^2\sin x\,dx=-x^2\cos x+2(x\sin x+\cos x+C_1)$

$\qquad\qquad\qquad =2x\sin x-(x^2-2)\cos x+C$

(2) $f(x)=x^2$, $g'(x)=\cos x$로 놓으면

$\quad f'(x)=2x$, $g(x)=\sin x$이므로

$\quad \displaystyle\int x^2\cos x\,dx=x^2\sin x-2\int x\sin x\,dx$ $\cdots\cdots$ ㉠

한편, $\displaystyle\int x\sin x\,dx$에서

$\quad u(x)=x$, $v'(x)=\sin x$로 놓으면

$\quad u'(x)=1$, $v(x)=-\cos x$이므로

$\quad \displaystyle\int x\sin x\,dx=-x\cos x+\int \cos x\,dx$

$\qquad\qquad\qquad =-x\cos x+\sin x+C_1$ $\cdots\cdots$ ㉡

㉡을 ㉠에 대입하면

$\quad \displaystyle\int x^2\cos x\,dx=x^2\sin x-2(-x\cos x+\sin x+C_1)$

$\qquad\qquad\qquad =x^2\sin x+2x\cos x-2\sin x+C$

$$= (x^2-2)\sin x + 2x\cos x + C$$

(3) $f(x)=x^2$, $g'(x)=e^x$으로 놓으면

$f'(x)=2x$, $g(x)=e^x$이므로

$$\int x^2 e^x dx = x^2 e^x - \int 2xe^x dx \qquad \cdots\cdots \text{㉠}$$

한편, $\int 2xe^x dx$에서 $u(x)=2x$, $v'(x)=e^x$으로 놓으면

$u'(x)=2$, $v(x)=e^x$이므로

$$\int 2xe^x dx = 2xe^x - \int 2e^x dx$$
$$= 2xe^x - 2e^x + C_1 \qquad \cdots\cdots \text{㉡}$$

㉡을 ㉠에 대입하면

$$\int x^2 e^x dx = x^2 e^x - (2xe^x - 2e^x + C_1)$$
$$= (x^2 - 2x + 2)e^x + C$$

(4) $\int (x^2+1)e^x dx$에서

$f(x)=x^2+1$, $g'(x)=e^x$으로 놓으면

$f'(x)=2x$, $g(x)=e^x$

$$\therefore \int (x^2+1)e^x dx = (x^2+1)e^x - \int 2xe^x dx$$
$$= (x^2+1)e^x - 2\int xe^x dx \qquad \cdots\cdots \text{㉠}$$

한편, $\int xe^x dx$에서

$u(x)=x$, $v'(x)=e^x$으로 놓으면

$u'(x)=1$, $v(x)=e^x$이므로

$$\int xe^x dx = xe^x - \int e^x dx$$
$$= xe^x - e^x + C_1 \qquad \cdots\cdots \text{㉡}$$

㉡을 ㉠에 대입하면

$$\int (x^2+1)e^x dx = (x^2+1)e^x - 2(xe^x - e^x + C_1)$$
$$= (x^2 - 2x + 3)e^x + C$$

(5) $f(x)=(\ln x)^2$, $g'(x)=x$로 놓으면

$f'(x)=2\ln x \times \dfrac{1}{x}$, $g(x)=\dfrac{1}{2}x^2$이므로

$$\int x(\ln x)^2 dx = \frac{1}{2}x^2(\ln x)^2 - \int x\ln x\, dx \qquad \cdots\cdots \text{㉠}$$

한편, $\int x\ln x\, dx$에서

$u(x)=\ln x$, $v'(x)=x$로 놓으면

$u'(x)=\dfrac{1}{x}$, $v(x)=\dfrac{1}{2}x^2$이므로

$$\int x\ln x\, dx = \frac{1}{2}x^2 \ln x - \int \frac{1}{2}x\, dx$$
$$= \frac{1}{2}x^2 \ln x - \frac{1}{4}x^2 + C_1 \qquad \cdots\cdots \text{㉡}$$

㉡을 ㉠에 대입하면

$$\int x(\ln x)^2 dx = \frac{1}{2}x^2(\ln x)^2 - \left(\frac{1}{2}x^2 \ln x - \frac{1}{4}x^2 + C_1\right)$$
$$= \frac{1}{2}x^2(\ln x)^2 - \frac{1}{2}x^2 \ln x + \frac{1}{4}x^2 + C$$

(6) $f(x)=(\ln x)^2$, $g'(x)=1$로 놓으면

$f'(x)=\dfrac{2\ln x}{x}$, $g(x)=x$이므로

$$\int (\ln x)^2 dx = x(\ln x)^2 - \int \frac{2\ln x}{x} \times x\, dx$$
$$= x(\ln x)^2 - 2\int \ln x\, dx$$
$$= x(\ln x)^2 - 2\left\{x\ln x - \int 1\, dx\right\}$$
$$= x(\ln x)^2 - 2(x\ln x - x) + C$$
$$= x(\ln x)^2 - 2x\ln x + 2x + C$$

(7) $f(x)=\sin x$, $g'(x)=e^x$으로 놓으면

$f'(x)=\cos x$, $g(x)=e^x$이므로

$$\int e^x \sin x\, dx = e^x \sin x - \int e^x \cos x\, dx \qquad \cdots\cdots \text{㉠}$$

한편, $\int e^x \cos x\, dx$에서

$u(x)=\cos x$, $v'(x)=e^x$으로 놓으면

$u'(x)=-\sin x$, $v(x)=e^x$이므로

$$\int e^x \cos x\, dx = e^x \cos x + \int e^x \sin x\, dx \qquad \cdots\cdots \text{㉡}$$

㉡을 ㉠에 대입하면

$$\int e^x \sin x\, dx = e^x \sin x - \left(e^x \cos x + \int e^x \sin x\, dx\right)$$
$$= e^x \sin x - e^x \cos x - \int e^x \sin x\, dx$$
$$2\int e^x \sin x\, dx = e^x(\sin x - \cos x) + C_1$$
$$\therefore \int e^x \sin x\, dx = \frac{1}{2}e^x(\sin x - \cos x) + C$$

(8) $f(x)=\sin x$, $g'(x)=e^{2x}$으로 놓으면

$f'(x)=\cos x$, $g(x)=\dfrac{1}{2}e^{2x}$이므로

$$\int e^{2x} \sin x\, dx = \frac{1}{2}e^{2x} \sin x - \int \frac{1}{2}e^{2x} \cos x\, dx$$
$$= \frac{1}{2}e^{2x} \sin x - \frac{1}{2}\int e^{2x} \cos x\, dx$$
$$\cdots\cdots \text{㉠}$$

한편, $\int e^{2x} \cos x\, dx$에서

$u(x)=\cos x$, $v'(x)=e^{2x}$으로 놓으면

$u'(x)=-\sin x$, $v(x)=\dfrac{1}{2}e^{2x}$이므로

$$\int e^{2x} \cos x\, dx = \frac{1}{2}e^{2x} \cos x + \int \frac{1}{2}e^{2x} \sin x\, dx$$
$$= \frac{1}{2}\left(e^{2x} \cos x + \int e^{2x} \sin x\, dx\right)$$
$$\cdots\cdots \text{㉡}$$

㉡을 ㉠에 대입하면

$$\int e^{2x} \sin x\, dx$$
$$= \frac{1}{2}e^{2x} \sin x - \frac{1}{4}\left(e^{2x} \cos x + \int e^{2x} \sin x\, dx\right)$$
$$= \frac{1}{2}e^{2x} \sin x - \frac{1}{4}e^{2x} \cos x - \frac{1}{4}\int e^{2x} \sin x\, dx$$
$$\frac{5}{4}\int e^{2x} \sin x\, dx = \frac{1}{4}e^{2x}(2\sin x - \cos x) + C_1$$
$$\therefore \int e^{2x} \sin x\, dx = \frac{1}{5}e^{2x}(2\sin x - \cos x) + C$$

01 답 $\dfrac{4}{3}-\dfrac{1}{3}e^3$

풀이 $f(x)=\displaystyle\int\dfrac{1-x^3}{x}dx$

$\qquad=\displaystyle\int\left(\dfrac{1}{x}-x^2\right)dx=\ln|x|-\dfrac{1}{3}x^3+C$

이때 $f(1)=0$이므로

$\ln 1-\dfrac{1}{3}+C=0 \qquad \therefore C=\dfrac{1}{3}$

따라서 $f(x)=\ln|x|-\dfrac{1}{3}x^3+\dfrac{1}{3}$이므로

$f(e)=\ln e-\dfrac{1}{3}e^3+\dfrac{1}{3}=\dfrac{4}{3}-\dfrac{1}{3}e^3$

02 답 9

풀이 $f'(x)=\dfrac{x-1}{\sqrt{x}+1}=\dfrac{(x-1)(\sqrt{x}-1)}{(\sqrt{x}+1)(\sqrt{x}-1)}=\sqrt{x}-1$이므로

$f(x)=\displaystyle\int f'(x)dx=\int(\sqrt{x}-1)dx=\dfrac{2}{3}x^{\frac{3}{2}}-x+C$

이때 $f(1)=-\dfrac{1}{3}$이므로

$\dfrac{2}{3}-1+C=-\dfrac{1}{3} \qquad \therefore C=0$

따라서 $f(x)=\dfrac{2}{3}x^{\frac{3}{2}}-x$이므로

$f(9)=\dfrac{2}{3}\times 9^{\frac{3}{2}}-9=18-9=9$

03 답 $\ln 4$

풀이 $\displaystyle\int\dfrac{16^x-x^2}{4^x+x}dx=\int\dfrac{(4^x)^2-x^2}{4^x+x}dx$

$\qquad=\displaystyle\int\dfrac{(4^x+x)(4^x-x)}{4^x+x}dx$

$\qquad=\displaystyle\int(4^x-x)dx=\dfrac{4^x}{\ln 4}-\dfrac{1}{2}x^2+C$

$\therefore a=\ln 4$

04 답 $f(x)=\dfrac{1}{2}e^{2x}-e^x+1$

풀이 $f(x)=\displaystyle\int f'(x)dx=\int(e^{2x}-e^x)dx=\dfrac{1}{2}e^{2x}-e^x+C$

이때 $f(0)=\dfrac{1}{2}$이므로

$\dfrac{1}{2}-1+C=\dfrac{1}{2} \qquad \therefore C=1$

$\therefore f(x)=\dfrac{1}{2}e^{2x}-e^x+1$

05 답 $2\pi+2$

풀이 $f(x)=\displaystyle\int f'(x)dx=\int(2+\sin x)dx$

$\qquad=2x-\cos x+C$

이므로

$f(\pi)=2\pi-\cos\pi+C=2\pi+1+C$

$f(0)=-1+C$

$\therefore f(\pi)-f(0)=2\pi+2$

06 답 -1

풀이 $\displaystyle\int\dfrac{1-\cos^2 x}{\cos^2 x}dx=\int\left(\dfrac{1}{\cos^2 x}-1\right)dx$

$\qquad=\displaystyle\int(\sec^2 x-1)dx$

$\qquad=\tan x-x+C$

따라서 $a=1$, $b=-1$이므로 $ab=-1$

07 답 1

풀이 $f'(x)=\cos x$이므로

$f(x)=\displaystyle\int f'(x)dx=\int\cos x\,dx=\sin x+C$

이때 곡선 $y=f(x)$가 원점을 지나므로 $f(0)=0$

$\therefore C=0$

따라서 $f(x)=\sin x$이므로

$f\left(\dfrac{\pi}{2}\right)=\sin\dfrac{\pi}{2}=1$

08 답 $\dfrac{1}{2}$

풀이 $2x+3=t$로 놓으면 $2\dfrac{dx}{dt}=1$

$\therefore \displaystyle\int(2x+3)^5dx=\int t^5\times\dfrac{1}{2}dt=\int\dfrac{1}{2}t^5dt=\dfrac{1}{12}t^6+C$

$\qquad=\dfrac{1}{12}(2x+3)^6+C$

따라서 $a=\dfrac{1}{12}$, $b=6$이므로 $ab=\dfrac{1}{2}$

09 답 $x=-1$ 또는 $x=1$

풀이 $\sqrt{1-x^2}=t$로 놓고 양변을 제곱하면 $1-x^2=t^2$

$-2x\dfrac{dx}{dt}=2t$

$f(x)=\displaystyle\int\dfrac{x}{\sqrt{1-x^2}}dx$

$\qquad=\displaystyle\int\dfrac{1}{t}\times(-t)dt=-\int dt=-t+C$

$\qquad=-\sqrt{1-x^2}+C$

$f(0)=-1$이므로

$-1+C=-1 \qquad \therefore C=0$

$\therefore f(x)=-\sqrt{1-x^2}$

$f(x)=0$에서

$-\sqrt{1-x^2}=0,\ 1-x^2=0,\ (1+x)(1-x)=0$

$\therefore x=-1$ 또는 $x=1$

10 답 $f(x)=\dfrac{1}{2}(\ln x)^2+\dfrac{1}{2}$

풀이 $xf'(x)=\ln x$에서 $f'(x)=\dfrac{\ln x}{x}\ (\because x>0)$

$f(x)=\displaystyle\int f'(x)dx=\int\dfrac{\ln x}{x}dx$

$\ln x=t$로 놓으면 $\dfrac{1}{x}\times\dfrac{dx}{dt}=1$

$$\therefore f(x)=\int \frac{\ln x}{x}dx=\int t\,dt$$
$$=\frac{1}{2}t^2+C=\frac{1}{2}(\ln x)^2+C$$

이때 $f(e)=1$이므로 $\dfrac{1}{2}(\ln e)^2+C=1$ $\quad\therefore C=\dfrac{1}{2}$

$$\therefore f(x)=\frac{1}{2}(\ln x)^2+\frac{1}{2}$$

11 답 $\ln|1+\tan x|+C$

풀이 $1+\tan x=t$로 놓으면 $\sec^2 x\dfrac{dx}{dt}=1$

$$\therefore \int \frac{\sec^2 x}{1+\tan x}dx=\int \frac{1}{t}\,dt$$
$$=\ln|t|+C$$
$$=\ln|1+\tan x|+C$$

12 답 $3\ln 4-2\ln 3$

풀이 $e^x+2=t$로 놓으면 $e^x\dfrac{dx}{dt}=1$

$$\therefore f(x)=\int \frac{3e^x}{e^x+2}dx=\int \frac{3}{t}\,dt$$
$$=3\ln|t|+C=3\ln(e^x+2)+C\ (\because e^x+2>0)$$

이때 곡선 $y=f(x)$가 점 $(0,\ln 3)$을 지나므로

$f(0)=\ln 3$

즉, $3\ln 3+C=\ln 3$이므로 $C=-2\ln 3$

따라서 $f(x)=3\ln(e^x+2)-2\ln 3$이므로

$f(\ln 2)=3\ln(e^{\ln 2}+2)-2\ln 3=3\ln 4-2\ln 3$

13 답 $\ln\left|\dfrac{x-1}{x+2}\right|+C$

풀이 $\displaystyle\int \frac{5-x}{x^2+x-2}dx+\int \frac{x-2}{x^2+x-2}dx$

$$=\int \frac{3}{x^2+x-2}dx=\int \frac{3}{(x-1)(x+2)}dx$$
$$=\int \left(\frac{1}{x-1}-\frac{1}{x+2}\right)dx$$
$$=\ln|x-1|-\ln|x+2|+C$$
$$=\ln\left|\frac{x-1}{x+2}\right|+C$$

14 답 6

풀이 $\dfrac{2x}{x^2+3x+2}=\dfrac{2x}{(x+1)(x+2)}$

$$=\frac{A}{x+1}+\frac{B}{x+2}\text{로 놓으면}$$

$$\frac{2x}{x^2+3x+2}=\frac{A(x+2)+B(x+1)}{(x+1)(x+2)}$$
$$=\frac{(A+B)x+2A+B}{(x+1)(x+2)}$$

이 식은 x에 대한 항등식이므로

$A+B=2,\ 2A+B=0$

두 식을 연립하여 풀면 $A=-2,\ B=4$

$$\therefore \int \frac{2x}{x^2+3x+2}dx=\int \left(\frac{-2}{x+1}+\frac{4}{x+2}\right)dx$$
$$=-2\ln|x+1|+4\ln|x+2|+C$$

따라서 $a=-2,\ b=4$이므로 $b-a=6$

15 답 1

풀이 $f(x)=\displaystyle\int f'(x)dx=\int (2x+3)e^x dx$

이때 $u(x)=2x+3$, $v'(x)=e^x$으로 놓으면

$u'(x)=2$, $v(x)=e^x$이므로

$$\int (2x+3)e^x dx=(2x+3)e^x-\int 2e^x dx$$
$$=(2x+3)e^x-2e^x+C$$
$$=(2x+1)e^x+C$$

$f(1)=3e$이므로

$3e+C=3e$ $\quad\therefore C=0$

따라서 $f(x)=(2x+1)e^x$이므로

$f(0)=1$

16 답 $\dfrac{3}{2}$

풀이 $g(x)=e^{-x}$, $h'(x)=\cos x$로 놓으면

$g'(x)=-e^{-x}$, $h(x)=\sin x$

$$\int e^{-x}\cos x\,dx=e^{-x}\sin x+\int e^{-x}\sin x\,dx \quad\cdots\cdots\ \bigcirc$$

한편, $\displaystyle\int e^{-x}\sin x\,dx$에서

$u(x)=e^{-x}$, $v'(x)=\sin x$로 놓으면

$u'(x)=-e^{-x}$, $v(x)=-\cos x$이므로

$$\int e^{-x}\sin x\,dx=-e^{-x}\cos x-\int e^{-x}\cos x\,dx \quad\cdots\cdots\ \bigcirc$$

ⓒ을 ㉠에 대입하면

$$\int e^{-x}\cos x\,dx=e^{-x}\sin x-e^{-x}\cos x-\int e^{-x}\cos x\,dx$$
$$2\int e^{-x}\cos x\,dx=e^{-x}\sin x-e^{-x}\cos x$$
$$\therefore f(x)=\int e^{-x}\cos x\,dx=\frac{1}{2}e^{-x}(\sin x-\cos x)+C$$

$f(0)=1$에서 $-\dfrac{1}{2}+C=1$

$$\therefore C=\frac{3}{2}$$
$$\therefore f(x)=\frac{1}{2}e^{-x}(\sin x-\cos x)+\frac{3}{2}$$

따라서 $f(x)$의 상수항은 $\dfrac{3}{2}$이다.

01 답 (1) $\dfrac{3}{8}$ (2) 2 (3) 2 (4) e (5) $2\ln 3 - \ln 5$

풀이 (1) $\displaystyle\int_1^2 \dfrac{1}{x^3}dx = \int_1^2 x^{-3}dx = \left[-\dfrac{1}{2}x^{-2}\right]_1^2$

$\qquad = -\dfrac{1}{2}\times 2^{-2} - \left(-\dfrac{1}{2}\times 1^{-2}\right)$

$\qquad = -\dfrac{1}{8} + \dfrac{1}{2} = \dfrac{3}{8}$

(2) $\displaystyle\int_1^3 3x^{-2}dx = 3\int_1^3 x^{-2}dx = 3\left[-x^{-1}\right]_1^3$

$\qquad = 3\times(-3^{-1}+1^{-1})$

$\qquad = 3\times \dfrac{2}{3} = 2$

(3) $\displaystyle\int_{-1}^1 \dfrac{2x^2+1}{x^2}dx = \int_{-1}^1 \left(2+\dfrac{1}{x^2}\right)dx = \int_{-1}^1 (2+x^{-2})dx$

$\qquad = \left[2x - x^{-1}\right]_{-1}^1 = 1-(-1) = 2$

(4) $\displaystyle\int_1^e \dfrac{x+1}{x}dx = \int_1^e \left(1+\dfrac{1}{x}\right)dx$

$\qquad = \left[x + \ln x\right]_1^e$

$\qquad = e + 1 - 1 = e$

(5) $\dfrac{2}{(x-1)(x+1)} = \dfrac{1}{x-1} - \dfrac{1}{x+1}$ 이므로

$\displaystyle\int_2^4 \dfrac{2}{(x-1)(x+1)}dx = \int_2^4 \left(\dfrac{1}{x-1} - \dfrac{1}{x+1}\right)dx$

$\qquad = \left[\ln|x-1| - \ln|x+1|\right]_2^4$

$\qquad = \ln 3 - \ln 5 - (\ln 1 - \ln 3)$

$\qquad = 2\ln 3 - \ln 5$

02 답 (1) 2 (2) $-\dfrac{31}{3}$ (3) $-\dfrac{1}{10}$ (4) $\dfrac{8}{3}$ (5) $\dfrac{17}{6}$

풀이 (1) $\displaystyle\int_1^4 \dfrac{1}{\sqrt{x}}dx = \int_1^4 x^{-\frac{1}{2}}dx = \left[2x^{\frac{1}{2}}\right]_1^4 = 4-2 = 2$

(2) $\displaystyle\int_1^4 (\sqrt{x}-2x)dx = \left[\dfrac{2}{3}x^{\frac{3}{2}} - x^2\right]_1^4$

$\qquad = -\dfrac{32}{3} - \left(-\dfrac{1}{3}\right) = -\dfrac{31}{3}$

(3) $\displaystyle\int_0^1 x(\sqrt{x}-1)dx = \int_0^1 (x\sqrt{x}-x)dx = \int_0^1 (x^{\frac{3}{2}}-x)dx$

$\qquad = \left[\dfrac{2}{5}x^{\frac{5}{2}} - \dfrac{1}{2}x^2\right]_0^1$

$\qquad = \dfrac{2}{5} - \dfrac{1}{2} = -\dfrac{1}{10}$

(4) $\displaystyle\int_1^4 \left(\sqrt{x}-\dfrac{1}{\sqrt{x}}\right)dx = \int_1^4 (x^{\frac{1}{2}} - x^{-\frac{1}{2}})dx$

$\qquad = \left[\dfrac{2}{3}x^{\frac{3}{2}} - 2x^{\frac{1}{2}}\right]_1^4$

$\qquad = \dfrac{4}{3} - \left(-\dfrac{4}{3}\right) = \dfrac{8}{3}$

(5) $\displaystyle\int_0^1 (1+\sqrt{x})^2 dx = \int_0^1 (1+2\sqrt{x}+x)dx$

$\qquad = \left[x + \dfrac{4}{3}x^{\frac{3}{2}} + \dfrac{1}{2}x^2\right]_0^1$

$\qquad = 1 + \dfrac{4}{3} + \dfrac{1}{2} = \dfrac{17}{6}$

03 답 (1) $\dfrac{1}{2}(e^{2\pi}-1)$ (2) $\dfrac{14}{\ln 2}$ (3) $\dfrac{40}{3\ln 3}$

$\qquad$ (4) $e - \dfrac{1}{e}$ (5) $\dfrac{255}{64\ln 2} + 2$

풀이 (1) $\displaystyle\int_0^\pi e^{2x}dx = \left[\dfrac{1}{2}e^{2x}\right]_0^\pi = \dfrac{1}{2}(e^{2\pi}-1)$

(2) $\displaystyle\int_1^4 2^x dx = \left[\dfrac{2^x}{\ln 2}\right]_1^4 = \dfrac{16}{\ln 2} - \dfrac{2}{\ln 2} = \dfrac{14}{\ln 2}$

(3) $\displaystyle\int_0^2 3^{2x-1}dx = \dfrac{1}{3}\int_0^2 9^x dx = \dfrac{1}{3}\times\left[\dfrac{9^x}{\ln 9}\right]_0^2$

$\qquad = \dfrac{1}{3}\left(\dfrac{81}{\ln 9} - \dfrac{1}{\ln 9}\right)$

$\qquad = \dfrac{1}{3}\times\dfrac{80}{2\ln 3} = \dfrac{40}{3\ln 3}$

(4) $\displaystyle\int_0^1 (e^x + e^{-x})dx = \left[e^x - e^{-x}\right]_0^1 = e - \dfrac{1}{e}$

(5) $\displaystyle\int_0^1 (4^x + 4^{-x})^2 dx = \int_0^1 (4^{2x} + 2 + 4^{-2x})dx$

$\qquad = \int_0^1 (16^x + 2 + 16^{-x})dx$

$\qquad = \left[\dfrac{16^x}{\ln 16} + 2x - \dfrac{16^{-x}}{\ln 16}\right]_0^1$

$\qquad = \dfrac{16}{\ln 16} + 2 - \dfrac{16^{-1}}{\ln 16}$

$\qquad = \dfrac{16}{4\ln 2} + 2 - \dfrac{1}{16}\times\dfrac{1}{4\ln 2}$

$\qquad = \dfrac{255}{64\ln 2} + 2$

04 답 (1) 1 (2) $\sqrt{3}$ (3) $\dfrac{\pi}{2}-1$ (4) $\dfrac{1}{4}$ (5) $-1+\sqrt{3}$

풀이 (1) $\displaystyle\int_0^{\frac{\pi}{4}} (\sin x + \cos x)dx = \left[-\cos x + \sin x\right]_0^{\frac{\pi}{4}}$

$\qquad = 0 - (-1) = 1$

(2) $\displaystyle\int_0^{\frac{\pi}{3}} \sec^2 x\, dx = \left[\tan x\right]_0^{\frac{\pi}{3}} = \sqrt{3}$

(3) $\sin^2 x = 1 - \cos^2 x$ 이므로

$\displaystyle\int_0^{\frac{\pi}{2}} \dfrac{\sin^2 x}{1+\cos x}dx = \int_0^{\frac{\pi}{2}} \dfrac{1-\cos^2 x}{1+\cos x}dx$

$\qquad = \int_0^{\frac{\pi}{2}} \dfrac{(1+\cos x)(1-\cos x)}{1+\cos x}dx$

$\qquad = \int_0^{\frac{\pi}{2}} (1-\cos x)dx = \left[x - \sin x\right]_0^{\frac{\pi}{2}}$

$\qquad = \dfrac{\pi}{2} - 1$

(4) $\displaystyle\int_0^{\frac{\pi}{6}} 2\sin x \cos x\, dx = \int_0^{\frac{\pi}{6}} \sin 2x\, dx$

$\qquad = \left[-\dfrac{1}{2}\cos 2x\right]_0^{\frac{\pi}{6}}$

$\qquad = -\dfrac{1}{2}\cos\dfrac{\pi}{3} - \left(-\dfrac{1}{2}\cos 0\right)$

$\qquad = -\dfrac{1}{4} + \dfrac{1}{2} = \dfrac{1}{4}$

(5) $1-\cos^2 x=\sin^2 x$이므로

$$\int_{\frac{\pi}{6}}^{\frac{\pi}{4}} \frac{1}{1-\cos^2 x}dx=\int_{\frac{\pi}{6}}^{\frac{\pi}{4}} \frac{1}{\sin^2 x}dx=\int_{\frac{\pi}{6}}^{\frac{\pi}{4}} \csc^2 x\,dx$$

$$=\left[-\cot x\right]_{\frac{\pi}{6}}^{\frac{\pi}{4}}=-1-(-\sqrt{3})$$

$$=-1+\sqrt{3}$$

05 답 (1) $\dfrac{9}{\ln 3}-\dfrac{1}{3\ln 3}+3$　(2) $\ln 4$　(3) 2　(4) $\dfrac{40}{3}$

(5) 0　(6) $10-e^3$　(7) $\ln 2+\dfrac{1}{2}$　(8) $2\sqrt{3}$

풀이 (1) $\displaystyle\int_{-1}^{2} \frac{9^x}{3^x-1}dx-\int_{-1}^{2} \frac{1}{3^x-1}dx$

$$=\int_{-1}^{2} \frac{9^x-1}{3^x-1}dx=\int_{-1}^{2} \frac{(3^x-1)(3^x+1)}{3^x-1}dx$$

$$=\int_{-1}^{2} (3^x+1)dx=\left[\frac{3^x}{\ln 3}+x\right]_{-1}^{2}$$

$$=\frac{9}{\ln 3}+2-\left(\frac{1}{3\ln 3}-1\right)=\frac{9}{\ln 3}-\frac{1}{3\ln 3}+3$$

(2) $\displaystyle\int_{0}^{3} \frac{x}{x^2-1}dx-\int_{0}^{3} \frac{1}{x^2-1}dx$

$$=\int_{0}^{3} \frac{x-1}{x^2-1}dx=\int_{0}^{3} \frac{x-1}{(x-1)(x+1)}dx$$

$$=\int_{0}^{3} \frac{1}{x+1}dx=\left[\ln|x+1|\right]_{0}^{3}$$

$$=\ln 4$$

(3) $\displaystyle\int_{0}^{\frac{\pi}{2}} (\sin x+5^{2x})dx+\int_{0}^{\frac{\pi}{2}} (\sin x-5^{2x})dx$

$$=\int_{0}^{\frac{\pi}{2}} 2\sin x\,dx=\left[-2\cos x\right]_{0}^{\frac{\pi}{2}}$$

$$=0-(-2)=2$$

(4) $\displaystyle\int_{0}^{1} (x+\sqrt{x})dx+\int_{1}^{4} (x+\sqrt{x})dx$

$$=\int_{0}^{4} (x+\sqrt{x})dx=\left[\frac{1}{2}x^2+\frac{2}{3}x^{\frac{3}{2}}\right]_{0}^{4}$$

$$=8+\frac{16}{3}=\frac{40}{3}$$

(5) $\displaystyle\int_{-\pi}^{0} \sin x\,dx+\int_{0}^{\pi} \sin x\,dx$

$$=\int_{-\pi}^{\pi} \sin x\,dx=\left[-\cos x\right]_{-\pi}^{\pi}=1-1=0$$

(6) $\displaystyle\int_{0}^{2} (x^2-e^x)dx-\int_{3}^{2} (x^2-e^x)dx$

$$=\int_{0}^{2} (x^2-e^x)dx+\int_{2}^{3} (x^2-e^x)dx$$

$$=\int_{0}^{3} (x^2-e^x)dx=\left[\frac{1}{3}x^3-e^x\right]_{0}^{3}$$

$$=9-e^3-(-1)=10-e^3$$

(7) $\displaystyle\int_{0}^{\ln 2} \frac{e^{3x}}{e^x+1}dx-\int_{\ln 2}^{0} \frac{1}{e^t+1}dt$

$$=\int_{0}^{\ln 2} \frac{e^{3x}}{e^x+1}dx+\int_{0}^{\ln 2} \frac{1}{e^x+1}dx$$

$$=\int_{0}^{\ln 2} \frac{e^{3x}+1}{e^x+1}dx=\int_{0}^{\ln 2} \frac{(e^x+1)(e^{2x}-e^x+1)}{e^x+1}dx$$

$$=\int_{0}^{\ln 2} (e^{2x}-e^x+1)dx=\left[\frac{1}{2}e^{2x}-e^x+x\right]_{0}^{\ln 2}$$

$$=\frac{1}{2}\times 4-2+\ln 2-\left(\frac{1}{2}-1\right)=\ln 2+\frac{1}{2}$$

(8) $\displaystyle\int_{0}^{\frac{\pi}{3}} (\cos x+1)^2 dx+\int_{\frac{\pi}{3}}^{0} (\cos x-1)^2 dx$

$$=\int_{0}^{\frac{\pi}{3}} (\cos^2 x+2\cos x+1)dx$$

$$-\int_{0}^{\frac{\pi}{3}} (\cos^2 x-2\cos x+1)dx$$

$$=\int_{0}^{\frac{\pi}{3}} 4\cos x\,dx=\left[4\sin x\right]_{0}^{\frac{\pi}{3}}=2\sqrt{3}$$

06 답 (1) $\dfrac{1}{3}$　(2) $3-\dfrac{\pi}{2}$　(3) $1-\dfrac{1}{e^2}+\ln 2$

(4) $\pi-2+\dfrac{1}{\ln 2}$

풀이 (1) $\displaystyle\int_{0}^{2} f(x)dx=\int_{0}^{1} f(x)dx+\int_{1}^{2} f(x)dx$

$$=\int_{0}^{1} \sqrt{x}\,dx+\int_{1}^{2} (-x^2+2)dx$$

$$=\left[\frac{2}{3}x^{\frac{3}{2}}\right]_{0}^{1}+\left[-\frac{1}{3}x^3+2x\right]_{1}^{2}$$

$$=\frac{2}{3}-\frac{8}{3}+4-\left(-\frac{1}{3}+2\right)$$

$$=\frac{1}{3}$$

(2) $\displaystyle\int_{-\frac{\pi}{2}}^{\pi} f(x)dx=\int_{-\frac{\pi}{2}}^{0} f(x)dx+\int_{0}^{\pi} f(x)dx$

$$=\int_{-\frac{\pi}{2}}^{0} (\cos x-1)dx+\int_{0}^{\pi} \sin x\,dx$$

$$=\left[\sin x-x\right]_{-\frac{\pi}{2}}^{0}+\left[-\cos x\right]_{0}^{\pi}$$

$$=1-\frac{\pi}{2}+\{1-(-1)\}=3-\frac{\pi}{2}$$

(3) $\displaystyle\int_{-2}^{1} f(x)dx=\int_{-2}^{0} f(x)dx+\int_{0}^{1} f(x)dx$

$$=\int_{-2}^{0} e^x dx+\int_{0}^{1} \frac{1}{x+1}dx$$

$$=\left[e^x\right]_{-2}^{0}+\left[\ln|x+1|\right]_{0}^{1}$$

$$=1-e^{-2}+\ln 2=1-\frac{1}{e^2}+\ln 2$$

(4) $\displaystyle\int_{-\pi}^{1} f(x)dx=\int_{-\pi}^{0} f(x)dx+\int_{0}^{1} f(x)dx$

$$=\int_{-\pi}^{0} (\sin x+1)dx+\int_{0}^{1} 2^x dx$$

$$=\left[-\cos x+x\right]_{-\pi}^{0}+\left[\frac{2^x}{\ln 2}\right]_{0}^{1}$$

$$=-1-(1-\pi)+\frac{2}{\ln 2}-\frac{1}{\ln 2}$$

$$=\pi-2+\frac{1}{\ln 2}$$

07 답 (1) 0　(2) 1　(3) 0　(4) 0　(5) $\dfrac{\pi^3}{12}-2$

(6) 0　(7) $2e-\dfrac{2}{e}$　(8) 0

풀이 (1) $y=\sin x$는 기함수이므로

$$\int_{-\frac{\pi}{4}}^{\frac{\pi}{4}} \sin x\,dx=0$$

(2) $y=\cos x$는 우함수이므로
$$\int_{-\frac{\pi}{6}}^{\frac{\pi}{6}} \cos x\, dx = 2\int_0^{\frac{\pi}{6}} \cos x\, dx = 2\Big[\sin x\Big]_0^{\frac{\pi}{6}}$$
$$= 2\times \frac{1}{2} = 1$$

(3) $y=\tan x$는 기함수이므로
$$\int_{-\frac{\pi}{3}}^{\frac{\pi}{3}} \tan x\, dx = 0$$

(4) $f(x)=x+\sin x$라 하면
$$f(-x)=-x+\sin(-x)=-x-\sin x=-f(x)$$
이므로 $f(x)$는 기함수이다.
$$\therefore \int_{-\pi}^{\pi} (x+\sin x)\,dx=0$$

(5) $f(x)=x^2-\cos x$라 하면
$$f(-x)=(-x)^2-\cos(-x)=x^2-\cos x=f(x)$$
이므로 $f(x)$는 우함수이다.
$$\therefore \int_{-\frac{\pi}{2}}^{\frac{\pi}{2}} (x^2-\cos x)\,dx = 2\int_0^{\frac{\pi}{2}} (x^2-\cos x)\,dx$$
$$= 2\Big[\frac{1}{3}x^3-\sin x\Big]_0^{\frac{\pi}{2}}$$
$$= 2\times\Big(\frac{\pi^3}{24}-1\Big)$$
$$= \frac{\pi^3}{12}-2$$

(6) $f(x)=xe^{x^2}$이라 하면
$$f(-x)=-xe^{(-x)^2}=-xe^{x^2}=-f(x)$$
이므로 $f(x)$는 기함수이다.
$$\therefore \int_{-1}^{1} xe^{x^2}\,dx=0$$

(7) $f(x)=e^x+e^{-x}$이라 하면
$$f(-x)=e^{-x}+e^{-(-x)}=e^x+e^{-x}=f(x)$$
이므로 $f(x)$는 우함수이다.
$$\therefore \int_{-1}^{1} (e^x+e^{-x})\,dx = 2\int_0^1 (e^x+e^{-x})\,dx$$
$$= 2\Big[e^x-e^{-x}\Big]_0^1$$
$$= 2e-\frac{2}{e}$$

(8) $f(x)=3^x-3^{-x}$이라 하면
$$f(-x)=3^{-x}-3^{-(-x)}=-(3^x-3^{-x})=-f(x)$$
이므로 $f(x)$는 기함수이다.
$$\therefore \int_{-1}^{1} (3^x-3^{-x})\,dx=0$$

08 답 (1) 0 (2) 0 (3) 0 (4) $\sqrt{3}$

풀이 (1) $y=x$는 기함수, $y=e^x+e^{-x}$은 우함수이므로
$y=x(e^x+e^{-x})$은 기함수이다.
$$\therefore \int_{-1}^{1} x(e^x+e^{-x})\,dx=0$$

(2) $y=x^3-x$는 기함수, $y=e^{x^2}$은 우함수이므로
$y=(x^3-x)e^{x^2}$은 기함수이다.
$$\therefore \int_{-1}^{1} (x^3-x)e^{x^2}\,dx=0$$

(3) $y=x^2$은 우함수, $y=\tan x$는 기함수이므로
$y=x^2\tan x$는 기함수이다.

$$\therefore \int_{-\frac{\pi}{4}}^{\frac{\pi}{4}} x^2\tan x\,dx=0$$

(4) $y=x^2$은 우함수, $y=\sin x$는 기함수이므로
$y=x^2\sin x$는 기함수이고, $y=\cos x$는 우함수이다.
$$\therefore \int_{-\frac{\pi}{3}}^{\frac{\pi}{3}} (x^2\sin x+\cos x)\,dx$$
$$= \int_{-\frac{\pi}{3}}^{\frac{\pi}{3}} x^2\sin x\,dx + \int_{-\frac{\pi}{3}}^{\frac{\pi}{3}} \cos x\,dx$$
$$= 2\int_0^{\frac{\pi}{3}} \cos x\,dx = 2\Big[\sin x\Big]_0^{\frac{\pi}{3}}$$
$$= \sqrt{3}$$

09 답 (1) 6 (2) 9 (3) 30

풀이 (1) $f(x+3)=f(x)$에서 $f(x)$는 주기함수이므로
$$\int_1^4 f(x)\,dx=\int_4^7 f(x)\,dx=\int_7^{10} f(x)\,dx=\underline{2}$$
$$\therefore \int_1^{10} f(x)\,dx$$
$$= \int_1^4 f(x)\,dx+\int_4^7 f(x)\,dx+\int_7^{10} f(x)\,dx$$
$$= 3\int_1^4 f(x)\,dx=3\times 2=\underline{6}$$

(2) $f(x+2)=f(x)$에서 $f(x)$는 주기함수이므로
$$\int_{-3}^{-1} f(x)\,dx=\int_{-1}^1 f(x)\,dx=\int_1^3 f(x)\,dx=3$$
$$\therefore \int_{-3}^3 f(x)\,dx$$
$$= \int_{-3}^{-1} f(x)\,dx+\int_{-1}^1 f(x)\,dx+\int_1^3 f(x)\,dx$$
$$= 3\int_{-1}^1 f(x)\,dx=3\times 3=9$$

(3) $f(x+3)=f(x)$에서 $f(x)$는 주기함수이므로
$$\int_{-9}^{-6} f(x)\,dx=\int_{-6}^{-3} f(x)\,dx=\int_{-3}^0 f(x)\,dx$$
$$= \int_0^3 f(x)\,dx=\int_3^6 f(x)\,dx$$
$$= \int_6^9 f(x)\,dx=5$$
$$\therefore \int_{-9}^9 f(x)\,dx$$
$$= \int_{-9}^{-6} f(x)\,dx+\int_{-6}^{-3} f(x)\,dx+\int_{-3}^0 f(x)\,dx$$
$$\quad + \int_0^3 f(x)\,dx+\int_3^6 f(x)\,dx+\int_6^9 f(x)\,dx$$
$$= 6\int_0^3 f(x)\,dx=6\times 5=30$$

10 답 (1) 2 (2) $2e^3-2$ (3) 0

풀이 (1) $\int_{-1}^1 f(x)\,dx=\int_{-1}^1 x^2\,dx=\Big[\frac{1}{3}x^3\Big]_{-1}^1=\underline{\frac{2}{3}}$

$f(x+2)=f(x)$에서 $f(x)$는 주기함수이므로
$$\int_{-3}^{-1} f(x)\,dx=\int_{-1}^1 f(x)\,dx=\int_1^3 f(x)\,dx=\underline{\frac{2}{3}}$$
$$\therefore \int_{-3}^3 f(x)\,dx$$

$$=\int_{-3}^{-1}f(x)dx+\int_{-1}^{1}f(x)dx+\int_{1}^{3}f(x)dx$$

$$=3\int_{-1}^{1}f(x)dx=3\times\frac{2}{3}=\underline{2}$$

(2) $\int_{0}^{3}f(x)dx=\int_{0}^{3}e^{x}dx=\Big[e^{x}\Big]_{0}^{3}=e^{3}-1$

$f(x+3)=f(x)$에서 $f(x)$는 주기함수이므로

$$\int_{0}^{3}f(x)dx=\int_{3}^{6}f(x)dx=e^{3}-1$$

$$\therefore \int_{0}^{6}f(x)dx=\int_{0}^{3}f(x)dx+\int_{3}^{6}f(x)dx$$

$$=2\int_{0}^{3}f(x)dx=2(e^{3}-1)=2e^{3}-2$$

(3) $y=\sin x$는 기함수이므로

$$\int_{-\pi}^{\pi}f(x)dx=\int_{-\pi}^{\pi}\sin x\,dx=0$$

$f(x+2\pi)=f(x)$에서 $f(x)$는 주기함수이므로

$$\int_{-3\pi}^{-\pi}f(x)dx=\int_{-\pi}^{\pi}f(x)dx=\int_{\pi}^{3\pi}f(x)dx=0$$

$$\therefore \int_{-3\pi}^{3\pi}f(x)dx$$

$$=\int_{-3\pi}^{-\pi}f(x)dx+\int_{-\pi}^{\pi}f(x)dx+\int_{\pi}^{3\pi}f(x)dx$$

$$=3\int_{-\pi}^{\pi}f(x)dx=0$$

11 답 (1) 2　(2) 2　(3) 4　(4) $\dfrac{4}{3}$

풀이 **(1)** $y=|\sin 2x|$는 주기가 $\dfrac{\pi}{2}$인 주기함수이므로

$$\int_{0}^{\frac{\pi}{2}}|\sin 2x|\,dx=\int_{\frac{\pi}{2}}^{\pi}|\sin 2x|\,dx$$

$$\therefore \int_{0}^{\pi}|\sin 2x|\,dx=\int_{0}^{\frac{\pi}{2}}|\sin 2x|\,dx+\int_{\frac{\pi}{2}}^{\pi}|\sin 2x|\,dx$$

$$=2\int_{0}^{\frac{\pi}{2}}|\sin 2x|\,dx$$

$$=2\int_{0}^{\frac{\pi}{2}}\sin 2x\,dx$$

$$=2\Big[-\frac{1}{2}\cos 2x\Big]_{0}^{\frac{\pi}{2}}$$

$$=2\times\Big(\frac{1}{2}+\frac{1}{2}\Big)=2\times1=\underline{2}$$

(2) $y=|\cos 2x|$는 주기가 $\dfrac{\pi}{2}$인 주기함수이므로

$$\int_{0}^{\frac{\pi}{2}}|\cos 2x|\,dx=\int_{\frac{\pi}{2}}^{\pi}|\cos 2x|\,dx$$

$$\therefore \int_{0}^{\pi}|\cos 2x|\,dx$$

$$=\int_{0}^{\frac{\pi}{2}}|\cos 2x|\,dx+\int_{\frac{\pi}{2}}^{\pi}|\cos 2x|\,dx$$

$$=2\int_{0}^{\frac{\pi}{2}}|\cos 2x|\,dx$$

$$=2\Big\{\int_{0}^{\frac{\pi}{4}}\cos 2x\,dx+\int_{\frac{\pi}{4}}^{\frac{\pi}{2}}(-\cos 2x)\,dx\Big\}$$

$$=2\Big[\frac{1}{2}\sin 2x\Big]_{0}^{\frac{\pi}{4}}+2\Big[-\frac{1}{2}\sin 2x\Big]_{\frac{\pi}{4}}^{\frac{\pi}{2}}$$

$$=2\times\frac{1}{2}+2\times\frac{1}{2}=1+1=2$$

(3) $y=|\sin(-x)|$는 주기가 π인 주기함수이므로

$$\int_{0}^{\pi}|\sin(-x)|\,dx=\int_{\pi}^{2\pi}|\sin(-x)|\,dx$$

$$\therefore \int_{0}^{2\pi}|\sin(-x)|\,dx$$

$$=\int_{0}^{\pi}|\sin(-x)|\,dx+\int_{\pi}^{2\pi}|\sin(-x)|\,dx$$

$$=2\int_{0}^{\pi}|\sin(-x)|\,dx=2\int_{0}^{\pi}\{-\sin(-x)\}\,dx$$

$$=2\Big[-\cos(-x)\Big]_{0}^{\pi}=2\times2=4$$

(4) $y=|\cos 3x|$는 주기가 $\dfrac{\pi}{3}$인 주기함수이므로

$$\int_{-\frac{\pi}{3}}^{0}|\cos 3x|\,dx=\int_{0}^{\frac{\pi}{3}}|\cos 3x|\,dx$$

$$\therefore \int_{-\frac{\pi}{3}}^{\frac{\pi}{3}}|\cos 3x|\,dx$$

$$=\int_{-\frac{\pi}{3}}^{0}|\cos 3x|\,dx+\int_{0}^{\frac{\pi}{3}}|\cos 3x|\,dx$$

$$=2\int_{0}^{\frac{\pi}{3}}|\cos 3x|\,dx$$

$$=2\int_{0}^{\frac{\pi}{6}}\cos 3x\,dx+2\int_{\frac{\pi}{6}}^{\frac{\pi}{3}}(-\cos 3x)\,dx$$

$$=2\Big[\frac{1}{3}\sin 3x\Big]_{0}^{\frac{\pi}{6}}+2\Big[-\frac{1}{3}\sin 3x\Big]_{\frac{\pi}{6}}^{\frac{\pi}{3}}$$

$$=2\times\frac{1}{3}+2\times\frac{1}{3}=\frac{2}{3}+\frac{2}{3}=\frac{4}{3}$$

12 답 (1) $\dfrac{4\sqrt{2}-2}{3}$　(2) $\dfrac{1}{6}$　(3) $\ln 3-\ln 2$　(4) $\dfrac{52}{3}$

(5) $\dfrac{4\sqrt{2}-2}{3}$　(6) $e^{2}-e$　(7) $e-1$　(8) -2

(9) $\dfrac{3}{2}$　(10) $\ln 2$　(11) $\sqrt{e}-1$　(12) $-\dfrac{1}{2}$

풀이 **(1)** $\sqrt{x^{2}+1}=t\ (t>0)$로 놓으면 $x^{2}+1=t^{2}$이므로

$$2x\frac{dx}{dt}=2t$$

$x=0$일 때 $t=1$, $x=1$일 때 $t=\sqrt{2}$이므로

$$\int_{0}^{1}2x\sqrt{x^{2}+1}\,dx=\int_{1}^{\sqrt{2}}t\times2t\,dt=\int_{1}^{\sqrt{2}}\underline{2t^{2}}dt$$

$$=\Big[\frac{2}{3}t^{3}\Big]_{1}^{\sqrt{2}}=\frac{4\sqrt{2}-2}{3}$$

(2) $x+1=t$로 놓으면 $\dfrac{dx}{dt}=1$

$x=1$일 때 $t=2$, $x=2$일 때 $t=3$이므로

$$\int_{1}^{2}\frac{1}{(x+1)^{2}}dx=\int_{2}^{3}\frac{1}{t^{2}}dt=\int_{2}^{3}t^{-2}dt$$

$$=\Big[-t^{-1}\Big]_{2}^{3}=-\frac{1}{3}+\frac{1}{2}=\frac{1}{6}$$

(3) $x^{2}+2=t$로 놓으면 $2x\dfrac{dx}{dt}=1$

$x=0$일 때 $t=2$, $x=1$일 때 $t=3$이므로

$$\int_{0}^{1}\frac{2x}{x^{2}+2}dx=\int_{2}^{3}\frac{1}{t}dt=\Big[\ln|t|\Big]_{2}^{3}$$

$$=\ln 3-\ln 2$$

(4) $\sqrt{2x-1}=t(t>0)$로 놓으면 $2x-1=t^2$이므로

$$2\frac{dx}{dt}=2t$$

$x=1$일 때 $t=1$, $x=5$일 때 $t=3$이므로

$$\int_1^5 2\sqrt{2x-1}\,dx=\int_1^3 2t\times t\,dt=\int_1^3 2t^2\,dt$$
$$=\left[\frac{2}{3}t^3\right]_1^3=18-\frac{2}{3}=\frac{52}{3}$$

(5) $\sqrt{1-x}=t(t>0)$로 놓으면 $1-x=t^2$이므로

$$(-1)\frac{dx}{dt}=2t$$

$x=-1$일 때 $t=\sqrt{2}$, $x=0$일 때 $t=1$이므로

$$\int_{-1}^0 \sqrt{1-x}\,dx=\int_{\sqrt{2}}^1 t\times(-2t)\,dt=\int_1^{\sqrt{2}} 2t^2\,dt$$
$$=\left[\frac{2}{3}t^3\right]_1^{\sqrt{2}}=\frac{4\sqrt{2}-2}{3}$$

(6) $3x+1=t$로 놓으면 $3\frac{dx}{dt}=1$

$x=0$일 때 $t=1$, $x=\frac{1}{3}$일 때 $t=2$이므로

$$\int_0^{\frac{1}{3}} 3e^{3x+1}\,dx=\int_1^2 3e^t\times\frac{1}{3}\,dt=\int_1^2 e^t\,dt$$
$$=\left[e^t\right]_1^2=e^2-e$$

(7) $x^2=t$로 놓으면 $2x\frac{dx}{dt}=1$

$x=0$일 때 $t=0$, $x=1$일 때 $t=1$이므로

$$\int_0^1 2xe^{x^2}\,dx=\int_0^1 e^t\,dt=\left[e^t\right]_0^1=e-1$$

(8) $3x-\pi=t$로 놓으면 $3\frac{dx}{dt}=1$

$x=\frac{2}{3}\pi$일 때 $t=\pi$, $x=\pi$일 때 $t=2\pi$이므로

$$\int_{\frac{2}{3}\pi}^{\pi} 3\sin(3x-\pi)\,dx=\int_{\pi}^{2\pi} 3\sin t\times\frac{1}{3}\,dt$$
$$=\int_{\pi}^{2\pi} \sin t\,dt=\left[-\cos t\right]_{\pi}^{2\pi}$$
$$=-1-1=-2$$

(9) $1+\cos x=t$로 놓으면 $-\sin x\frac{dx}{dt}=1$

$x=0$일 때 $t=2$, $x=\frac{\pi}{2}$일 때 $t=1$이므로

$$\int_0^{\frac{\pi}{2}} (1+\cos x)\sin x\,dx=\int_2^1 t\times(-1)\,dt$$
$$=\int_1^2 t\,dt=\left[\frac{1}{2}t^2\right]_1^2$$
$$=2-\frac{1}{2}=\frac{3}{2}$$

(10) $1+\sin x=t$로 놓으면 $\cos x\frac{dx}{dt}=1$

$x=0$일 때 $t=1$, $x=\frac{\pi}{2}$일 때 $t=2$이므로

$$\int_0^{\frac{\pi}{2}} \frac{\cos x}{1+\sin x}\,dx=\int_1^2 \frac{1}{t}\,dt=\left[\ln|t|\right]_1^2=\ln 2$$

(11) $\sin x=t$로 놓으면 $\cos x\frac{dx}{dt}=1$

$x=0$일 때 $t=0$, $x=\frac{\pi}{6}$일 때 $t=\frac{1}{2}$이므로

$$\int_0^{\frac{\pi}{6}} \cos x\,e^{\sin x}\,dx=\int_0^{\frac{1}{2}} e^t\,dt=\left[e^t\right]_0^{\frac{1}{2}}=\sqrt{e}-1$$

(12) $\tan x-1=t$로 놓으면 $\sec^2 x\frac{dx}{dt}=1$

$x=0$일 때 $t=-1$, $x=\frac{\pi}{4}$일 때 $t=0$이므로

$$\int_0^{\frac{\pi}{4}} (\tan x-1)\sec^2 x\,dx=\int_{-1}^0 t\,dt$$
$$=\left[\frac{1}{2}t^2\right]_{-1}^0=-\frac{1}{2}$$

13 답 (1) π (2) $\frac{\pi}{4}$ (3) $\frac{\pi}{2}$ (4) $\frac{\pi}{6}$

풀이 (1) $x=2\sin\theta\left(-\frac{\pi}{2}\le\theta\le\frac{\pi}{2}\right)$로 놓으면

$$\frac{dx}{d\theta}=2\cos\theta$$

$x=0$일 때 $\theta=0$, $x=2$일 때 $\theta=\frac{\pi}{2}$이므로

$$\int_0^2 \sqrt{4-x^2}\,dx=\int_0^{\frac{\pi}{2}} \sqrt{4-4\sin^2\theta}\times 2\cos\theta\,d\theta$$
$$=\int_0^{\frac{\pi}{2}} \sqrt{4(1-\sin^2\theta)}\times 2\cos\theta\,d\theta$$
$$=\int_0^{\frac{\pi}{2}} \sqrt{4\cos^2\theta}\times 2\cos\theta\,d\theta$$
$$=\int_0^{\frac{\pi}{2}} 2\cos\theta\times 2\cos\theta\,d\theta$$
$$=4\int_0^{\frac{\pi}{2}} \cos^2\theta\,d\theta$$
$$=4\int_0^{\frac{\pi}{2}} \frac{1+\cos 2\theta}{2}\,d\theta$$
$$=2\int_0^{\frac{\pi}{2}} (1+\cos 2\theta)\,d\theta$$
$$=2\left[\theta+\frac{1}{2}\sin 2\theta\right]_0^{\frac{\pi}{2}}=\pi$$

(2) $x=\sin\theta\left(-\frac{\pi}{2}\le\theta\le\frac{\pi}{2}\right)$로 놓으면

$$\frac{dx}{d\theta}=\cos\theta$$

$x=0$일 때 $\theta=0$, $x=1$일 때 $\theta=\frac{\pi}{2}$이므로

$$\int_0^1 \sqrt{1-x^2}\,dx=\int_0^{\frac{\pi}{2}} \sqrt{1-\sin^2\theta}\times\cos\theta\,d\theta$$
$$=\int_0^{\frac{\pi}{2}} \cos^2\theta\,d\theta$$
$$=\int_0^{\frac{\pi}{2}} \frac{1+\cos 2\theta}{2}\,d\theta$$
$$=\frac{1}{2}\left[\theta+\frac{1}{2}\sin 2\theta\right]_0^{\frac{\pi}{2}}=\frac{\pi}{4}$$

(3) $x=\sin\theta\left(-\frac{\pi}{2}\le\theta\le\frac{\pi}{2}\right)$로 놓으면

$$\frac{dx}{d\theta}=\cos\theta$$

$x=0$일 때 $\theta=0$, $x=1$일 때 $\theta=\frac{\pi}{2}$이므로

$$\int_0^1 \frac{1}{\sqrt{1-x^2}}\,dx=\int_0^{\frac{\pi}{2}} \frac{1}{\sqrt{1-\sin^2\theta}}\times\cos\theta\,d\theta$$

$$=\int_0^{\frac{\pi}{2}}\frac{1}{\cos\theta}\times\cos\theta\,d\theta=\int_0^{\frac{\pi}{2}}d\theta$$

$$=\Big[\theta\Big]_0^{\frac{\pi}{2}}=\frac{\pi}{2}$$

(4) $x=2\sin\theta\left(-\frac{\pi}{2}\le\theta\le\frac{\pi}{2}\right)$로 놓으면

$$\frac{dx}{d\theta}=2\cos\theta$$

$x=0$일 때 $\theta=0$, $x=1$일 때 $\theta=\frac{\pi}{6}$이므로

$$\int_0^1\frac{1}{\sqrt{4-x^2}}dx=\int_0^{\frac{\pi}{6}}\frac{1}{\sqrt{4-4\sin^2\theta}}\times2\cos\theta\,d\theta$$

$$=\int_0^{\frac{\pi}{6}}\frac{1}{\sqrt{4(1-\sin^2\theta)}}\times2\cos\theta\,d\theta$$

$$=\int_0^{\frac{\pi}{6}}\frac{1}{2\cos\theta}\times2\cos\theta\,d\theta$$

$$=\int_0^{\frac{\pi}{6}}d\theta$$

$$=\Big[\theta\Big]_0^{\frac{\pi}{6}}=\frac{\pi}{6}$$

14 답 (1) $\dfrac{\pi}{4}$　(2) $\dfrac{\pi}{8}$　(3) $\dfrac{\pi}{18}$

풀이 **(1)** $x=\tan\theta\left(-\frac{\pi}{2}<\theta<\frac{\pi}{2}\right)$로 놓으면

$$\frac{dx}{d\theta}=\sec^2\theta$$

$x=0$일 때 $\theta=0$, $x=1$일 때 $\theta=\frac{\pi}{4}$이므로

$$\int_0^1\frac{1}{1+x^2}dx=\int_0^{\frac{\pi}{4}}\frac{1}{1+\tan^2\theta}\times\sec^2\theta\,d\theta$$

$$=\int_0^{\frac{\pi}{4}}\frac{1}{\sec^2\theta}\times\sec^2\theta\,d\theta$$

$$=\int_0^{\frac{\pi}{4}}d\theta$$

$$=\Big[\theta\Big]_0^{\frac{\pi}{4}}=\underline{\frac{\pi}{4}}$$

(2) $x=2\tan\theta\left(-\frac{\pi}{2}<\theta<\frac{\pi}{2}\right)$로 놓으면

$$\frac{dx}{d\theta}=2\sec^2\theta$$

$x=0$일 때 $\theta=0$, $x=2$일 때 $\theta=\frac{\pi}{4}$이므로

$$\int_0^2\frac{1}{4+x^2}dx=\int_0^{\frac{\pi}{4}}\frac{1}{4(1+\tan^2\theta)}\times2\sec^2\theta\,d\theta$$

$$=\int_0^{\frac{\pi}{4}}\frac{1}{4\sec^2\theta}\times2\sec^2\theta\,d\theta$$

$$(\because\ 1+\tan^2\theta=\sec^2\theta)$$

$$=\int_0^{\frac{\pi}{4}}\frac{1}{2}\,d\theta$$

$$=\Big[\frac{1}{2}\theta\Big]_0^{\frac{\pi}{4}}=\frac{\pi}{8}$$

(3) $x=3\tan\theta\left(-\frac{\pi}{2}<\theta<\frac{\pi}{2}\right)$로 놓으면

$$\frac{dx}{d\theta}=3\sec^2\theta$$

$x=0$일 때 $\theta=0$, $x=\sqrt{3}$일 때 $\theta=\frac{\pi}{6}$이므로

$$\int_0^{\sqrt{3}}\frac{1}{x^2+9}dx=\int_0^{\frac{\pi}{6}}\frac{1}{9(\tan^2\theta+1)}\times3\sec^2\theta\,d\theta$$

$$=\int_0^{\frac{\pi}{6}}\frac{1}{9\sec^2\theta}\times3\sec^2\theta\,d\theta$$

$$(\because\ 1+\tan^2\theta=\sec^2\theta)$$

$$=\int_0^{\frac{\pi}{6}}\frac{1}{3}\,d\theta$$

$$=\Big[\frac{1}{3}\theta\Big]_0^{\frac{\pi}{6}}=\frac{\pi}{18}$$

15 답 (1) $\dfrac{1}{2}\ln 5$　(2) $\ln 2$　(3) $\ln\dfrac{e^2+2}{e+1}$

(4) $\ln 2$　(5) $\dfrac{1}{2}\ln 2$

풀이 **(1)** $1+x^2=t$로 놓으면 $2x\dfrac{dx}{dt}=1$

$x=0$일 때 $t=1$, $x=2$일 때 $t=5$이므로

$$\int_0^2\frac{x}{1+x^2}dx=\frac{1}{2}\int_1^5\frac{1}{t}dt$$

$$=\frac{1}{2}\Big[\ln|t|\Big]_1^5=\frac{1}{2}\ln 5$$

(2) $1+\sin x=t$로 놓으면 $\cos x\dfrac{dx}{dt}=1$

$x=0$일 때 $t=1$, $x=\dfrac{\pi}{2}$일 때 $t=2$이므로

$$\int_0^{\frac{\pi}{2}}\frac{\cos x}{1+\sin x}dx=\int_1^2\frac{1}{t}dt$$

$$=\Big[\ln|t|\Big]_1^2=\ln 2$$

(3) $e^x+x=t$로 놓으면 $(e^x+1)\dfrac{dx}{dt}=1$

$x=1$일 때 $t=e+1$, $x=2$일 때 $t=e^2+2$이므로

$$\int_1^2\frac{e^x+1}{e^x+x}dx=\int_{e+1}^{e^2+2}\frac{1}{t}dt=\Big[\ln|t|\Big]_{e+1}^{e^2+2}$$

$$=\ln(e^2+2)-\ln(e+1)=\ln\frac{e^2+2}{e+1}$$

(4) $\ln x=t$로 놓으면 $\dfrac{1}{x}\times\dfrac{dx}{dt}=1$

$x=e$일 때 $t=1$, $x=e^2$일 때 $t=2$이므로

$$\int_e^{e^2}\frac{1}{x\ln x}dx=\int_1^2\frac{1}{t}dt=\Big[\ln|t|\Big]_1^2$$

$$=\ln 2$$

(5) $\tan x=\dfrac{\sin x}{\cos x}$이므로 $\cos x=t$로 놓으면

$$-\sin x\frac{dx}{dt}=1$$

$x=0$일 때 $t=1$, $x=\dfrac{\pi}{4}$일 때 $t=\dfrac{\sqrt{2}}{2}$이므로

$$\int_0^{\frac{\pi}{4}}\tan x\,dx=\int_0^{\frac{\pi}{4}}\frac{\sin x}{\cos x}dx$$

$$=\int_1^{\frac{\sqrt{2}}{2}}\left(-\frac{1}{t}\right)dt=-\Big[\ln|t|\Big]_1^{\frac{\sqrt{2}}{2}}$$

$$=-\ln\frac{\sqrt{2}}{2}=\frac{1}{2}\ln 2$$

16 답 (1) 1 (2) $\dfrac{3}{4}e^2-\dfrac{1}{4}$ (3) $\dfrac{1}{4}e^2+\dfrac{1}{4}$

(4) 1 (5) $1-\dfrac{3}{e^2}$ (6) 1 (7) $e-2$

풀이 (1) $f(x)=x$, $g'(x)=e^x$으로 놓으면

$f'(x)=1$, $g(x)=e^x$이므로

$\displaystyle\int_0^1 xe^x dx=\Big[xe^x\Big]_0^1-\int_0^1 e^x dx=e-\Big[e^x\Big]_0^1$

$=e-(e-1)=\underline{1}$

(2) $f(x)=x+1$, $g'(x)=e^{2x}$으로 놓으면

$f'(x)=1$, $g(x)=\dfrac{1}{2}e^{2x}$이므로

$\displaystyle\int_0^1 (x+1)e^{2x} dx=\Big[\dfrac{x+1}{2}e^{2x}\Big]_0^1-\int_0^1 \dfrac{1}{2}e^{2x} dx$

$=e^2-\dfrac{1}{2}-\Big[\dfrac{1}{4}e^{2x}\Big]_0^1$

$=e^2-\dfrac{1}{2}-\Big(\dfrac{1}{4}e^2-\dfrac{1}{4}\Big)$

$=\dfrac{3}{4}e^2-\dfrac{1}{4}$

(3) $f(x)=\ln x$, $g'(x)=x$로 놓으면

$f'(x)=\dfrac{1}{x}$, $g(x)=\dfrac{1}{2}x^2$이므로

$\displaystyle\int_1^e x\ln x dx=\Big[\dfrac{1}{2}x^2\ln x\Big]_1^e-\int_1^e \dfrac{1}{2}x\, dx$

$=\dfrac{1}{2}e^2-\Big[\dfrac{1}{4}x^2\Big]_1^e$

$=\dfrac{1}{2}e^2-\Big(\dfrac{1}{4}e^2-\dfrac{1}{4}\Big)=\dfrac{1}{4}e^2+\dfrac{1}{4}$

(4) $f(x)=\ln x$, $g'(x)=1$로 놓으면

$f'(x)=\dfrac{1}{x}$, $g(x)=x$이므로

$\displaystyle\int_1^e \ln x\, dx=\Big[x\ln x\Big]_1^e-\int_1^e dx$

$=e-\Big[x\Big]_1^e$

$=e-(e-1)=1$

(5) $f(x)=\ln x$, $g'(x)=\dfrac{1}{x^2}$로 놓으면

$f'(x)=\dfrac{1}{x}$, $g(x)=-\dfrac{1}{x}$이므로

$\displaystyle\int_1^{e^2} \dfrac{\ln x}{x^2} dx=\Big[-\dfrac{1}{x}\ln x\Big]_1^{e^2}+\int_1^{e^2} \dfrac{1}{x^2} dx$

$=-\dfrac{2}{e^2}+\Big[-\dfrac{1}{x}\Big]_1^{e^2}=1-\dfrac{3}{e^2}$

(6) $f(x)=x$, $g'(x)=\sin x$로 놓으면

$f'(x)=1$, $g(x)=-\cos x$이므로

$\displaystyle\int_0^{\frac{\pi}{2}} x\sin x\, dx=\Big[-x\cos x\Big]_0^{\frac{\pi}{2}}-\int_0^{\frac{\pi}{2}} (-\cos x) dx$

$=0+\Big[\sin x\Big]_0^{\frac{\pi}{2}}=1$

(7) $f(x)=x^2$, $g'(x)=e^x$으로 놓으면

$f'(x)=2x$, $g(x)=e^x$이므로

$\displaystyle\int_0^1 x^2 e^x dx=\Big[x^2 e^x\Big]_0^1-\int_0^1 2xe^x dx$

$=e-2\displaystyle\int_0^1 xe^x dx$ ...... ㉠

한편, $\displaystyle\int_0^1 xe^x dx$에서 $u(x)=x$, $v'(x)=e^x$으로 놓으면

$u'(x)=1$, $v(x)=e^x$이므로

$\displaystyle\int_0^1 xe^x dx=\Big[xe^x\Big]_0^1-\int_0^1 e^x dx=e-\Big[e^x\Big]_0^1$

$=e-(e-1)=1$ ...... ㉡

㉡을 ㉠에 대입하면

$\displaystyle\int_0^1 x^2 e^x dx=e-2$

17 답 (1) $f(x)=e^x+\dfrac{1}{2e}-\dfrac{1}{2}$

(2) $f(x)=e^{-x}+x+\dfrac{1}{e^2}-3$

(3) $f(x)=\sin x+\dfrac{2}{1-\pi}$

풀이 (1) $\displaystyle\int_{-1}^0 f(t)dt=a$ (a는 상수) ...... ㉠

로 놓으면

$f(x)=e^x-a$ ...... ㉡

㉡을 ㉠에 대입하면

$a=\displaystyle\int_{-1}^0 f(t)dt=\int_{-1}^0 (e^t-a)dt$

$=\Big[e^t-at\Big]_{-1}^0$

$=1-(e^{-1}+a)$

$=1-a-\dfrac{1}{e}$

즉, $a=1-a-\dfrac{1}{e}$에서

$2a=1-\dfrac{1}{e}$ $\therefore a=\dfrac{1}{2}-\dfrac{1}{2e}$

$\therefore f(x)=e^x-\Big(\dfrac{1}{2}-\dfrac{1}{2e}\Big)$

$=e^x+\dfrac{1}{2e}-\dfrac{1}{2}$

(2) $\displaystyle\int_0^2 f(t)dt=a$ (a는 상수) ...... ㉠

로 놓으면

$f(x)=e^{-x}+x+a$ ...... ㉡

㉡을 ㉠에 대입하면

$a=\displaystyle\int_0^2 f(t)dt=\int_0^2 (e^{-t}+t+a)dt$

$=\Big[-e^{-t}+\dfrac{1}{2}t^2+at\Big]_0^2=-\dfrac{1}{e^2}+2+2a+1$

$=-\dfrac{1}{e^2}+2a+3$

즉, $a=-\dfrac{1}{e^2}+2a+3$에서

$a=\dfrac{1}{e^2}-3$

$\therefore f(x)=e^{-x}+x+\dfrac{1}{e^2}-3$

(3) $\displaystyle\int_0^\pi f(t)dt=a$ (a는 상수) ...... ㉠

III. 적분법 **095**

로 놓으면
$$f(x)=\sin x+a \qquad\qquad \cdots\cdots ㉡$$
㉡을 ㉠에 대입하면
$$a=\int_0^\pi f(t)dt=\int_0^\pi (\sin t+a)dt$$
$$=\Big[-\cos t+at\Big]_0^\pi=1+a\pi-(-1)$$
$$=2+a\pi$$
즉, $a=2+a\pi$에서
$$(1-\pi)a=2 \qquad \therefore a=\frac{2}{1-\pi}$$
$$\therefore f(x)=\sin x+\frac{2}{1-\pi}$$

18 답 (1) $f(x)=e^x+2(e-1)x$

(2) $f(x)=e^{-x}+\left(\dfrac{2}{3e^2}-\dfrac{2}{3}\right)x$

(3) $f(x)=\sin x-2\cos x$

풀이 (1) $f(x)=e^x+\displaystyle\int_0^1 xf(t)dt$
$$=e^x+x\int_0^1 f(t)dt$$
$$\int_0^1 f(t)dt=a\ (a는 \ 상수) \qquad\qquad \cdots\cdots ㉠$$
로 놓으면
$$f(x)=e^x+ax \qquad\qquad \cdots\cdots ㉡$$
㉡을 ㉠에 대입하면
$$a=\int_0^1 f(t)dt=\int_0^1 (e^t+at)dt$$
$$=\Big[e^t+\frac{1}{2}at^2\Big]_0^1=e+\frac{1}{2}a-1$$
즉, $a=e+\dfrac{1}{2}a-1$에서
$$\frac{1}{2}a=e-1 \qquad \therefore a=2(e-1)$$
$$\therefore f(x)=\underline{e^x+2(e-1)x}$$

(2) $f(x)=e^{-x}+2\displaystyle\int_0^2 xf(t)dt$
$$=e^{-x}+2x\int_0^2 f(t)dt$$
$$\int_0^2 f(t)dt=a\ (a는 \ 상수) \qquad\qquad \cdots\cdots ㉠$$
로 놓으면
$$f(x)=e^{-x}+2ax \qquad\qquad \cdots\cdots ㉡$$
㉡을 ㉠에 대입하면
$$a=\int_0^2 f(t)dt=\int_0^2 (e^{-t}+2at)dt$$
$$=\Big[-e^{-t}+at^2\Big]_0^2=-\frac{1}{e^2}+4a+1$$
즉, $a=-\dfrac{1}{e^2}+4a+1$에서
$$3a=\frac{1}{e^2}-1 \qquad \therefore a=\frac{1}{3e^2}-\frac{1}{3}$$
$$\therefore f(x)=e^{-x}+\left(\frac{2}{3e^2}-\frac{2}{3}\right)x$$

(3) $f(x)=\sin x+\displaystyle\int_0^{\frac{\pi}{2}} 2\cos x f(t)dt$
$$=\sin x+2\cos x\int_0^{\frac{\pi}{2}} f(t)dt$$
$$\int_0^{\frac{\pi}{2}} f(t)dt=a\ (a는 \ 상수) \qquad\qquad \cdots\cdots ㉠$$
로 놓으면
$$f(x)=\sin x+2a\cos x \qquad\qquad \cdots\cdots ㉡$$
㉡을 ㉠에 대입하면
$$a=\int_0^{\frac{\pi}{2}} f(t)dt=\int_0^{\frac{\pi}{2}} (\sin t+2a\cos t)dt$$
$$=\Big[-\cos t+2a\sin t\Big]_0^{\frac{\pi}{2}}=2a+1$$
즉, $a=2a+1$에서 $a=-1$
$$\therefore f(x)=\sin x-2\cos x$$

19 답 (1) $f(x)=\sin x-1$　(2) $f(x)=\cos x+\dfrac{\sqrt{2}}{4}$

(3) $f(x)=e^x+2$

풀이 (1) $\displaystyle\int_0^{\frac{\pi}{2}} f(t)\cos t\,dt=a\ (a는 \ 상수) \qquad\qquad \cdots\cdots ㉠$
로 놓으면
$$f(x)=\sin x+2a \qquad\qquad \cdots\cdots ㉡$$
㉡을 ㉠에 대입하면
$$a=\int_0^{\frac{\pi}{2}} f(t)\cos t\,dt$$
$$=\int_0^{\frac{\pi}{2}} (\sin t+2a)\cos t\,dt$$
$$=\int_0^{\frac{\pi}{2}} \sin t\cos t\,dt+\int_0^{\frac{\pi}{2}} 2a\cos t\,dt$$
$$=\int_0^{\frac{\pi}{2}} \frac{1}{2}\sin 2t\,dt+\int_0^{\frac{\pi}{2}} 2a\cos t\,dt$$
$$=\Big[-\frac{1}{4}\cos 2t\Big]_0^{\frac{\pi}{2}}+\Big[2a\sin t\Big]_0^{\frac{\pi}{2}}$$
$$=\frac{1}{4}+\frac{1}{4}+2a=\frac{1}{2}+2a$$
즉, $a=\dfrac{1}{2}+2a$이므로 $a=-\dfrac{1}{2}$
$$\therefore f(x)=\underline{\sin x-1}$$

(2) $\displaystyle\int_0^{\frac{\pi}{4}} f(t)\sin t\,dt=a\ (a는 \ 상수) \qquad\qquad \cdots\cdots ㉠$
로 놓으면
$$f(x)=\cos x+a \qquad\qquad \cdots\cdots ㉡$$
㉡을 ㉠에 대입하면
$$a=\int_0^{\frac{\pi}{4}} f(t)\sin t\,dt$$
$$=\int_0^{\frac{\pi}{4}} (\cos t+a)\sin t\,dt$$
$$=\int_0^{\frac{\pi}{4}} \sin t\cos t\,dt+\int_0^{\frac{\pi}{4}} a\sin t\,dt$$
$$=\int_0^{\frac{\pi}{4}} \frac{1}{2}\sin 2t\,dt+\int_0^{\frac{\pi}{4}} a\sin t\,dt$$
$$=\Big[-\frac{1}{4}\cos 2t\Big]_0^{\frac{\pi}{4}}+\Big[-a\cos t\Big]_0^{\frac{\pi}{4}}$$

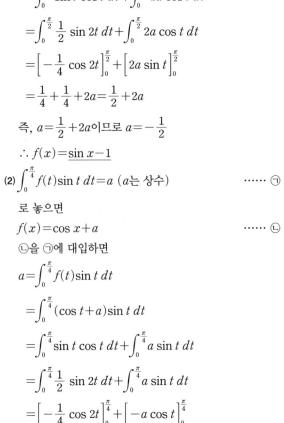

$$= -\left(-\frac{1}{4}\right) - \frac{\sqrt{2}}{2}a + a$$

$$= \frac{1}{4} + \left(1 - \frac{\sqrt{2}}{2}\right)a$$

즉, $a = \frac{1}{4} + \left(1 - \frac{\sqrt{2}}{2}\right)a$에서

$$\frac{\sqrt{2}}{2}a = \frac{1}{4} \qquad \therefore a = \frac{\sqrt{2}}{4}$$

$$\therefore f(x) = \cos x + \frac{\sqrt{2}}{4}$$

(3) $\int_0^1 tf(t)dt = a$ (a는 상수) $\qquad \cdots\cdots$ ㉠

로 놓으면

$$f(x) = e^x + a \qquad \cdots\cdots ㉡$$

㉡을 ㉠에 대입하면

$$a = \int_0^1 tf(t)dt = \int_0^1 t(e^t + a)dt$$

$$= \int_0^1 (te^t + at)dt$$

$$= \int_0^1 te^t dt + \int_0^1 at\, dt \qquad \cdots\cdots ㉢$$

$\int_0^1 te^t dt$에서 $f(t) = t$, $g'(t) = e^t$으로 놓으면

$f'(t) = 1$, $g(t) = e^t$이므로

$$\int_0^1 te^t dt = \left[te^t\right]_0^1 - \int_0^1 e^t dt = e - \left[e^t\right]_0^1$$

$$= e - (e - 1) = 1$$

㉢에 대입하면

$$a = \int_0^1 te^t dt + \int_0^1 at\, dt = 1 + \left[\frac{a}{2}t^2\right]_0^1 = \frac{a}{2} + 1$$

즉, $a = \frac{a}{2} + 1$에서

$$\frac{a}{2} = 1 \qquad \therefore a = 2$$

$$\therefore f(x) = e^x + 2$$

20 답 (1) $f(x) = 2e^{2x} + 1$ (2) $f(x) = 2\cos x$

(3) $f(x) = \frac{1}{x} + 2$ (4) $f(x) = 2e^{2x} - 1$

(5) $f(x) = \cos x - 3e^x$ (6) $f(x) = \ln x + 2$

(7) $f(x) = 6^x \ln 6 - 2^x \ln 2 - 3^x \ln 3$

(8) $f(x) = 2(e^{2x} - e^x)$

(9) $f(x) = 2(\sin^2 x - \cos^2 x)$ (10) $f(x) = \frac{2x}{e^x}$

풀이 (1) 주어진 등식의 양변을 x에 대하여 미분하면

$$f(x) = \underline{2e^{2x} + 1}$$

(2) 주어진 등식의 양변을 x에 대하여 미분하면

$$f(x) = 2\cos x$$

(3) 주어진 등식의 양변을 x에 대하여 미분하면

$$f(x) = \frac{1}{x} + 2$$

(4) 주어진 등식의 양변을 x에 대하여 미분하면

$$f(x) = 2e^{2x} - 1$$

(5) 주어진 등식의 양변을 x에 대하여 미분하면

$$f(x) = \cos x - 3e^x$$

(6) 주어진 등식의 양변을 x에 대하여 미분하면

$$f(x) = \ln x + x \times \frac{1}{x} + 1$$

$$= \ln x + 2$$

(7) 주어진 등식의 양변을 x에 대하여 미분하면

$$f(x) = (2^x - 1)'(3^x - 1) + (2^x - 1)(3^x - 1)'$$

$$= 2^x \ln 2(3^x - 1) + 3^x \ln 3(2^x - 1)$$

$$= 6^x(\ln 2 + \ln 3) - 2^x \ln 2 - 3^x \ln 3$$

$$= 6^x \ln 6 - 2^x \ln 2 - 3^x \ln 3$$

(8) 주어진 등식의 양변을 x에 대하여 미분하면

$$f(x) = 2(e^x - 1)(e^x - 1)'$$

$$= 2(e^x - 1)e^x$$

$$= 2(e^{2x} - e^x)$$

(9) 주어진 등식의 양변을 x에 대하여 미분하면

$$f(x) = 2(\sin x - \cos x)(\sin x - \cos x)'$$

$$= 2(\sin x - \cos x)(\cos x + \sin x)$$

$$= 2(\sin^2 x - \cos^2 x)$$

(10) 주어진 등식의 양변을 x에 대하여 미분하면

$$f(x)e^x = 2x \qquad \therefore f(x) = \frac{2x}{e^x}$$

21 답 (1) $f(x) = (x+1)e^x - e$

(2) $f(x) = \frac{1}{2}(\ln x)^2 + \ln x$

(3) $f(x) = 2x \ln x - x$

풀이 (1) 주어진 등식의 양변을 x에 대하여 미분하면

$$f(x) + xf'(x) = 2xe^x + x^2 e^x + f(x)$$

$$xf'(x) = xe^x(x + 2)$$

$$\therefore f'(x) = (x + 2)e^x$$

$f(x) = \int (x+2)e^x dx$에서 $u(x) = x+2$, $v'(x) = e^x$

으로 놓으면 $u'(x) = 1$, $v(x) = e^x$이므로

$$f(x) = \int (x+2)e^x dx$$

$$= (x+2)e^x - \int e^x dx$$

$$= (x+2)e^x - e^x + C$$

$$= (x+1)e^x + C \qquad \cdots\cdots ㉠$$

주어진 등식의 양변에 $x = 1$을 대입하면

$$f(1) = e$$

㉠의 양변에 $x = 1$을 대입하면

$$f(1) = 2e + C$$

따라서 $2e + C = e$이므로 $C = -e$

$$\therefore f(x) = \underline{(x+1)e^x - e}$$

(2) 주어진 등식의 양변을 x에 대하여 미분하면

$$f(x) + xf'(x) = \ln x + 1 + f(x)$$

$$\therefore f'(x) = \frac{\ln x}{x} + \frac{1}{x}$$

$$f(x) = \int \left(\frac{\ln x}{x} + \frac{1}{x}\right)dx = \int \frac{\ln x}{x}dx + \int \frac{1}{x}dx$$에서

$\ln x = t$로 놓으면 $\dfrac{1}{x} \times \dfrac{dx}{dt} = 1$

$$\therefore f(x) = \int \frac{\ln x}{x} dx + \int \frac{1}{x} dx$$
$$= \int t\, dt + \ln x + C$$
$$= \frac{1}{2} t^2 + \ln x + C$$
$$= \frac{1}{2} (\ln x)^2 + \ln x + C \qquad \cdots\cdots \ \ominus$$

주어진 등식의 양변에 $x=1$을 대입하면

$f(1)=0$

$\ominus$의 양변에 $x=1$을 대입하면

$f(1)=C$ $\quad \therefore C=0$

$$\therefore f(x) = \frac{1}{2}(\ln x)^2 + \ln x$$

(3) 주어진 등식의 양변을 x에 대하여 미분하면

$f(x) + xf'(x) = 2x \ln x + x + f(x)$

$f'(x) = 2 \ln x + 1$

$$\therefore f(x) = \int (2 \ln x + 1) dx$$
$$= 2(x \ln x - x) + x + C$$
$$= 2x \ln x - x + C \qquad \cdots\cdots \ \ominus$$

주어진 등식의 양변에 $x=e$를 대입하면

$ef(e)=e^2$ $\quad \therefore f(e)=e$

$\ominus$의 양변에 $x=e$를 대입하면

$f(e) = 2e - e + C = e + C$

따라서 $e+C=e$이므로 $C=0$

$\therefore f(x) = 2x \ln x - x$

22 답 (1) $f(x)=e^x$ (2) $f(x)=e^x+\sin x$

(3) $f(x)=4e^{2x}$

풀이 (1) $\displaystyle\int_1^x (x-t)f(t)dt = e^x - e$에서

$$x\int_1^x f(t)dt - \int_1^x tf(t)dt = e^x - e \qquad \cdots\cdots \ \ominus$$

$\ominus$의 양변을 x에 대하여 미분하면

$$\int_1^x f(t)dt + xf(x) - xf(x) = \underline{e^x}$$

$$\therefore \int_1^x f(t)dt = \underline{e^x} \qquad \cdots\cdots \ \ominus$$

$\ominus$의 양변을 x에 대하여 미분하면

$f(x) = \underline{e^x}$

(2) $\displaystyle\int_0^x (x-t)f(t)dt = e^x - \sin x - 1$에서

$$x\int_0^x f(t)dt - \int_0^x tf(t)dt = e^x - \sin x - 1 \qquad \cdots\cdots \ \ominus$$

$\ominus$의 양변을 x에 대하여 미분하면

$$\int_0^x f(t)dt + xf(x) - xf(x) = e^x - \cos x$$

$$\therefore \int_0^x f(t)dt = e^x - \cos x \qquad \cdots\cdots \ \ominus$$

$\ominus$의 양변을 x에 대하여 미분하면

$f(x) = e^x + \sin x$

(3) $\displaystyle\int_0^x (x-t)f(t)dt = e^{2x} + x - 1$에서

$$x\int_0^x f(t)dt - \int_0^x tf(t)dt = e^{2x} + x - 1 \qquad \cdots\cdots \ \ominus$$

$\ominus$의 양변을 x에 대하여 미분하면

$$\int_0^x f(t)dt + xf(x) - xf(x) = 2e^{2x} + 1$$

$$\therefore \int_0^x f(t)dt = 2e^{2x} + 1 \qquad \cdots\cdots \ \ominus$$

$\ominus$의 양변을 x에 대하여 미분하면

$f(x) = 4e^{2x}$

23 답 (1) $-\dfrac{1}{4}$ (2) 0

풀이 (1) $f(x) = \displaystyle\int_0^x (1 - 2\cos t)\sin t\, dt$의 양변을 x에

대하여 미분하면

$f'(x) = (1 - 2\cos x)\sin x$

$0 < x < \pi$이므로 $f'(x)=0$에서

$1 - 2\cos x = 0$, $\cos x = \dfrac{1}{2}$

$\therefore x = \dfrac{\pi}{3}$

$0 < x < \pi$에서 함수 $f(x)$의 증가와 감소를 표로 나타내

면 다음과 같다.

x	(0)	$\cdots$	$\dfrac{\pi}{3}$	$\cdots$	(π)
$f'(x)$		$-$	0	$+$	
$f(x)$		$\searrow$	극소	$\nearrow$	

따라서 함수 $f(x)$는 $x=\dfrac{\pi}{3}$에서 극솟값을 가지므로 극

솟값은

$$f\left(\frac{\pi}{3}\right) = \int_0^{\frac{\pi}{3}} (1 - 2\cos t)\sin t\, dt$$
$$= \int_0^{\frac{\pi}{3}} (\sin t - 2\sin t \cos t) dt$$
$$= \int_0^{\frac{\pi}{3}} (\sin t - \sin 2t) dt$$
$$= \left[-\cos t + \frac{1}{2}\cos 2t \right]_0^{\frac{\pi}{3}}$$
$$= -\frac{1}{2} - \frac{1}{4} - \left(-1 + \frac{1}{2}\right)$$
$$= -\frac{1}{4}$$

(2) $f(x) = \displaystyle\int_0^x (1 - e^t)dt$의 양변을 x에 대하여 미분하면

$f'(x) = 1 - e^x$

$f'(x)=0$에서 $1 - e^x = 0$, $e^x = 1$

$\therefore x = 0$

함수 $f(x)$의 증가와 감소를 표로 나타내면 다음과 같다.

x	$\cdots$	0	$\cdots$
$f'(x)$	$+$	0	$-$
$f(x)$	$\nearrow$	극대	$\searrow$

따라서 함수 $f(x)$는 $x=0$에서 극댓값을 가지므로 극댓

값은

$$f(0) = \int_0^0 (1 - e^t)dt = 0$$

24 답 (1) $e+1$ (2) e (3) 1
(4) 4 (5) $e+1$ (6) 1

풀이 (1) $f(t)=e^t+1$의 한 부정적분을 $F(t)$라 하면

$$\int_1^x (e^t+1)dt=\Big[F(t)\Big]_1^x=F(x)-F(1)$$

$$\therefore \lim_{x\to 1}\frac{1}{x-1}\int_1^x (e^t+1)dt=\lim_{x\to 1}\frac{F(x)-F(1)}{x-1}$$
$$=F'(1)=f(1)$$
$$=e+1$$

(2) $f(t)=e^t+\ln t$의 한 부정적분을 $F(t)$라 하면

$$\int_1^x (e^t+\ln t)dt=\Big[F(t)\Big]_1^x=F(x)-F(1)$$

$$\therefore \lim_{x\to 1}\frac{1}{x-1}\int_1^x (e^t+\ln t)dt=\lim_{x\to 1}\frac{F(x)-F(1)}{x-1}$$
$$=F'(1)=f(1)$$
$$=e$$

(3) $f(t)=\sin\dfrac{t}{2}$의 한 부정적분을 $F(t)$라 하면

$$\int_\pi^x \sin\frac{t}{2}dt=\Big[F(t)\Big]_\pi^x=F(x)-F(\pi)$$

$$\therefore \lim_{x\to\pi}\frac{1}{x-\pi}\int_\pi^x \sin\frac{t}{2}dt=\lim_{x\to\pi}\frac{F(x)-F(\pi)}{x-\pi}$$
$$=F'(\pi)=f(\pi)$$
$$=\sin\frac{\pi}{2}=1$$

(4) $f(t)=\sec^2 t$의 한 부정적분을 $F(t)$라 하면

$$\int_{\frac{\pi}{3}}^x \sec^2 t\, dt=\Big[F(t)\Big]_{\frac{\pi}{3}}^x=F(x)-F\Big(\frac{\pi}{3}\Big)$$

$$\therefore \lim_{x\to\frac{\pi}{3}}\frac{1}{x-\frac{\pi}{3}}\int_{\frac{\pi}{3}}^x \sec^2 t\, dt=\lim_{x\to\frac{\pi}{3}}\frac{F(x)-F\Big(\frac{\pi}{3}\Big)}{x-\frac{\pi}{3}}$$
$$=F'\Big(\frac{\pi}{3}\Big)=f\Big(\frac{\pi}{3}\Big)$$
$$=\sec^2\frac{\pi}{3}=4$$

(5) $f(t)=t\ln t+1$의 한 부정적분을 $F(t)$라 하면

$$\int_e^x (t\ln t+1)dt=\Big[F(t)\Big]_e^x=F(x)-F(e)$$

$$\therefore \lim_{x\to e}\frac{1}{x-e}\int_e^x (t\ln t+1)dt=\lim_{x\to e}\frac{F(x)-F(e)}{x-e}$$
$$=F'(e)=f(e)$$
$$=e+1$$

(6) $f(t)=2^t$의 한 부정적분을 $F(t)$라 하면

$$\int_0^x 2^t dt=\Big[F(t)\Big]_0^x=F(x)-F(0)$$

$$\therefore \lim_{x\to 0}\frac{1}{x}\int_0^x 2^t dt=\lim_{x\to 0}\frac{F(x)-F(0)}{x}$$
$$=F'(0)=f(0)$$
$$=1$$

25 답 $\dfrac{h}{n},\ \dfrac{h}{n},\ \dfrac{h}{n},\ \dfrac{h}{n},\ \dfrac{h}{n},\ \dfrac{ah(n+1)}{2n},\ \dfrac{ah}{2}$

풀이 n개의 직사각형의 가로의 길이는 위에서부터 차례대로

$$\frac{a}{n},\ \frac{2a}{n},\ \frac{3a}{n},\ \cdots,\ \frac{na}{n}$$

이때 직사각형 한 개의 세로의 길이는 $\boxed{\dfrac{h}{n}}$이므로 이들 직사

각형의 넓이의 합을 S_n이라 하면

$$S_n=\boxed{\frac{h}{n}}\times\frac{a}{n}+\boxed{\frac{h}{n}}\times\frac{2a}{n}+\boxed{\frac{h}{n}}\times\frac{3a}{n}+\cdots+\boxed{\frac{h}{n}}\times\frac{na}{n}$$

$$=\frac{h}{n}\sum_{k=1}^n \frac{ka}{n}=\frac{ah}{n^2}\sum_{k=1}^n k=\frac{ah}{n^2}\times\frac{n(n+1)}{2}$$

$$=\boxed{\frac{ah(n+1)}{2n}}$$

$$\therefore S=\lim_{n\to\infty}S_n=\lim_{n\to\infty}\frac{ah(n+1)}{2n}=\boxed{\frac{ah}{2}}$$

26 답 $\dfrac{(n+1)(2n+1)}{6n^2},\ \dfrac{1}{3}$

풀이 오른쪽 그림과 같이 구간 $[0,\ 1]$을 n등분하면 양 끝점을 포함한 각 분점의 x좌표는

$$0,\ \frac{1}{n},\ \frac{2}{n},\ \frac{3}{n},\ \cdots,\ \frac{n}{n}=1$$

또, n등분한 소구간의 오른쪽 끝점을 기준으로 직사각형을 세우면 각 직사각형의 높이는

$$\Big(\frac{1}{n}\Big)^2,\ \Big(\frac{2}{n}\Big)^2,\ \Big(\frac{3}{n}\Big)^2,\ \cdots,\ \Big(\frac{n}{n}\Big)^2$$

이들 직사각형의 넓이의 합을 S_n이라 하면

$$S_n=\frac{1}{n}\times\Big(\frac{1}{n}\Big)^2+\frac{1}{n}\times\Big(\frac{2}{n}\Big)^2+\frac{1}{n}\times\Big(\frac{3}{n}\Big)^2+\cdots$$
$$+\frac{1}{n}\times\Big(\frac{n}{n}\Big)^2$$

$$=\frac{1}{n^3}(1^2+2^2+3^2+\cdots+n^2)$$

$$=\frac{1}{n^3}\times\frac{n(n+1)(2n+1)}{6}$$

$$=\boxed{\frac{(n+1)(2n+1)}{6n^2}}$$

따라서 구하는 넓이는 S는

$$S=\lim_{n\to\infty}S_n=\lim_{n\to\infty}\frac{(n+1)(2n+1)}{6n^2}=\boxed{\frac{1}{3}}$$

27 답 $\dfrac{\pi r^2 h(n+1)(2n+1)}{6n^2},\ \dfrac{1}{3}\pi r^2 h$

풀이 오른쪽 그림과 같이 원뿔의 높이를 n등분하여 n개의 원기둥을 만들면 각 원기둥의 높이는 $\dfrac{h}{n}$이고, 밑면의 반지름의 길이는 위에서부터 차례로

$$\frac{r}{n},\ \frac{2r}{n},\ \frac{3r}{n},\ \cdots,\ \frac{nr}{n}$$

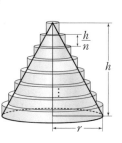

이들 원기둥의 부피의 합을 V_n이라 하면

$$V_n = \pi\left(\frac{r}{n}\right)^2 \times \frac{h}{n}$$
$$+ \pi\left(\frac{2r}{n}\right)^2 \times \pi\left(\frac{3r}{n}\right)^2 \times \frac{h}{n} + \cdots$$
$$+ \pi\left(\frac{nr}{n}\right)^2 \times \frac{h}{n}$$

$$= \frac{\pi r^2 h}{n^3}(1^2 + 2^2 + 3^2 + \cdots + n^2)$$

$$= \frac{\pi r^2 h}{n^3} \times \frac{n(n+1)(2n+1)}{6}$$

$$= \boxed{\frac{\pi r^2 h(n+1)(2n+1)}{6n^2}}$$

$$\therefore V = \lim_{n \to \infty} V_n = \lim_{n \to \infty} \frac{\pi r^2 h(n+1)(2n+1)}{6n^2}$$

$$= \boxed{\frac{1}{3}\pi r^2 h}$$

28 답 $\dfrac{h}{n}$, $\dfrac{a^2 h(n+1)(2n+1)}{6n^2}$, $\dfrac{1}{3}a^2 h$

풀이 정사각뿔의 높이를 n등분하여 n개의 정사각기둥을 만들면 각 정사각기둥의 높이는 $\boxed{\dfrac{h}{n}}$이고, 밑면인 정사각형의 한 변의 길이는 위에서부터 차례로

$$\frac{a}{n}, \frac{2a}{n}, \frac{3a}{n}, \cdots, \frac{na}{n}$$

이들 정사각기둥의 부피의 합을 V_n이라 하면

$$V_n = \left(\frac{a}{n}\right)^2 \times \frac{h}{n} + \left(\frac{2a}{n}\right)^2 \times \frac{h}{n} + \left(\frac{3a}{n}\right)^2 \times \frac{h}{n} + \cdots$$
$$+ \left(\frac{na}{n}\right)^2 \times \frac{h}{n}$$

$$= \frac{a^2 h}{n^3}(1^2 + 2^2 + 3^2 + \cdots + n^2)$$

$$= \frac{a^2 h}{n^3} \times \frac{n(n+1)(2n+1)}{6}$$

$$= \boxed{\frac{a^2 h(n+1)(2n+1)}{6n^2}}$$

$$\therefore V = \lim_{n \to \infty} V_n = \lim_{n \to \infty} \frac{a^2 h(n+1)(2n+1)}{6n^2} = \boxed{\frac{1}{3}a^2 h}$$

29 답 (1) $\dfrac{7}{3}$ (2) 0 (3) $\dfrac{15}{2}$ (4) $e-1$ (5) $\dfrac{4}{\ln 3}$ (6) 2

풀이 (1) $1 + \dfrac{k}{n}$ 를 x로 바꾸면 $\dfrac{1}{n}$은 dx가 되고 적분구간은 구간 $[1, 2]$가 되므로

$$\lim_{n \to \infty} \sum_{k=1}^{n} \left(1 + \frac{k}{n}\right)^2 \times \frac{1}{n} = \int_1^2 x^2 dx$$

$$= \left[\frac{1}{3}x^3\right]_1^2 = \frac{7}{3}$$

(2) $-1 + \dfrac{2k}{n}$ 를 x로 바꾸면 $\dfrac{2}{n}$는 dx가 되고 적분구간은 구간 $[-1, 1]$이 되므로

$$\lim_{n \to \infty} \sum_{k=1}^{n} \left(-1 + \frac{2k}{n}\right)^3 \times \frac{2}{n} = \int_{-1}^{1} x^3 dx$$

$$= \left[\frac{1}{4}x^4\right]_{-1}^{1} = 0$$

(3) $1 + \dfrac{3k}{n}$ 를 x로 바꾸면 $\dfrac{3}{n}$은 dx가 되고 적분구간은 구간 $[1, 4]$가 되므로

$$\lim_{n \to \infty} \sum_{k=1}^{n} \left(1 + \frac{3k}{n}\right) \times \frac{3}{n} = \int_1^4 x\,dx$$

$$= \left[\frac{1}{2}x^2\right]_1^4 = \frac{15}{2}$$

(4) $\dfrac{k}{n}$ 를 x로 바꾸면 $\dfrac{1}{n}$은 dx가 되고 적분구간은 구간 $[0, 1]$이 되므로

$$\lim_{n \to \infty} \sum_{k=1}^{n} \frac{1}{n} e^{\frac{k}{n}} = \int_0^1 e^x dx$$

$$= \left[e^x\right]_0^1 = e - 1$$

(5) $\dfrac{2k}{n}$ 를 x로 바꾸면 $\dfrac{2}{n}$는 dx가 되고 적분구간은 구간 $[0, 2]$가 되므로

$$\lim_{n \to \infty} \sum_{k=1}^{n} \frac{3^{\frac{2k}{n}}}{n} = \lim_{n \to \infty} \sum_{k=1}^{n} 3^{\frac{2k}{n}} \times \frac{2}{n} \times \frac{1}{2}$$

$$= \frac{1}{2} \int_0^2 3^x dx$$

$$= \frac{1}{2} \left[\frac{3^x}{\ln 3}\right]_0^2 = \frac{4}{\ln 3}$$

(6) $\dfrac{k\pi}{n}$ 를 x로 바꾸면 $\dfrac{\pi}{n}$는 dx가 되고 적분구간은 구간 $[0, \pi]$가 되므로

$$\lim_{n \to \infty} \sum_{k=1}^{n} \frac{\pi}{n} \sin \frac{k\pi}{n} = \int_0^\pi \sin x\,dx$$

$$= \left[-\cos x\right]_0^\pi = 2$$

30 답 (1) $\dfrac{1}{2}$ (2) $\dfrac{1}{3}$ (3) $\dfrac{1}{4}$ (4) $\dfrac{14}{3}$
(5) $\dfrac{175}{4}$ (6) $\dfrac{13}{3}$ (7) $\dfrac{7}{3}$ (8) $\dfrac{13}{3}$

풀이 (1) $\displaystyle\lim_{n \to \infty} \frac{1 + 2 + 3 + \cdots + n}{n^2} = \lim_{n \to \infty} \sum_{k=1}^{n} k \times \frac{1}{n^2}$

$$= \lim_{n \to \infty} \sum_{k=1}^{n} \frac{k}{n} \times \frac{1}{n}$$

$$= \int_0^1 x\,dx = \left[\frac{1}{2}x^2\right]_0^1 = \frac{1}{2}$$

(2) $\displaystyle\lim_{n \to \infty} \frac{1^2 + 2^2 + 3^2 + \cdots + n^2}{n^3} = \lim_{n \to \infty} \sum_{k=1}^{n} k^2 \times \frac{1}{n^3}$

$$= \lim_{n \to \infty} \sum_{k=1}^{n} \left(\frac{k}{n}\right)^2 \times \frac{1}{n}$$

$$= \int_0^1 x^2 dx$$

$$= \left[\frac{1}{3}x^3\right]_0^1 = \frac{1}{3}$$

(3) $\displaystyle\lim_{n \to \infty} \frac{1^3 + 2^3 + 3^3 + \cdots + n^3}{n^4} = \lim_{n \to \infty} \sum_{k=1}^{n} k^3 \times \frac{1}{n^4}$

$$= \lim_{n \to \infty} \sum_{k=1}^{n} \left(\frac{k}{n}\right)^3 \times \frac{1}{n}$$

$$= \int_0^1 x^3 dx$$

$$= \left[\frac{1}{4}x^4\right]_0^1 = \frac{1}{4}$$

(4) $\displaystyle\lim_{n\to\infty}\frac{2}{n}\left\{\left(1+\frac{1}{n}\right)^2+\left(1+\frac{2}{n}\right)^2+\cdots+\left(1+\frac{n}{n}\right)^2\right\}$

$\displaystyle=\lim_{n\to\infty}\sum_{k=1}^{n}\left(1+\frac{k}{n}\right)^2\times\frac{2}{n}$

$\displaystyle=2\int_1^2 x^2\,dx=2\left[\frac{1}{3}x^3\right]_1^2$

$\displaystyle=2\left(\frac{8}{3}-\frac{1}{3}\right)=\frac{14}{3}$

(5) $\displaystyle\lim_{n\to\infty}\frac{1}{n}\left\{\left(3+\frac{1}{n}\right)^3+\left(3+\frac{2}{n}\right)^3+\cdots+\left(3+\frac{n}{n}\right)^3\right\}$

$\displaystyle=\lim_{n\to\infty}\sum_{k=1}^{n}\left(3+\frac{k}{n}\right)^3\times\frac{1}{n}$

$\displaystyle=\int_3^4 x^3\,dx=\left[\frac{1}{4}x^4\right]_3^4$

$\displaystyle=64-\frac{81}{4}=\frac{175}{4}$

(6) $\displaystyle\lim_{n\to\infty}\frac{1}{n}\left\{\left(1+\frac{2}{n}\right)^2+\left(1+\frac{4}{n}\right)^2+\cdots+\left(1+\frac{2n}{n}\right)^2\right\}$

$\displaystyle=\lim_{n\to\infty}\frac{1}{n}\sum_{k=1}^{n}\left(1+\frac{2k}{n}\right)^2$

$\displaystyle=\frac{1}{2}\lim_{n\to\infty}\sum_{k=1}^{n}\left(1+\frac{2k}{n}\right)^2\times\frac{2}{n}$

$\displaystyle=\frac{1}{2}\int_1^3 x^2\,dx=\frac{1}{2}\left[\frac{1}{3}x^3\right]_1^3$

$\displaystyle=\frac{1}{2}\left(9-\frac{1}{3}\right)=\frac{13}{3}$

(7) $\displaystyle\lim_{n\to\infty}\frac{(n+1)^2+(n+2)^2+(n+3)^2+\cdots+(2n)^2}{n^3}$

$\displaystyle=\lim_{n\to\infty}\frac{1}{n}\times\frac{(n+1)^2+(n+2)^2+(n+3)^2+\cdots+(2n)^2}{n^2}$

$\displaystyle=\lim_{n\to\infty}\frac{1}{n}\left\{\left(1+\frac{1}{n}\right)^2+\left(1+\frac{2}{n}\right)^2+\left(1+\frac{3}{n}\right)^2+\cdots\right.$

$\displaystyle\left.+\left(1+\frac{n}{n}\right)^2\right\}$

$\displaystyle=\lim_{n\to\infty}\sum_{k=1}^{n}\left(1+\frac{k}{n}\right)^2\times\frac{1}{n}$

$\displaystyle=\int_1^2 x^2\,dx=\left[\frac{1}{3}x^3\right]_1^2$

$\displaystyle=\frac{8}{3}-\frac{1}{3}=\frac{7}{3}$

(8) $\displaystyle\lim_{n\to\infty}\frac{(n+2)^2+(n+4)^2+(n+6)^2+\cdots+(3n)^2}{n^3}$

$\displaystyle=\lim_{n\to\infty}\frac{1}{n}\times\frac{(n+2)^2+(n+4)^2+(n+6)^2+\cdots+(3n)^2}{n^2}$

$\displaystyle=\lim_{n\to\infty}\frac{1}{n}\times\left\{\left(1+\frac{2}{n}\right)^2+\left(1+\frac{4}{n}\right)^2+\left(1+\frac{6}{n}\right)^2+\cdots\right.$

$\displaystyle\left.+\left(1+\frac{2n}{n}\right)^2\right\}$

$\displaystyle=\lim_{n\to\infty}\sum_{k=1}^{n}\left(1+\frac{2k}{n}\right)^2\times\frac{1}{n}$

$\displaystyle=\frac{1}{2}\lim_{n\to\infty}\sum_{k=1}^{n}\left(1+\frac{2k}{n}\right)^2\times\frac{2}{n}$

$\displaystyle=\frac{1}{2}\int_1^3 x^2\,dx=\frac{1}{2}\left[\frac{1}{3}x^3\right]_1^3$

$\displaystyle=\frac{1}{2}\left(9-\frac{1}{3}\right)=\frac{13}{3}$

01 **답** 8

풀이 $(2^x+1)(4^x-2^x+1)=8^x+1$이므로

$\displaystyle\int_0^1 (2^x+1)(4^x-2^x+1)dx=\int_0^1 (8^x+1)dx=\left[\frac{8^x}{\ln 8}+x\right]_0^1$

$\displaystyle=\frac{8}{\ln 8}+1-\frac{1}{\ln 8}=\frac{7}{\ln 8}+1$

따라서 $a=7$, $b=1$이므로

$a+b=8$

02 **답** 2

풀이 $|x(x-2)|=\begin{cases}-x(x-2)&(0\le x\le 2)\\x(x-2)&(x<0\text{ 또는 }x>2)\end{cases}$ 이므로

$\displaystyle\int_1^3 |x(x-2)|\,dx=\int_1^2 \{-x(x-2)\}dx+\int_2^3 x(x-2)dx$

$\displaystyle=\int_1^2 (-x^2+2x)dx+\int_2^3 (x^2-2x)dx$

$\displaystyle=\left[-\frac{1}{3}x^3+x^2\right]_1^2+\left[\frac{1}{3}x^3-x^2\right]_2^3$

$\displaystyle=-\frac{8}{3}+4-\left(-\frac{1}{3}+1\right)+(9-9)$

$\displaystyle\qquad\qquad\qquad-\left(\frac{8}{3}-4\right)$

$\displaystyle=\frac{2}{3}+\frac{4}{3}=2$

03 **답** $3+\pi-\dfrac{1}{e}$

풀이 함수 $f(x)$가 모든 실수 x에 대하여 연속이므로 $x=0$ 에서도 연속이다.

즉, $\displaystyle\lim_{x\to 0}f(x)=f(0)$이므로

$k=1$

$\displaystyle\therefore \int_{-1}^{\pi}f(x)dx=\int_{-1}^{0}e^x\,dx+\int_0^{\pi}(\sin x+1)dx$

$\displaystyle=\left[e^x\right]_{-1}^0+\left[-\cos x+x\right]_0^{\pi}$

$\displaystyle=\left(1-\frac{1}{e}\right)+\{(1+\pi)-(-1)\}$

$\displaystyle=3+\pi-\frac{1}{e}$

04 **답** 0

풀이 $y=x^2$은 우함수, $y=\sin x$는 기함수이므로 $y=x^2\sin x$는 기함수이다.

$\displaystyle\therefore \int_{-\pi}^{\pi}x^2\sin x\,dx=0$

05 **답** $\dfrac{32\sqrt{2}}{9}$

풀이 $\sqrt{3x-1}=t$로 놓고 양변을 제곱하면 $3x-1=t^2$ 이므로

$3\dfrac{dx}{dt}=2t$

$x=\dfrac{1}{3}$일 때 $t=0$, $x=3$일 때 $t=2\sqrt{2}$이므로

$$\int_{\frac{1}{3}}^{3}\sqrt{3x-1}\,dx=\int_{0}^{2\sqrt{2}}t\times\frac{2t}{3}\,dt$$
$$=\int_{0}^{2\sqrt{2}}\frac{2}{3}t^2\,dt$$
$$=\left[\frac{2}{9}t^3\right]_{0}^{2\sqrt{2}}=\frac{32\sqrt{2}}{9}$$

06 답 1

풀이 $\sqrt{x^2-1}=t\,(t>0)$로 놓으면 $x^2-1=t^2$이므로

$$2x\frac{dx}{dt}=2t$$

$x=2$일 때 $t=\sqrt{3}$, $x=3$일 때 $t=\sqrt{8}=2\sqrt{2}$이므로

$$\int_{2}^{3}\frac{x}{\sqrt{x^2-1}}\,dx=\int_{\sqrt{3}}^{2\sqrt{2}}\frac{1}{t}\times t\,dt$$
$$=\int_{\sqrt{3}}^{2\sqrt{2}}dt$$
$$=\left[t\right]_{\sqrt{3}}^{2\sqrt{2}}$$
$$=2\sqrt{2}-\sqrt{3}$$

따라서 $2\sqrt{2}-\sqrt{3}=m\sqrt{2}+n\sqrt{3}$이므로

$m=2,\ n=-1$

$\therefore m+n=1$

07 답 $\dfrac{2}{3}$

풀이 $\displaystyle\int_{0}^{\frac{\pi}{2}}\sin^3 x\,dx=\int_{0}^{\frac{\pi}{2}}\sin^2 x\sin x\,dx$
$$=\int_{0}^{\frac{\pi}{2}}(1-\cos^2 x)\sin x\,dx$$

$\cos x=t$로 놓으면 $-\sin x\dfrac{dx}{dt}=1$

$x=0$일 때 $t=1$, $x=\dfrac{\pi}{2}$일 때 $t=0$이므로

$$\int_{0}^{\frac{\pi}{2}}(1-\cos^2 x)\sin x\,dx=\int_{1}^{0}(1-t^2)\times(-1)\,dt$$
$$=\int_{0}^{1}(1-t^2)\,dt$$
$$=\left[t-\frac{1}{3}t^3\right]_{0}^{1}$$
$$=1-\frac{1}{3}=\frac{2}{3}$$

08 답 $\dfrac{1}{4}$

풀이 $x=a\tan\theta\left(-\dfrac{\pi}{2}<\theta<\dfrac{\pi}{2}\right)$로 놓으면

$$\frac{dx}{d\theta}=a\sec^2\theta$$

$x=0$일 때 $\theta=0$, $x=a$일 때 $\theta=\dfrac{\pi}{4}$이므로

$$\int_{0}^{a}\frac{1}{a^2+x^2}\,dx=\int_{0}^{\frac{\pi}{4}}\frac{1}{a^2(1+\tan^2\theta)}\times a\sec^2\theta\,d\theta$$
$$=\int_{0}^{\frac{\pi}{4}}\frac{a\sec^2\theta}{a^2\sec^2\theta}\,d\theta$$
$$=\int_{0}^{\frac{\pi}{4}}\frac{1}{a}\,d\theta$$
$$=\left[\frac{1}{a}\theta\right]_{0}^{\frac{\pi}{4}}=\frac{\pi}{4a}$$

따라서 $\dfrac{\pi}{4a}=\pi$이므로 $a=\dfrac{1}{4}$

09 답 -1

풀이 $f(x)=\ln x$, $g'(x)=\dfrac{1}{x^2}$로 놓으면

$$f'(x)=\frac{1}{x},\ g(x)=-\frac{1}{x}$$로 놓으면

$$\therefore\int_{\frac{1}{e}}^{1}\frac{\ln x}{x^2}\,dx=\left[-\frac{1}{x}\ln x\right]_{\frac{1}{e}}^{1}-\int_{\frac{1}{e}}^{1}\left(-\frac{1}{x^2}\right)dx$$
$$=-e-\left[\frac{1}{x}\right]_{\frac{1}{e}}^{1}$$
$$=-e-(1-e)$$
$$=-1$$

10 답 1

풀이 $f(x)=\sin x$, $g'(x)=e^x$으로 놓으면

$f'(x)=\cos x$, $g(x)=e^x$

$\therefore\displaystyle\int_{0}^{\frac{\pi}{2}}e^x\sin x\,dx=\left[e^x\sin x\right]_{0}^{\frac{\pi}{2}}-\int_{0}^{\frac{\pi}{2}}e^x\cos x\,dx$
$$=e^{\frac{\pi}{2}}-\int_{0}^{\frac{\pi}{2}}e^x\cos x\,dx\qquad\cdots\cdots\ \text{㉠}$$

$\displaystyle\int_{0}^{\frac{\pi}{2}}e^x\cos x\,dx$에서 $u(x)=\cos x$, $v'(x)=e^x$으로 놓으면

$u'(x)=-\sin x$, $v(x)=e^x$

$\therefore\displaystyle\int_{0}^{\frac{\pi}{2}}e^x\cos x\,dx=\left[e^x\cos x\right]_{0}^{\frac{\pi}{2}}-\int_{0}^{\frac{\pi}{2}}(-e^x\sin x)\,dx$
$$=-1+\int_{0}^{\frac{\pi}{2}}e^x\sin x\,dx\qquad\cdots\cdots\ \text{㉡}$$

㉡을 ㉠에 대입하면

$$\int_{0}^{\frac{\pi}{2}}e^x\sin x\,dx=e^{\frac{\pi}{2}}+1-\int_{0}^{\frac{\pi}{2}}e^x\sin x\,dx$$
$$2\int_{0}^{\frac{\pi}{2}}e^x\sin x\,dx=e^{\frac{\pi}{2}}+1$$
$$\therefore\int_{0}^{\frac{\pi}{2}}e^x\sin x\,dx=\frac{1}{2}e^{\frac{\pi}{2}}+\frac{1}{2}$$

따라서 $a=\dfrac{1}{2}$, $b=\dfrac{1}{2}$이므로

$$a+b=1$$

11 답 $\dfrac{3}{2}$

풀이 주어진 등식의 양변을 x에 대하여 미분하면

$$f(x)=2x-\frac{1}{2\sqrt{x}}$$

$$\therefore f(1)=2-\frac{1}{2}=\frac{3}{2}$$

12 답 $\dfrac{3}{2}+2\ln 2$

풀이 주어진 등식의 양변을 x에 대하여 미분하면

$$f'(x)=x+1+\frac{2}{x+1}-\left(x+\frac{2}{x}\right)$$
$$=1+\frac{2}{x+1}-\frac{2}{x}$$
$$=\frac{x^2+x-2}{x(x+1)}$$

$$= \frac{(x+2)(x-1)}{x(x+1)}$$

$f'(x)=0$에서 $x=1$ $(\because x>0)$

x	(0)	$\cdots$	1	$\cdots$
$f'(x)$		$-$	0	$+$
$f(x)$		$\searrow$	극소	$\nearrow$

따라서 $f(x)$는 $x=1$에서 극소이면서 최소이므로 최솟값은

$$f(1)=\int_1^2 \left(t+\frac{2}{t}\right)dt=\left[\frac{1}{2}t^2+2\ln|t|\right]_1^2$$

$$=2+2\ln 2-\frac{1}{2}=\frac{3}{2}+2\ln 2$$

13 답 -2π

풀이 $f(x)=x\sin\left(x+\frac{\pi}{2}\right)$의 한 부정적분을 $F(x)$라 하면

$$\lim_{h\to 0}\frac{1}{h}\int_{\pi-h}^{\pi+h} x\sin\left(x+\frac{\pi}{2}\right)dx$$

$$=\lim_{h\to 0}\frac{1}{h}\int_{\pi-h}^{\pi+h} f(x)dx$$

$$=\lim_{h\to 0}\frac{F(\pi+h)-F(\pi-h)}{h}$$

$$=\lim_{h\to 0}\frac{\{F(\pi+h)-F(\pi)\}-\{F(\pi-h)-F(\pi)\}}{h}$$

$$=\lim_{h\to 0}\frac{F(\pi+h)-F(\pi)}{h}+\lim_{h\to 0}\frac{F(\pi-h)-F(\pi)}{-h}$$

$$=F'(\pi)+F'(\pi)=2F'(\pi)$$

$$=2f(\pi)=2\times\pi\times(-1)$$

$$=-2\pi$$

14 답 ④

풀이 구간 $[0, 1]$을 n등분하면 양 끝 점과 각 분점의 x좌표는 차례대로

$$0, \frac{1}{n}, \frac{2}{n}, \cdots, \frac{n-1}{n}, \frac{n}{n}$$

n등분한 각 구간을 밑변으로 하고, 오른쪽 끝에서의 함숫값을 높이로 하는 직사각형을 만들면 오른쪽 그림과 같다.
이들 직사각형의 넓이의 합을 S_n이라 하면

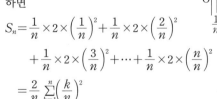

$$S_n=\frac{1}{n}\times 2\times\left(\frac{1}{n}\right)^2+\frac{1}{n}\times 2\times\left(\frac{2}{n}\right)^2$$

$$+\frac{1}{n}\times 2\times\left(\frac{3}{n}\right)^2+\cdots+\frac{1}{n}\times 2\times\left(\frac{n}{n}\right)^2$$

$$=\frac{2}{n}\sum_{k=1}^n\left(\frac{k}{n}\right)^2$$

따라서 구하는 도형의 넓이는

$$\lim_{n\to\infty}S_n=\lim_{n\to\infty}\frac{2}{n}\sum_{k=1}^n\left(\frac{k}{n}\right)^2$$

15 답 -2

풀이 $\frac{k}{n}$를 x로 바꾸면 $\frac{1}{n}$은 dx가 되고 적분구간은 구간 $[0, 1]$이 되므로

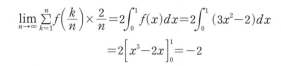

$$\lim_{n\to\infty}\sum_{k=1}^n f\left(\frac{k}{n}\right)\times\frac{2}{n}=2\int_0^1 f(x)dx=2\int_0^1 (3x^2-2)dx$$

$$=2\left[x^3-2x\right]_0^1=-2$$

16 답 ㄱ, ㄴ, ㄷ

풀이 ㄱ. $\frac{2k}{n}$를 x로 바꾸면 $\frac{2}{n}$는 dx가 되고 적분구간은 구간 $[0, 2]$가 되므로

$$\lim_{n\to\infty}\sum_{k=1}^n\left(1+\frac{2k}{n}\right)^2\times\frac{2}{n}=\int_0^2 (1+x)^2 dx \text{ (참)}$$

ㄴ. $\frac{k}{n}$를 x로 바꾸면 $\frac{1}{n}$은 dx가 되고 적분구간은 구간 $[0, 1]$이 되므로

$$\lim_{n\to\infty}\sum_{k=1}^n\left(1+\frac{2k}{n}\right)^2\times\frac{2}{n}=2\int_0^1 (1+2x)^2 dx \text{ (참)}$$

ㄷ. $1+\frac{2k}{n}$를 x로 바꾸면 $\frac{2}{n}$는 dx가 되고 적분구간은 구간 $[1, 3]$이 되므로

$$\lim_{n\to\infty}\sum_{k=1}^n\left(1+\frac{2k}{n}\right)^2\times\frac{2}{n}=\int_1^3 x^2 dx \text{ (참)}$$

ㄹ. $1+\frac{k}{n}$를 x로 바꾸면 $\frac{1}{n}$은 dx가 되고 적분구간은 구간 $[1, 2]$가 되므로

$$\lim_{n\to\infty}\sum_{k=1}^n\left(1+\frac{2k}{n}\right)^2\times\frac{2}{n}=2\lim_{n\to\infty}\sum_{k=1}^n\left\{2\left(1+\frac{k}{n}\right)-1\right\}^2\times\frac{1}{n}$$

$$=2\int_1^2 (2x-1)^2 dx$$

$$\neq\frac{1}{2}\int_1^2 x^2 dx \text{ (거짓)}$$

따라서 옳은 것은 ㄱ, ㄴ, ㄷ이다.

01 답 (1) 4　　(2) 1　(3) $\dfrac{16}{3}$　(4) $e-1$

(5) $3\ln 3-2$　(6) 2　(7) $\dfrac{3}{2\ln 2}$

풀이 (1) $0\le x\le\pi$일 때, $\sin x\ge$
$\pi\le x\le 2\pi$일 때, $\sin x\le 0$
따라서 구하는 넓이 S는

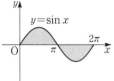

$$S=\int_0^{2\pi}|\sin x|\,dx$$
$$=\int_0^{\pi}\sin x\,dx+\int_{\pi}^{2\pi}(-\sin x)\,dx$$
$$=\Big[-\cos x\Big]_0^{\pi}+\Big[\cos x\Big]_{\pi}^{2\pi}$$
$$=2+2=4$$

(2) $1\le x\le e$일 때, $\dfrac{1}{x}\ge 0$
따라서 구하는 넓이 S는

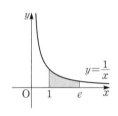

$$S=\int_1^{e}\dfrac{1}{x}\,dx$$
$$=\Big[\ln x\Big]_1^{e}=1$$

(3) $0\le x\le 4$일 때, $\sqrt{x}\ge 0$
따라서 구하는 넓이 S는

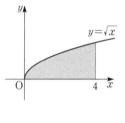

$$S=\int_0^{4}\sqrt{x}\,dx$$
$$=\int_0^{4}x^{\frac{1}{2}}\,dx$$
$$=\Big[\dfrac{2}{3}x^{\frac{3}{2}}\Big]_0^{4}=\dfrac{16}{3}$$

(4) $0\le x\le 1$일 때, $e^x\ge 0$
따라서 구하는 넓이 S는

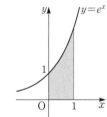

$$S=\int_0^{1}e^x\,dx$$
$$=\Big[e^x\Big]_0^{1}$$
$$=e-1$$

(5) $1\le x\le 3$일 때, $\ln x\ge 0$
따라서 구하는 넓이 S는

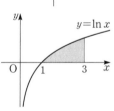

$$S=\int_1^{3}\ln x\,dx$$
$$=\Big[x\ln x-x\Big]_1^{3}$$
$$=3\ln 3-3-(-1)$$
$$=3\ln 3-2$$

(6) $0\le x\le\dfrac{\pi}{2}$일 때, $\cos x\ge 0$
$\dfrac{\pi}{2}\le x\le\pi$일 때, $\cos x\le 0$
따라서 구하는 넓이 S는

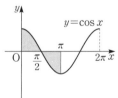

$$S=\int_0^{\pi}|\cos x|\,dx$$
$$=\int_0^{\frac{\pi}{2}}\cos x\,dx+\int_{\frac{\pi}{2}}^{\pi}(-\cos x)\,dx$$
$$=\Big[\sin x\Big]_0^{\frac{\pi}{2}}+\Big[-\sin x\Big]_{\frac{\pi}{2}}^{\pi}$$

$$=1+1=2$$

(7) $-1\le x\le 1$일 때, $2^x\ge 0$
따라서 구하는 넓이 S는

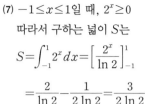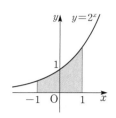

$$S=\int_{-1}^{1}2^x\,dx=\Big[\dfrac{2^x}{\ln 2}\Big]_{-1}^{1}$$
$$=\dfrac{2}{\ln 2}-\dfrac{1}{2\ln 2}=\dfrac{3}{2\ln 2}$$

02 답 (1) $\dfrac{7}{3}$　(2) $\ln 3$　(3) $1-\dfrac{2}{e}$　(4) $e-1$

(5) $\dfrac{16}{3}$　(6) $4\ln 2$　(7) $e-2$

풀이 (1) $y=\sqrt{x}$에서 $x=y^2$
따라서 구하는 넓이 S는

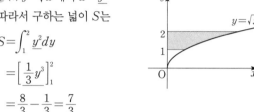

$$S=\int_1^{2}y^2\,dy$$
$$=\Big[\dfrac{1}{3}y^3\Big]_1^{2}$$
$$=\dfrac{8}{3}-\dfrac{1}{3}=\dfrac{7}{3}$$

(2) $y=\dfrac{1}{x}$에서 $x=\dfrac{1}{y}$
따라서 구하는 넓이 S는

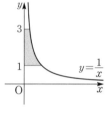

$$S=\int_1^{3}\dfrac{1}{y}\,dy$$
$$=\Big[\ln y\Big]_1^{3}$$
$$=\ln 3$$

(3) $y=e^x$에서 $x=\ln y$
따라서 구하는 넓이 S는

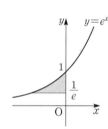

$$S=-\int_{\frac{1}{e}}^{1}\ln y\,dy$$
$$=-\Big[y\ln y-y\Big]_{\frac{1}{e}}^{1}$$
$$=1+\Big(-\dfrac{1}{e}-\dfrac{1}{e}\Big)=1-\dfrac{2}{e}$$

(4) $y=\ln x$에서 $x=e^y$
따라서 구하는 넓이 S는

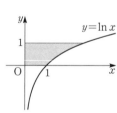

$$S=\int_0^{1}e^y\,dy$$
$$=\Big[e^y\Big]_0^{1}$$
$$=e-1$$

(5) $y=x^2\,(x\ge 0)$에서 $x=\sqrt{y}$
따라서 구하는 넓이 S는

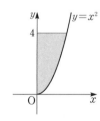

$$S=\int_0^{4}\sqrt{y}\,dy$$
$$=\Big[\dfrac{2}{3}y^{\frac{3}{2}}\Big]_0^{4}$$
$$=\dfrac{16}{3}$$

(6) $y=\dfrac{x-2}{x}=1-\dfrac{2}{x}$에서

$\dfrac{2}{x}=1-y$

$\therefore\ x=\dfrac{2}{1-y}$

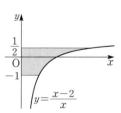

따라서 구하는 넓이 S는

$$S=\int_{-1}^{\frac{1}{2}}\frac{2}{1-y}\,dy$$

$$=\Big[-2\ln|1-y|\Big]_{-1}^{\frac{1}{2}}$$

$$=-2\ln\frac{1}{2}-(-2\ln 2)$$

$$=2\ln 2+2\ln 2=4\ln 2$$

(7) $y=\ln(x+1)-1$에서

$\ln(x+1)=y+1$

$x+1=e^{y+1}$

$\therefore x=e^{y+1}-1$

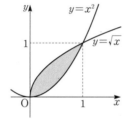

따라서 구하는 넓이 S는

$$S=\int_{-1}^{0}(e^{y+1}-1)\,dy$$

$$=\Big[e^{y+1}-y\Big]_{-1}^{0}=e-(1+1)=e-2$$

03 답 (1) $\dfrac{1}{3}$　(2) $\dfrac{3}{2}-2\ln 2$　(3) $\dfrac{1}{6}$　(4) $e+\dfrac{1}{e}-2$

　(5) $2\sqrt{2}$　(6) $e-\dfrac{3}{2}$　　(7) 2

풀이 **(1)** 두 곡선 $y=x^2$, $y=\sqrt{x}$의

교점의 x좌표는

$x^2=\sqrt{x}$에서

$x^4=x$, $x(x^3-1)=0$

$x(x-1)(x^2+x+1)=0$

$\therefore x=0$ 또는 $x=1$

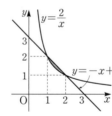

따라서 구하는 넓이 S는

$$S=\int_{0}^{1}(\sqrt{x}-x^2)\,dx=\Big[\frac{2}{3}x^{\frac{3}{2}}-\frac{1}{3}x^3\Big]_{0}^{1}=\frac{1}{3}$$

(2) 곡선 $y=\dfrac{2}{x}$와 직선

$y=-x+3$의 교점의 x좌표

를 구하면

$\dfrac{2}{x}=-x+3$에서

$x^2-3x+2=0$

$(x-1)(x-2)=0$

$\therefore x=1$ 또는 $x=2$

따라서 구하는 넓이 S는

$$S=\int_{1}^{2}\Big\{(-x+3)-\frac{2}{x}\Big\}dx$$

$$=\Big[-\frac{1}{2}x^2+3x-2\ln|x|\Big]_{1}^{2}$$

$$=-2+6-2\ln 2-\Big(-\frac{1}{2}+3\Big)$$

$$=\frac{3}{2}-2\ln 2$$

(3) 곡선 $y=\sqrt{x}$와 직선 $y=x$의

교점의 x좌표는

$\sqrt{x}=x$에서

$x=x^2$, $x(x-1)=0$

$\therefore x=0$ 또는 $x=1$

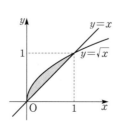

따라서 구하는 넓이 S는

$$S=\int_{0}^{1}(\sqrt{x}-x)\,dx=\Big[\frac{2}{3}x^{\frac{3}{2}}-\frac{1}{2}x^2\Big]_{0}^{1}$$

$$=\frac{2}{3}-\frac{1}{2}=\frac{1}{6}$$

(4) 두 곡선 $y=e^x$, $y=e^{-x}$의 교점

의 x좌표를 구하면

$e^x=e^{-x}$에서

$e^{2x}=1$　$\therefore x=0$

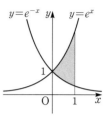

따라서 구하는 넓이 S는

$$S=\int_{0}^{1}(e^x-e^{-x})\,dx$$

$$=\Big[e^x+e^{-x}\Big]_{0}^{1}$$

$$=\Big(e+\frac{1}{e}\Big)-2$$

$$=e+\frac{1}{e}-2$$

(5) 구간 $[0,\pi]$에서 두 곡선

$y=\sin x$와 $y=\cos x$의 교점

의 x좌표는

$\sin x=\cos x$에서

$x=\dfrac{\pi}{4}$ ($\because 0\le x\le \pi$)

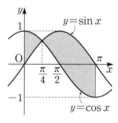

따라서 구하는 넓이 S는

$$S=\int_{0}^{\pi}|\sin x-\cos x|\,dx$$

$$=\int_{0}^{\frac{\pi}{4}}(\cos x-\sin x)\,dx+\int_{\frac{\pi}{4}}^{\pi}(\sin x-\cos x)\,dx$$

$$=\Big[\sin x+\cos x\Big]_{0}^{\frac{\pi}{4}}+\Big[-\cos x-\sin x\Big]_{\frac{\pi}{4}}^{\pi}$$

$$=\frac{\sqrt{2}}{2}+\frac{\sqrt{2}}{2}-1+1+\frac{\sqrt{2}}{2}+\frac{\sqrt{2}}{2}$$

$$=2\sqrt{2}$$

(6) 곡선 $y=e^x$과 직선

$y=-x+1$의 교점의

x좌표는

$e^x=-x+1$에서

$x=0$

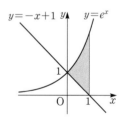

따라서 구하는 넓이 S는

$$S=\int_{0}^{1}\{e^x-(-x+1)\}dx$$

$$=\int_{0}^{1}(e^x+x-1)\,dx$$

$$=\Big[e^x+\frac{1}{2}x^2-x\Big]_{0}^{1}$$

$$=e-\frac{1}{2}-1$$

$$=e-\frac{3}{2}$$

(7) 두 곡선 $y=\ln x$,

$y=-\ln x$의 교점의 x좌표는

$\ln x=-\ln x$에서

$2\ln x=0$, $\ln x=0$

$\therefore x=1$

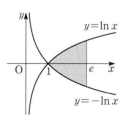

따라서 구하는 넓이 S는

$$S=\int_1^e \{\ln x-(-\ln x)\}dx=\int_1^e 2\ln x\,dx$$
$$=2\Big[x\ln x-x\Big]_1^e=2$$

04 답 (1) 2 (2) $\ln 2$ (3) $\dfrac{1}{4}$

풀이 (1) 오른쪽 그림에서 곡선

$y=\dfrac{1}{x}$과 x축 및 두 직선

$x=1$, $x=4$로 둘러싸인 도형

의 넓이를 S_1이라 하면

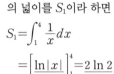

$$S_1=\int_1^4 \frac{1}{x}dx$$
$$=\Big[\ln|x|\Big]_1^4=2\ln 2$$

곡선 $y=\dfrac{1}{x}$과 x축 및 두 직선 $x=1$, $x=k$로 둘러싸인

도형의 넓이를 S_2라 하면

$$S_2=\int_1^k \frac{1}{x}dx=\Big[\ln|x|\Big]_1^k=\ln k$$

이때 $S_2=\dfrac{1}{2}S_1$이므로 $k=2$

(2) 오른쪽 그림에서 곡선 $y=e^x$과

x축, y축 및 직선 $x=\ln 3$으로

둘러싸인 도형의 넓이를 S_1이라

하면

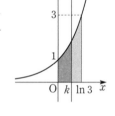

$$S_1=\int_0^{\ln 3} e^x dx=\Big[e^x\Big]_0^{\ln 3}$$
$$=e^{\ln 3}-e^0$$
$$=3-1=2$$

곡선 $y=e^x$과 x축, y축 및 직선 $x=k$로 둘러싸인 도형

의 넓이를 S_2라 하면

$$S_2=\int_0^k e^x dx=\Big[e^x\Big]_0^k=e^k-1$$

이때 $S_2=\dfrac{1}{2}S_1$이므로 $e^k-1=1$

$e^k=2$ $\therefore k=\ln 2$

(3) 오른쪽 그림에서 곡선

$y=\sqrt{x}$와 x축 및 직선 $x=1$

로 둘러싸인 도형의 넓이를

S_1이라 하면

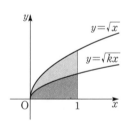

$$S_1=\int_0^1 \sqrt{x}\,dx$$
$$=\Big[\frac{2}{3}x^{\frac{3}{2}}\Big]_0^1=\frac{2}{3}$$

곡선 $y=\sqrt{kx}$와 x축 및 직선 $x=1$로 둘러싸인 도형의

넓이를 S_2라 하면

$$S_2=\int_0^1 \sqrt{kx}\,dx=\Big[\frac{2}{3k}\times(kx)^{\frac{3}{2}}\Big]_0^1=\frac{2}{3}\sqrt{k}$$

이때 $S_2=\dfrac{1}{2}S_1$이므로 $\dfrac{2}{3}\sqrt{k}=\dfrac{1}{3}$

$\sqrt{k}=\dfrac{1}{2}$ $\therefore k=\dfrac{1}{4}$

05 답 (1) $\dfrac{e}{2}-1$ (2) $\dfrac{e}{2}-1$ (3) $\dfrac{2}{3}$

풀이 (1) $y=e^x$에서 $y'=e^x$

접점의 좌표를 $(t,\ e^t)$이라 하면 접선의 방정식은

$$y-e^t=e^t(x-t)$$
$$\therefore y=e^t x-e^t(t-1)$$

이 직선이 원점을 지나므로

$$-e^t(t-1)=0 \quad \therefore t=1$$

따라서 구하는 넓이 S는

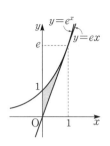

$$S=\int_0^1 (e^x-ex)dx$$
$$=\Big[e^x-\frac{e}{2}x^2\Big]_0^1$$
$$=\frac{e}{2}-1$$

(2) $f(x)=\ln x$라 하면 $f'(x)=\dfrac{1}{x}$

$$\therefore f'(e)=\frac{1}{e}$$

따라서 점 $(e,\ 1)$에서 접선의 방정식은

$$y-1=\frac{1}{e}(x-e) \quad \therefore y=\frac{1}{e}x$$

따라서 구하는 넓이 S는

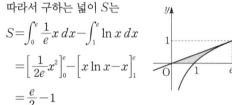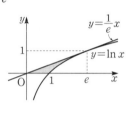

$$S=\int_0^e \frac{1}{e}x\,dx-\int_1^e \ln x\,dx$$
$$=\Big[\frac{1}{2e}x^2\Big]_0^e-\Big[x\ln x-x\Big]_1^e$$
$$=\frac{e}{2}-1$$

다른 풀이 $y=\ln x$에서 $x=e^y$, $y=\dfrac{1}{e}x$에서 $x=ey$

따라서 구하는 넓이 S는

$$S=\int_0^1 (e^y-ey)dy=\Big[e^y-\frac{e}{2}y^2\Big]_0^1$$
$$=e-\frac{e}{2}-1=\frac{e}{2}-1$$

(3) $y=\sqrt{x}$에서 $y'=\dfrac{1}{2\sqrt{x}}$

접점의 좌표를 $(a,\ \sqrt{a})\,(a>0)$라 하면 이 점에서의 접

선의 기울기는 $\dfrac{1}{2\sqrt{a}}$이므로 접선의 방정식은

$$y-\sqrt{a}=\frac{1}{2\sqrt{a}}(x-a)$$
$$\therefore y=\frac{1}{2\sqrt{a}}x+\frac{\sqrt{a}}{2} \qquad \cdots\cdots \ominus$$

이 직선이 점 $(0,\ 1)$을 지나므로

$$1=\frac{\sqrt{a}}{2} \quad \therefore a=4$$

$a=4$를 $\ominus$에 대입하면 접선의 방정식은

$$y=\frac{1}{4}x+1$$

따라서 구하는 넓이 S는

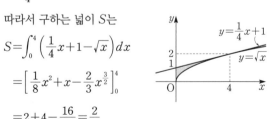

$$S=\int_0^4 \Big(\frac{1}{4}x+1-\sqrt{x}\Big)dx$$
$$=\Big[\frac{1}{8}x^2+x-\frac{2}{3}x^{\frac{3}{2}}\Big]_0^4$$
$$=2+4-\frac{16}{3}=\frac{2}{3}$$

06 답 (1) e (2) $\dfrac{\pi}{4}$

풀이 (1) 곡선 $y=f(x)$와 x축,
직선 $x=e$로 둘러싸인 도형
의 넓이를 A, 곡선 $y=g(x)$
와 y축, 직선 $y=e$로 둘러싸
인 도형의 넓이를 B라 하면
$A=B$

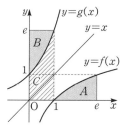

이때 $\displaystyle\int_0^1 g(x)dx=C$라 하면

$$\int_1^e f(x)dx+\int_0^1 g(x)dx=A+C=B+C$$
$$=(\text{직사각형의 넓이})$$
$$=1\times e=\underline{e}$$

(2) (i) $f(0)=0$, $f\left(\dfrac{\pi}{4}\right)=1$
이므로 $y=f(x)$의 그래프는 오
른쪽 그림과 같다.
$\therefore \displaystyle\int_0^{\frac{\pi}{4}} f(x)dx=S_1$

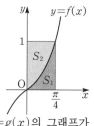

(ii) $y=f(x)$의 그래프에서 x축을 y
축으로, y축을 x축으로 보면 $y=g(x)$의 그래프가
되므로
$$\int_0^1 g(x)dx=S_2$$

(i), (ii)에서
$$\int_0^{\frac{\pi}{4}} f(x)dx+\int_0^1 g(x)dx=S_1+S_2$$
$$=(\text{직사각형의 넓이})$$
$$=\dfrac{\pi}{4}\times 1=\dfrac{\pi}{4}$$

07 답 (1) $\dfrac{1}{3}$ (2) $\dfrac{2}{3}$

풀이 (1) 구하는 넓이는 곡선
$f(x)=\sqrt{x}$와 직선 $y=x$로
둘러싸인 도형의 넓이의 2
배이다.
곡선 $y=\sqrt{x}$와 직선 $y=x$
의 교점의 x좌표는
$\sqrt{x}=x$에서
$x=x^2$
$x(x-1)=0$
$\therefore x=0$ 또는 $x=1$
따라서 구하는 넓이 S는

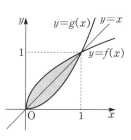

$$S=2\int_0^1 (\sqrt{x}-x)dx$$
$$=2\left[\dfrac{2}{3}x^{\frac{3}{2}}-\dfrac{1}{2}x^2\right]_0^1$$
$$=\underline{\dfrac{1}{3}}$$

(2) 구하는 넓이는 곡선
$f(x)=\sqrt{4x-3}$과 직선
$y=x$로 둘러싸인 도형의
넓이의 2배이다.
곡선 $y=\sqrt{4x-3}$과 직선
$y=x$의 교점의 x좌표는
$\sqrt{4x-3}=x$에서
$4x-3=x^2$
$x^2-4x+3=0$
$(x-1)(x-3)=0$
$\therefore x=1$ 또는 $x=3$
따라서 구하는 넓이 S는
$$S=2\int_1^3 (\sqrt{4x-3}-x)dx$$
$$=2\left[\dfrac{1}{6}(4x-3)^{\frac{3}{2}}-\dfrac{1}{2}x^2\right]_1^3$$
$$=2\left(-\dfrac{1}{6}+\dfrac{1}{2}\right)=\dfrac{2}{3}$$

08 답 (1) $\dfrac{10}{3}\sqrt{5}$ (2) $2-\dfrac{\pi^2}{2}$ (3) $\dfrac{80}{\ln 3}-e^4+1$

(4) $6\sqrt{3}$ (5) 1 (6) $\dfrac{16}{3}\pi$

풀이 (1) 밑면으로부터 높이가 x인 부분의 단면의 넓이
$S(x)$는
$S(x)=\sqrt{5-x}$
따라서 구하는 부피 V는
$$V=\int_0^5 \sqrt{5-x}\,dx$$
$$=\left[-\dfrac{2}{3}(5-x)^{\frac{3}{2}}\right]_0^5$$
$$=\dfrac{10}{3}\sqrt{5}$$

(2) 밑면으로부터 높이가 x인 부분의 단면의 넓이 $S(x)$는
$S(x)=\sin x-x$
따라서 구하는 부피 V는
$$V=\int_0^\pi (\sin x-x)dx$$
$$=\left[-\cos x-\dfrac{1}{2}x^2\right]_0^\pi$$
$$=1-\dfrac{\pi^2}{2}-(-1)$$
$$=2-\dfrac{\pi^2}{2}$$

(3) 밑면으로부터 높이가 x인 부분의 단면의 넓이 $S(x)$는
$S(x)=3^x-e^x$
따라서 구하는 부피 V는

$$V=\int_0^4 (3^x-e^x)dx$$

$$=\left[\frac{3^x}{\ln 3}-e^x\right]_0^4$$

$$=\frac{81}{\ln 3}-e^4-\left(\frac{1}{\ln 3}-1\right)$$

$$=\frac{80}{\ln 3}-e^4+1$$

(4) 밑면으로부터 높이가 x인 부분의 단면의 넓이 $S(x)$는

$$S(x)=\frac{\sqrt 3}{4}\times(\sqrt{16-4x}\,)^2$$

$$=(4-x)\sqrt 3$$

따라서 구하는 부피 V는

$$V=\int_0^2 (4-x)\sqrt 3\,dx$$

$$=\sqrt 3\left[4x-\frac{1}{2}x^2\right]_0^2$$

$$=\sqrt 3(8-2)$$

$$=6\sqrt 3$$

(5) 밑면으로부터 높이가 x인 부분의 단면의 넓이 $S(x)$는

$$S(x)=\sec^2 x$$

따라서 구하는 부피 V는

$$V=\int_0^{\frac{\pi}{4}} \sec^2 x\,dx$$

$$=\left[\tan x\right]_0^{\frac{\pi}{4}}$$

$$=1$$

(6) 밑면으로부터 높이가 x인 부분의 단면의 넓이 $S(x)$는

$$S(x)=\pi(\sqrt{4-x^2}\,)^2$$

$$=(4-x^2)\pi$$

따라서 구하는 부피 V는

$$V=\int_0^2 (4-x^2)\pi\,dx$$

$$=\pi\left[4x-\frac{1}{3}x^3\right]_0^2$$

$$=\frac{16}{3}\pi$$

09 답 (1) 2　(2) $\dfrac{3}{2}$　(3) π　(4) $\dfrac{2\sqrt 3}{3}$　(5) $\dfrac{\pi}{4}$

풀이 (1) 단면의 넓이 $S(x)$는

$$S(x)=(\sqrt{\sin x}\,)^2=\sin x$$

따라서 구하는 부피 V는

$$V=\int_0^{\pi} S(x)dx$$

$$=\int_0^{\pi} \sin x\,dx$$

$$=\left[-\cos x\right]_0^{\pi}$$

$$=1-(-1)=2$$

(2) 단면의 넓이 $S(x)$는

$$S(x)=(\sqrt{x+1}\,)^2=x+1$$

따라서 구하는 부피 V는

$$V=\int_0^1 S(x)dx$$

$$=\int_0^1 (x+1)dx$$

$$=\left[\frac{1}{2}x^2+x\right]_0^1$$

$$=\frac{1}{2}+1=\frac{3}{2}$$

(3) 단면의 넓이 $S(x)$는

$$S(x)=(\sin x-\cos x)^2$$

$$=1-2\sin x\cos x$$

$$=1-\sin 2x$$

따라서 구하는 부피 V는

$$V=\int_{\frac{\pi}{4}}^{\frac{5}{4}\pi} S(x)dx$$

$$=\int_{\frac{\pi}{4}}^{\frac{5}{4}\pi} (1-\sin 2x)dx$$

$$=\left[x+\frac{1}{2}\cos 2x\right]_{\frac{\pi}{4}}^{\frac{5}{4}\pi}$$

$$=\frac{5}{4}\pi-\frac{\pi}{4}=\pi$$

(4) 단면의 넓이 $S(x)$는

$$S(x)=\frac{\sqrt 3}{4}\times\left(\frac{2}{x+1}\right)^2=\frac{\sqrt 3}{(x+1)^2}$$

따라서 구하는 부피는 V는

$$V=\int_0^2 \frac{\sqrt 3}{(x+1)^2}\,dx$$

$$=\sqrt 3\left[-\frac{1}{x+1}\right]_0^2$$

$$=\sqrt 3\left(-\frac{1}{3}+1\right)=\frac{2\sqrt 3}{3}$$

(5) 단면의 넓이 $S(x)$는

$$S(x)=\cos^2 x$$

따라서 구하는 부피 V는

$$V=\int_0^{\frac{\pi}{2}} S(x)dx$$

$$=\int_0^{\frac{\pi}{2}} \cos^2 x\,dx$$

$$=\int_0^{\frac{\pi}{2}} \frac{1+\cos 2x}{2}\,dx$$

$$=\left[\frac{1}{2}x+\frac{1}{4}\sin 2x\right]_0^{\frac{\pi}{2}}=\frac{\pi}{4}$$

10 답 (1) e^t-t-1　(2) $e-2$

풀이 (1) 시각 $t=0$에서 점 P의 위치가 $x=0$이므로 구하는 위치는

$$x=0+\int_0^t (e^t-1)dt$$

$$=\left[e^t-t\right]_0^t=\underline{e^t-t-1}$$

(2) $\displaystyle\int_0^1 |e^t-1|dt=\int_0^1 (e^t-1)dt=\left[e^t-t\right]_0^1$

$$=e-1-1=\underline{e-2}$$

11 답 (1) $-\dfrac{1}{\pi}\cos\pi t+\dfrac{1}{\pi}$ (2) $\dfrac{4}{\pi}$

풀이 (1) 시각 $t=0$에서 점 P의 위치가 $x=0$이므로 구하는 위치는

$$x=0+\int_0^t \sin\pi t\,dt=\left[-\frac{1}{\pi}\cos\pi t\right]_0^t$$
$$=-\frac{1}{\pi}\cos\pi t-\left(-\frac{1}{\pi}\right)$$
$$=-\frac{1}{\pi}\cos\pi t+\frac{1}{\pi}$$

(2) $\displaystyle\int_0^2 |\sin\pi t|\,dt=\int_0^1 \sin\pi t\,dt+\int_1^2 (-\sin\pi t)\,dt$
$$=\left[-\frac{1}{\pi}\cos\pi t\right]_0^1+\left[\frac{1}{\pi}\cos\pi t\right]_1^2$$
$$=\frac{2}{\pi}+\frac{2}{\pi}=\frac{4}{\pi}$$

12 답 (1) $\dfrac{2}{\pi}\sin\dfrac{\pi}{2}t$ (2) $\dfrac{2}{\pi}$

풀이 (1) 시각 $t=0$에서 점 P의 위치가 $x=0$이므로 구하는 위치는

$$x=0+\int_0^t \cos\frac{\pi}{2}t\,dt=\left[\frac{2}{\pi}\sin\frac{\pi}{2}t\right]_0^t=\frac{2}{\pi}\sin\frac{\pi}{2}t$$

(2) $\displaystyle\int_0^1 \left|\cos\frac{\pi}{2}t\right|\,dt=\int_0^1 \cos\frac{\pi}{2}t\,dt=\left[\frac{2}{\pi}\sin\frac{\pi}{2}t\right]_0^1=\frac{2}{\pi}$

13 답 (1) $\sqrt{5}$ (2) $\sqrt{10}$ (3) $\dfrac{4}{3}$ (4) $\sqrt{5}(e^2-1)$ (5) 1

풀이 (1) $\dfrac{dx}{dt}=1$, $\dfrac{dy}{dt}=2$이므로 $t=0$에서 $t=1$까지 점 P가 움직인 거리는

$$\int_0^1 \sqrt{\left(\frac{dx}{dt}\right)^2+\left(\frac{dy}{dt}\right)^2}\,dt=\int_0^1 \sqrt{5}\,dt=\left[\sqrt{5}\,t\right]_0^1=\sqrt{5}$$

(2) $\dfrac{dx}{dt}=2t$, $\dfrac{dy}{dt}=6t$이므로 $t=0$에서 $t=1$까지 점 P가 움직인 거리는

$$\int_0^1 \sqrt{\left(\frac{dx}{dt}\right)^2+\left(\frac{dy}{dt}\right)^2}\,dt=\int_0^1 \sqrt{(2t)^2+(6t)^2}\,dt$$
$$=\int_0^1 2\sqrt{10}\,t\,dt=\left[\sqrt{10}\,t^2\right]_0^1$$
$$=\sqrt{10}$$

(3) $\dfrac{dx}{dt}=t^2-1$, $\dfrac{dy}{dt}=-2t$이므로 $t=0$에서 $t=1$까지 점 P가 움직인 거리는

$$\int_0^1 \sqrt{\left(\frac{dx}{dt}\right)^2+\left(\frac{dy}{dt}\right)^2}\,dt=\int_0^1 \sqrt{(t^2-1)^2+(-2t)^2}\,dt$$
$$=\int_0^1 (t^2+1)\,dt$$
$$=\left[\frac{1}{3}t^3+t\right]_0^1$$
$$=\frac{1}{3}+1=\frac{4}{3}$$

(4) $\dfrac{dx}{dt}=2e^{2t}$, $\dfrac{dy}{dt}=4e^{2t}$이므로 $t=0$에서 $t=1$까지 점 P가 움직인 거리는

$$\int_0^1 \sqrt{\left(\frac{dx}{dt}\right)^2+\left(\frac{dy}{dt}\right)^2}\,dt=\int_0^1 \sqrt{(2e^{2t})^2+(4e^{2t})^2}\,dt$$
$$=\int_0^1 2\sqrt{5}\,e^{2t}\,dt=\left[\sqrt{5}\,e^{2t}\right]_0^1$$
$$=\sqrt{5}(e^2-1)$$

(5) $\dfrac{dx}{dt}=\cos t$, $\dfrac{dy}{dt}=-\sin t$이므로 $t=0$에서 $t=1$까지 점 P가 움직인 거리는

$$\int_0^1 \sqrt{\left(\frac{dx}{dt}\right)^2+\left(\frac{dy}{dt}\right)^2}\,dt=\int_0^1 \sqrt{\cos^2 t+\sin^2 t}\,dt$$
$$=\int_0^1 dt=\left[t\right]_0^1=1$$

14 답 (1) $\sqrt{2}\pi$ (2) $\sqrt{5}\pi^2$ (3) $\dfrac{4}{3}\pi^3$ (4) $4\sqrt{2}$

풀이 (1) $\dfrac{dx}{dt}=\cos t-\sin t$, $\dfrac{dy}{dt}=-\sin t-\cos t$이므로 $t=0$에서 $t=\pi$까지 점 P가 움직인 거리는

$$\int_0^\pi \sqrt{\left(\frac{dx}{dt}\right)^2+\left(\frac{dy}{dt}\right)^2}\,dt$$
$$=\int_0^\pi \sqrt{(\cos t-\sin t)^2+(-\sin t-\cos t)^2}\,dt$$
$$=\int_0^\pi \sqrt{2(\cos^2 t+\sin^2 t)}\,dt$$
$$=\int_0^\pi \sqrt{2}\,dt=\left[\sqrt{2}\,t\right]_0^\pi=\sqrt{2}\pi$$

(2) $\dfrac{dx}{dt}=2t$, $\dfrac{dy}{dt}=4t$이므로 $t=0$에서 $t=\pi$까지 점 P가 움직인 거리는

$$\int_0^\pi \sqrt{\left(\frac{dx}{dt}\right)^2+\left(\frac{dy}{dt}\right)^2}\,dt=\int_0^\pi \sqrt{(2t)^2+(4t)^2}\,dt$$
$$=\int_0^\pi \sqrt{20t^2}\,dt=\int_0^\pi 2\sqrt{5}\,t\,dt$$
$$=\left[\sqrt{5}\,t^2\right]_0^\pi=\sqrt{5}\pi^2$$

(3) $\dfrac{dx}{dt}=3t^2$, $\dfrac{dy}{dt}=\sqrt{7}t^2$이므로 $t=0$에서 $t=\pi$까지 점 P가 움직인 거리는

$$\int_0^\pi \sqrt{\left(\frac{dx}{dt}\right)^2+\left(\frac{dy}{dt}\right)^2}\,dt=\int_0^\pi \sqrt{(3t^2)^2+(\sqrt{7}t^2)^2}\,dt$$
$$=\int_0^\pi \sqrt{16t^4}\,dt=\int_0^\pi 4t^2\,dt$$
$$=\left[\frac{4}{3}t^3\right]_0^\pi=\frac{4}{3}\pi^3$$

(4) $\dfrac{dx}{dt}=4\sin t\cos t=2\sin 2t$,

$\dfrac{dy}{dt}=-4\cos t\sin t=-2\sin 2t$

이므로 $t=0$에서 $t=\pi$까지 점 P가 움직인 거리는

$$\int_0^\pi \sqrt{\left(\frac{dx}{dt}\right)^2+\left(\frac{dy}{dt}\right)^2}\,dt$$

$$=\int_0^\pi \sqrt{(2\sin 2t)^2+(-2\sin 2t)^2}\,dt$$

$$=\int_0^\pi \sqrt{8\sin^2 2t}\,dt$$

$$=\int_0^\pi 2\sqrt{2}\,|\sin 2t|\,dt$$

$$=2\sqrt{2}\left\{\int_0^{\frac{\pi}{2}} \sin 2t\,dt+\int_{\frac{\pi}{2}}^\pi (-\sin 2t)dt\right\}$$

$$=2\sqrt{2}\left(\left[-\frac{1}{2}\cos 2t\right]_0^{\frac{\pi}{2}}+\left[\frac{1}{2}\cos 2t\right]_{\frac{\pi}{2}}^\pi\right)$$

$$=2\sqrt{2}\left\{\left(\frac{1}{2}+\frac{1}{2}\right)+\left(\frac{1}{2}+\frac{1}{2}\right)\right\}=4\sqrt{2}$$

15 답 (1) $\sqrt{6}$ (2) $e^2+\dfrac{1}{e^2}-2$ (3) π (4) $e-\dfrac{1}{e}$

(5) $2\sqrt{10}$ (6) $\dfrac{56}{27}$ (7) $\dfrac{1}{2}\left(e^2-\dfrac{1}{e^2}\right)$ (8) $\dfrac{1}{2}e^2-\dfrac{1}{4}$

풀이 (1) $\dfrac{dx}{dt}=2\sqrt{2}t$, $\dfrac{dy}{dt}=4t$이므로 구하는 곡선의 길이는

$$\int_0^1 \sqrt{(2\sqrt{2}t)^2+(4t)^2}\,dt=\int_0^1 2\sqrt{6}\,t\,dt=\left[\sqrt{6}t^2\right]_0^1$$
$$=\sqrt{6}$$

(2) $\dfrac{dx}{dt}=e^t-e^{-t}$, $\dfrac{dy}{dt}=0$이므로 구하는 곡선의 길이는

$$\int_0^2 \sqrt{(e^t-e^{-t})^2}\,dt=\int_0^2 (e^t-e^{-t})dt=\left[e^t+e^{-t}\right]_0^2$$
$$=e^2+\frac{1}{e^2}-2$$

(3) $\dfrac{dx}{dt}=\cos t$, $\dfrac{dy}{dt}=\sin t$이므로 구하는 곡선의 길이는

$$\int_0^\pi \sqrt{(\cos t)^2+(\sin t)^2}\,dt=\int_0^\pi dt=\left[t\right]_0^\pi=\pi$$

(4) $\dfrac{dx}{dt}=\dfrac{1}{t}$, $\dfrac{dy}{dt}=\dfrac{1}{2}\left(1-\dfrac{1}{t^2}\right)$이므로 구하는 곡선의 길이는

$$\int_{\frac{1}{e}}^e \sqrt{\left(\frac{1}{t}\right)^2+\left\{\frac{1}{2}\left(1-\frac{1}{t^2}\right)\right\}^2}\,dt$$

$$=\int_{\frac{1}{e}}^e \frac{1}{2}\left(1+\frac{1}{t^2}\right)dt$$

$$=\left[\frac{1}{2}\left(t-\frac{1}{t}\right)\right]_{\frac{1}{e}}^e$$

$$=\frac{1}{2}\left\{e-\frac{1}{e}-\left(\frac{1}{e}-e\right)\right\}=e-\frac{1}{e}$$

(5) $y'=-3$이므로 구하는 곡선의 길이는

$$\int_{-1}^1 \sqrt{1+(-3)^2}\,dx=\int_{-1}^1 \sqrt{10}\,dx=\left[\sqrt{10}\,x\right]_{-1}^1$$
$$=2\sqrt{10}$$

(6) $y=x\sqrt{x}=x^{\frac{3}{2}}$에서 $y'=\dfrac{3}{2}x^{\frac{1}{2}}$이므로 구하는 곡선의 길이는

$$\int_0^{\frac{4}{3}} \sqrt{1+\left(\frac{3}{2}x^{\frac{1}{2}}\right)^2}\,dx=\int_0^{\frac{4}{3}} \sqrt{1+\frac{9}{4}x}\,dx$$

$$=\left[\frac{8}{27}\left(1+\frac{9}{4}x\right)^{\frac{3}{2}}\right]_0^{\frac{4}{3}}$$

$$=\frac{8}{27}\left(4^{\frac{3}{2}}-1\right)=\frac{56}{27}$$

(7) $y'=\dfrac{e^x-e^{-x}}{2}$이므로 구하는 곡선의 길이는

$$\int_0^2 \sqrt{1+\left(\frac{e^x-e^{-x}}{2}\right)^2}\,dx=\int_0^2 \sqrt{\frac{e^{2x}+2+e^{-2x}}{4}}\,dx$$

$$=\int_0^2 \sqrt{\left(\frac{e^x+e^{-x}}{2}\right)^2}\,dx=\int_0^2 \frac{e^x+e^{-x}}{2}\,dx$$

$$=\frac{1}{2}\left[e^x-e^{-x}\right]_0^2=\frac{1}{2}\left(e^2-\frac{1}{e^2}\right)$$

(8) $y'=x-\dfrac{1}{4x}$이므로 구하는 곡선의 길이는

$$\int_1^e \sqrt{1+\left(x-\frac{1}{4x}\right)^2}\,dx=\int_1^e \left(x+\frac{1}{4x}\right)dx$$

$$=\left[\frac{1}{2}x^2+\frac{1}{4}\ln x\right]_1^e$$

$$=\frac{1}{2}e^2+\frac{1}{4}-\frac{1}{2}$$

$$=\frac{1}{2}e^2-\frac{1}{4}$$

01 답 e

풀이 곡선 $y=\ln(x+a)$가 x축
과 만나는 점의 x좌표는
$\ln(x+a)=0$에서
$x+a=1$ $\therefore x=1-a$
따라서 곡선 $y=\ln(x+a)$와
x축 및 y축으로 둘러싸인 도형
의 넓이는

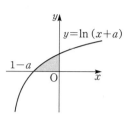

$$\int_{1-a}^{0}\ln(x+a)dx=\Big[(x+a)\ln(x+a)-x\Big]_{1-a}^{0}$$
$$=a\ln a-\{-(1-a)\}$$
$$=a\ln a+1-a$$

즉, $a\ln a+1-a=1$이므로
$a(\ln a-1)=0$, $\ln a=1$ $(\because a>1)$
$\therefore a=e$

02 답 $\dfrac{1}{2}$

풀이 $y=\sqrt[3]{x-1}$에서 $y^3=x-1$
$\therefore x=y^3+1$
곡선 $x=y^3+1$과 직선 $x=y+1$의 교점의 y좌표는
$y^3+1=y+1$, $y^3-y=0$
$y(y+1)(y-1)=0$
$\therefore y=-1$ 또는 $y=0$ 또는 $y=1$
이때 곡선 $y=\sqrt[3]{x-1}$과 직선
$y=x-1$은 모두 점 $(1,\,0)$에
대하여 대칭이므로 구하는 넓
이는

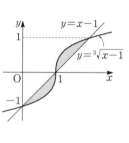

$$2\int_{0}^{1}\{(y+1)-(y^3+1)\}dy$$
$$=2\int_{0}^{1}(y-y^3)dy$$
$$=2\Big[\frac{1}{2}y^2-\frac{1}{4}y^4\Big]_{0}^{1}$$
$$=\frac{1}{2}$$

03 답 $\dfrac{1}{4}(e^2-1)$

풀이 함수 $y=e^x$의 그래프와 x축,
y축 및 직선 $x=2$로 둘러싸인 영
역의 넓이 S는

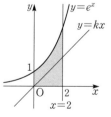

$$S=\int_{0}^{2}e^x\,dx=\Big[e^x\Big]_{0}^{2}=e^2-1$$

이때 S가 직선 $y=kx$에 의하여
이등분되므로
$$\frac{1}{2}\times 2\times 2k=\frac{1}{2}(e^2-1)$$
$$\therefore k=\frac{1}{4}(e^2-1)$$

04 답 8

풀이 곡선 $y=2^x$과 y축 및 직선
$y=4$로 둘러싸인 부분의 넓이를
C라 하면 $B=C$
$\therefore A+B=A+C$
    $=$(직사각형의 넓이)
    $=2\times 4=8$

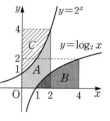

다른풀이 오른쪽 그림에서
$A+B$

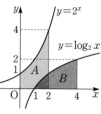

$$=\int_{0}^{2}2^x\,dx+\int_{1}^{4}\log_2 x\,dx$$
$$=\Big[\frac{2^x}{\ln 2}\Big]_{0}^{2}+\Big[x\log_2 x\Big]_{1}^{4}$$
$$\qquad-\int_{1}^{4}\frac{1}{\ln 2}dx$$
$$=\frac{3}{\ln 2}+8-\Big[\frac{x}{\ln 2}\Big]_{1}^{4}=8$$

05 답 1 cm

풀이 바닥으로부터 높이가 t cm일 때의 수면의 넓이를
$S(t)$라 하면 높이가 x cm일 때의 물의 부피는
$$V=\int_{0}^{x}S(t)dt$$
즉, $\displaystyle\int_{0}^{x}S(t)dt=\frac{1}{\ln 3}(9^x+3^x-2)$에서
양변을 x에 대하여 미분하면
$S(x)=2\times 9^x+3^x$
주어진 조건에서 수면의 넓이가 21 cm²이므로
$2\times 9^x+3^x=21$, $2\times(3^x)^2+3^x-21=0$
$(2\times 3^x+7)(3^x-3)=0$, $3^x=3$ $(\because 3^x>0)$
$\therefore x=1$ (cm)

06 답 $\dfrac{32\sqrt{3}}{3}$

풀이 x좌표가 $x\,(-2\le x\le 2)$인
점을 지나고 x축에 수직인 평면으
로 자른 단면은 한 변의 길이가
$2\sqrt{2^2-x^2}$인 정삼각형이므로 단면
의 넓이 $S(x)$는

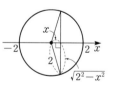

$$S(x)=\frac{\sqrt{3}}{4}\times(2\sqrt{4-x^2})^2=\sqrt{3}(4-x^2)$$

따라서 구하는 입체도형의 부피 V는
$$V=\int_{-2}^{2}\sqrt{3}(4-x^2)dx$$
$$=\sqrt{3}\Big[4x-\frac{1}{3}x^3\Big]_{-2}^{2}$$
$$=\frac{32\sqrt{3}}{3}$$

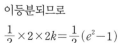

07 답 $2e-2$

풀이 구하는 거리는

$$\int_0^2 |(t-1)e^t| \, dt$$

$$= \int_0^1 \{-(t-1)e^t\} \, dt + \int_1^2 (t-1)e^t \, dt$$

$$= -\Big[(t-1)e^t\Big]_0^1 + \int_0^1 e^t \, dt + \Big[(t-1)e^t\Big]_1^2 - \int_1^2 e^t \, dt$$

$$= -1 + \Big[e^t\Big]_0^1 + e^2 - \Big[e^t\Big]_1^2$$

$$= -1 + e - 1 + e^2 - (e^2 - e)$$

$$= 2e - 2$$

08 답 $\dfrac{17}{12}$

풀이 $y' = \dfrac{1}{2}x^2 - \dfrac{1}{2x^2}$ 이므로 구하는 곡선의 길이는

$$\int_1^2 \sqrt{1+(y')^2} \, dx = \int_1^2 \sqrt{1+\left(\frac{1}{2}x^2 - \frac{1}{2x^2}\right)^2} \, dx$$

$$= \int_1^2 \sqrt{\frac{1}{4}x^4 + \frac{1}{2} + \frac{1}{4x^4}} \, dx$$

$$= \int_1^2 \sqrt{\left(\frac{1}{2}x^2 + \frac{1}{2x^2}\right)^2} \, dx$$

$$= \int_1^2 \left(\frac{1}{2}x^2 + \frac{1}{2x^2}\right) dx$$

$$= \left[\frac{1}{6}x^3 - \frac{1}{2x}\right]_1^2$$

$$= \frac{8}{6} - \frac{1}{4} - \left(\frac{1}{6} - \frac{1}{2}\right) = \frac{17}{12}$$